KU-114-262

Franz Mauelshagen

Wunderkammer auf Papier

FRÜHNEUZEIT-FORSCHUNGEN

Band 15

Herausgeber:

Peter Burschel
Renate Dürr
André Holenstein
Achim Landwehr

bibliotheca academica Verlag

FRANZ MAUELSHAGEN

WUNDERKAMMER
AUF PAPIER

Die »Wickiana«
zwischen Reformation und Volksglaube

bibliotheca academica Verlag

*Publiziert mit Unterstützung des Schweizerischen Nationalfonds
zur Förderung der wissenschaftlichen Forschung*

MEINEN ELTERN
IRMGARD UND HERMANN MAUELSHAGEN
GEWIDMET

Bibliografische Information der Deutschen Nationalbibliothek

Die Deutsche Nationalbibliothek verzeichnet diese Publikation
in der Deutschen Nationalbibliografie.
Detaillierte bibliografische Daten sind im Internet
über http://dnb.d-nb.de abrufbar.

ISBN 978–3–928471–74–9

Nachweis der Abbildungen

Erlangen, Universitätsbibliothek: A 10
Zürich, Institut für Schweizerische Reformationsgeschichte: Grafik 6
Zürich, Kunsthaus: A 19
Zürich, Predigerkirche: F 1
Zürich, Zentralbibliothek: A 1–5, A 7–9, A 11–18, F 2–25, Stadtplan
    im vorderen Buchdeckel

© bibliotheca academica Verlag GmbH, Epfendorf/Neckar 2011

Alle Rechte vorbehalten, insbesondere das des Nachdrucks,
der Microverfilmung sowie der Speicherung oder Verarbeitung
in elektronischen Systemen

Satz: bibliotheca academica Verlag GmbH,
Satzprogramm: TUSTEP
(Tübinger System von Textverarbeitungsprogrammen)
Tabellensatz und Bildbearbeitung:
Hubert Amann, Epfendorf
Gestaltung von Einband und Umschlag:
T. Bratič, Dußlingen / Hubert Amann, Epfendorf

Druck: F. X. Stückle, Ettenheim
Bindearbeiten: Großbuchbinderei Spinner, Ottersweier
Gedruckt auf alterungsbeständigem, säurefreiem Papier

INHALTSVERZEICHNIS

VORWORT

Die Drucklegung dieses Buches hat lange auf sich warten lassen, wenn man bedenkt, daß ich die Arbeit daran Anfang 1997 aufnahm. Gerade mit einem Disser-
tationsstipendium ausgestattet, machte ich im März 1997 eine erste Archivreise, die
dazu dienen sollte, das in verschiedenen Bibliotheken und Archiven vorhandene
Material zur Geschichte des Wunderglaubens im deutschsprachigen Raum des sechzehnten und siebzehnten Jahrhunderts zu sichten. Das Projekt war zu diesem Zeitpunkt sehr weit angelegt und mentalitätsgeschichtlich ausgerichtet. Es stand deutlich
unter dem Eindruck älterer französischer Arbeiten zur *histoire des mentalités* und
jüngerer Forschungen aus dem Umkreis der Historischen Anthropologie. Die Reise
führte auch nach Zürich. Vom Bestand der *Wickiana* wußte ich aus der Literatur. Als
die ersten Manuskriptbände in der Handschriftenabteilung der Zentralbibliothek Zürich vor mir lagen, ging mir schnell auf, daß die publizierten Materialien nur einen
winzigen Ausschnitt aus einem viel größeren Ganzen darstellten. Dies war der Ausgangspunkt für einen längeren und schließlich dauernden Aufenthalt in Zürich. Aus
einer sehr breit angelegten Studie mit dem Arbeitstitel »Zeichen und Wunder. Zur
Genese und Krise einer religiösen Mentalität in der Frühen Neuzeit« wurde mit der
Zeit eine Lokalstudie zum reformierten Wunderglauben in der zweiten Hälfte des
sechzehnten Jahrhunderts. Es waren dabei keineswegs nur forschungspraktische
Überlegungen oder die vielen neuen Einsichten in die Überlieferungsgeschichte der
Wickiana, die diese Eingrenzung geboten erscheinen ließen. Im Laufe der Auseinandersetzung mit dem Thema des frühneuzeitlichen Wunderglaubens erschienen mir
mentalitätsgeschichtliche und historisch-anthropologische Ansätze zunehmend fragwürdig. Schon die ersten Hintergrundrecherchen zu den Wundergeschichten, die
Johann Jacob Wick im sechzehnten Jahrhundert gesammelt hatte, deuteten auf Netzwerke der reformierten oder protestantischen Elite hin und deckten teils bemerkenswerte politische Zusammenhänge auf. Voraussetzung dafür war eine ungewöhnlich
dichte archivalische Überlieferung zur Zürcher Stadtgeschichte und insbesondere
zum ehemaligen Chorherrenstift, dem Wirkungsumfeld Wicks und seines Mentors
Heinrich Bullinger. Während die politischen Motive der Zürcher Kirchenzentrale in
Wicks Wunderchronistik immer deutlicher erkennbar wurden, ließen sich mentalitätsgeschichtliche oder historisch-anthropologische Generalisierungen immer weniger rechtfertigen. Lange hat man in den *Wickiana* die »Stimme des Volkes« gesucht.
Wer jedoch genau hinsieht und nicht schon voraussetzt, daß sie in jedem von Wick
gesammelten Flugblatt *per se* präsent ist, muß stutzig werden. Während der Arbeit
an diesem Buch ist »das Volk« immer mehr verstummt. Statt dessen kam bei der
Bearbeitung der Rezeptionsgeschichte der *Wickiana* immer deutlicher zum Vor-

9

schein, daß die volkskundliche Perspektive ihre Wurzeln im achtzehnten Jahrhundert hat. Seitdem hat vor allem die Ausdifferenzierung von Natur- und Geisteswissenschaften dem Verständnis einer Geschichtsschreibung, die Naturwunder unumwunden mit Politik verknüpfen konnte, beträchtliche ideologische Hindernisse in den Weg gestellt. Die Zuordnung solcher Zeugnisse, wie man sie in den *Wickiana* findet, zum Volksglauben war ein lange plausibel erscheinender Zugang, der vom achtzehnten Jahrhundert bis weit ins zwanzigste hineingewirkt hat und, bei aller Kritik am Konzept des »Volkes«, wie sie etwa der späte Bob Scribner oder Dieter Harmening formuliert haben, nach wie vor nicht völlig verschwunden ist. Eine zentrale These dieses Buches ist, überspitzt gesagt, daß die Suche nach dem Volk ein Irrweg war, der lange Zeit eine angemessene Einordnung des Phänomens *Wickiana* (wie wohl auch vieler ähnlicher Zeugnisse) verhindert hat. Während die ersten drei Teile dieses Buches eine alternative Interpretation entwerfen, versucht der vierte in einer Aneignungsgeschichte der *Wickiana* die historischen Wurzeln der Perspektive aufzuspüren, die schließlich zur Fixierung auf das »Volk« führten.

Ohne die Unterstützung vieler Menschen und Institutionen wäre dieses Buch nie entstanden. Die Zentralbibliothek Zürich war für beinahe drei Jahre ein ausgezeichneter Arbeitsplatz. Das ist vor allem den Damen und Herren in den von mir stark in Anspruch genommenen Spezialabteilungen zu verdanken, die stets zuvorkommend waren und von deren Kompetenzen ich profitieren durfte: Marlies Stähli, Bruno Weber, Urs Leu, Michael Kotrba, Hans-Peter Höhener, Thomas Germann und Christian Aliverti gilt in diesem Zusammenhang besonderer Dank. Matthias Senn gab mir den Hinweis auf Wicks Porträt in Öl, das ich vor einigen Jahren im Turmzimmer der Predigerkirche zu Gesicht bekam und hier erstmals abgebildet wird (Abb. A1). Hans Ulrich Bächtold, Rainer Henrich und Kurt Jakob Rüetschi sind meinen zahlreichen, meist unangekündigten Besuchen bei der Edition des Bullingerbriefwechsels im Institut für Schweizerische Reformationsgeschichte stets mit sachkundiger Unterstützung begegnet. Hans Ulrich Bächtold, Daniela Hacke, Michael Kempe, Urs Leu, Thomas Maissen, Paul Michel, Christian Pfister, Marlies Stähli, Bruno Weber und Nora Rohland haben sich der Mühe unterzogen, Teile der Arbeit vor der Abgabe und vor der Drucklegung einer kritischen Lektüre zu unterziehen. Alfred Bütikofer, dem Winterthurer Stadtarchivar, danke ich für das Mitdenken bei meinen Nachforschungen zu den »Wundersteinen«, die 1556 in der Töß gefunden wurden.

Ohne die äußerst großzügige Förderung der Studienstiftung des deutschen Volkes wäre das Projekt undurchführbar gewesen. Diese Förderung war ein großes Privileg. Besonders danke ich Ulrich Lange, dessen sorgsamer Hand meine Stipendienangelegenheiten die längste Zeit über anvertraut waren, sowie meinen Vertrauensdozenten, Hanns Martin Seitz (Bonn) und Ulrich Müller-Herold (Zürich).

Bernd Roeck war ein Doktorvater, der mir alle nur wünschenswerte Unterstützung gewährte und Raum zur freien Entfaltung ließ. Wie er während seines eigenen

Umzugs nach Zürich unter höchstem Zeitdruck die Arbeit begutachtet hat, damit das Verfahren noch rechtzeitig zu meinem Weggang an die Universität Bielefeld im Sommer 2000 durchgeführt werden konnte, war einfach großartig.

Danken möchte ich schließlich André Holenstein, Heinz Schilling und Winfried Schulze, daß sie diesem Buch in den »Frühneuzeit-Forschungen« eine Heimstatt gegeben haben. Hans-Joachim Köhler hat die Drucklegung professionell und mit großer Sorgfalt in seinem Verlag betreut. Ich danke ihm für die gute Zusammenarbeit. Gedankt sei auch Jane Finucane, University of Glamorgan (Wales), für die kompetente Gegenlektüre der englischen Zusammenfassung am Ende des Bandes.

Meine Eltern haben das Entstehen dieser Arbeit und ihre Drucklegung mit Geduld und Sorge begleitet und mich während der ganzen Zeit in jeder Hinsicht untersützt. Es ist mehr als eine schöne Konvention, wenn ich ihnen dieses Buch widme.

Essen, im Herbst 2010   *Franz Mauelshagen*

EINLEITUNG

In der zweiten Hälfte des sechzehnten Jahrhunderts, fast dreißig Jahre nach Zwinglis Tod, begann in Zürich ein Pfarrer namens Johann Jacob Wick (Abb. F1) damit, Zeugnisse über wundersame Ereignisse zu sammeln und aufzuschreiben. Als er 1588 starb, hinterließ er vierundzwanzig Foliobände, jeder etwa sechshundert Seiten stark: die größte Wunderchronik des sechzehnten Jahrhunderts, vielleicht die umfangreichste im ganzen frühneuzeitlichen Europa. Daß sie im reformierten, nicht im katholischen Umfeld entstand, ist für viele Historiker und Nichthistoriker wohl eine Überraschung. Noch immer herrscht ein Bild der Reformation vor, das von den Weberschen Paradigmen der Rationalität und der Säkularisierung geprägt ist und die Reformatoren zu Vorläufern der Aufklärung des achtzehnten Jahrhunderts erklärt. Der Wunderglaube gilt immer noch als typisch katholisches Phänomen und »damit als Unterscheidungsmerkmal zwischen altgläubiger und reformatorischer Religiosität«.[1]

Natürlich wissen Experten der Reformationsgeschichte längst, daß eine solche »Rechnung« zu einfach ist, daß der Wunderglaube im Reformationsjahrhundert ein konfessionsübergreifendes Phänomen wurde und daß die konfessionellen Unterschiede unterhalb des schlichten Gegensatzes zwischen »Wunderglauben oder nicht« zu suchen sind. In der Tat werde ich im Laufe dieses Buches zu zeigen versuchen, daß im reformatorischen Diskurs und seinen historischen Umständen der Schlüssel zur Entstehung der *Wickiana* zu suchen und zu finden ist. Es mag merkwürdig klingen, aber schon damit ist in gewissem Sinne ein Neuansatz umschrieben. Denn der reformatorische Diskurs, um den es hier gehen wird, war der einer gebildeten Führungselite. Im Gegensatz dazu wurden Erklärungen für protestantischen und reformierten Wunderglauben lange Zeit entweder in Nachwirkungen des »alten Glaubens« innerhalb protestantischer und reformierter Bevölkerungsteile gesucht oder in noch weiter zurückliegenden Traditionen eines arkanen Volksglaubens. Wicks Wunderchronik wurde in dieser Perspektive als gigantisches Zeugnis des Volksglaubens im sechzehnten Jahrhundert eingeordnet.

Dies ist eine von zwei extremen Deutungen, die ich mit diesem Buch zu revidieren gedenke. Die andere besteht in einer Art biographischem Individualismus, der auf Wicks Charakter, seine Interessen und persönlichen Leidenschaften abzielt. Obwohl die beiden Perspektiven darin entgegengesetzt sind, daß in der ersten ein diffuses Kollektivbewußtsein (»Volksglaube«), in der zweiten hingegen das Bewußt-

---

[1] DÜRR, Prophetie (2005), S. 3 f.

13

sein eines einzelnen als Erklärung für ein und dasselbe Phänomen gelten, können diese Perspektiven aufeinander bezogen und zusammengeführt werden, was in der Literatur auch schon geschehen ist. Man muß nur die individuellen Anlagen Wicks als Erklärung seiner Offenheit für die Kopfgeburten des Volks(aber)glaubens verstehen. Trotz dieser möglichen Verbindung, möchte ich die genannten Perspektiven in den folgenden Abschnitten der Einleitung idealtypisch unterscheiden und kritisch beleuchten, meine Alternativen und meinen eigenen Zugang erklären und den Aufbau dieses Buches erläutern.

1. Sensationslust eines seltsamen Mannes?

Am Aufkommen einer individualistischen, auf ihn selbst fixierten Sicht der Entstehung seines Werkes war Wick nicht unbeteiligt. Er hat sie gleichsam mit dem Einstieg in sein Werk selbst gefördert. Die *Wickiana* haben zwar kein Vorwort und keine Einleitung, dafür aber ein sprechendes Titelblatt (Abb. A1):

> NOTA zů Einem Ingang diser Bůcheren. Dise Bůcher ein anderen Nach begrÿffend vilerleÿ Historien vnd Insonders Diewÿl sich vff den fhürigen Himel Im 1560. Jar an der vnschuldigen kindlin tag Mancherlein gschichten zů getragen. Mit sampt deß vnversechenlichen Todt vnd abgang künig Heinrÿch In Frannckrÿch auch deß Schultheß Ritter Zů Lucern Im 1559. Jar sich begeben. Hat mich Johannsen Jacob Wicken, Diener diser Zÿth der kilchen Zürÿch/ vervrsacht das Ich angehept dise Bůcher zeschrÿben/ Ouch deren gschichten wargenomen/ die sich fürnemlich vom 1560. Jar biß vßhin vff das 1588. Jar verloffen vnnd zůgetragen. Vnnd so der läser die flÿssig besicht/ so wirdt er sich grösslich verwunnderen ab der Trůbseligen Zÿth Innsonnders was sich mitt Franckrÿch Niderland ouch Inn annderen Lannden zů getragen vnnd verloffen hatt.

Nimmt man diese Erklärung beim Wort, so verdankt sich die Entstehung der *Wickiana* dem Eindruck, den drei ominöse Ereignisse beim Autor hinterließen. Das ganze Werk erscheint als Konsequenz dieses einschneidenden Erlebens, das dem Charakter einer Erleuchtung nahegekommen sein müßte, und als Ergebnis einer Wahrnehmungspflicht (von *wargenomen* ist ausdrücklich die Rede), die einem gläubigen Menschen des sechzehnten Jahrhunderts gegenüber den Zeichen und Wundern Gottes aufgegeben war – erst recht einem reformierten Pfarrer wie Johann Jacob Wick.

Hatten also die Zeichen selbst, um die es Wick ging, am Beginn seiner Sammlung gestanden? – Gegenüber dieser Selbstbeschreibung sind schon früher begründete Zweifel angemeldet worden. Vor allem entstand das Titelblatt erst siebzehn Jahre nach den angegebenen Initialereignissen. Die Jahreszahl »1588« stammte schon nicht mehr von Wicks eigener Hand (wie hätte er auch wissen können, daß dies sein letztes Jahr sein würde), sondern vermutlich von der des Bibliothekars Johann Jacob Fries, der Wicks Wunderbücher nach dem Tod ihres Verfassers in den Bestand der Zürcher Stiftsbibliothek aufnahm und die Angabe »1577« in »1588« korrigierte. Die ursprüngliche Angabe ist jedoch noch deutlich genug erkennbar. Schaut man sich nun den ersten Band an, sind lediglich zwei der drei angeführten Ereignisse dokumentiert. Vom Tod des französischen Königs Heinrich II., der an den Folgen einer Turnierverletzung starb, fehlt jede Nachricht.[2] Wenigstens soviel scheint klar zu sein, daß die Bedeutung der drei Ereignisse im Ominösen lag, das sie für den Glaubenskonflikt besaßen.[3] Diesen Zusammenhang aber bildeten sie auch für Wick selbst erst im Rückblick. Man wird also das 1577 hinzugefügte Titelblatt kaum als authentisches Selbstzeugnis für die Motivation des Sammlers und Autors um 1560 gelten lassen.[4]

Wicks *Jngang* auf dem Titelblatt zu seinem ersten Buch ist zweifellos etwas zu kurz geraten im Verhältnis zu den vierundzwanzig Bänden, die schließlich entstanden. Je weiter man vordringt, desto weiter erscheint das Spektrum der von Wick gesammelten Geschichten, Nachrichten und Druckschriften, das den ganzen politischen Horizont des damaligen Europa umgreift. Vom Trienter Konzil und seinen Folgen ist die Rede, vom Streit um die Einführung des Gregorianischen Kalenders 1582 (»Kalenderstreit«), von den politischen Auseinandersetzungen zwischen den evangelischen und den katholischen Orten der Eidgenossenschaft im Zeitalter der Gegenreformation oder von den Religionskriegen in Frankreich. Die Nachrichten über die »Pariser Bluthochzeit« in der Bartholomäusnacht 1572 füllen nahezu einen Band.[5] Regelmäßig finden sich auch Aufzeichnungen zum spanisch-niederländischen Konflikt. Die Ereignisse um Maria Stewart und Königin Elisabeth I. in England haben Wick ebenso beschäftigt wie die Stellung der Protestanten und Reformierten im Heiligen Römischen Reich deutscher Nation. Im Zeichen der Religion standen im sechzehnten Jahrhundert auch die Auseinandersetzungen mit Moskowitern und Türken, die Europa im Osten bedrängten. Die Schlacht bei Lepanto 1571 fehlt ebensowenig in Wicks Chronik wie die Greueltaten Iwans des Schrecklichen in Litauen Anfang der 1570er Jahre. Zudem sammelte Wick Teufels- und Hexengeschichten sowie Nachrichten über außergewöhnliche Naturerscheinungen, Halos, Nordlichter, Kometen und Mißgeburten. Er deutete sie als warnende »Zeichen und Wunder« Gottes, die den Zorn des Allmächtigen über die Sünden der Welt ausdrückten und Strafe androhten. Unglücksfälle einzelner erregten ebenso Aufmerksamkeit wie Unwetterkatastrophen, auf die regelmäßig Mißernten und Seuchen folgten.

---

[2] Schon der Bibliothekar des Großmünsterstifts, Johann Jacob Fries, bemerkte die Lücke, die also bereits kurz nach dem Tode Wicks bestand. Vgl. ZBZ, Ms. F 12, fol. 24ʳ: ein eingelegtes (heute eingebundenes) Blatt von der Hand des Bibliothekars, auf dem er vermerkte, an dieser Stelle sei »vil weg grißen«, u. a. über den Tod Heinrichs II. Die Lücke ist also möglicherweise durch eine Beschädigung entstanden, allerdings schon zu Wicks Lebzeiten oder aber kurz danach.

[3] Vgl. die Analyse von SENN, Wick (1974), S. 38–46, bes. S. 40.

[4] Skeptisch auch GUTWALD, Prodigium (2002), S. 239: das Titelblatt lasse »Stilisierungstendenzen« erkennen.

[5] Vor allem ZBZ, Ms. F 21 (1572); einiges auch noch in F 22 (1573). Dazu SENN, Wick (1974), Kapitel 7, S. 88–111.

Die Frage liegt auf der Hand, wie dies alles unter dem Titel »Wunderbücher« zusammenpaßt, der sich erstmals auf dem Titelblatt zum zweiten Buch findet. In späteren Jahrgangsbänden (ab 1573) ist dann an gleicher Stelle durchgehend von »Zeichen und Wundern« die Rede. Ich werde in einem Kapitel dieses Buches zeigen, daß die Selbstbezeichnungen schwanken und daß ihre Abfolge auf eine Zäsur in Wicks Arbeitsweise hindeutet, die auch an der graphischen Gestaltung seiner Bücher ablesbar ist. Es überrascht natürlich nicht, daß ein Verfasser erst seinen Stil, vielleicht auch erst sein Thema finden muß. Aber selbst wenn es so aussieht, als habe dieser Prozeß bei Wick mehr als zehn Jahre gedauert, erklärt dies doch die thematische Vielfalt, die er Jahr für Jahr zwischen zwei Buchdeckel bannte, nur unzureichend, weil sie in späteren Bänden nicht geringer ist als in den ersten Büchern.

Der oberflächliche Eindruck einer ungebändigten Vielfalt wurde in der Vergangenheit häufig auf den Begriff »Sammelsurium«[6] gebracht, was so vorwurfsvoll gemeint war wie es klingt. Sieht man genauer hin, ergibt sich in der Auswahl »politischer« Ereignisse bei Wick fast immer ein Bezug zu den »Zeichen und Wundern«, die sein Hauptanliegen waren. Manchmal allerdings geht der Bedeutungsgehalt dieser Einordnung kaum über den subjektiven Sinn von »sich wundern« hinaus. Hinter einem derart weiten Verständnis stand eine theologische Geschichtsauffassung, die bereit war, in jedem Geschehen »die wunderwerche Gottes« zu erkennen, wie Heinrich Bullinger, der Nachfolger Zwinglis in Zürich, programmatisch in seiner Reformationsgeschichte formulierte.[7] Die Geschichte war somit eine Quelle der Offenbarung. In dieser Geschichtsauffassung liegt, wie wir sehen werden, ein Schlüssel zum Verständnis der *Wickiana* und ihrer ideengeschichtlichen Grundlagen.

Die Logik des letztlich universalhistorischen Potentials der *Wickiana* läßt sich beschreiben und konkretisieren, wenn man Wicks Interpretationsmodell aus vielen kleinen Einzelheiten herausdestilliert und im Kontext seines unmittelbaren theologischen Umfeldes am Ort Zürich betrachtet. Genau dies wird im ersten Teil dieses Buches unternommen. Wick wandte ein Verfahren an, das ich als *historisch-chronologische Wunderzeichendeutung* bezeichnen werde. Die integrative Kraft dieses Deutungsmodells kann nicht nur die Vielfalt in Wicks »Wunderbüchern« erklären helfen, sondern auch verständlich machen, wie er neben theologischen auch mit Versatzstücken aus naturkundlichen Deutungsmodellen arbeiten konnte, solange sie durch Relativierung ihres Geltungsanspruchs mit dem Anspruch auf theologische Deutungsvorherrschaft vereinbar blieben (vgl. I/1).

---

[6] Zemp, Bilderchroniken (1897), S. 164 f.
[7] HBRG I, S. 1 f.; vgl. dazu Moser, Bullingers Reformationsgeschichte (2002) (Ms.), S. 12 f.

Die Prodigien, die Wick sammelte, wurden und werden häufig als »Zeichen der Endzeit« und somit als Beleg für die Erwartung des nahe bevorstehenden Jüngsten Gerichts aufgefaßt. Mit der Apokalyptik wird eine Frage aufgeworfen, die im Blick auf die Reformation des sechzehnten Jahrhunderts erst in jüngster Zeit überhaupt in gebotener Differenziertheit diskutiert wird. Welche Bedeutung hatten die Johannesapokalypse und Vorstellungen vom Jüngsten Gericht für Zürcher Aktivitäten in Sachen Wunderzeichen? Seit der Arbeit von Robin Bruce Barnes wird eine konkrete, gelegentlich sogar genau terminierte Erwartung des Weltendes als typisch lutherische Erscheinung vornehmlich der zweiten Hälfte des sechzehnten Jahrhunderts angesehen.[8] Eine theologisch fundierte Studie zum Thema stammt – kaum überraschend – von einem Theologen: Volker Leppins Buch *Antichrist und Jüngster Tag* erschien 1999 und bietet eine detaillierte Untersuchung deutschsprachiger apokalyptischer Flugschriften, die mit großer Mehrheit lutherischer Provenienz sind. Daß eine konkrete Vorhersage des Jüngsten Tags im sechzehnten Jahrhundert – meist auf das Jahr 1588 terminiert – eine spezifisch lutherische Strömung war, die allerdings keineswegs das ganze Luthertum erfaßte, wurde insbesondere in Abgrenzung zum Calvinismus behauptet, ohne daß apokalyptische Strömungen innerhalb des Calvinismus bisher genau untersucht worden wären.[9] Auf das Zwinglianische Zürich gingen Barnes und Leppin nur am Rande ein. Diese Lücke wurde vor allem von Irena Backus geschlossen.[10] Ich werde im dritten Kapitel des ersten Teils (I/3) auf das Thema der Endzeitvorstellungen zu sprechen kommen und zu zeigen versuchen, daß sich in Zürich das apokalyptische Denken mit dem straftheologischen verschränkte. Was Wick auf dem Titelblatt von 1577 als »Trůbselige Zỹth« beschrieb, war eine Zeitdiagnose, die von Bullinger und anderen Zürcher Theologen vor allem seit den Erfahrungen der vierziger und fünfziger Jahre (Schmalkaldischer Krieg und Verfolgung der Protestanten in England) geteilt wurde. Dennoch, meine ich, kann das chronistische Interesse Wicks nicht mit einer Naherwartung des Weltendes erklärt werden.

Wer war dieser Johann Jacob Wick, der sich fast dreißig Jahre lang mit den »Zeichen und Wundern« seiner Zeit befaßte? – Er wurde 1522 geboren. Wir wissen es nicht genauer. Als Knabe ging er 1534 nach Kappel am Albis in die Klosterschule – eben in jenes Kappel, dessen Name sich für Zürich mit der folgenreichen Niederlage vom 11. Oktober 1531 verbindet, bei der Huldrych Zwingli sein Leben auf dem Schlachtfeld verlor. Vom Frühjahr 1537 stammt ein erster Brief des fünfzehnjährigen Wick an Heinrich Bullinger, deutlich geprägt von dem Bestreben, in gelehrtem Humanistenlatein ein Lob auf die Bildung zu singen, um selbst dafür gelobt

---

[8] Vgl. BARNES, *Prophecy and Gnosis* (1988). Philip Soergel hat dies in lutherischen Deutungen von »Monstergeburten« bestätigt gefunden. Vgl. SOERGEL, *Endzeit* (1999).

[9] Hierzu BARNES, *Varieties* (2002).

[10] BACKUS, *Reformation readings* (2000), S. 87–112 (Kapitel 4: »The Apocalypse and the Zürich Reformers«). Weitere Hinweise zur Literatur folgen in Kapitel I/3.

zu werden und seinen Mentor zu weiterer Förderung zu bewegen.[11] Nach der Fortsetzung der Schulausbildung ab 1538 am Zürcher Fraumünster begann Wick im März 1540 in Tübingen das Studium. Gemeinsam mit den Studienkollegen Rudolf Gwalther, Johannes Haller und Johannes Wolf zog er bald darauf weiter nach Marburg. Hier scheinen die Zürcher Studenten nahezu ausschließlich mit dem gealterten Humanisten Eoban Hesse verkehrt zu haben. Als dieser starb, verließen sie Marburg in Richtung Leipzig.

Aber bleiben wir noch einen Augenblick in Marburg. Denn dort drohte Wicks Leben einen Augenblick lang, die vorgesehene Bahn zu verlassen. Die Liebe spielte der Lebensplanung einen Streich. Wick scheint einer Frau sogar die Ehe für die Zukunft nach seiner Universitätsausbildung versprochen zu haben. Was schließlich eine Affäre blieb, erregte größte Sorge bei den Vorstehern des Studentenamts am Zürcher Großmünster und in Wicks Verwandtschaft. Für einen Moment drohte der vorzeitige Abbruch des Studienwegs. Aber dann beugte sich der Student und zog mit seinen Zürcher Studienkollegen nach Leipzig weiter, wo sein Name in der Matrikel erscheint.[12] Wie alle Zürcher Studenten dieser Zeit verzichtete Wick auf Geheiß des Zürcher Studentenamtes auf einen Magisterabschluß oder die Promotion. Nach seiner Rückkehr trat er 1542 den Pfarrdienst in Witikon an und wirkte gleichzeitig als Provisor an der Fraumünsterschule. 1545 wurde er Pfarrer in Egg, 1552 an der Predigerkirche in Zürich. Am 27. Juni 1557 wurde er schließlich als Nachfolger von Wolfgang Haller in das Amt des zweiten Archidiakons am Großmünster eingesetzt. Mit dieser Berufung ins Chorherrenstift endete sein beruflicher Werdegang. In späteren Jahren, nach Bullingers Tod, gehörte Wick zwar mehrfach zu den Anwärtern auf die frei gewordene Antistesposition, aber zu einer Berufung auf diesen Posten kam es nie, auch nicht als Ludwig Lavater, Nachfolger von Rudolf Gwalther, 1586 starb und Wick für einen Augenblick erster Kandidat gewesen zu sein scheint.[13] Es wird sein für das sechzehnte Jahrhundert hohes Alter gewesen sein, das für die Wahl Hans Rudolf Stumpfs, Sohn des Schweizer Chronisten Johannes Stumpf, schließlich den Ausschlag gab. Johann Jacob Wick starb am 14. August 1588 so undramatisch wie er gelebt hatte. Drei Frauen hatten ihn in verschiedenen Phasen seines Lebens begleitet und eine Anzahl Kinder geboren.[14]

---

[11] HBBW 7, Nr. 982 S. 123–127.

[12] Nachweis ebd., S. 123 Anm. 1.

[13] Vgl. Wicks eigenen Eintrag: »Fürschlag vff die pfarr zum Großenmünster ann Herr Ludwig Lauaters seligen statt.«; ZBZ, Ms. F 34, fol. 202ᵛ–204iiij.

[14] Ausführliche biographische Darstellungen über Wick finden sich bei WEBER, Wunderzeichen und Winkeldrucker (1972), S. 14–16, und vor allem SENN, Wick (1974), S. 7–34. Für eine Kurzbiographie s. auch meinen Beitrag in BBKL XVII, Sp. 1536–1540. Ferner die älteren Artikel in biographischen Handschriften des 18. Jahrhunderts von Dürsteler und Esslinger: ZBZ, Ms. E 24, fol. 201ᵛ, und Ms. E 47b, 526ʳ. Dürsteler folgt der Eintrag zu Wick bei Joh. Friedrich Meiß, Lexicon geographico-heraldico-stemmatographicum urbis et agri Tigurini 1740–1743; Ms. E 59, S. 598 f. Eine weitere biographische Quelle bietet

Wicks Biographie könnte wohl kaum weniger dramatisch oder ungewöhnlich sein, als sie ist. Er gehört ganz sicher nicht in die Reihe der großen Gestalten der Reformationsgeschichte der ersten und zweiten Generation nach Luther und Zwingli. Bei wichtigen religiösen Fragen, die die Schweizer Reformierten während seiner Amtstätigkeit als Archidiakon am Großmünster bewegten, war er oft nur Zuschauer, spielte allenfalls die Rolle einer Randfigur im Umfeld der letzten großen Zürcher Reformatorengestalt, Heinrich Bullinger. Anders als dieser hinterließ Wick keinen nennenswerten Briefwechsel. Außer den vierundzwanzig Chronikbänden gehören einige wenige Predigthandschriften, ein Notizbuch sowie Textabschriften, das eine oder andere Schriftstück in den Akten des Großmünsterstifts und ein Stammbucheintrag von seiner Hand zu den nachgelassenen Dokumenten, die heute noch greifbar sind.[15] Johann Jacob Wick wäre wohl vollständig vergessen worden, hätte er der Nachwelt nicht eine Wunderchronik hinterlassen, die ihresgleichen sucht.

So banal, ja langweilig Wicks Biographie erscheint, so wichtig ist gerade die Tatsache einer »normalen« Biographie, denkt man an das lange vorherrschende Bild, das die Literatur von Wick gezeichnet hat. Eine verbreitete psychologisierende Sicht stellte ihn gerne als abergläubischen, vielleicht sogar für seine Zeit besonders abergläubischen Menschen hin, der seiner Neugier ungehemmten Lauf gelassen hatte. Es gab Urteile, die noch weiter gingen: Hans Fehr, der Anfang der zwanziger Jahre des letzten Jahrhunderts seinen rechtshistorischen Blick auf die zahlreichen Hinrichtungsszenen und Darstellungen teratologischer Phänomene richtete, glaubte perverse Züge in den *Wickiana* erkennen zu können, die er als »gefährliche Frau« bezeichnete. Diese Personifikation beruhte auf einem sicher unfreiwillig komischen Irrtum im Genus, der zwar heute leider gang und gäbe ist, in diesem speziellen Fall aber wohl mehr über Fehr als über seine Lateinkenntnisse oder gar die *Wickiana* aussagt.[16] Wick erschien ihm als »eigenartiger Kautz«, dessen »schwache Seite« die »Sensationslust« gewesen sei.[17] Leo Weisz schließlich überbot alle früheren Urteile, indem er 1940 von dem »allem Anschein nach etwas sadistisch veranlagten Chor-

---

Johann Jakob Fries' »Stammbuch Gelehrter Weyser Personen der Kirchen und Regiment ...«, ca. 1597; Ms. J 262, fol. 104^{rv}, mit einer Reihe von Merkversen auf Wick.

[15] Vgl. das beschreibende Verzeichnis der Wick-Dokumente in der Bibliographie der Quellen.

[16] Es gibt eine stillschweigende Querele über Genus und Numerus der Endung *-a* in »*Wickiana*«. Fehr, Senn, Harms und viele andere erkennen singuläre weibliche Geschlechtsmerkmale. Wir haben es aber mit einem Neutrum Plural zu tun, und dementsprechend sind im Deutschen die Pluralformen zu verwenden. Die Tagebucheinträge eines späteren *Wickiana*-Lesers, des Pfarrers Leonhard Brennwald, zwischen Februar und März 1810 lesen sich wie eine korrekte Deklination: »In den Manuscriptis Wikianis viel durchgesucht.« (10. Februar); »Den ganzen Abend brachte ich wieder mit Verfertigung des Catalogus Wikianorum zu.« (4.März); schließlich: »Wiederum den ganzen Tag in den Wikiana gelesen u. sie aufgeschrieben.« (6.März). Vgl. ZBZ, Ms. Z II 329 (1810). – Auch die *Zwingliana* werden heute oft grammatikalisch falsch als Femininum Singular aufgefaßt. Vgl. dazu die ironischen Bemerkungen von BERND MÖLLER, Zwingliverein, S. 17.

[17] FEHR, Massenkunst (1924), S. 5 f.

herren« sprach.[18] Damit erreichte die Übertragung der Ablehnung des Werkes auf den Autor ihren Höhepunkt – noch einmal wiederholt in einer 1977 erschienenen, zeitkritischen Zürcher Kulturgeschichte: Wick, heißt es da, sei »ein seltsamer Mann« gewesen. »Jahrhundertelang« habe man ihn »als kauzigen, womöglich ›abseitig sadistisch‹ veranlagten Sonderling abgelehnt. Seit in der zweiten Hälfte des 20. Jahrhunderts Massenmedien wie die Boulevardpresse oder die Tagesschau des Fernsehens Nachrichten in ähnlicher Weise auswählen, erlebt auch Wick eine für den Zeitgeist bezeichnende Renaissance. Als kulturelle Leistung ist die ›*Wickiana*‹ bedeutungslos.«[19]

Sieht man von der bedenkenlosen Rückprojektion eines Wick-Bildes ab, das in dieser psychologisierenden Radikalität erst eine Erfindung des zwanzigsten Jahrhunderts war und keineswegs bereits »jahrhundertelang« bestanden hatte, war ein solches Urteil 1977 bereits von der Forschung überholt. Die Arbeiten von Bruno Weber und Matthias Senn hatten Anfang der siebziger Jahre gezeigt, daß Wick im Grunde eine überaus durchschnittliche Erscheinung gewesen war. So ernüchternd diese schlichte Erkenntnis klingt, markiert sie doch einen Wendepunkt. Die Revision früherer biographischer Zerrbilder befreite den Blick für eine neue Sicht. Sowohl Weber als auch Senn wiesen bereits auf die unübersehbare Bedeutung Bullingers für die Entstehung der *Wickiana* hin, blieben jedoch insofern im Fahrwasser der älteren Forschung, als sie Bullingers Rolle auf die eines wohlwollenden und überlegenen Stifters von Nachrichtenmaterial für Wicks Sammeltätigkeit eingrenzten. So blieb der Anschein gewahrt, Bullinger selbst sei über den Prodigienglauben gewissermaßen erhaben gewesen. Auch das weitere Umfeld des Zürcher Chorherrenstifts blieb nach wie vor ausgeblendet. Die *Wickiana* wurden immer noch als Einzelphänomen, Wick selbst als singuläre Erscheinung im Kreis der Chorherren des Großmünsterstifts angesehen, wenn auch nicht mehr als »pervers«, »sadistisch« oder »kauzig.« Der Forschungsstand, der Anfang der siebziger Jahre erreicht war und bis in die späten 1990er Jahre gültig blieb, war letztlich paradox: Wicks Isolation war unplausibel geworden, die Frage seiner Einbettung ins zeitgenössische Umfeld jedoch nach wie vor offen geblieben.

2. Volksglaube und Alltagsgeschichte

Die Durchschnittlichkeit Wicks begünstigte seit den 1970er Jahren eine andere Einordnung der *Wickiana*, nämlich in die Alltagsgeschichte. Wicks Sammlung schien »Einblick in den Alltag des Durchschnittsbürgers [...] und in die Lebensatmosphäre jener Zeit ganz allgemein« zu gewähren, »die gekennzeichnet ist von Grausamkeit,

---

[18] WEISZ, Erziehung (1940), S. 18.
[19] Vgl. WIDMER, Zürich (1977), S. 82, in einem Bildtext.

Aberglauben, Angst und religiösem Eifer.«[20] Hinter dieser Art von Alltagsgeschichte standen ältere Konzepte wie »Aberglaube« und »Volksglaube«. Noch immer sind sie aus der Literatur nicht völlig verschwunden.

Jean-Claude Schmitt hat schon Anfang der 1990er Jahre auf den Punkt gebracht, was vom Etikett »Aberglauben« zu halten ist, und ich teile seine Meinung vorbehaltlos. Der Historiker, schrieb Schmitt, dürfe »nicht von einem klerikalen Standpunkt aus urteilen und bestimmte Glaubensvorstellungen und Praktiken als ›Aberglauben‹, andere als ›Religion‹ bezeichnen. Eine solche Unterscheidung ist weder ontologisch fundiert noch wissenschaftlich begründet. Sie ist ganz und gar ideologisch, also geschichtlich konstruiert und variabel, d.h. dem komplexen Spiel unzähliger sozialer und kultureller Faktoren unterworfen. Der Begriff des ›Aberglaubens‹ selbst wird also zu einem geschichtlichen Dokument, zum Zeugnis einer langen Geschichte, die von den Anfängen des Christentums bis in die Neuzeit reicht und deren Gegenstand nicht von vornherein in klar voneinander abgegrenzte, entgegengesetzte und überzeitliche Entitäten wie ›Aberglauben‹ und ›Religion‹ zerfällt.«[21] Es wäre eine eigene Aufgabe, diese Geschichte von Idee und Begriff des Aberglaubens entlang seiner schwankenden und umkämpften Definitionslinien zu schreiben. Der Begriff Aberglaube lohnt nach wie vor als Gegenstand historischer Nachforschung. Aber als historiographisches Konzept hat er ausgedient.

Obwohl Schmitts Standpunkt unter Kulturhistorikern der Gegenwart weitgehend Konsens sein dürfte, findet man doch noch überall das Erbe einer veralteten »Volkskunde«.[22] Vor allem mentalitätsgeschichtliche und historisch-anthropologische Ansätze sind anfällig für Pauschalisierungen geblieben, die in der alten gelehrten Vorstellung von einem diffusen Volksglauben wurzeln. Häufig betrachten sie Wundergläubigkeit unterschiedslos als verbreitetes Phänomen des sechzehnten Jahrhunderts, destillieren Wahrnehmungsmuster ohne weitere Zuordnung zu gesellschaftlichen Gruppen heraus und bleiben in der Chronologie wissenschaftsgeschichtlich geprägter Vorstellungen vom Wandel durch Aufklärung verhaftet. Selbst wenn dies eine stark vereinfachende und keineswegs auf alle mentalitätshistorischen oder alltagsgeschichtlichen Studien zutreffende Beschreibung ist, bleibt doch verblüffend, wie schwer es noch manchen der neuesten Arbeiten fällt, sich von der Meistererzählung der aufgeklärten Geschichtsphilosophie des achtzehnten Jahrhunderts zu verabschieden. Das gilt zum Teil auch noch für neuere wahrnehmungsgeschichtliche Studien, die sich am Wandel der Deutungsmuster oder Weltbilder durch die Jahrhunderte der Frühen Neuzeit bewegen.[23]

---

[20] SENN, Wick (1974), S. 114.

[21] SCHMITT, Heidenspass und Höllenangst (1993), S. 8 f.

[22] Z.B. SCHWEGLER, Wunderzeichenberichte (2002), der es bei den geringen Differenzierungsanforderungen dieser Forschungstradition gelingt, auf weniger als zehn Seiten (S. 32–41) eine »Geschichte der Wunderzeichenberichte von der Antike bis zur frühen Neuzeit« zu schreiben.

Die *Wickiana* wurden lange Zeit wie selbstverständlich als alltagsgeschichtliche und volkskundliche Quelle betrachtet und benutzt. Grundsätzlich ist dies legitim und möglich. Es gibt durchaus Dokumente und Geschichten, die auf eine solche Perspektive antworten. Für eine Gesamtinterpretation jedoch ist der »volkskundliche« Ansatz nicht nur fragwürdig, er ist unhaltbar. Die *Wickiana* sind kein Produkt der »Volkskultur«. Eine Untersuchung der Informationsquellen wird zeigen, daß Wick vor allem vom Briefwechsel führender Kirchenmänner und anderer Gelehrter in seinem unmittelbaren sozialen Umkreis pofitierte (III/2.1). Auf diese Weise spannte sich ein internationales, jenseits der Grenzen der Eidgenossenschaft grobmaschiger werdendes Netz von Briefschreibern auf, das Namen wie Theodor Beza, Johannes Calvin, Abraham Musculus, Johann Kentman oder Theodor Zwinger einschloß. Auch Pfarrer aus dem Zürcher Gebiet, aus Bern oder Chur gehörten dazu und sind ebenfalls eher zur gebildeten Elite zu rechnen als zum »Volk«. Der »gemeine Mann« als Nachrichtenquelle verschwindet nahezu völlig, sobald man die Biographien ansieht, die hinter unbekannten Namen stecken. Das ist im Grunde noch nie schwer zu sehen gewesen. Nur haben sich Volkskunde und Alltagsgeschichte mit der lange unhinterfragten, pauschalen Einordnung bestimmter Phänomene als »Volksglaube« auch jede Antwort auf die Frage erspart, in welcher Weise das Volk überhaupt vorkommt. Es gibt bis heute keine einzige volkskundliche Studie, die angesichts des Quellenmaterials der *Wickiana* den Volksbegriff problematisiert und gerechtfertigt hätte. Hat aber die volkskundliche Perspektive einmal ihre autogene Selbstverständlichkeit verloren, bleibt nicht mehr viel von ihr übrig. Geschichtswissenschaftlicher Kritik hält sie nicht stand.

Ich verzichte an dieser Stelle auf eine Forschungsrevue. Der ganze vierte Teil, der längste dieses Buches, wird detailliert nachzeichnen, wie und seit wann »Volk« und »Aberglaube« zu Leitmotiven der *Wickiana*-Lektüre wurden. Für mich selbst hatte das Schreiben dieser Aneignungsgeschichte die Funktion einer hermeneutischen Standortbestimmung. Der gedankliche Kreis konnte sich nur schließen, wenn die Untersuchung der *Wickiana* nicht mit Wicks Tod abbrach, sondern bis in die Gegenwart fortgeführt wurde.

3. Reformatorische Netzwerke und Wunderzeichenpolitik

Konkrete Erklärungsversuche für die Entstehung der *Wickiana* sind Allgemeinheiten wie Volks- oder Aberglaube gegenüber deutlich vorzuziehen, erfordern jedoch ein ungleich höheres Maß an Recherche und einen komplexen Prozeß der Thesen-

---

[23] Auch der gedanklich reiche Artikel von TSCHOPP, Wahrnehmungsmodi (2005), der u. a. auf Wick Bezug nimmt und Materialien aus seiner Chronik verwendet, ist nicht frei von Pauschalisierungen (z. B. S. 69: »im 16. Jahrhundert verbreitete Endzeiterwartung«).

bildung. Vor allem im zweiten Kapitel des ersten Teils dieser Arbeit (I/2) möchte ich zeigen, daß Wicks Berufung ins Chorherrenstift entscheidende Bedeutung zukam. Wenn man schon nach einem biographischen Schlüssel für den Beginn seiner chronistischen Tätigkeit sucht, dann kommt dafür eigentlich nur dieser Stellenwechsel in Betracht, mit dem Wick 1557 zweiter Archidiakon und Chorherr am Großmünster wurde und von der Peripherie ins Zentrum der Zürcher reformierten Kirche rückte. Das Großmünsterstift war ein Ort der Gelehrsamkeit und des Nachrichtenaustauschs, mit dem Antistes als Spinne in der Mitte eines Netzes von Verbindungen. Diese Rolle füllte zu Wicks Zeiten bis 1575 Heinrich Bullinger aus, danach waren es dessen Nachfolger Rudolf Gwalther und Ludwig Lavater. Wick kam im Chorherrenstift mehr oder weniger mit der gesamten Prominenz der Zürcher Gesellschaft in Kontakt: mit den Gelehrten der Hohen Schule,[24] Conrad Gesner, Josias Simler, Petrus Martyr Vermigli und vielen anderen; und auch der Austausch mit den wichtigsten Familien des Stadtpatriziats wurde intensiver. Diese Verbindungen waren entscheidend dafür, daß Wick die Mitteilungen und Dokumente erhielt, die er für sein Geschichtswerk benötigte. Das Netzwerk des Chorherrenstifts bedeutete freilich mehr als reine Informationslogistik. Ich werde zeigen, daß es auch politisch und ideologisch (d. h. theologisch) den Rahmen für eine Wunderwahrnehmung bot, die sich weit über die Grenzen Zürichs und der Schweiz hinaus auf ein konfessionell fragmentiertes Europa richtete.

Es kommt hinzu, daß der Zeitpunkt der Berufung mit wichtigen Ereignissen in der frühneuzeitlichen Geschichte des Prodigienglaubens koinzidierte: Erst 1556 war ein Komet erschienen, der Ludwig Lavater, damals noch erster Archidiakon am Großmünsterstift, zur Herausgabe eines Kometenkatalogs veranlaßt hatte. Im Jahr darauf erschien in Basel eines der renommiertesten Prodigienwerke der Frühen Neuzeit, das *Prodigiorum ac ostentorum chronicon* von Conrad Wolfhart, genannt Lycosthenes. Die zeitliche Koinzidenz ist alles andere als zufällig: Ich werde nachweisen (bes. I/2.2 und 2.3), daß Zürcher Gelehrte aus dem Umkreis des Chorherrenstifts, allen voran Heinrich Bullinger, ein bisher unbekannter Anteil an der Entstehung dieses Werkes zukam. Bullinger hatte selbst jahrzehntelang Nachrichten über Prodigien gesammelt und stellte Lycosthenes diese Sammlung zur Verfügung. Diese und weitere Umstände werden belegen, daß Wick 1557 in ein Umfeld kam, das längst für die Wunderzeichen Gottes sensibilisiert war und darüber hinaus gerade zu diesem Zeitpunkt besonders aktiv auf den Feldern des Sammelns, Aufschreibens, Weiterverbreitens und Publizierens von Prodigien aktiv war. Von diesen Zusammenhängen ausgehend kann die Entstehung der *Wickiana* hier völlig neu beschrieben werden.

---

[24] Zum Zürcher Bildungswesen nach der Reformation vgl. GKZ 2, S. 246–253; zur Hohen Schule vgl. den Band: BÄCHTOLD (Hg.), Schola Tigurina (1999).

Während der Arbeit an den *Wickiana* ergab sich diese neue Sichtweise mehr oder weniger empirisch aus dem ständigen Umgang mit den Quellen. Denn bei der Hintergrundrecherche zu einzelnen Aufzeichnungen Wicks wurde unübersehbar, daß Versuche, die »geistigen« Wurzeln dieser »Wunderbücher« alleine auf eine singuläre Erscheinung einzuschränken oder – sozusagen im Gegenteil – auf Megakollektive wie »das Volk« oder »das Zeitalter« zu bringen, das Phänomen entweder zu sehr einengen oder im Undifferenzierten verschwimmen lassen. Hinter Wick, der hinter seinen eigenen Aufzeichnungen regelrecht zu verschwinden scheint, taucht ein ums andere Mal das Kollegium des Zürcher Chorherrenstifts mit seinen Netzwerken auf. Und dieses unmittelbare Umfeld Wicks, seine Interessen auf dem Gebiet der Prodigien und ihrer Deutung, muß seinerseits immer wieder im Zusammenhang der Geschichte von Stadt und Land Zürich, im eidgenössischen oder konfessionspolitischen Kontext Europas gesehen werden.

Wicks »Wunderbücher« werfen die allgemeine Frage nach dem reformierten Wunderglauben im konfessionellen Zeitalter auf. Sie wird in der vorliegenden Studie mit einem lokalen Fokus auf Zürich beantwortet, nicht für »den« Calvinismus oder »den« Zwinglianismus im allgemeinen. Gerade angesichts des älteren historisch-anthropologischen oder volkskundlichen Makroblicks scheint eine lokalgeschichtliche Studie an der Zeit zu sein, insbesondere, wenn die Quellenlage eine so genaue Analyse kommunikationsgeschichtlicher Zusammenhänge gestattet wie im Züricher Fall.

Wie vielleicht kein anderes bekanntes geschriebenes oder gedrucktes Werk, das im sechzehnten Jahrhundert entstand, lassen die *Wickiana* die Bedeutung erkennen, die den Prodigien von der Führungselite einer der wichtigsten reformierten Kirchen Europas beigemessen wurde. Grundlage dafür war allerdings ein weit über die Grenzen Zürichs hinaus geführter Diskurs, ja geradezu eine konfessionelle Konkurrenz um Wunder und ihre Deutung, die nicht mehr nur zwischen den Anhängern der Reformation einerseits und denen der römischen Papstkirche andererseits geführt wurde, sondern auch zwischen verschiedenen protestantischen und reformierten Gruppierungen untereinander.

In diesem Spannungsfeld wurde Wunderzeichenpolitik betrieben, und in Zürich beteiligte man sich daran. Das zeigen die Kapitel des zweiten Teils dieses Buches, in denen Beispiele aus dem für Zürich und (durch die einschneidende Erfahrung der Bartholomäusnacht) den Rest der protestantischen und reformierten Welt erschütternden Jahr 1572 aufgegriffen werden: die konfessionelle Krise um den sogenannten »Bullenhandel« in Graubünden (II/1), während der Zürich die reformierten Pfarrer in Chur unterstützte, und der Blitzeinschlag in den Glockenturm des Großmünsters (II/2) – ein Ereignis, das deshalb besonders heikel für die Zürcher Gemeinde war, weil sie selbst unmittelbar vom Zorn Gottes getroffen schien. Ich habe diese beiden Ereignisse statt anderer, deren politische Bedeutung vielleicht ebenso gut darstellbar wäre, ausgewählt, weil sie im vierten, rezeptionsgeschichtlichen Teil dieses Buches wieder aufgegriffen werden konnten und die Darstellung damit als Ganze zusammenhalten. Man hat sich nämlich im achtzehnten Jahrhundert in verschiedenen historiographischen Kontexten wieder an diese Ereignisse erinnert. So wird es möglich, einen narrativen Bogen zu schlagen und Vergleiche anzustellen.

Konfessionelle Gegensätze in der Eidgenossenschaft und im weiteren europäischen Umfeld formten eine Dimension des Politischen, die auch aus Prodigien ein Politikum machte. Sowohl die ältere presse-, als auch die reformationsgeschichtliche Forschung haben diesem Phänomen unter dem Schlagwort der »Flugschriftenpropaganda« eine gewisse Aufmerksamkeit geschenkt, wenn auch zu sehr unter dem Blickwinkel einer instrumentalisierenden Polemik und mit der zweifelhaften Vorannahme, besonders das Genre der Wunderzeichenpublizistik sei an den »gemeinen Mann« im Volk gerichtet gewesen.[25] Politischen Charakter erhielten die Wunderzeichen jedoch noch viel grundlegender im jeweils kommunalen Spannungsfeld zwischen kirchlicher und weltlicher Obrigkeit – und dies ganz sicher fern »bloßer« Propaganda.

Dieses Spannungsfeld wurde von der deutschsprachigen Forschung der 1970er und 1980er Jahre noch weitgehend unterschätzt. Unter dem Paradigma der »Sozialdisziplinierung« herrschte das Bild einer harmonsichen Interessengemeinschaft der Repräsentanten beider »Reiche« vor, insbesondere im Blick auf protestantische Territorien des »Heiligen Römischen Reiches deutscher Nation«. Betont wurden »top-down«-Prozesse in der Ausübung sozialer Kontrolle, in denen Wunder und Wunderzeichen als willkommene Instrumente der Ausübung einer Art moralischen Herrschaft über das Volk gesehen wurden. Weltlichen Obrigkeiten, so scheint es rückblickend auf diese Forschungtradition, war dieses Instrument der Kontrollausübung rundheraus willkommen.

Es ist, das sei hier angemerkt, schon erstaunlich, wie sich so verschiedene Forschungsrichtungen wie Volkskunde, Sozial-, Presse- und Alltagsgeschichte bis in die frühen 1990er Jahre doch immer wieder in der Vorannahme trafen, daß Wunder und Wunderzeichen ihr »natürliches« Wirkungsfeld im »Volk« hatten, das vor allem als Objekt herrschaftlicher Kontrolle betrachtet wurde. Im Ganzen scheitert der Ansatz an Differenzierungsdefiziten auf verschiedenen Ebenen: Weder läßt sich die Bedeutung der Wunderzeichen in der politischen Kommunikation des sechzehnten Jahrhunderts auf angemessene Weise entlang des Gegensatzes von Elite und Volk beschreiben, noch sollte ihr öffentlich-appellativer Einsatz in Predigt oder Publizistik als ein Feld spannungsfreier Kooperation zwischen krichlicher und weltlicher Obrigkeit im Dienst einer herrschaftstabilisierenden Sozialdisziplinierung beschrieben werden.

---

[25] Inzwischen klassisch ist die Arbeit von SCRIBNER, Simple folk (1981), hier bes. zu Monstern und anderen Wundern als »popular belief« und zur Doppelschrift über Papstesel und Mönchskalb von Luther und Melanchthon S. 124–134.

Die Rahmenbedingungen für den politischen Wunderzeichendiskurs in Zürich waren weitgehend kommunal. Hier liegt der Hauptgrund für eine Lokalstudie: im besonderen Verhältnis von Kirche und frühneuzeitlichem Stadtstaat, das nach Zwingli in der Zürcher Kommune herrschte. »Nach Zwingli« heißt hier zweierlei: sowohl »im Anschluß an Zwingli« als auch »nach seinem Tod« in der Schlacht von Kappel, die eine Neuordnung im Verhältnis von kirchlicher und weltlicher Obrigkeit herbeiführte. Nur wenn man diese Neuordnung berücksichtigt und die Theologie des Zwinglinachfolgers, Heinrich Bullinger, einbezieht, kann die politische Signifikanz der Prodigien und einer Sammlung von Wunderzeichen, wie sie in Wicks Chronik vorliegt, angemessen beschrieben werden. Aus der Interaktion zwischen Kirche und Staat definierte sich die Rolle des Predigeramtes, das Wick unter Bullingers Leitung am Großmünster ausübte. In der politischen Funktion dieses Amtes liegt ein Schlüssel zur Zürcher Wunderzeichenpolitik (vgl. I/1.3).[26]

Zum Verständnis dieser Politik bedarf es hingegen keiner neuen Theorie des Politischen oder der Politik, sondern der Einsicht in vergangene Politiktraditionen. Dennoch möchte ich die Abschnitte, in denen ich die politische Dimension der »Zeichen und Wunder« Gottes darstelle (in I/1.3 und II), als Beitrag zur »neuen Politikgeschichte« – oder vielleicht besser: zur »Kulturgeschichte des Politischen« – verstanden wissen.[27] Wenn deren Anliegen die »Dekonstruktion jedes überhistorisch-universalisierenden und essentialistischen Verständnisses politischer Handlungsformen und Institutionen, Wertvorstellungen und Motive«[28] ist, wie Barbara Stollberg-Rilinger programmatisch formuliert hat, so besteht ein Beitrag dazu schon in einer Erweiterung unseres Blickes auf den Gegenstandsbereich politischer Kommunikation im christlichen Europa der Frühen Neuzeit. Von der bisherigen Forschung wurden Wunderzeichen davon entweder radikal ausgeschlossen oder lediglich unter dem Aspekt der Propaganda einbezogen, der für sich schon einen Grenzbereich des traditionellen Politikverständnisses bezeichnet, ein Spielfeld für

---

[26] Das hat in wesentlichen Ansätzen zuerst Barbara Bauer erkannt, ebenso wie die eigentlich selbstverständliche Bedeutung theologischer Voraussetzungen für Wicks Chronik. Vgl. BAUER, Krise der Reformation (2002), S. 196–198 und S. 204–211.

[27] Zur aktuellen Politikgeschichte beschränke ich mich auf die wichtigsten deutschsprachigen Titel der letzten Jahre. Einführend: Ute Freverts Beitrag in EIBACH (Hg.), Kompass (2002), S. 152–164. Für einen Überblick zur politikgeschichtlichen Forschung mit Einführung in ältere und neuere Ansätze siehe SCHORN-SCHÜTTE, Historische Politikforschung (2006). Neuere Sammelbände, die das breite Spektrum von Theorieansätzen und Forschungsgegenständen widerspiegeln, sind: STOLLBERG-RILINGER (Hg.), Verfahren (2001); SCHORN-SCHÜTTE (Hg.), Politische Kommunikation (2004); FREVERT (Hg.), Neue Politikgeschichte (2005) und STOLLBERG-RILINGER (Hg.), Kulturgeschichte des Politischen (2005). Zur stadtgeschichtlichen Politikforschung: SCHLÖGL (Hg.), Interaktion (2004). Zur Schweiz insbesondere MAISSEN, Republik (2006), und zu Zürich (im Vergleich mit Münster) GOPPOLD, Politische Kommunikation (2007), der mit dem in Konstanz inzwischen kanonischen systemtheoretischen Ansatz Niklas Luhmanns arbeitet.

[28] STOLLBERG-RILINGER, Kulturgeschichte des Politischen (2005), S. 13.

Manipulation jenseits der »eigentlichen« Politik. Neuere kulturgeschichtliche Ansätze stellen solche Unterscheidungen in Frage, wissen nicht von vornherein, was »Politik« oder was »das Politische« ist, sondern historisieren ihren Zugang dazu, indem sie in heuristischer Absicht allenfalls mit formalen Begriffsbestimmungen[29] operieren, sich aber im wesentlichen auf »die Rekonstruktion von Diskursen, Praktiken und Objektivationen, in denen sich die zeitgenössischen Bedeutungsstrukturen [des Politischen] greifen lassen«, konzentrieren.[30] »Kommunikation« ist ein Schlüsselbegriff der »neuen Kulturgeschichte«, und er ist – unterstützt durch verschiedene sozialwissenschaftliche Politiktheorien – inzwischen auch ein Schlüsselbegriff der »neuen Politikgeschichte«. Die Sphäre des Politischen wird durch bestimmte Kommunikationen, seien es symbolische oder nicht-symbolische (Handlungen eingeschlossen), definiert, die explizit oder implizit zwischen Politik und Nicht-Politik unterscheiden. Es versteht sich, daß historisch-semantischen Analysen bei solchen Untersuchungen eine wichtige Bedeutung zukommt.[31] Das ganze erste Kapitel (I/1) ist der Versuch einer semantischen Rekonsturktion des Referenzsystems, das mit der in Zürich bevorzugten Form der Wunderzeichendeutung aufgespannt wurde. Sie ist zunächst nicht auf deren politischen Implikationen gerichtet, die sich aber zwanglos aus der moralischen Stoßrichtung der Erkenntnis von Mißständen des Gemeinwesens ergeben. Das im sechzehnten Jahrhundert und darüber hinaus äußerst verbreitete moraltheologische Verständnis der »Zeichen und Wunder« Gottes bekam in Zürich durch die Voraussetzungen der zwinglianischen Reformation und das Verhältnis von Kirche und Stadtstaat nach der verlorenen Schlacht von Kappel 1531 eine besondere Bedeutung (I/1.3). Aus der (teleologischen) Perspektive einer systemischen Gesellschaftstheorie könnte man die politische Signifikanz der göttlichen Zeichen in der Natur auch auf mangelnde Ausdifferenzierung zwischen Religion und Politik zurückführen, die für vormoderne Herrschaft allgemein typisch ist.[32]

---

[29] Vor allem Luhmann ist hier zu einem wiederkehrenden Bezugspunkt geworden. Vgl. etwa die »Definitionen« des Politischen bei SCHLÖGL, Vergesellschaftung (2004), S. 21, und STOLLBERG-RILINGER, Kulturgeschichte des Politischen (2005), S. 14. Beide beziehen sich auf LUHMANN, Politik (2002), inbes. S. 140 ff. Politik wird hier formal als Entscheiden und Durchsetzung von Entscheidungen begriffen, wobei die (ausdifferenzierte) Politik bei Luhmann durch Macht (als generalisiertes Kommunikationsmedium) und ihre eigenen gesellschaftlichen Codes (Symbolik, Generierung von Bedeutung, Semantik) charakterisiert wird. Wieweit ein solcher Politikbegriff nicht vielleicht schon zu viele systemtheoretische Paradigmen mitübernimmt, einschließlich des evolutionären Verständnisses der Ausdifferenzierung von Teilsystemen der Gesellschaft in der Moderne, wäre zu diskutieren.

[30] STOLLBERG-RILINGER, Kulturgeschichte des Politischen (2005), S. 13.

[31] Es wird auch von den Anhängern eines durch die Systemtheorie Luhmanns geprägten, formalen Politikverständnisses meist übersehen, daß dieses für (historische) Relativität offen ist. »Politik ist, was das politische System als politisch beschreibt.« Luhmann spricht selbst von einer Tautologie. Vgl. LUHMANN, Gesellschaftsstruktur und Semantik (1995), Bd. 4, S. 133.

[32] Zur Ausdifferenzierung von Religion und Politik vgl. LUHMANN, Funktion (1999), S. 218 f., und LUHMANN, Religion (2000), S. 149–153, 217 und passim.

Solange politische Herrschaft (theoretisch und praktisch) christlich legitimiert wurde, war auch das ideologische Potential für eine Politisierung der Wunderzeichen gegeben. Das gilt an anderen Orten und in anderen politischen Systemen im nachreformatorischen Europa ebenso wie in Zürich. Bei allen Parallelen im Allgemeinen helfen jedoch in besonderer Weise die Zürcherischen Verhältnisse, das Phänomen zu verstehen, das im Zentrum dieses Buches steht: die *Wickiana*.

4. Historiographischer Wandel

Eine Einordnung der *Wickiana* in die (protestantische und reformierte) Geschichtsschreibung des sechzehnten Jahrhunderts ist bisher ganz grundsätzlich an pejorativen Bewertungen der Leistungen Wicks als Autor und Historiker gescheitert. Noch Matthias Senn beschrieb Wicks Arbeitsweise mit Begriffen wie »Sammelwut«. Wick habe »blindlings« nach allen nur erreichbaren Nachrichten gegriffen, sein Material »wahllos« zusammengetragen und sei zu dem »schöpferischen Prozeß«, den eine abgerundete historische Darstellung erfordert hätte, »wohl auch gar nicht imstande gewesen«.[33] Senn stellte die »formale und inhaltliche Vielfalt, das zufällige Nebeneinander von Berichten aus gegensätzlichsten Zusammenhängen, von Gedrucktem und Handgeschriebenem, von scheinbar Belanglosem und Wesentlichem, von aktuellen Neuigkeiten und längst Vergangenem« ausdrücklich als »Hauptmerkmal von Wicks Aufzeichnungen« heraus.[34] »Diese Vielfalt« erklärte er sich »direkt aus Wicks Sammelprinzip: Nicht die Auswahl von wenig, dafür aber besonders aussagekräftigem Material war ihm wichtig, sondern das Bereitstellen möglichst ausführlicher Nachrichten in möglichst vollständiger Zahl.« In einer Rezension der Arbeit Senns, die 1974 in der *Zeitschrift für Schweizerische Archäologie und Kunstgeschichte* erschien, ist resümierend von »Wicks chaotischen Kollektaneen« die Rede. Der Verfasser stellt rundheraus in Frage, ob sich die »Sisyphusarbeit« einer weiteren Erschließung überhaupt lohnen würde.[35]

Nun, ich hoffe natürlich, daß die Leser des vorliegenden Buches zu einer anderen Einschätzung kommen werden. Für mich jedenfalls hat sich die Mühe gelohnt. Zweifellos setzen die *Wickiana* dem heutigen Leser mit seinen Vorstellungen davon, wie ein Buch auszusehen hat und in welcher Weise sich ein Autor darin zur Sprache bringt, einen hartnäckigen Widerstand entgegen. Selten tritt Wick in eigenem Namen auf. Vieles scheint nur locker kompiliert und ohne inneren Zusammenhang. Vor allem die zahlreichen integrierten Druckschriften verstärken diesen Eindruck. In der Tat wirkt die abwechselnd skriptographische und dann wieder typographische

---

[33] Vgl. SENN, Wick (1974), S. 30, und SENN, Wickiana (1975), S. 14 sowie S. 17. Kritisch zu solchen Urteilen: BAUER, Krise der Reformation (2002), hier S. 194 f.

[34] SENN, Wickiana (1975), S. 13 f.

[35] Wüthrich in: ZSAG 31 (1974), S. 64 f.

Gestaltung der »Wunderbücher« irritierend. Für Wick schien gerade diese Kombination unterschiedlicher Medien – gedruckte und gezeichnete Bilder kommen noch hinzu – ein Weg zu sein, mit der neuen Informationsvielfalt in einer Zeit umzugehen, in der Flugblätter und Flugschriften zunehmend die Rolle der Berichterstattung über aktuelle Ereignisse übernahmen, ehe sie in dieser Hinsicht weitgehend von den periodischen Zeitungen des siebzehnten Jahrhunderts abgelöst wurden. Daneben florierte auch der handschriftliche Austausch »neuer Zeitungen« in Briefwechseln. In der Vielfalt steckt ein Stück Mediengeschichte. Man muß genauer hinsehen, um bei Wick mehr darin zu erkennen als nur ein Nebeneinander. Tatsächlich, so möchte ich behaupten, verfügte Wick über eine Reihe origineller Techniken, durch die es ihm gelang, Verknüpfungen herzustellen und damit – auch wenn er sich nicht explizit äußerte – seine Leser durch seine Annalen zu navigieren. Vor allem die Bildung von Dokumentsequenzen, innerhalb derer die Grenze zwischen Druck, Schrift und Bild gleich mehrfach überschritten werden konnte, gehört zu den Gestaltungselementen des Chronisten Wick. Der Versuch, diese intermedialen Techniken zu beschreiben, wird in den Kapiteln des dritten Teils unternommen.

Auch wenn es für eine präzise historiographische Einordnung zu früh ist, weil bisher allenfalls die humanistische Historiographie, weit weniger aber die protestantische und reformierte vergleichend über einen längeren Zeitraum untersucht wurde,[36] möchte ich aufgrund zeitgenössischer Einschätzungen belegen, daß die *Wickiana* als Annalistik in die Chronistik eingeordnet werden sollten. Der vierte und letzte Teil dieses Buches wird zeigen, wie sich die Einschätzung des Chronisten Wick und seiner »Wunderbücher« vor allem seit dem achtzehnten Jahrhundert in eine Richtung veränderte, die sie nicht mehr als ernstzunehmende Historiographie einordnete. Forschungsgeschichtlich blieb die alternative Bezeichnung als (Nachrichten-) Sammlung bis in die Gegenwart vorherrschend. Die Aneignungsprozesse, die man etwa bei dem Naturforscher Johann Jacob Scheuchzer oder dem Geschichtsprofessor Johann Jacob Bodmer beobachten kann, sind mit einem Wandel im Geschichtsverständnis verknüpft. Diesen Wandel angemessen zu beschreiben, ist ein Thema, das sich über alle vier Hauptteile dieser Untersuchung durchzieht. Es ist einer der »roten Fäden« dieses Buches. Vor allem die Aufklärung markiert einen Bruch in der Aneignungsgeschichte der *Wickiana*. Nun spätestens wurden sie nicht mehr als eigenständige, in sich geschlossene historiographische Leistung anerkannt, sondern nur noch mit musealem Blick betrachtet, und dazu häufig mit Naserümpfen. Aus Wundern wurden Kuriosa, aus Wicks Chronik eine »Wunderkammer auf Papier«. Ich habe diese Formulierung für den Titel dieses Buches gewählt, obwohl es gerade die darin zum Ausdruck kommende Betrachtungsweise in Frage stellt. Mit der Wahl des Titels wollte ich jedoch der hermeneutischen Tatsache Rechnung tragen, daß die Vorstellung einer Sammlung von Kuriosa bis weit ins zwanzigste Jahr-

---

[36] Vgl. dazu ausführlich MOSER, Bullingers Reformationsgeschichte (2002), passim, bes. 6–10.

hundert leitend geblieben ist und im Grunde nach wie vor den unmittelbaren Zugang zu den *Wickiana* dominiert. Die mit den Kuriosa verbundene Neugier stellt überdies sicher keine schlechte Voraussetzung dar, sich auf den Text einer langen wissenschaftlichen Abhandlung einzulassen.

TEIL I:

EINE GESCHICHTE VON ZEICHEN UND WUNDERN

Johann Jacob Wick hat niemals eine Abhandlung über Wunderzeichen geschrieben, die uns die Grundlagen seines Wunderverständnisses oder gar die Ordnung seiner schriftlichen Aufzeichnungen ohne Umschweife verständlich machen könnte. Er hat niemals auch nur eine einzige Wunderzeichendeutung oder gar eine Prodigiensammlung in Druck gegeben, wie dies etwa sein Kollege Ludwig Lavater oder der Basler Conrad Lycosthenes getan haben. Man kann ausschließen, daß dies ein Überlieferungsproblem ist. Denn hätte Wick größere Sammlungen im Druck veröffentlicht, so wäre er von der meteorologischen, astrologischen oder teratologischen Literatur der folgenden Jahrzehnte und Jahrhunderte direkt oder indirekt zitiert worden, oder die großen Bibliographen in seinem unmittelbaren Zürcher Umfeld, Conrad Gesner, der Verfasser der *Bibliotheca universalis*, und Johann Jacob Fries, ihr Fortsetzer, hätten auf seine Publikationen hingewiesen. Wick blieb jedoch ein Unbekannter für alle, die nicht zu seinen Lebzeiten von seinen Sammlungsinteressen erfuhren oder nach seinem Tod am Ort Zürich mit den von ihm hinterlassenen Chronikbänden bekannt wurden.

Nur wenige Äußerungen Wicks besitzen erläuternde Qualitäten. Das gilt für alle Bemerkungen, in denen er sich ausdrücklich an seine Leser richtete. Es sind wenige – so wenige, daß sie sich kaum zu einer »Theorie« vereinigen lassen. Auf dieser Ebene ließ Wick, wenn überhaupt, andere für sich sprechen. So schrieb er Bullingers Abhandlung *Wider die schwarzen kunst* ab und nahm sie in seine Bücher auf.[1] Was er über sie dachte, oder daß er vielleicht eine andere Meinung vertrat, läßt sich nicht sicher sagen, ist im Falle dieser Schrift jedoch eher unwahrscheinlich. Darin ging es Bullinger um Abgrenzungen des christlichen Glaubens zur schwarzen Magie und zu bestimmten katholischen Ritualen, die von reformierter Seite als Aberglauben abgelehnt wurden. In derart grundsätzlichen Dingen wird Wick kaum eine abweichende Haltung eingenommen haben. In Einzelfällen der Wunderzeichendeutung war dies anders.

Die Grundlagen der Wunderzeichendeutung, die ich in diesem Kapitel darlegen werde, systematisieren eine Vielzahl von Beobachtungen dessen, wie Wick als Sammler und Chronist vorging, und kombinieren sie mit eher seltenen und fragmentarischen Ausführungen, in denen er sein Tun ausdrücklich reflektierte – meist, um seine Leser anzuleiten. Vieles von dem, was hier über Prodigien und ihren Deutungsrahmen gesagt wird, gehörte im sechzehnten Jahrhundert zu den Gemeinplätzen, insbesondere unter Vertretern des Pfarrklerus. Viele Ansichten wurden auch

---

[1]   Wicks Abschrift befindet sich heute unter den von Johann Heinrich Hottinger gesammelten Schriften im sog. *Thesaurus Hottingerianus*: ZBZ, Ms. F 63, fol. 356ʳ–363ᵛ. Der Text ist das zweite in einer Serie von vier *Wickiana*-Fragmenten (zwischen fol. 349ʳ und 370ᵛ).

über die konfessionellen Grenzen hinweg geteilt. Grundsätzlich war der Prodigien-glaube überkonfessionelles Gemeingut. Nuancierungen lassen sich feststellen, die es auch zwischen verschiedenen protestantischen Gruppierungen gab, während der Glaube an Heiligenwunder auf katholischer Seite einen deutlichen Unterschied mar-kierte. Ihn teilten Reformierte und Protestanten bekanntlich nicht. Ohne Gemein-samkeiten in Frage zu stellen und ohne diese Gemeinsamkeiten hier einer genaueren Untersuchung zu unterziehen (das wäre eine eigene Abhandlung), möchte ich in diesem Kapitel Wicks Aktivität auf dem Feld der Wunderzeichen mit besonderen Voraussetzungen des reformatorischen Denkens in Zürich und spezifischen Rah-menbedingungen des Zürcher Gemeinwesens zu verstehen versuchen. Das politische Verständnis des Prädikantenamtes ist hier von entscheidender Bedeutung. Daß Wick nicht der einzige Pfarrer oder Lehrer am Großmünster oder an der Schola Tigurina war, der sich mit Prodigien befaßte, wird das zweite Kapitel zeigen, bevor im letzten Kapitel dieses Teils die komplexe Frage der Rolle des apokalyptischen Denkens in Zürich aufgeworfen wird.

1. SÜNDEN, STRAFEN UND DAS AMT DES PROPHETEN

1.1. Moraltheologisches Kausalmodell

Gottes Zeichen und Wunder standen niemals als Einzelphänomene isoliert da. Vielmehr wurden sie stets als integraler Bestandteil einer Kausalkette miteinander verknüpfter Tatsachen und Ereignisse betrachtet. Das spontane Eingreifen Gottes galt jederzeit für möglich. Allerdings erschien sein Einwirken im einzelnen oft rätselhaft undurchschaubar. Die innere Logik dieses Modells der Welt- und Naturdeutung war gleichwohl klar durchdacht und in ihrer abstrakten Struktur unter bestimmten konfessionellen wie allgemein-christlichen Glaubensprämissen durchaus rational, sofern man »Rationalität« als formal konsequentes Kausaldenken unter Glaubensprämissen auffaßt.

Wunderzeichen waren Mittelglieder im kausalen Zusammenhang zwischen menschlichen Sünden und göttlichen Strafen. Unter Zeichen wurden in erster Linie sichtbare Willensäußerungen des Allmächtigen verstanden. Die anderen Sinne wurden seltener angesprochen, der Geruch besonders dann, wenn der Teufel ins Spiel kam, wenn es nach Schwefel und anderen üblen Dämpfen und Ausdünstungen, wenn es nach Hölle roch. Die Zeichen mußten für ein sinnliches Wesen geschaffen sein, wenn sie wahrgenommen werden sollten, und das mußten sie, ehe sie als Zeichen verstanden werden konnten. Wahrnehmbarkeit ist in diesem Zusammenhang eine *conditio humana*.[2]

Um sich wahrnehmbar auszudrücken, bediente sich Gott der Natur. Er schrieb seine Zeichen am Himmel wie auf einem Blatt Papier, setzte Monstren in die Welt, hinterließ Male am Körper seiner Kreaturen und an allen Elementen. Die Beispiele für diese Metaphorik, die sich an den Topos vom Buch der Natur anlehnt, sind Legion.[3] Sie umschreibt – aus heutiger Sicht fiktiv – einen Kommunikationsraum ganz eigener Art, der letztlich den ganzen Kosmos einbegriff und zum Medium zwischen Gott und Mensch machte.[4] In ihm kreierten ungewöhnliche Naturerscheinungen permanent Bedeutung, schlicht dadurch, daß sie einer kausalen Semantik

---

[2]   Die sinnliche Qualität der »signa ac portenta coelestia in sole, luna stellis« betont etwa MUSCULUS, Loci communes (1563), S. 832 f. Grundsätzlich zum Sinnenbezug von Zeichen: BULLINGER, Hausbuch (1558), 46. Predigt: »Von allerley zeichen vnd gattungen der zeychen«, fol. 396a.

[3]   Vgl. MAUELSHAGEN, Verbreitung (2000), bes. S. 152–154. Zum Topos vom Buch der Natur liegen u. a. vor: BLUMENBERG, Lesbarkeit der Welt (1981); ROTHACKER, Buch der Natur (1979); BÜSSER, Buch der Natur (1990); und HARMS (Hg.), Natura loquax (1981).

[4]   Vgl. MAUELSHAGEN, Kometenflugblätter (1998), S. 111 f.

integriert wurden. Diese Semantik soll hier näher betrachtet und auf die ihr inne-
wohnenden – insbesondere auf ihre zeitlichen – Sinnstrukturen hin betrachtet werden. Erst von daher läßt sich die Funktion der *historia* als Medium der Erinnerung
an die Zeichen und Wunder Gottes beschreiben. Und auch Wicks Arbeitsweise
sowie die Ordnung der Bücher, die er der Nachwelt hinterließ, hängen damit zusammen.

Vom Gegenwartsstandpunkt einer aktuellen Wunder(zeichen)erscheinung aus ergaben sich unterschiedliche Bezüge (Referenzen). Die Gegenwartsperspektive bei
der semantischen Analyse im Sinn zu behalten, ist darum wichtig, weil dies auch die
Perspektive Wicks als Zeithistoriker war, der, wenn überhaupt, oft erst nach Monaten oder Jahren rückblickend ein Zeichen mit ganz konkreten (vermeintlichen)
Folgeereignissen in Verbindung zu bringen vermochte. Da Wick Nachrichten und
Erzählungen aus der Aktualität des Geschehens heraus auswählen und seine Bücher
gestalten mußte – eine Vorgabe seiner Aufgabe bei der Verarbeitung aktueller Informationen –, waren besonders die Verknüpfungen zwischen vorangehenden Wunderzeichen und folgenden Strafen für ihn nicht absehbar. Es war darum auch nicht
möglich, die »Wunderbücher« streng nach dem kausalen Muster oder sogar nach
einer topischen Wundersystematik durchzuorganisieren. Darin liegt die wichtigste
Erklärung für die offene chronologische Ordnung – nicht das einzige, aber das
grundlegende Ordnungsparadigma der *Wickiana*. Für die Zusammenstellung der
Chronikbände bedeutete dies eine Arbeit mit der Zeit, auf deren Merkmale ich in
einem späteren Kapitel (III/3.3) zurückkommen werde. Ich werde dort auch einige
Lösungen untersuchen, die Wick für bestimmte Gestaltungsprobleme seiner Chronikbücher (er)fand. Hier jedoch geht es zunächst um die thematische Vielfalt der
Wickiana: Wie paßt sie sich in das semantische Schema ein? Und welche Möglichkeiten der Konkretion des abstrakten Kausalschemas der Wunderzeichensemantik
standen einem Chronisten wie Wick zur Verfügung?

Die Folge von Sünde, Wunderzeichen und Strafe besaß eine chronologische Zeitstruktur (Grafik 1). Diese Zeitstruktur bestimmte auch Wahrnehmung und aktuelle
Erfahrung von Wunderzeichen. Als Zeichen konstituierten sie einen dreifachen Ver-
weisungszusammenhang: *Retrospektiv* deuteten sie auf vorangehende Sünden zurück, *aktuell* auf Gottes Zorn hin und *prospektiv* auf drohende Strafen voraus. Die
semantische Komplexität der Wunderzeichen läßt sich ebenso wie das in ihnen
angelegte theologische Kausaldenken und das damit gegebene Deutungsmodell historischer Ereignisabläufe an den Stichworten »Sünde, Zorn und Gnade«, »Selbsterkenntnis und Buße« sowie »Strafe« Schritt für Schritt erläutern.

a) Retrospektive Referenz: Wunderzeichen wiesen in der Aktualität ihres Erscheinens zurück auf vorangehende *Sünden*, denn ein gerechter Gott strafe nicht grund-
los, und folglich warnte er auch nicht ohne Grund. Wer nach den Sünden fragte,
betrieb daher Ursachenforschung. Auf dem Titelblatt (Abb. A1) sprach Wick von
der »Trübseligen Zÿth«, die er in seinen Wunderbüchern dokumentierte. Dieses Re-
sumée aus dem Rückblick des Jahres 1577 bezog sich nicht nur auf den ganzen
Komplex der »Zeichen und Wunder« Gottes und seiner Strafen. Denn die Strafen –

1. Sünden, Strafen und das Amt des Propheten

Pestepidemien, Erdbeben, Bergrutsche, Überschwemmungen, Krieg, Mißernten und andere große und kleine Katastrophen – waren ebenso wie die Vielzahl der Wunderzeichen ein sicheres Indiz für den schlechten moralischen Zustand der Welt und ihrer Gemeinwesen. Sie verwiesen darauf zurück. Das erklärt den moralistischen Blick, der von Tugend- und Lastertopoi geleitet wurde.

Zur Dokumentation der Sünden dienten die vielen Berichte über Verbrechen und Strafen, die Wick in seine Chronik aufnahm, nicht zu vergessen die Hexen- und Teufelsgeschichten. Wo Sünden waren, da war der große Verführer, der Teufel, nicht fern. Zu den moralischen Vergehen gehörten auch übermäßiger Alkoholkonsum, das Fluchen, die Hoffart oder das Tragen der bei den Predigern besonders verpönten Pluderhosen. Man kann die in den *Wickiana* dazu versammelten Schilderungen als kulturhistorische Dokumente betrachten und von ihrem Zeugniszweck trennen, die moralische Verwerflichkeit, gleichsam die Präsenz von Sodom und Gomorrah zu dokumentieren. Das ist seit dem achtzehnten Jahrhundert immer wieder getan worden, führt aber zu einer Partikularisation in einzelne Episoden, die zwar in der Art, wie Wick die (vermeintlichen) Zustände der Zeit darstellte, durchaus angelegt ist, sein Sammlungsinteresse aber verfehlt oder gar völlig außer acht läßt. Die Verknüpfung zwischen Sünden und Gottesstrafen kommt in vielen der von Wick gesammelten Nachrichten unmittelbar zum Ausdruck, etwa wenn der Blitz eine allzu eitle Dame oder einen Verleumder erschlug.[5] Eine solche Betrachtungsweise war natürlich zutiefst moralistisch.

Allerdings zeigte sich Wick selten dadurch als Moralist, daß er die Moral einer Geschichte ausdrücklich darlegte, etwa indem er den Leser seiner Bücher direkt ansprach.[6] Die christliche Moral als Deutungshintergrund war für ihn, den Prediger, eine Selbstverständlichkeit. Es gehörte zu seinen Aufgaben, die Zuhörer in seinen Predigten zu sittlichem Verhalten zu ermahnen. Wir werden sehen (I/1.3), daß in Wicks Stellung als Prädikant die Moralistenrolle schon enthalten und politisch definiert war. Als Mitglied der Kirchenleitung Zürichs gehörte zu seinen Aufgaben, beim Rat vorstellig zu werden, um die Sorge für »gute Policey« anzumahnen.

b) Aktuelle Referenz: Die Wunderzeichen Gottes wurden mit seinem *Zorn* über die menschlichen Sünden in Verbindung gebracht. Die Farbe des Zorns ist Rot; Rot ist auch die Farbe des Blutes. Erschien die Sonne rot gefärbt, so konnte diese Färbung als Ausdruck des Gotteszorns und zugleich als Vorzeichen für bevorstehendes Blutvergießen (Krieg, Mord und Totschlag) aufgefaßt werden. Indem Gott jedoch seinen Zorn zeigte, bevor seine »Zuchtrute« zuschlug, sprach er zunächst eine väterliche Warnung aus an seine Erdenkinder. Seine Warnungen waren insofern zugleich Zeichen seiner Gnade: Er strafte nicht unumwunden, wie es bei strenger Gerechtigkeit nur billig gewesen wäre, sondern gab Gelegenheit zur Umkehr.

---

[5] Vgl. ZBZ, Ms. F 26, fol. 34ᵛ und fol. 132iiij ͬ. Vgl. zu dieser Begebenheit ausführlicher S. 166.
[6] Beispiele in III/1.2, S. 172 f.

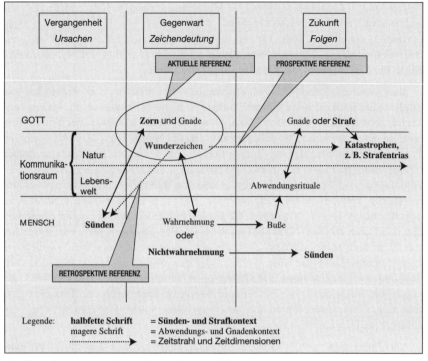

Grafik 1: Schema zur Semantik der Wunderzeichen

Die Semantik der Wunderzeichen bestand in einer dreifachen Referenz: Die aktuelle Referenz lag im Verweis auf Gottes Zorn, dessen Ursache in der Sünde erkannt werden sollte. Dieser kausale Rückbezug implizierte eine retrospektive Referenz der Wunderzeichen. Ihre prospektive Referenz war durch eine weitere Dimension der aktuellen Bedeutung vermittelt, nämlich durch die Gnade. Die Warnung durch Vorzeichen hätte nicht als Gnade aufgefaßt werden können, hätte dies nicht die Möglichkeit eingeschlossen, zukünftige Strafen auch abzuwenden.

Im Schema unterteilen die vertikalen Linien den mittleren punktierten Zeitstrahl in drei Zeitdimensionen: Vergangenheit, Gegenwart und Zukunft. Dieser Unterteilung folgt das Kausalschema mit in der Vergangenheit liegenden Ursachen und in der Zukunft liegenden Folgen. Die zentrale Perspektive, von der das Schema ausgeht, liegt im Gegenwartsstandpunkt. Dies war die Perspektive Wicks, wenn er in seinen chronikalischen Sammlungen jeweils aktuelle Wunderzeichenerscheinungen festhielt. Aus dieser Perspektive ergibt sich die dreifache Referenz, die im Haupttext näher erläutert wird. Die horizontalen Linien symbolisieren drei Sphären, die für die Wunderzeichendeutung von grundlegender Relevanz waren: oben die Sphäre des göttlichen Ratschlusses, unten die menschliche Sphäre individueller Sünden und kognitiver Akte wie Wahrnehmung / Nichtwahrnehmung von Wunderzeichen und Buße; in der Mitte schließlich die Sphäre der Kommunikation zwischen Gott und Mensch, wobei die Natur als Ort der Erscheinung von Wunderzeichen metaphysischen Mächten vorbehalten war, während das, was hier als Lebenswelt bezeichnet wird, die Sphäre kollektiven Handelns (Abwendungsrituale) einschließt.

1. Sünden, Strafen und das Amt des Propheten

Wick hat diese Gedanken in einem Abschnitt ausgesprochen mit der Überschrift »Warnung an den fründtlichen Läser«, inmitten einer Serie von Wunderzeichenberichten, die er im 21. Buch (Jahrgang 1583) kompilierte. »Warnung« hat hier weniger die Bedeutung von »Drohung« als von »Achtung!« im Sinne eines Signals zur Steigerung der Aufmerksamkeit. Die Botschaft sollte unbedingt vernommen werden:

> Fründtlicher läser, die gůtigkeit Gottes können wir in keim stuck bas sehen vnd erlernen, dann, do er billich über vnsere mißthaten erzürnt, ee er sin hand vnd straff über vnsere houpter laßt vßgen, vorhin vnns warnet durch wunder vnd zeichen, domitt wir siner straff vnd vrtheil vorkommind mitt enderung vnd besserung vnsers läbens. Vnd wenn wir vns selber nitt wend bendigen: so sind wir in langer zyten nie meer vnd bas greitzt worden vnseren sachen nachzůgedencken. Dann Non alias coelo ceciderunt plura sereno Fulgura.

Das ist,

> blitzg tonder fhür vom himel clar
> Nie meer sind gfallen das ist waar.

Darumb (wie iener spricht) so sůcht er nitt den tod der sünderen, sunder das sich der bekere vnd läbe. Dorumb mitt bekeerung vnd besserung vnsers läbens so louffend wir zů im als denn werdend auch wir bý ime an statt der straff vnd růhe sin gnad vnd barmhertzigkeit finden. Gott sye mitt vns.[7]

Obwohl in den Berichten, die dieser Anrede des Lesers vorangehen, wie so häufig davon die Rede ist, die Menschen seien vor den Zeichen dermaßen erschrocken, daß sie glaubten, der Jüngste Tag sei gekommen, ging Wick in seinem Fazit mit keinem Wort auf diese Möglichkeit ein. Auch die von ihm angesprochene Vielzahl der Zeichen, die seit Luthers Zeiten immer wieder als Indiz für das nahe bevorstehende Weltende aufgefaßt wurde,[8] scheint in der zitierten Stelle bei Wick einzig dem Zweck moralischer Besserung untergeordnet zu sein. Hier – wenigstens an dieser Stelle – bietet sich eine heilsgeschichtliche Sicht dar, die auf Besserung im Diesseits weltlichen Lebens setzte, ohne daß eine zeitlich konkretisierte Naherwartung des Weltendes erkennbar würde. Wie diese Weltorientierung im Zürcher reformatorischen Denken verankert ist, wird sich noch zeigen (I/1.3). Auf die Frage, ob zu Wicks Sammlungsmotiven ein ausgeprägtes Endzeitbewußtsein gehörte oder nicht, werde ich in einem der nächsten Kapitel (I/3) eingehen. Das moraltheologische Deutungsmuster läßt sich vorläufig auch ohne Klarheit in dieser Frage weiter erläutern und später zu apokalyptischen Denkmustern in Beziehung setzen.

---

[7] ZBZ, Ms. F 31, fol. 82ʳᵛ.

[8] So auch GESNER, Historia et interpretatio prodigii (1561), fol. B Vʳ. Zitiert bei LEU, Gesner als Theologe (1990), S. 95. – Vgl. allgemein DASTON, Wonders (1998), S. 183: »Mid-sixteenth-century writers, particularly Protestants, were also much more likely to place the accelerating frequency of monsters and other prodigies in an eschatological framework, as signs of the imminent end of the world.«

Gottes Gnade – im Grunde nichts weiter als eine Zeitverzögerung, ein Aussetzen der Strafexekution – gab Gelegenheit zur Besserung des Lebens auf dem Weg der *Buße*. Hier war jeder einzelne gefragt, einen komplexen Akt der *Selbsterkenntnis* zu vollziehen, der Voraussetzung für echte Buße war und von den Wunderzeichen in Gang gesetzt werden sollte. Mit ihnen verband sich eine ganze Psychopathologie, deren Bewegungsrichtung von der Sinneswahrnehmung der Außenwelt ins Innere des Menschen zielte und einen Prozeß der Läuterung anstoßen sollte.

Zuerst mußten die Prodigien überhaupt wahrgenommen werden. Die Begriffe »Wahrnehmung« oder »wahrnehmen« tauchen in den Dokumenten der Zeit ständig auf, nicht nur bei Wick, und zwar an einer ganz bestimmten Stelle im theologischen Diskurs über die Wunderzeichen.[9] Das Wahrnehmen der Prodigien, die Gott öffentlich am Himmel und auf der Erde sehen ließ, wurde als christliche Pflicht betrachtet, der die Gottesfürchtigen Folge leisteten, die Gottlosen aber sich entzogen. Gottesfurcht bezeichnete damit zugleich eine bestimmte Sensibilität, eine psychische Disposition im menschlichen Charakter. Die Tradition der stoischen Charakterlehre kam hier zum Tragen. Wer gottesfürchtig war, dessen Gewissen war für die Zeichen und Wunder des Herrn empfänglich. Den Gottesfürchtigen wurden die gottlosen »Epikurer« (Epikuräer) gegenübergestellt. Sie scherten sich nicht um Wunder, lebten in selbstvergessener Haltung, gleichgültig gegenüber dem bevorstehenden Letzten Gericht, verbrachten ihren Tag mit Völlerei, Alkoholkonsum, Fluchen und Lästern. Und das, obwohl sie die eigentlichen Adressaten und auch der Anlaß für den Zorn Gottes waren.

Natürlich gab es diese Charaktere nur in der (Selbst-)Wahrnehmung einer vom christlichen Moraldiskurs durchdrungenen Gemeinde. Ihre Identifikation in der sozialen Realität war kein neutraler Erkenntnisakt, sondern eine Frage der Zuschreibung eingespielter Muster, die auch Anknüpfungspunkte für flankierende, vor allem sozialdisziplinierende Maßnahmen boten: für Sittenmandate, aber auch für moraldidaktische Predigten. Die beiden Gegenpole der Charakterlehre wurden auch in der Predigerrhetorik berücksichtigt. Auf ihnen beruhte die Unterscheidung zwischen Trost- und Bußpredigten – rhetorische Stile, die häufig auch von Druckschriften adoptiert wurden.[10] Die Frommen und Gottesfürchtigen verdienten Trost in der Not, wenn Katastrophen über sie hereinbrachen oder »erschreckliche« Wunderzeichen am Himmel auftauchten. Die vermeintlichen Epikuräer hingegen wurden mit Strafpredigten bedacht und zur Umkehr ermahnt.

Innerhalb dieses Begriffssystems bestimmten auch die Druckmedien ihre Funktion und legitimierten die Berichterstattung über Prodigien. Jene beiden Idealtypen wurden dabei als Adressaten einer christlichen Leserschaft angesprochen. Als cha-

---

[9] Einige Belege bei MAUELSHAGEN, Verbreitung (2000), S. 139 f.
[10] Zur Predigtmetaphorik in Flugblättern: MAUELSHAGEN, Kometenflugblätter (1998), S. 110 f.; außerdem MAUELSHAGEN, Verbreitung (2000), S. 150–153.

rakterliche Gegenpole lagen sie, wenn auch mit anderen moralischen Konnotationen als im sechzehnten und siebzehnten Jahrhundert, schon dem Plutarchischen Denken über die Ursachen des Aberglaubens zugrunde.[11] Durch die Schriftlichkeit überhaupt, durch den Druck im besonderen konnten die natürlich gesetzten Grenzen raum-zeitlicher Wahrnehmung überschritten werden. Die Druckmedien waren gleichsam erweiterte Wahrnehmungsorgane.

Im sozialen Gefüge des sechzehnten Jahrhunderts – nicht nur in katholischen Gemeinwesen – blieb es keineswegs alleine den Individuen überlassen, ihre Konsequenzen aus den Warnungen Gottes zu ziehen. Über die einzelnen Gewissen hinaus gab es eine Verantwortung der Gemeinschaft und eine Verantwortung für die Gemeinschaft, um so mehr, als Gottesstrafen, wenn sie über die Gemeinschaft hereinbrachen, »Gute« und »Böse« unterschiedslos treffen konnten. Hier nahmen vor allem der Predigerstand und die Obrigkeit Deutungshoheit für sich in Anspruch. Die Reaktionen kollektivierten sich, Ängste wurden kanalisiert, Handeln ritualisiert.

Typisch war die Einrichtung von Bußtagen, etwa als Reaktion auf die Erscheinung besonders beeindruckender Kometen oder auf Katastrophen. Das blieb bis ins achtzehnte Jahrhundert so. In einer schweren Subsistenzkrise Anfang der 1570er Jahre erwirkten die Zürcher Prediger, allen voran Bullinger, die obrigkeitliche Einführung des Gemeinen Gebets am Dienstagmorgen.[12] Hans Ulrich Bächtold hat dies »als Ausdruck des gesellschaftlichen und mentalen Wandels« in Zürich gewertet: »In ihm wurde ein für das kirchliche Leben der späteren Bullingerzeit charakteristisches Element sichtbar: die Buße. Der Bußkult (insbesondere das Fasten) hatte in der Reformation Zwinglis seine Bedeutung vorerst völlig verloren; nur gerade im Sündenbekenntnis lebte etwas davon in liturgischer Eingebettung weiter. Noch im Bittgebet von 1546, als unter außerordentlicher Bedrohung« – durch den Schmalkaldischen Krieg – »in den Stadtkirchen gemeinsam gebetet wurde, fehlten jene expressiven Selbstbezichtigungen, welche schließlich 1571 die Forderung nach persönlicher Buße und Besserung so dringlich machen sollten.« 1553 habe Bullinger zum Thema Buße publiziert. Sogar das Fasten sei in Schriften Ludwig Lavaters und Bullingers in den folgenden Jahren aufgewertet worden. »Buße und Bußübung fanden in der zweiten Jahrhunderthälfte wieder sichtbar Eingang ins Denken und ins Kirchenleben.«[13]

In den Kontext dieses Wandels gehört auch die gesteigerte Aufmerksamkeit auf die Zeichen und Wunder Gottes. Die Bußübung wieder zu entindiviualisieren und in

---

[11] Plutarch, Peri deisidaimonias; dt. »Über den Aberglauben« in: PLUTARCH, Moralphilosophische Schriften (1997), S. 58–82. Noch Sigmund Freud geht von ähnlichen charakterlichen Neigungen und Unterscheidungen aus. Vgl. FREUD, Psychopathologie des Alltagslebens (1954), S. 189–218.

[12] Vgl. dazu ausführlich BÄCHTOLD, Hunger (1999).

[13] Ibid., S. 28.

kollektive Rituale zu lenken, erfüllte bei der Wiederherstellung des Seelengleich-gewichts der Gemeinschaft eine wesentliche Funktion: Sie war Teil der Kontingenz-bewältigung durch eine Gesellschaft, die zunehmend mit sozialen Spannungen kon-frontiert war, denn Mißernten, Teuerung und ihre teils klimatischen Voraussetzun-gen in dieser Phase der Kleinen Eiszeit führten auch in Zürich – dem europäischen Trend entsprechend – zu einer wachsenden Zahl von Armen. Die Obrigkeit versuch-te, dem drohenden Zerfall unter anderem mit gemeinschaftsfördernden Mechanis-men entgegenzuwirken.

Wick gehörte dem Predigerstand an. An verschiedenen Eingaben der Zürcher Großmünsterpfarrer beim Rat war er beteiligt.[14] Alles was die Sittlichkeit des Ge-meinwesens betraf, ging die Kirchenleitung an und berechtigte sie beim Rat vor-stellig zu werden. Für den Predigerstand fing, wenn Wunderzeichen erschienen, bei ihrer Wahrnehmung die Berufspflicht an. Wicks Wortwahl auf dem Titelblatt zum ersten Band (Abb. A1) drückt insofern Genugtuung aus, einer Standespflicht in be-sonders verantwortungsvoller Weise nachgekommen zu sein: Zunächst sprach er seine Rolle als Diener der Zürcher Kirche an, um anschließend zu betonen, er habe die »gschichten wargnomen« die sich während der Jahrzehnte seiner Aufzeichnun-gen »verloffen vnd zůgetragen« hätten.

Denkt man in dieser Richtung weiter, kommen unmittelbar Verwendungsmög-lichkeiten der 24 *Wickiana*bücher in den Sinn, die mit der zentralen Aufgabe eines reformierten Pfarrers zu tun haben, dem Predigen. Selbstverständlich war hier ein enormes Reservoir an moralischen Exempeln oder an aktuellen Beispielen für Got-tes wundersames und gnadenreiches Wirken vorhanden, auf das unter dem Blick-winkel verschiedenster Predigtthemen zugegriffen werden konnte.[15] Wicks Bücher standen für eine solche Verwendung auch dann offen, wenn der Hauptzweck für ihren Verfasser ein anderer war, wenn sie also – und genau das wird sich zeigen – nicht im engeren Sinne zur Exempelliteratur zu rechnen sind.[16] Die Vielfalt prakti-scher Verwendungsmöglichkeiten einer Prodigiensammlung bleibt auch dann ein wichtiger Gesichtspunkt. Das Predigtamt, das Wick ausübte, bietet dafür einen of-fensichtlichen Rahmen.

c) Prospektive Referenz: Chronologisch folgende *Strafen*, alle Arten von Katastro-phen, darunter auch Kriege, die gleichermaßen als Gottesstrafen angesehen wurden, waren – neben dem aktuellen Bezug auf Gottes Zorn und dem Rückbezug auf vorgängige Sünden – das dritte Signifikat der Wunderzeichen. Vom aktuellen Er-fahrungshorizont einer Wunderzeichenerscheinung aus waren Strafen *zukünftige*

---

[14] Vgl. BÄCHTOLD, Bullinger vor dem Rat (1982), S. 51 (1558), S. 132 (1556), S. 137 (1575), S. 171 (1555), S. 243 (1558).
[15] Ähnlich BAUER, Krise der Reformation (2002), S. 201, die von einem »durchaus instru-mentellen Wert« der »Wunderbücher« für den Prediger spricht.
[16] Zur Gattungsfrage vgl. III/1.1.

1. Sünden, Strafen und das Amt des Propheten

Bedeutungen von Wunderzeichen. Die Offenheit der Zukunft gab Raum für Spekulationen, um deren Legitimitätsgrenzen zwischen verschiedenen Auffassungen gestritten wurde. Eine rein »naturwissenschaftliche« Vorhersage – wie die astrologische im Falle der Himmelszeichen – wurde von theologischer Seite kritisiert, wenn sie Gottes »Autorschaft« leugnete oder auch nur zu leugnen schien. Wo Gott in den Erklärungen fehlte, witterten die Vertreter des Glaubens epikureische Einstellungen. Im Rahmen einer prinzipiellen Anerkennung der übernatürlichen Erstursache des Widernatürlichen aber konnten naturkundliche Positionen auch im theologischen Kontext zum Tragen kommen.

Man kann es so sehen: In der Auseinandersetzung ging es gesellschaftlich um die Deutungsherrschaft der Theologie in allen prophetischen Fragen. In Zürich zumal verstanden sich die Prediger seit Zwinglis Zeiten als Propheten im Sinne von Verkündern des Gotteswortes. Wie genau diese Rolle ausgelegt wurde, daß sie den Wunderzeichen eine politische Bedeutung für das Zürcher Gemeinwesen verlieh, soll im dritten Abschnitt dieses Kapitels gezeigt werden (1.3). Wichtig ist vorläufig nur, daß das Primat der Schrift in der Wunderzeichendeutung ein biblisch mehrfach belegtes Tabu vor dem allzu vorwitzigen Blick in die Zukunft implizierte. So erklärt sich die (mindestens theoretische) Selbstbeschränkung der reformierten Prediger auf das allgemeine Deutungsschema von Strafe und Sünde. Gleichzeitig waren die Wunderzeichen direkte Anhaltspunkte für Mißstände, die es aufzudecken und anzuklagen galt.

Bei Gottes Ratschlüssen sollten aus theologischer Sicht der *curiositas* Grenzen gesetzt sein. Um die Grenzbestimmung lagerten sich Oppositionsbegriffe wie »öffentlich« und »heimlich« an:[17] öffentlich waren die göttlichen Zeichen und Wunder. Schon darin lag eine Abgrenzung gegenüber dem Geheimwissen der Schwarzkünste und den teuflischen Zeichen. Die öffentlich sichtbaren Zeichen Gottes gingen jeden an; sie sollten überall verbreitet werden – ein Argument übrigens, mit dem Drucker von Wundernachrichten ihr Tun als Dienst an der Verbreitung göttlicher Botschaften gegenüber der Zensur zu heiligen und ihre ökonomischen Absichten zu verschleiern suchten.[18] Gottes Ratschluß hingegen war »heimlich« oder »geheim«. Er lag im Verborgenen. Gottes allmächtigem Handeln ließ sich nicht vorgreifen. Die Möglichkeit der Gnade schloß die Ungewißheit über Ort und Zeitpunkt göttlichen Strafvollzugs ein, eröffnete allerdings gleichzeitig Aussichten auf Abwendung drohenden Unheils und gab individueller Buße und kollektiven Ritualen einen Sinn.

Auf beiden Ebenen, sowohl auf der Ebene der Deutung als auch auf der Ebene gebotener Handlungen zur Abwendung drohender Gottesstrafen, hatten Theologen

---

[17] Vgl. HÖLSCHER, Öffentlichkeit und Geheimnis (1979), bes. S. 11–35; und den, Art. Öffentlichkeit in GG 4, S. 413–467, hier besonders S. 414–419; zur Öffentlichkeit der Wunder im Mittelalter: S. 416.

[18] Dazu ausführlich: MAUELSHAGEN, Verbreitung (2000), bes. S. 134–137.

und Prediger, zu denen auch Wick gehörte, ihren Wahrheitsanspruch gegen Konkurrenz zu verteidigen. Astrologie, Astronomie, Meteorologie, Alchemie oder Medizin machten im Laufe der Frühen Neuzeit einen Ausdifferenzierungsprozeß durch, der ein breites Spektrum alternativer Deutungs- und Handlungsangebote (Abwendungshandlungen im weitesten Sinne) auf den Markt warf. Das zwang zur Abgrenzung gegenüber solchen Alternativen und anderen Gebieten wissenschaftlichen Studiums, die keineswegs völlig abgelehnt wurden, aber nicht als letzte Weisheiten Anerkennung finden sollten. Theologische Deutungen versuchten ihre Vorherrschaft in erster Linie auf dem Weg der Unterordnung anderer Deutungen zu behaupten. Mit Gottes heimlichem Ratschluß verteidigten Prediger und Theologen zugleich ihren eigenen Anspruch auf Zukunftswissen. Zur Behauptung der Vorherrschaft bot die Staffelung von *causa efficiens* und *causa finalis*, Wirk- und Zweckursache, ein geeignetes logisches Instrument: Solange Gott als Erst- und Letzturssache unangefochten blieb, erschien eine differenzierende Einsicht in Wirkungszusammenhänge, natürliche eingeschlossen, als legitim. Auf der Handlungsebene wandten sich die Glaubensvertreter vor allem gegen schwarze und weiße Magie mit ihren Angeboten, das persönliche Schicksal günstig zu beeinflussen. Das Mittel dagegen war nicht Unter- oder Einordnung, sondern Ausgrenzung. Der ideologische Diskurs darüber läßt sich als Auseinandersetzung um die Grenzbestimmung zwischen Glauben und Aberglauben verstehen, die nicht zuletzt auch das Feld konfessioneller Streitigkeiten berührte.

Zur Semantik von Zeichen und Strafe gehörte schließlich, daß Strafen wiederum als Zeichen gedeutet werden konnten: Zum einen verwiesen auch sie im Kausalschema zurück auf Sünden als Ursachen des Übels. Bestimmte Gottesstrafen deuteten auf konkrete Sünden als Ursachen hin (Hunger und Teuerung etwa auf Völlerei), die es zu bekämpfen galt, wenn das Unheil erfolgreich abgewendet werden sollte; zum anderen konnten Strafen den Charakter von Wunderzeichen annehmen. Das traf vor allem im Falle von schweren Naturkatastrophen zu, die – nach zeitgenössischem Verständnis – gegen den natürlichen Lauf der Dinge verstießen, also *praeter* oder *contra naturam* geschahen und damit das Merkmal des Wunderbaren aufwiesen. Erdbeben sind dafür ein gutes Beispiel: Aus der Distanz der Nichtbetroffenen konnte das Unglück der Betroffenen als warnendes Zeichen symbolische Kraft entfalten. »Zeichen« und »Strafe« waren funktionale Begriffe, die rückblickend nicht mit festen Inhalten belegt werden können. Für die jeweilige Zuordnung im moraltheologischen Kausalschema, also für dessen konkrete Anwendung, spielten auch Aspekte wie Nähe und Distanz, Betroffensein oder Nicht-Betroffensein eine wichtige Rolle. In einer Zeit, in der Druckmedien entscheidend zur Überschreitung zuvor gesetzter Raumgrenzen regelmäßiger Nachrichtenübermittlung beitrugen, wuchs auch die Zahl möglicher Perspektiven und Rollen.

Das hier dargestellte grundlegende theologische Deutungsschema war abstrakt und gegenüber der Komplexität und Polysemie konkreter Bezüge reduktionistisch,

1. Sünden, Strafen und das Amt des Propheten

wenn es bei Gemeinplätzen blieb, wie sie sich häufig in Flugblättern finden: daß schlechthin Sünden die Ursache für Gottes Zorn und Gnade seien oder daß die Zukunft in seinem Ratschluß verborgen liege. Solche Gemeinplätze sind inhaltlich wenig aussagekräftig. Man muß bei der Feststellung, daß es sich um Topoi handelt, jedoch nicht stehenbleiben, sondern kann zu einer funktionalen Analyse übergehen. Die topischen Abstraktionen machten die theologische Deutung immun gegen die Fehlschläge konkreter Vorhersagen, mit denen die Astrologie zu kämpfen hatte, immun auch gegen die von Heinrich Bullinger wie schon von Martin Luther und anderen Vordenkern der Zeit eingeräumte Möglichkeit, daß der Teufel falsche Zeichen gab und damit für Irritation sorgte.[19] Wer Buße leistete, tat in jedem Falle das Richtige. Sie war ein Passepartout frommen Handelns und als Bewältigungsangebot geradezu unwiderlegbar. Diese doppelte Immunität der theologischen Wunderzeichendeutung durch Verzicht auf konkrete Vorhersagen und den immer richtigen Rat zur Frömmigkeit trug sicher zur Dauerhaftigkeit bei. Ein darüber hinausgehendes Bedürfnis nach handlungsrelevantem Zukunftswissen blieb jedoch unbefriedigt, solange die Leerstellen der Interpretation nicht mit Inhalt gefüllt wurden.

Sünden, Wunderzeichen und Strafen wirkten wie Variablen in einer Rechnung, Unbekannte, die in jedem Einzelfall aus den vorhandenen Daten erschlossen werden mußten. Das klingt vielleicht zu mathematisch für ein Thema, das seit der Aberglaubenskritik der Aufklärung mit dem Etikett der Irrationalität versehen wurde. Wenn aber der Wunderglaube die von der Aufklärungsphilosophie neu definierten Grenzen zwischen Physik und Metaphysik ständig überschritt, ja überschreiten mußte, weil Gott selbst, um dessen Offenbarungen es ja ging, sie jederzeit überschreiten konnte und aus Sicht der meisten Zeitgenossen des sechzehnten Jahrhunderts tatsächlich ständig überschritt, so zeigt dies im Grunde nur, daß der Irrationalitätsvorwurf der Aufklärungs- und Nachaufklärungsepoche anachronistisch ist. Die beiden Sichtweisen unterscheiden sich durch ihre Prämissen, daß Gott eine oder eben keine ständig im Weltgeschehen agierende Potenz ist.

Die Abstraktion des idealtypisch skizzierten Schemas war dazu geeignet, nahezu die gesamte Wirklichkeit historischen Geschehens einzuschließen. Praktisch zeigte sich das daran, daß die Semantik des Modells in der Anwendung Mehrdeutigkeiten erzeugte. Bei Wick läßt sich noch ein zweiter Effekt in der Zusammenstellung seiner Bücher beobachten, nämlich die für heutige Augen wenigstens anfangs unzusammenhängend erscheinende Vielfalt unterschiedlicher Nachrichten: von den französischen Religionskriegen über den spanisch-niederländischen und den Türkenkonflikt bis zu politischen und profanen Morden, Hexenverfolgungen, eidgenössischen Händeln, Erdbeben, Unwetter- und Brandkatastrophen, Himmelserscheinungen, Teratologica und so weiter. Diese Vielfalt wurde häufig als mangelnde Fähigkeit zu

---

[19] Vgl. Luthers Vorrede zu seiner Neuausgabe von Lichtenbergers *Pronosticatio* in WA 23, S. 7–12, hier S. 10. BULLINGER, Wider die Schwartzen Künst (1586), S. 303 f.

Auswahl und Ordnung gedeutet.[20] Dabei erklärt sie sich im wesentlichen durch das weite Spektrum und die Flexibilität des soeben erläuterten moralischen Kausalmodells. Kriege waren Strafen Gottes und damit zugleich Zeichen der Zeit. Sie mußten immer wieder im Zusammenhang mit anderen Vorzeichen gesehen werden, die das Geschehen – etwa das Scheitern oder Gelingen von Friedensverhandlungen, den Erfolg oder Mißerfolg in militärischen Auseinandersetzungen – im voraus anzeigten und somit ständig begleiteten.

1.2. Bedeutungsnachhersage aus den Historien

Das moralische Kausalmodell besaß eine zeitliche Grundstruktur. Menschliche Sünden, Gottes Warnungen durch Zeichen und seine Strafen bildeten einen temporalen Folgezusammenhang. An konkreten Ereignissen festgemacht, versetzte er unmittelbar in den Lauf der Geschichte. Wick suchte ständig nach Parallelereignissen in den Historien: zu bestimmten Himmelserscheinungen oder Katastrophen, um zu schauen, was darauf folgte, und so die aktuellen Zeichen lesbar zu machen, wenigstens die eigene Erwartung oder die seiner Leser entsprechend auszurichten. Historische Beispiele, *exempla*, waren da, um aus ihnen zu lernen. Man konnte aus ihnen auch etwas über Wunderzeichen lernen – für die Zukunft. Wie das *historia*-Verständnis im sechzehnten Jahrhundert mit den Wundergeschichten zusammenhängen konnte, wird sich noch zeigen. Hier geht es zunächst um tiefere Einblicke in die Verknüpfung von theologischer und historischer Wunderzeichendeutung. Unter letzterer ist im folgenden ein Verfahren des rückwärtsgewandten Vergleichs zu verstehen, das Vergleichbarkeit und damit eine typisierende Klassifizierung ungewöhnlicher Naturerscheinungen voraussetzte, wie sie teils von der traditionellen Naturgeschichte, teils von Meteorologie oder Astrologie und Astronomie sowie anderen Disziplinen geleistet worden war.

Zu den selten einmal längeren Ausführungen über die Deutung eines Wunderzeichens bei Wick gehört der Abschnitt »Bedütnuß, deren zweÿen Rägenbogen, die vnder obsich ob der Statt Zürich, am palmtag, deß 8. Aprilis, vm̄ die Sibne, vor mittag, gesãhē worden, auch kurze verzeichnuß M. Heÿnrichen Bullingers, was gfolget, wie glÿcher gstalt, Anno 1524, auch sõllich zwen Rägenbogen gesãhen worden«.[21] Anlaß für einen Rückblick in die Geschichte gab die seltene Erscheinung zweier umgekehrt übereinander stehender Regenbögen am 8. April 1571. Wick deutete diese Erscheinung als Vorzeichen für den Tod des Bürgermeisters Cham am 25. April und für die schwere Teuerung des Jahres 1571.[22] Die historische Rück-

---

[20] Z. B. Senn, Wickiana (1975), S. 13 f.

[21] ZBZ, Ms. F 19, fol. 233ʳ–234ᵛ.

[22] ZBZ, Ms. F 19, fol. 226ʳ (Deutung in den Randbemerkungen). Text und Bild bei Senn, Wickiana (1975), S. 190, der auf eine Wiedergabe des korrespondierenden Stücks wenige Seiten später leider verzichtete.

schau diente der vergleichenden Vergewisserung über die Bedeutung des Zeichens. Gerade der sehr spezifische Zusammenhang mit dem Tod des Bürgermeisters fand hier eine überraschende Bestätigung. Allerdings zeigt die Aufzählung von Folgeereignissen im Rückblick auf das Jahr 1524, wie vieldeutig und unsicher die Wundersemantik meist war. Wick bezog sich dabei auf Bullingers Reformationsgeschichte. Darin hatte der Nachfolger Zwinglis nicht nur auf den Tod der beiden Zürcher Bürgermeister Felix Schmid und Marx Röist hingewiesen, sondern auch »vil vnfål, vnd grosse vnrůwen« als Folge angesehen.[23]

Es handelt sich hier um eine Formel, die in den Wunderzeichenberichten ständig wiederkehrt und den Charakter einer Bedeutungsvariable besitzt: wie das »X« in einer mathematischen Gleichung. Die Unbekannte konnte mit historischem Geschehen ausgefüllt werden. Daß dies jeweils relativ zur räumlich und zeitlich begrenzten Wahrnehmung von Ereignissen geschah, versteht sich eigentlich, entzog sich aber doch weitgehend der Selbstreflexion der Zeitgenossen, die fest von dem überzeugt waren, was sie taten. Ihre Wahrnehmung bildete wie selbstverstänlich den Deutungshorizont der Zukunft. Wick las weiter in Bullingers Aufzeichnungen und fand eine Reihe passender Ereignisse, die er aufzählte: den Bildersturm in Stammheim, die anschließenden Ereignisse um den Ittingersturm, die Gefangennahme des französischen Königs Franz I. in der Schlacht bei Pavia 1525, den Bauernkrieg im Reich, das Ende der Messe in den Zürcher Pfarrkirchen, den Bauernaufstand in der Zürcher Herrschaft, die beginnende Auseinandersetzung mit dem Täufertum und mit den zwölf Orten, aber auch die Einigung zwischen Stadt und Land Zürich.[24]

Alle diese Ereignisse sind nicht als konkrete, sich bei ähnlichen Himmelserscheinungen zwingend genau so wiederholende Begebenheiten zu verstehen, sondern als Deutungsmöglichkeiten, die Wick aus aktuellem Anlaß notierte und vergleichend in Betracht zog. Die zukunftsgerichtete Erwartung wurde auf diese Weise strukturiert, die Wahrnehmung für die Wiederholung von ähnlichem sensibilisiert. Wegen der verblüffenden Übereinstimmung mit der aktuellen Koinzidenz zwischen dem doppelten Regenbogen vom 8. April 1571 und dem Tod des Bürgermeisters Cham wenige Wochen darauf schien wenigstens dieser Zusammenhang gewiß zu sein, und darum ging es Wick vor allem. Das paßt zu seiner Tendenz, Wunderzeichen, die nicht an vielen Orten gesehen worden waren, in Beziehung zu Folgeereignissen am Beobachtungsort zu setzen. Wir werden noch sehen, daß auch Wicks Kollege Lavater und Conrad Gesner auf ortsbezogene Sichtbarkeit achteten.

Zu den herausragenden Prodigien gehört die Erscheinung des großen Kometen von 1577. In der Serie von *Wickiana*-Dokumenten, die sich damit befassen, findet man einen Rückblick auf den Kometen von 1527: »Warhaffte Beschrÿbung deß

---

[23] HBRG 1, S. 159. Das Autograph: ZBZ, Ms. A 16 & 17.
[24] ZBZ, Ms. F 19, fol. 233ʳ–234ᵛ (Wick formuliert leicht abweichend von Bullinger: »vil enderungen vnd gross vnrůwen«).

grusamen Erschrockenlichen Cometen So Erschinen Ist Im Westrich Im 1527. Jar den xj. tag Octobris.«[25] Unter der Überschrift notierte Wick: »Hernach vff den xi octobris an S. Burkarts tag, im̄ 1531. Jar, ist gfolget die leidig schlacht zů Cappel, zwüschet minen Herren von Zürich, vn̄ den V orthen.« Diese Interpretation der Kometenerscheinung sützte sich auf Johannes Stumpfs Schweizerchronik von 1547.[26] Dies überrascht deshalb, weil zu dem Zeitpunkt, als Wick zu Stumpf griff, kein geringerer als Bullinger in seiner Reformationsgeschichte, abgeschlossen 1574, eine andere Deutung vorgelegt hatte. Dort wurde der Komet vom August 1531, nicht aber der von 1527 als Vorzeichen für Zwinglis Tod in der Schlacht von Kappel gedeutet. Zwingli selbst habe seinen Tod an diesem und anderen Zeichen vorausgeahnt.[27] Obwohl dieses Werk Bullingers ungedruckt war, hätte Wick in der Bibliothek des Chorherrenstifts mühelos darauf zugreifen können. Wir wissen nicht, ob er es vielleicht sogar getan hat. Kommt hinzu, daß zuvor schon Ludwig Lavater in seinem Kometenbuch eine ähnliche Deutung wie Bullinger gegeben hatte. Bei Lavater hieß es vorsichtig: Es seien etliche, die sagten, der Komet hätte die Zürcher Niederlage in Kappel vorausbedeutet, in der Zwingli gefallen sei.[28]

Wick begründete mit Stumpf seine abweichende Auffassung in einer kurzen Beschreibung. Die Argumentation legt einige Züge einer in Zürich gängigen Wunderzeichendeutung offen:

> Wiewol nun vilbemelter Comet/ bӱ vnns Inn der Eidtgnoßschafft nitt gesehen worden/ hab Ich doch sӱnen hie gedenncken wöllen/ das er vngezwӱflet der tütschen Nation/ vnnd deßhalb ouch der Eidtgnoßschafft vorgelüchtet hatt. Insonderheitt aber Ist grad Inn vier Jaren darnach eben vff denn 11. tag Octobris/ nitt ein geringe vnrůw vnnd bößen schad mit krieg In Eidtgnossen ӱngebrochen/ ouch allenthalben In tütschen vnnd Weltschen landen/ gefarliche louff zůgetragen haben/ Gott sӱg vnns genädig Amen.[29]

Dieser Begründung zufolge, die wörtlich von Stumpf stammte, war vor allem die Übereinstimmung des Datums der Schlacht von Kappel mit der vier Jahre zuvor

---

[25] ZBZ, Ms. F 26, fol. 223ʳ. Überschrift von der Hand eines Mitarbeiters. Darunter Wicks eigene Hand.

[26] STUMPF, Schweizerchronik (1547), S. 465ᵛ–466ʳ. Vgl. SCHENDA, Wunder-Zeichen (1997), S. 14.

[27] Vgl. HBRG 3, S. 46 und S. 137. Dazu ausführlicher MAUELSHAGEN, Bullinger (2004), S. 37 f. Nichts dergleichen findet sich bei Stumpf.

[28] LAVATER, Catalogus (1556), zu *Anno 1531*: »Sunt qui hunc cometam infelix illud & calamitosum Heluetiorum bellum portendisse dicant, quo bis a Tigurinis (qui enim quinque praeliorum mentionem faciunt, uani sunt & mendaces) infeliciter pugnatum est. In priore praelio Hulrychus Zuinglius, anno aetatis suae 48. [...] caesus est.« Vgl. LAVATER, Kometen (1681), S. 70 f.

[29] ZBZ, Ms. F 26, fol. 223ᵛ. Text in fremder Hand (nicht identifiziert). Als Vorlage für die deutsche Beschreibung diente vermutlich der anschließend zitierte Bullinger-Text, mit dem LAVATER, Catalogus (1556) (zu *Anno 1527*), der ebenfalls auf Bullingers Lukas-Kommentar verweist, weitgehend wörtlich übereinstimmt.

beobachteten Erscheinung ausschlaggebend. Zwar sprach der Beobachtungsort in gewissem Sinne gegen diese Deutung. Um dagegen die Relevanz der Erscheinung auch für sie behaupten zu können, argumentierte Stumpf (und mit ihm Wick) überraschenderweise mit der Reichszugehörigkeit Zürichs. Unausgesprochen spielten gewiß auch die kriegerischen Symbole in der erschreckenden Kometenerscheinung eine Rolle, die in einem Bild dargestellt wurden, das schon in den aktuellen Druckschriften des Jahres 1527 kursiert und von dort seinen Weg in die gelehrte Literatur gefunden hatte (Abb. A2 und Abb. A3).[30]

Im Anschluß zitierte Wick eine Passage aus Bullingers Kommentar zum Lukas-Evangelium von 1546.[31] Die in frühneuzeitlichen Druckschriften wohl am häufigsten genannte biblische Belegstelle für die Zeichen der Endzeit waren die prophetischen Jesusworte aus Lk 21,25 ff. Bullinger, wie die meisten Kommentatoren und Prediger, nahm sie zum Anlaß, Beispiele für wundersame Erscheinungen aus der jüngeren Geschichte anzuführen. Die von Wick zitierte Passage beginnt mit der vom Wortlaut der Bibelstelle geleiteten Unterscheidung zwischen Zeichen am Himmel, an der Erde und im Meer. Weiter führte Bullinger aus, am Himmel befänden sich Sonne, Mond und Sterne, an denen während der letzten vierhundert Jahre erstaunliche Zeichen erschienen seien, wie fleißige Leser der Historien wohl wüßten. Dann kam er auf den Kometen von 1527 zu sprechen. Er beschrieb die Erscheinung nach Ort, Farbe, Höhe, Länge und anderen meteorologischen Details, die nach traditioneller Kometenauffassung relevant waren. Kometen nämlich galten als meteorologische Phänomene. Erst die Beobachtung des Kometen von 1577 durch Tycho Brahe führte allmählich einen Durchbruch zur astronomischen Kometenforschung herbei.[32]

Wicks Deutung der Kometenerscheinung als Vorzeichen für die Schlacht von Kappel ging gar nicht auf den endzeitlichen Kontext in Bullingers Evangelienkommentar ein. Der Rückblick in die Geschichte diente Wick als Anhaltspunkt für mögliche Folgen, aber nicht als Bestätigung einer konkreten Endzeiterwartung.

---

[30] Die bekanntesten Flugschriften sind: CREUTZER, Außlegung (1527); verwendetes Exemplar: StUB Frankfurt/M., Fl.G.Fr., H.55; Nachweis: KÖHLER, Flugschriften (1991), S. 267 (Nr. 615); GELDENHAUER [=NOVIOMAGUS], De terrifico cometa (1527). Nachweise bei: KÖHLER, Flugschriften (1991), S. 531 (Nr. 1244). STUMPF, Schweizerchronik (1547), fol. 466ʳ erwähnt beide Autoren und bietet einen kleinen Holzschnitt, der mit demjenigen des kurz zuvor gedruckten Kommentars zum Lukasevangelium von Bullinger identisch ist. Siehe BULLINGER, Euangelium (1546), fol. 122ʳ. Von diesem Überlieferungsstrang unabhängig ist wohl LYCOSTHENES, Prodigiorum ac ostentorum chronicon (1557), S. 534 (vgl. auch LYCOSTHENES, Wunderwerck (1557), S. 477). Spätere Abbildungen in der teratologischen und Prodigienliteratur hängen in der Regel direkt oder indirekt von Lycosthenes ab, erkennbar an der falschen Datierung auf den 9. Oktober 1528: ALDROVANDI, Monstrorum historia (1642), S. 729; PARÉ, Des monstres et prodiges (1971), S. 142 (vgl. auch den Kommentar dort S. 198. Anm. 314).

[31] BULLINGER, Euangelium (1546), fol. 122ʳ.

[32] Vgl. MAUELSHAGEN, Kometenflugblätter (1998), S. 114, mit weiteren Angaben.

Demnach muß er in erster Linie an dem Vergleich der Erscheinung mit dem aktuellen Kometen von 1577 und an dessen möglicher Bedeutung interessiert gewesen sein, wie sie durch den historischen Rückblick nahegelegt wurde. Wick, so scheint es, verfolgte eher konkrete Bedeutungszusammenhänge jenseits der großen apokalyptischen Endzeitvision – wenigstens an dieser Stelle. Die Wunderzeichen drohten zwar Gottesstrafen an und hatten insofern divinatorische Qualität, in der konkreten Zuspitzung ihrer Bedeutung auf ein oder mehrere Ereignisse der Weltgeschichte aber lag ein verweltlichendes Moment gegenüber einer auf das Jenseits gerichteten Erwartung. Darin war die historische Deutung der astrologischen oder meteorologischen Prognostik verwandt, nur handelte es sich hier nicht um Vorher-, sondern gleichsam um Nachhersage der Bedeutung aus dem Lauf der Geschichte.[33]

Die historisch-chronologische Interpretation der Wunderzeichen war von allen Deutungsmethoden am ehesten vereinbar mit dem theologischen Grundschema. Zum einen verletzte die Nachhersage nicht das Tabu vor dem unzulässigen Versuch, in Gottes unergründliche Ratschlüsse Einblick zu gewinnen. Sie verband sich mit biblischen Topoi und schloß eine heilsgeschichtliche oder sogar apokalyptische Deutung aktueller Wunderzeichen nicht aus. Sie öffnete sich aber in gewissem Maße auch für naturkundliche Beschreibungen und damit verbundene Deutungsmöglichkeiten. Zugleich entzog sie sich dem Vorwurf naturkundlicher Spekulation, indem sie sich auf die historische Erfahrung zurücknahm, die von vornherein keinen Anspruch auf definitives Wissen erhob.

Auch wenn es den Konventionen der Wissenschaftsgeschichte nach wie vor fremd sein mag, möchte ich das Verfahren der historischen Wunderzeichendeutung als empirisch bezeichnen. Es bestand wesentlich darin, Wundergeschichten zu sammeln, um sie zu vergleichen, was sich unmittelbar am *historia*-Begriff festmachen läßt. Wick gebrauchte schon in den Titeln seiner Bücher diesen Begriff. *Historia* konnte die Geschichte im Ganzen bezeichnen, aber auch für eine einzelne Begebenheit und ihre Erzählung stehen und damit zum Sammelbecken für darin zur Sprache gebrachtes Erfahrungswissen werden.[34] Arno Seifert hat in einer grundlegenden Studie die *historia* als Namengeberin der frühneuzeitlichen Empirie bezeichnet.[35] Hier müssen nicht alle Facetten der *cognitio historica* aufgeschlüsselt werden. Entscheidend ist der Gegensatz zum aristotelischen Episteme-Verständnis, zum Verständnis der Wissenschaft als Lehre von Form und Wesen der Dinge.

Die Theologie lehnte erst recht den Determinismus eines strengen Naturwissenschaftsverständnisses ab, der mit spontanen Eingriffen Gottes in den gewöhnlichen

---

[33] Die Kapitelüberschrift »Bedeutungsnachhersage« ist durch PFISTER, Wetternachhersage (1999), inspiriert.
[34] Vgl. den von Horst Günther bearbeiteten Teil des Art. Geschichte in GG 2, S. 625–647, bes. S. 641.
[35] SEIFERT, Cognitio historica (1976).

Naturlauf und mit der Willensfreiheit des Menschen nicht vereinbar gewesen wäre. Nur wenn daran nicht gerüttelt wurde, machte die moralische Zeichendeutung Sinn, und nur dann waren Abwendungsrituale kein hoffnungsloses Unterfangen. Darum konnte die Theologie einzig einen weichen Begriff von Naturkausalität akzeptieren. Diese Voraussetzung war von wissenschaftlicher Seite am ehesten in der an Aristoteles und Plinius d. J. orientierten naturgeschichtlichen Tradition (*naturalis historia*) gegeben, deren prominenter Vertreter in Zürich Conrad Gesner war. An seiner anonym veröffentlichten Deutung des Nordlichts vom Tag der unschuldigen Kinder 1560 wird sich noch zeigen,[36] wie sich zugleich mit dieser Abschwächung Spielräume für die Integration naturhistorischer Deutungskonzepte eröffneten, die vor allem dazu dienten, das abstrakte theologische Kausalschema durch Zusatzbedingungen zu konkretisieren und damit beim Auftreten von Prodigien dem Bedürfnis nach Zukunftswissen entgegenzukommen. Wie groß die Spielräume für die Integration naturhistorischer Deutungsansätze von Prodigien im sechzehnten Jahrhundert jeweils waren, dürfte von Ort zu Ort variieren. In Zürich waren die Spielräume für Naturforschung im allgemeinen groß genug, um Gesner in der *Schola Tigurina*, an der Zürcher Hohen Schule, im unmittelbaren Umfeld der Kirchenleitung, ein so breites Wirkungsfeld einzuräumen, daß eines der bedeutendsten wissenschaftlichen Lebenswerke der Neuzeit entstehen konnte, ohne daß es zu nennenswerten Auseinandersetzungen kam. An Berührungspunkten wie der Wunderzeichentheologie war die Zürcher Kirchenelite mit ihrer Präferenz für die historisch-chronologische Deutung sogar auf Integration naturkundlichen Wissens bedacht, nicht auf dessen Ausschluß. Auf praktischer Ebene bereitete nicht zuletzt diese ideologische Offenheit das Feld für eine weitgreifende Kooperation, von der Wicks »Wunderbücher« mannigfach profitierten.

1.3. Anklage der Laster: Das politische Amt des Propheten

Die Reformation Zürcher Prägung wollte »von Anbeginn mehr als nur ›reformatio doctrinae‹ sein«; sie schloß »die ›reformatio morum et vitae‹« ein.[37] Unter dieser Maßgabe konnten Gottes Zeichen im kommunalen Raum des Zürcher Stadtstaates eine eminent tagespolitische Bedeutung gewinnen. Wie die moralische Reform des Lebens Politik werden und die Wunderzeichen darin eine Rolle spielen konnten, erklärt sich aus dem Verständnis des Prädikantenamtes, wie es von seinen wichtigsten Zürcher Repräsentanten, Zwingli und Bullinger, ausgelegt wurde. Voraussetzung für die Definition dieser Rolle war ein spezifisches Verständnis des Verhältnis-

---

[36] GESNER, Historia et interpretatio prodigii (1561); dazu GUTWALD, Prodigium (2002) und LEU, Gesner als Theologe (1990), S. 91–98. Zu Gesners naturhistorischem Denken vgl. die aufschlußreiche Studie von FRIEDRICH, Naturgeschichte (1995).

[37] HOLENSTEIN, Tagespolitik (2007), S. 178.

ses von »göttlicher und menschlicher Gerechtigkeit«, Prädikantenamt und Obrigkeit in der Gemeinde.[38] Bei Bullinger berührt diese Frage den Kern seiner Bibelauslegung: seine gegenüber Zwingli deutlich elaboriertere Theologie des Bundes (Föderaltheologie) zwischen Gott und Mensch, die mittlerweile als Nukleus seiner Theologie im Ganzen gilt. Was die politischen Rahmenbedingungen angeht, machen auch die Folgen der Niederlage von Kappel 1531 zwischen der Kirchenpolitik Zwinglis und Bullingers einen einschneidenden Unterschied aus. Nach Kappel sah sich Bullinger unter Beteiligung seines neuen Wirkungsumfeldes gezwungen, die Rolle der Prädikanten im politisch-öffentlichen Raum neu auszuhandeln, was über viele Jahre durch verschiedene Konflikte geschah und zur Ausbildung neuer politischer Institutionen führte.

»Der Historiker ist ein rückwärts gewandter Prophet.«[39] Friedrich Schlegels Diktum trifft nicht nur die historisch-chronologische Nachhersage der Bedeutung von Wunderzeichen, wie sie in Zürich betrieben wurde. Sie trifft auch das Selbstverständnis der Zürcher Prädikanten als Propheten, das schon Zwingli formuliert hatte. Die Propheten des Alten Testaments hätten dem Volk den Sinn der heiligen Schriften eröffnet, sie hätten zerstört und ausgerottet, was gegen Gott sei, und darüber gewacht, daß sich nichts Verderbliches gegen Gottes Volk erhebe. Dies sei auch die Aufgabe der Bischöfe und Hirten in der Gemeinde Christi: »Prophezeien ist unterweisen, mahnen, trösten, strafen, beschuldigen«.[40] Das Prophetentum ist hier kein divinatorisches, sondern rückgebunden an das Gotteswort, die Heilige Schrift.[41] So auch bei Bullinger, der das Amt des Propheten ganz ähnlich beschrieben hat:

> Es [das Wort »Prophet«] bezeichnet jemanden, der aus göttlicher Offenbarung Zukünftiges vorhersagt, oder jemanden, der Heiliges erklärt und Frevel aufdeckt, anklagt und verfolgt, jeden Irrtum und alles Unrecht austreibt, Gottesfurcht aber und Gerechtigkeit lehrt, nahebringt und beschützt. Daher heißen bei den Hebräern die Seher Propheten. Denn genau wie die christlichen Bischöfe Aufseher genannt werden, weil sie als Wächter Sorge tragen zur Herde des Herrn und verhindern sollen, dass diese Herde eine Verderbnis für die Seelen und der Feind des Menschengeschlechtes anfällt, der mit der Menge menschlicher Laster umgeben ist, ebenso bespähten auch jene die Ränke der Lasterhaften und der Verirrten und deckten sie auf.[42]

---

[38] Zwinglis Schrift »Von göttlicher und menschlicher Gerechtigkeit« von 1523 findet sich in ZW 2, S. 458–525; modernisierte Fassung in HZSchr 1, S. 155–213. Dazu BLICKLE, Gemeindereformation (1987), S. 150–158.

[39] Nach BÜCHMANN, Geflügelte Worte (1977), S. 172 (unter Verweis auf *Athenäum*, Bd. 1, unter »Fragmente«).

[40] »Prophetare est docere, monere, consolari, arguere, increpare.« Zitiert nach BÜSSER, Prophet (1969), S. 9. Vgl. BÄCHTOLD (Hg.), Schola Tigurina (1999), S. 19 und BAUER, Krise der Reformation (2002), S. 207.

[41] Vgl. Daniel Bolligers Einleitung zu »Das Amt des Propheten« in HBSchr 1, S. 3–10, der auch auf die lange Tradition des Verständnisses des Bischofsamtes aus dem alttestamentlichen Prophetentum hinweist (S. 5).

[42] BULLINGER, De prophetae officio (1532), fol. 2ᵛ–3ʳ, dt. zitiert nach der Übersetzung von

1. Sünden, Strafen und das Amt des Propheten

Das Amt des Propheten ist demnach ein Wächteramt, das die moralische Qualität der Gemeinde im Auge hat. Bullinger greift das Thema an späterer Stelle der Schrift *De prophetae officio* wieder auf und bezieht die Bekämpfung der Irrtümer an erster Stelle auf »die grundverseuchten Sekten der Papisten und der Wiedertäufer«,[43] die die christliche Freiheit unterdrückten und die Gemeinde spalteten. Er kommt dann aber bald auf die »Laster« zurück, die der Prophet anklagen soll:

> Es sind die folgenden: Treulosigkeit, Ausschweifung, Völlerei und Vernachlässigung häuslicher Pflichten, denen Diebstahl, Streitereien, Wucher, Bestechung, Kriege und Gemetzel entspringen. Hier eröffnet sich also ein überaus weites Feld zu reden und zu überzeugen. Hier ruft der Herr durch den Propheten: »Schreie und lasse nicht ab! Gleich der Posaune erhebe deine Stimme, und verkünde meinem Volk seine Verbrechen!« Was also soll geschehen? Du sollst sie ermahnen, nicht vom lebendigen, wahren und ewigen Gott abzufallen; du sollst sie ermahnen, eifrig das Wort Gottes zu hören, ja nicht nur zu hören, sondern auch durch Glauben und unsträflichen Lebenswandel zum Ausdruck zu bringen.[44]

Glaube und unsträflicher Lebenswandel – beides zusammen bezeichnet die Schuldigkeit des Menschen im zweiseitigen Bund mit Gott. Das Wort Gottes ist Quelle für beides, die »dogmata fidei« und die »recte bene beateque vivendi ratio«, wie Bullinger gleich zu Beginn seiner *Dekaden* bemerkt.[45] Indem der Prophet seine Anklage vorbringt, erfüllt er seine Funktion für das Gemeinwesen als Heilsgemeinschaft, die aus dem im alten Testament mit Abraham geschlossenen und dann in verschiedenen Formen immer wieder erneuerten Bund mit Gott verstanden wird.[46] Es ist seine Pflicht, durch Beseitigung der Sünde zur Abwendung der gerechten Strafe Gottes beizutragen. In der seinen Amtsbrüdern gewidmeten Vorrede zum *Hausbuch* schreibt Bullinger:

Bolliger unter dem Titel »Das Amt des Propheten« in HBSchr 1, S. 12. Vgl. zu diesem Text: BÜSSER, De prophetae officio (1970).

[43] HBSchr 1, S. 23–28; BULLINGER, De prophetae officio (1532), fol. 14ᵛ–19ʳ.

[44] HBSchr 1, S. 28f.; ibid., fol. 19ᵛ: »Ea nimirum sunt, perfidia, luxus, concoction & neglectus rei domesticae, unde furta emergunt, lites, usurae, largitiones, bella & cedes. Hic itaque aperit sese latissimus campus & dicendi & sudandi. Hic clamitat apud prophetam Dominus, Clama, ne cesses, quasi tuba exalta vocem tuam, & annuntia populo meo scelera eorum. Quid igitur fiet? hortaberis ne deficiant a Deo vivo, vero & aeterno: hortaberis ut sedulo audiant verbum Dei, nec audiant tantum, sed & fide vitaeque innocentia exprimant.«

[45] BULLINGER, Sermonum Decades (1552), fol. 1ʳ. In der für die Föderaltheologie grundlegenden und systematischsten Schrift *De testamento* usw. leitet Bullinger die Verpflichtung zu gottgefälligem Leben aus den Einsetzungsworten Gen 17,9.1 her (»Ambula coram me & esto integer.«). Vgl. BULLINGER, De testamento (1534), fol. 14ᵛ–16ʳ; dt. Übers. in HBSchr 1, S. 57–101, hier S. 68f.

[46] Für Bullingers Verständnis der Kontinuität des einen Bundes und der einen Kirche (Ekklesiologie) durch die Bücher und Historien des Alten und Neuen Testaments hindurch vgl. BULLINGER, De testamento (1534), fol. 16ʳ–28ᵛ, insbes. 24ᵛ–28ᵛ; HBSchr 1, S. 69–80.

Der grechte Gott ist ye erzürnt über vnsere sünd/ vnd straafft die selbige/ vnd rüstet noch vil schwårers zů/ daß er über vns außschütte/ wo wir vns nit besseren werdend. Da ist aber insunderheit vnser ampt/ daß wir wachind für die hård deß Herren/ vñ die schåfflin die vns vertrauwet bey zeytē warnind vor dem schwårdt das vorhanden/ damit nit der vmkomenden blůt von vnseren henden erforderet werde. Deßhalben sicht mich für gůt vnd notwendig an/ das ich mit euch/ geliebte brůder im Herren/ rede von vnserem ampt/ wie wir das in disen gfarlichen zeyten außrichten sôllind/ vnd was die gwüsse weyß seye/ dardurch wir môgind den erweckten zorn Gottes über vnsere sünd Gottsåligklich stillen vñ versůnen.[47]

Das von Bullinger entwickelte Verständnis des Prädikanten, läßt sich mühelos mit dem straftheologischen Kausalmodell der Wunderzeichen verknüpfen und von daher ein spezifischer Gebrauchskontext für eine Sammlung von Wunderzeichen erschließen. Prodigien waren wichtige Hinweise für moralischen Mißstand – allgemeinen oder lokal begrenzten, nicht zuletzt im eigenen Gemeinwesen. Dieser Gesichtspunkt geht über die Bedeutung der Prodigien als Predigtexempel hinaus, denn das Exemplarische ist nur eine Veranschaulichung des Allgemeinen. Die Benennung moralischer Mißstände hingegen hatte den viel schärferen Ton konkreter Anklage. Zeichen Gottes und seine Strafen – Hunger, Pest, Krieg oder Verfolgung – waren klare Anhaltspunkte für Mißstand. Sie waren Beweismitteln für eine kritische Gesellschaftsdiagnose in Ausübung des Wächteramtes. Das kann man in Zürich während verschiedener Krisen beobachten, in deren Verlauf die Prädikanten auf die Kanzel stiegen. So etwa während der Pest 1564/65 oder während der Hungerjahre 1570–1576. In den umfassenden Predigtabhandlungen, die der erste Archidiakon Ludwig Lavater zu beiden Anlässen veröffentlichte, wird die Ursachenfrage ausführlich erörtert und mit einem Katalog konkreter Sünden beantwortet.[48]

Die politische Funktion der öffentlichen Anklage der Laster verschärfte sich nochmals durch Bullingers bundestheologisch fundiertes Verständnis der Obrigkeit. Sie hatte nämlich Sorge zu tragen, daß die Gemeinde ihre Verpflichtung gegenüber Gott erfüllt. Von der Heiligen Schrift her könne die Obrigkeit so »beschriben werden/ das sie sey ein ordnung vnd würckung Gottes/ da durch mittel hilff vnd rath der fürnempsten die gůten geschützt vnnd geschirmpt/ die bôsen aber gestrafft/ vnd also waare Gottsforcht/ gerechtigkeyt/ ehrsamkeyt vnnd ruůw/ auch gemeyner vnnd besonderer frid erhalten werde«, schreibt Bullinger im Hausbuch. »Darauß dann volget/ das im Regiment fürgesetzt sein/ vnd der Oberkeit ampt treülich außrichten

---

[47] BULLINGER, Hausbuch (1558), fol. b1.
[48] Vgl. LAVATER, Von der Pestilentz (1564) und LAVATER, Von thůwre vnd hunger (1571). Die impliziten Versäumnisse der Obrigkeit bei der Bekämpfung der Mißstände durch Bestrafung der »Sünder« werden nicht direkt angesprochen, was vermutlich daran liegt, daß die Zürcher Pfarrer solche Debatten dem der Öffentlichkeit nicht zugänglichen Raum der Beratung zwischen Kirchenleitung und Rat überließen. Jedenfalls sind mehrere Fürträge von Kirchenvertretern während beider Krisen überliefert. Zu den Fürträgen Bullingers während der Hungerkrise zu Beginn der 1570er Jahre siehe BÄCHTOLD, Bullinger vor dem Rat (1982), S. 241–276 und 326–328.

1. Sünden, Strafen und das Amt des Propheten

ein Gottsdienst sey.«[49] Die Prädikanten ihrerseits hatten die Pflicht, die Obrigkeit an den göttlichen Auftrag zu gemahnen.»So wie die alttestamentlichen Propheten die Könige und Richter Israels ermahnt hatten, so oblag es auch den Prädikanten der erneuerten Kirche, die Obrigkeit daran zu erinnern, dass sie ihre Aufgabe letztlich im Dienst Gottes versah und es ihre Pflicht war, die Bürger und Untertanen zur Befolgung ihrer religiösen und sittlichen Pflichten aus dem Bund mit Gott anzuhalten und die Fehlbaren zu mahnen bzw. zu strafen. Kirche und Obrigkeit – Prädikanten und Räte – erscheinen in diesem Verständnis als zwei kommunizierende Institutionen, die den Bund zwischen Gott und den Menschen vermitteln, bewahren und aufrechterhalten.«[50] Das von daher zwingende Zusammenwirken zwischen Kirchenleitung und Rat »was the very marrow of the Christian commonwealth«.[51]

Diese Konstellation barg allerdings einiges an politischem Sprengstoff in sich, weil eine Anklage verbreiteter Laster in der Gemeinde implizit oder explizit auch stets Anklage der Versäumnisse der Obrigkeit war. Diese Versäumnisse waren sogar besonders gravierend, weil die Unterlassung der Bestrafung der Sünder den Zorn Gottes auf die Gemeinde als Ganze ziehen und zur Kollektivstrafe führen mußte, die dann neben den Schuldigen auch »Unschuldige« traf – wenn auch gerechterweise, weil auch letztere mit der Erbsünde belastet waren und eben weil die Versäumnisse der Obrigkeit alle betrafen. Bullingers Unterscheidung zwischen guter und schlechter Obrigkeit ist hier von Bedeutung. Sie wird in der 16. Predigt seiner Dekaden entfaltet, die neben anderem »von der Oberkeit« handelt:

> Ein gůte oberkeyt ist/ die recht erwelt ist/ vnd auch jr ampt recht verwaltet. Ein bôse oberkeit ist/ die nicht mit rechten mitlen an das regiment kommen ist/ vnnd das selbig auch nicht recht sonder nach jrem můtwillen verwaltet.[52]

Die böse Obrigkeit, die bei Bullinger auch als Tyrannis bezeichnet wird, sei eine Dienerin des Teufels, nicht Gottes, komme aber dennoch von Gott, und zwar als seine Strafe, »gerad wie auch auffrůr/ krieg/ pestilentzen/ hagel/ reyffen vnd andere plagen vnd vnfål der menschen von jm sind/ als straffen der sünden vnd lasteren«.[53] Der Katalog der Gottesstrafen für die Untreue der Menschen gegenüber ihren Bundespflichten wurde damit nochmals erweitert. Ebenso erweitert erscheint das Spektrum der Ursachen, die nicht mehr nur bei den primären Lastern und Sünden zu suchen waren, sondern auch auf zweiter Stufe bei den Unterlassungen des weltlichen Schwertes, diese Laster zu strafen, und schließlich, auf dritter Stufe, im falschen

---

[49] BULLINGER, Hausbuch (1558), fol. 76[r].
[50] HOLENSTEIN, Tagespolitik (2007), S. 188.
[51] BAKER, Covenant (1980), S. 110; zum Zusammenhang des Verständnisses von Obrigkeit und Bundestheologie bei Bullinger vgl. ebd. S. 62, 65 ff., 71 ff., 107 f.; außerdem BIEL, Doorkeepers (1991), S. 12–43; CAMPI, Staatsdenken (2004); sowie HOLENSTEIN, Tagespolitik (2007), S. 187–190 und passim.
[52] BULLINGER, Hausbuch (1558), fol. 77[v].
[53] Ibid., fol. 78[r].

Gehorsam gegenüber der »böß oberkeit«. Man solle, schreibt Bullinger, »den ge-
botten der gottlosen die wider Gott sind nicht [...] gehorsamen. Dann es zimpt keiner
oberkeit/ das sie etwas handle vnnd fürnemme/ das wider das Gesatzt Gottes vnnd
der natur seye.«[54]

Bullinger, dessen *Dekaden* (lateinisch 1552) bzw. dessen *Hausbuch* (deutsche
Übertragung von 1558) den gleichen historischen Entstehungshintergrund haben wie
seine Apokalypsepredigten von 1556,[55] dürfte hier in erster Linie an die Verfolgung
der reformierten Glaubensbrüder in England und an anderen Orten Europas gedacht
haben. Als biblisches Exempel führt er an, wie sich die heiligen Apostel gegenüber
den tyrannischen Obrigkeiten ihrer Zeit gehalten hätten.

Darumb welche durch tyranney getrengt/ ja vonn gottlosen lasterhafften oberkeyten
wider alles billich vnd recht vndertruckt werdend/ die faßind disen rath. Erstlich/ so
gedenckind/ was grosser sünden vor Gott seyend Abgötterey vnd vnreinigkeyt der
lasteren/ mit welchen sie den jetz straffenden zorn Gottes verdient vnd wol beschuldet
habend. Demnach so gedenckind auch/ das Gott mitt sölicher geysel vnnd růten nicht
wirdt auffhören/ wo sie den falschen Gottsdienst nicht dannen thůnd vnd jhr lăben
besserend. Darumb so ist von nöten/ das man vor allen dingen die religion recht
anrichte vnd reformiere/ vnd das lăben ăndere vnnd bessere.[56]

Die Tyrannis, die sich vor allem gegen die christliche Freiheit richtet, ist freilich
ein Extremfall der Abweichung vom Vorbild der guten Obrigkeit. Bullinger macht
unmißverständlich deutlich, daß schon die einfache Sittenzucht ein unverzichtbares
Merkmal guter Obrigkeit ist. Gott wolle, daß die Laster »weit seyend von einer
gůten Oberkeit/ als da ist/ hoffart/ verbunst/ neid/ hassz/ zorn/ spilsucht/ völle
[d. i. Völlerei]/ trunckenheit/ hůrey/ eebruch/ vnnd was dergleichen mer ist.«[57] In
Umkehrung folgt, daß die Obrigkeit nicht gut sein kann, wenn sie diese Laster in der
Gemeinde duldet oder ihnen gar selbst frönt. Kritik der Prädikanten an entsprechenden Mißständen implizierte demnach Kritik an obrigkeitlicher Nachlässigkeit.
Beleg dafür sind »Fürträge« Bullingers vor dem Zürcher Rat wie der vom 8. Mai
1560 gegen die Trunksucht. Das Zutrinken und sein oft von den Prädikanten gefor-
dertes Verbot war ein Dauerthema der Bullingerzeit. Der Rat hatte den Spieß aber
1558 für einmal umgekehrt, indem er auf der Synode vom 18. Oktober die Prädikanten der Trunksucht bezichtigte und sie unter Androhung von Strafe dazu auffor-
derte ihr zu entsagen. Bullinger konterte auf der nächstfolgenden Synode, man kön-

---

[54] Ibid. Auch Zwingli verweist in ähnlichem Kontext auf das Naturgesetz, womit er die »Goldene Regel« (Matth 7.12) meint. Vgl. ZW 2, S. 324.
[55] Vgl. dazu hier I/3.1.
[56] BULLINGER, Hausbuch (1558), fol. 78[r]. Solche Überlegungen kann man durchaus als Prä-
text für die *Vindiciae contra tyrannos* von 1579 lesen. Dieser Text des pseudonymen Autors
Junius Brutus stützte sich ebenfalls auf eine bundestheologische Argumentation. Vgl. BRU-
TUS, Vindiciae contra tyrannos (1579); zum bundestheologischen Hintergrund: SCHMIDT,
Bundestheologie (1998) , S. 322.
[57] BULLINGER, Hausbuch (1558), fol. 79[v].

ne wohl bei den Prädikanten anfangen, dann aber gleich beim Rat selbst und beim Volk weitermachen.[58] In seinem Fürtrag vom 8. Mai 1560 forderte er Maßnahmen gegen den Mißstand, da mit Gottes Strafe zu rechnen sei:

> So dann der zorn gottes embrünt, den die heiligen propheten über die trunckenheit, allß sunderlich Isaias am 3. tröwt, so werdet die ungewytter, grosse kelte, wintherfrost, schnee, ryffen und hågel uns züchtigen, das ouch der rych dem armen nüt zů hålffen hat: wie in der wållt ettwan me beschåhen ist, wenn man so unzüchtig, verrůcht, verfråssen vnd versoffen gewesen ist.[59]

Die »Fürträge« waren der »Ort«, der sich nach der Niederlage von Kappel als institutionalisierte Kommunikation zwischen Kirchenleitung und Rat etabliert hatte. Ihre Einrichtung war das Ergebnis der Auseinandersetzungen, die Leo Jud mit Angriffen auf den Rat in einer Predigt vom 24. Juni 1532 ausgelöst hatte. Hier spitzte sich die nach dem Kappeler Landfrieden mit den Fünf Orten neu verhandelte Rolle der Prädikanten im Zürcher Staatswesen weiter zu, nachdem die Zürcher Landgemeinden in den Meilener Artikeln vom 28. November 1531 »ihre Version der Kriegsschuldfrage«[60] in den Verhandlungen mit der eigenen, der Zürcher Stadtobrigkeit, durchgesetzt hatten. Die Zürcher Landschaft hatte dort behauptet, »von der ufrüerischen schrygern wegen und von irs nutzes willen« sei ihr »der nütsöllent krieg an die hand erwachsen«.[61] In Zukunft sollten die »pfaffen der weltlichen sachen ganz und gar nüts beladint in stadt und uf dem land, sonder das gottswort verkündint, darzuo si geordnet sind«.[62] Der Versuch des Zürcher Rates, gleich bei Einsetzung des Zwinglinachfolgers am 9. Dezember 1531 diesen auf die mit den Landgemeinden vereinbarte »frid vnd rüw« einzuschwören, hatte den Konflikt um das Prophetenamt in Gang gesetzt. Bullinger wollte die Wahl nicht ohne weiteres annehmen und trug nach vier Tagen Bedenkzeit eine Grundsatzerklärung vor, in der er dem guten Willen der Prädikanten zum Erhalt des Burgfriedens Ausdruck verlieh, gleichzeitig jedoch ihre Wächterrolle verteidigte: Weil zwischen Gut und Böse, zwischen Wahrheit und Falschheit ein ewiger Streit herrsche, darum habe »daz göttlich wort ouch sinen vnfriden oder sin růhe«.[63] So die Obrigkeit die Prädikanten beauftrage, das Wort Gottes zu predigen und die »laster mit der gschrifft« zu strafen, könne sie ihnen nicht gleichzeitig verbieten, die Laster und Lasterhaften selbst beim Namen zu nennen. Bullinger zitierte Bezeichnungen wie »Důfelßkind, betrieger

---

58 Zu diesen Zusammenhängen vgl. BÄCHTOLD, Bullinger vor dem Rat (1982), S. 64 f.
59 StAZ, E II 102, 42–45, hier 44 (Autograph Bullingers). Zitiert nach ibid., S. 65.
60 HOLENSTEIN, Tagespolitik (2007), S 179.
61 EGLI (Hg.), Actensammlung (1879), Nr. 1797, S. 769.
62 Ibid., S. 768.
63 HBRG 3, S. 293. Zu Bullingers Erklärung vom 13. Dezember 1531 siehe u. a. BÜSSER, De prophetae officio (1970), S. 253 f.; MEYER, Kappeler Krieg (1976), S. 291–293; BAKER, Covenant (1980), S. S. XVIII; BÄCHTOLD, Bullinger vor dem Rat (1982), S. 16 f.; BIEL, Doorkeepers (1991), S. 79–86; MÜHLING, Kirchenpolitik (2001), S. 32 f.; HOLENSTEIN, Tagespolitik (2007), S. 181–183.

mórder dieben« direkt aus der Bibel und folgerte: »So wir nun eerenuerletzlich namen ann Cantzlen nitt gebruchen gedŏrend, so gedŏrend wir doch nitt fry daz heruß sagen, daz aber inn der gschrifft statt.«[64] Bullinger bekannte sich sodann zur Zurückhaltung in Belangen der weltlichen Herrschaft, machte aber die Einschränkung: »so ferr daz vnß das nitt verspeert werde zepredigen, daz vonn wǻlltlichem regiment begrŭnt ist in heyliger geschrifft«;[65] und er fügte gleich hinzu, daß dies die Bücher Mose, alle historischen und prophetischen Bücher betraf, also umfangreiche Teile der Bibel, die Argument genug waren, unter Verweis auf das Gotteswort zu jedem beliebigen tagespolitischen Thema von der Kanzel herab Stellung zu beziehen. Der Rat reagierte auf diese Erklärung mit einem Bekenntnis zum Schriftprinzip – einer im ganzen weit gefaßten und offenen Kompromißformel, die Bullinger zur Annahme der Wahl bewegen, jedoch die Aushandlung der Rolle des Prophetenamtes im Staate Zürich nicht abschließen konnte.[66]

Noch deutlichere Worte fand Bullinger in seiner bundestheologisch grundlegenden Schrift *De testamento* von 1534. Hier leitete er nun aus dem Gesetz Gottes, seinen Geboten, eine nahezu universale Mitsprache der Kirche in bürgerlichen Angelegenheiten ab:

> Die das Rechtswesen betreffenden und bürgerlichen Gesetze legen Regeln fest, wie man den Frieden und die öffentliche Ruhe bewahren, wie man Missetäter bekämpfen, Krieg führen und Feinde vertreiben soll; sie handeln von der Verteidigung der Freiheit, der Unterdrückten, der Witwen, der Waisen und des Vaterlandes, von der Gerechtigkeit und Billigkeit, von Kauf, Darlehen, Besitzverhältnissen, Erbschaft und anderen Rechtsangelegenheiten dieser Art: Sind diese Dinge nicht auch in der Bestimmung des Bundes enthalten, welche die Reinheit vorschreibt und von uns verlangt vor Gott zu wandeln?[67]

Die Frage war rhetorisch. Wer sie nicht direkt mit Ja beantworten wollte, den verwies Bullinger auf Abraham, der in allen genannten Dingen den Richtlinien der »Reinheit des Herzens« und »Lauterkeit des Glaubens«, der »Liebe zum Rechten und zum Nächsten« gefolgt sei – wie viele Jahrhunderte später Mose. Dies seien »die Pflichten, die dem Rechten Glauben auferlegt sind, und sie sind den hochheiligen Kirchen so notwendig, dass diese ohne sie nicht angemessen existieren könnten und ohne sie niemals gefahrlos existiert haben.«[68] Die Gläubigen, heißt es etwas weiter, bestünden nicht nur aus Geist, sondern auch aus Fleisch, und solange sie auf der Erde lebten, müßten die Dinge, die sie zum Lebensunterhalt benötigen, in den Gesetzen berücksichtigt werden.

---

[64] HBRG 3, S. 294.
[65] Ibid.
[66] Für eine differenzierte, die ältere Forschung teils revidierende Bewertung dieser Übereinkunft siehe HOLENSTEIN, Tagespolitik (2007), S. 183 f.
[67] HBSchr 1, S. 71; BULLINGER, De testamento (1534), fol. 18ᴿᵛ.
[68] Ibid., fol. 18ᵛ–19ʳ; HBSchr 1, S. 72.

Deshalb benötigen sie in vielen Angelegenheiten die Wirksamkeit der Obrigkeit und der bürgerlichen Gesetze. Umso erstaunlicher ist die Unvernunft derer, welche die Obrigkeit von der Kirche ausschließen, als ob die Kirche die Tätigkeit der Obrigkeit nicht brauchte oder als ob deren Obliegenheiten solcherart wären, dass sie nicht unter die heiligen und geistlichen Werke des Volks Gottes gezählt werden könnten und dürften [...].[69]

Bezeichnenderweise kam Bullinger gleich anschließend wieder auf die Propheten zu sprechen. Seine oben zitierte Schrift *De prophetae officio* von 1532 war kurz nach seiner Einsetzung ins Antistesamt entstanden. Sie ist die gedruckte Fassung einer am Karlstag, dem 28. Januar 1532, an dem die Stiftungsfeier der Großmünsterschule begangen wurde, vor den Pfarrern und Gelehrten gehaltenen Rede.[70] Lateinisch verfaßt, hat sie, dem Anlaß und dem Publikum angemessen, den Charakter einer Lehrschrift für die Prädikantenpraxis, in der die Grundprinzipien der Schriftauslegung sowie der Dialektik und Rhetorik des Predigens knapp dargelegt werden. Das Thema sowie der Abschluß mit einer Lobrede auf Zwingli geben ihr jedoch zugleich den Charakter einer politischen Bekenntnisschrift. Die Zwingli-Lobrede kann ebenso als Reaktion auf die Kriegsschuldzuweisungen an die »pfaffen vnd schryger« in den Meilener Artikeln wie als Antwort auf die nicht nur in den katholischen Orten der Eidgenossenschaft verbreitete Deutung von Zwinglis Tod in Kappel als Gottesurteil über die Reformation gelesen werden.[71] Hinzu kommt, daß Bullinger mit dem Thema wie mit dem von ihm dargelegten Amtsverständnis signalisierte, daß er das Werk seines Vorgängers fortzusetzen gedachte. Den Amtskollegen stellte er damit Kontinuität in Aussicht. Dem Rat gegenüber machte Bullinger ein weiteres Mal seinen Standpunkt deutlich, daß er die Wächteraufgabe politisch auszulegen gedachte, weil und sofern es die Bundespflichten der Gemeinde gegenüber Gott einzuhalten galt.

Ein tragfähiger Modus vivendi mit der Obrigkeit wurde erst nach den Angriffen Leo Juds einige Monate später, im Spätfrühjahr 1532 gefunden. Der Rat unterbreitete nun das Angebot, die Prädikanten könnten in Zukunft ihre Klagen direkt vor dem Rat vorbringen. Erst »in zweiter Instanz«, falls sie beim Rat kein Gehör fänden, sollten sie dann von ihrer Predigtfreiheit Gebrauch machen können und öffentlich

---

[69] Ibid., fol. 19ᵛ–20ʳ: »Tum quod sancti qui non modo spiritu sed corpore quoque constant, & quoad in hisce terris agunt non omnino hominem exuunt ac prorsus uertuntur in spiritum, sed & rebus externis ad conuersationem scilicet & usum uitae pertinentibus; sua etiam iura persoluere coguntur, & idcirco magistratus legumque ciuilium opera multis indigent nominibus. Quo magis mirandum est quae illos agat dementia, qui magistratum ecclesia Dei excludunt, quasi opera eius illa non indigeat, aut functiones eius sint eiusmodi, ut inter sancta & spiritualia populi Dei opera non pssint aut debeant numerari [...]«; HBSchr 1, S. 72.

[70] Vgl. BÜSSER, De prophetae officio (1970), S. 245 und S. 253 f. zum politischen Kontext. Zum offiziellen Rahmen der Rede und ihrem Aufbau vgl. auch BOLLIGER, Church authority (2004), S. 162–164.

[71] Vgl. BÜSSER, De prophetae officio (1970), S. 254.

anprangern, was sie dem Gotteswort zuwider fanden. Damit erhielten die Prädikanten »für ihre Anliegen einen privilegierten Zugang zur Obrigkeit«.[72] Ein zweites Kommunikations- und Kooperationsfeld wurde bald darauf mit der Synode geschaffen, den halbjährlichen Versammlungen der Zürcher Pfarrerschaft, die im Rathaus unter Vorsitz der Kirchenleitung und der Bürgermeister stattfanden. Hier ist auch eine Nahtstelle der politischen Kommunikation zwischen Obrigkeit und Landschaft zu erkennen.[73]

André Holenstein zufolge war mit Fürtrag und Synode die »prophetische Mahnerrolle des Prädikanten« nun zwar »ihrer charismatischen Aura entkleidet, dafür war sie aber dem politischen System gleichsam inkorporiert worden.« »Der Prädikant als Prediger des Gotteswortes und als Wächter und Mahner gegenüber Politik und Gesellschaft – diese Rollen- und Funktionsbeschreibung wurde normativ und institutionell in der Einrichtung der ›Fürträge‹ und in der Synodalordnung sanktioniert.« Damit war ein Handlungsraum definiert, der sich letztlich »der Sanktionierung des Schriftprinzips durch die weltliche Obrigkeit« verdankte.[74] Gemessen am Maßstab der Ausdifferenzierung von Religion und Politik, der in neueren (Niklas Luhmann) wie älteren Theorien der Gesellschaft (Max Weber) ein Signum der Modernität darstellt, ist dieser bundestheologisch fundierte Interaktionsraum zwischen Kirche und Staat zweifellos »vormodern«. Wie in anderen Varianten vormodernen Obrigkeitsverständnisses wurzelt auch hier das Mischverhältnis in der religiösen Legitimation politischer Herrschaft, freilich in ganz anderer Weise als durch bloßes Gottesgnadentum.

Während etwa Luhmann auch in der Beschränkung weltlicher Herrschaft durch das *ius divinum* die vormoderne Verschränkung von Religion und Politik akzentuiert,[75] hat die an Max Weber orientierte sozialgeschichtliche Reformationsforschung auf das Widerstandsrecht hingewiesen, das Vorausweisende an den Theologien Zwinglis und Bullingers betont und Unterschiede im weiten Spektrum theologischer Positionen identifiziert.[76] So hat Peter Blickle zu Zwinglis Ansichten über göttliche

---

[72] Beide zuletzt zitierten Formulierungen bei HOLENSTEIN, Tagespolitik (2007), S. 193.
[73] Zur Synode: LAVATER, De ritibus (1559); ferner GORDON, Discipline (1992), BIEL, Doorkeepers (1991), S. 53 f. (zusammenfassend) und HOLENSTEIN, Tagespolitik (2007), S. 198–200.
[74] HOLENSTEIN, Tagespolitik (2007), Zitate S. 199, 228 und 229. Die Arbeit von GOPPOLD, Politische Kommunikation (2007), blendet das Verhältnis von Religion und Politik praktisch aus, obwohl Goppold mit Luhmanns Begriff des Politischen arbeitet und sein Ausdifferenzierungsparadigma vor Augen hat. Ein gravierender Mangel der Arbeit ist, daß unter den »politisch relevanten Institutionen«, die Goppold für Zürich darstellt, weder die Fürträge noch die Synode Berücksichtigung finden (vgl. insbes. S. 40–55). Zur politischen Bedeutung der Fürträge zusammenfassend BÄCHTOLD, Bullinger vor dem Rat (1982), S. 277 f., und BIEL, Doorkeepers (1991), S. 64 f.
[75] LUHMANN, Religion (2000), S. 218 f.
[76] Vgl. insbes. SCHMIDT, Bundestheologie (1998), der die Bundestheologie als »potentiell

und menschliche Gerechtigkeit bemerkt, »daß die zwinglische Theologie innerwelt-
lich viel stärker relevant wird als die Theologie Luthers«,[77] weil sie die Obrigkeit auf
die göttliche Gerechtigkeit verpflichtet. Sie hat christlich zu sein, was bedeutet, daß
auch das historisch gewachsene Recht an der Heiligen Schrift zu messen ist und im
Widerspruchsfall eine Revision bestehender Gesetze notwendig wird. Blickle spricht
von einer »Verchristlichung des positiven Rechts«.[78] In diesem Punkt fallen »kirchliche Gemeinde und politische Gemeinde« zusammen.[79] Weder für Zwingli noch für
Bullinger gab es ein weltliches Reich einerseits und ein geistliches andererseits, wie
im durch Augustinus geprägten Denken Luthers. Es gab vielmehr nur ein Schwert
und nur eine Obrigkeit, die zum Erhalt des Bundes mit Gott verpflichtet war.[80] In
welcher Form und unter welchen Gesetzen sie diesen Auftrag ausübte, gestattete
zwar eine Pluralität realer Ausprägungen. Zwingli und Bullinger griffen die klassischen Formen der Herrschaft auf (Monarchie, Aristokratie und Demokratie) sowie
ihre Verfallsformen. Unter ihnen war aber nicht zwingend nur eine einzige legitim
und richtig.[81] Ebenso konnte es eine Vielfalt von Satzungen und Gewohnheitsrech-
ten geben, die mit göttlichem Recht vereinbar waren. Aber eine radikale Trennung
zwischen weltlichem und göttlichem Recht war für keinen von beiden denkbar.
»Dañ billich werdend einem jeglichen reich/ vñ einer jeden statt jre alte breüch vnnd
gewonheiten gelassen/ Es seye dann sach/ das sȯlliche breüch vñ gewonheiten gar
vnbillich vnd vnleidenlich seyend.«[82] Wo die christliche Freiheit und das Heil der
Gemeinde berührt waren, da waren Normen und Handlungen der Obrigkeit an der
Heiligen Schrift zu messen und zu korrigieren.

Aktions- und damit Konfliktfelder für politische Beratungen zwischen Kirchenleitung und Rat waren in der Bullingerzeit nicht nur die christliche Predigt oder das
Predigeramt als solches, sondern Fragen der Schulpolitik und ihrer Finanzierung, die
Wahl der Prädikanten, die Verwendung des aus der Säkularisierung der Kirchengüter
gewonnenen Vermögens, damit verknüpft die Armenpolitik und alle Krisensituatio-
nen, die sich durch die Pest oder aus Teuerungen ergaben – verstärkt in der zweiten

revolutionär« bezeichnet, weil »sie die Huldigung allein auf Gott bezieht, die weltliche
Herrschaft aber über die Idee der coniuratio oder Verbrüderung begründet und damit relativiert. Zwei absolute Herren haben keinen Platz in der Bundestheologie. [...] Die weltliche
Herrschaft wird aus dem Abendmahlsbund der Christen sekundär deduziert, also als Ergebnis eines Mandatsvertrags interpretiert, jede weltliche Obrigkeit wird damit potentiell in
die Rolle der Volksvertretung gedrängt. Das fordert den Absolutismus existentiell heraus.«
(S. 321).

[77] BLICKLE, Gemeindereformation (1987), S. 151.
[78] Ibid., S. 153.
[79] Ibid., S. 154.
[80] Vgl. Zwinglis Schrift »Von göttlicher und menschlicher Gerechtigkeit« in ZW 2,
S. 458–525, hier S. 522: »Diese wächter sind die ordenlich obergheit, die aber ghein andre
ist weder die mit dem schwert, das ist: die wir die weltlich obergheit nennend [...]«.
[81] Leicht modifiziert bei Zwingli. Vgl. MAISSEN, Republik (2006), S. 303.
[82] BULLINGER, Hausbuch (1558), fol. 78ᵛ.

Hälfte des sechzehnten Jahrhunderts.[83] Ihre Rolle als Sittenwächter konnten die Prädikanten in manchen dieser Zusammenhänge, besonders aber dann ausspielen, wenn Gottes Zornrute drohte oder bereits zugeschlagen hatte. Sünden und Laster waren ein Universalschlüssel zum Rathaus. Die Straftheologie verlieh den Wunderzeichen in diesem Zusammenhang offenkundige Relevanz.

Auch wenn wir von Wick selbst keine elaborierte Bundestheologie haben, dürfen wir doch davon ausgehen, daß er sein Amt als zweiter Archidiakon am Großmünster der Prädikantenordnung[84] und den Vorgaben gemäß, die Bullinger in *De prophetae officio* formuliert hatte, auszuüben bestrebt war. Ich möchte noch weiter gehen und behaupten, daß das Potential für politische Einflußnahme, das gerade in der Sittenzucht als Bedingung für das Heil des Zürcher Stadtstaates lag, zu den Motiven für Wicks Sammeltätigkeit gehörte. Im Kommunikations- und Interaktionsraum der Schöpfungsnatur waren Wunderzeichen im reformierten Verständnis Evidenz für den moralischen Weltzustand, die sich politisch-argumentativ ins Feld führen ließ. Die Vorwarnungen, die Gott *contra* oder *praeter naturam* im Medium der Schöpfungsnatur schickte, spiegelten menschliches Zuwiderhandeln gegen göttliches oder natürliches Recht und damit gegen den Bund mit Gott. Gerade aus dieser »vormodernen« Verschränkung von Außer- und Innerweltlichem erklärt sich eine Aufmerksamkeit auf die natürliche Umwelt, die durchaus mit dem Wort »Empirie« beschrieben werden kann. Der Aufwand empirischer Beobachtung der Zeichen Gottes lohnte sich für die Prädikanten: In Ausübung ihrer Funktion als Sittenwächter sammelten sie auf diese Weise Argumente für politische Interventionen in den dafür nach Kappel neu ausgehandelten Institutionen, insbesondere den »Fürträgen«.

Wir werden gleich im nächsten Kapitel sehen, daß Wick keineswegs der einzige Prädikant am Großmünster war, der sich auf dem Feld der Wunderzeichen betätigte. Bullinger selbst hat eine Sammlung gedruckter Prodigien und zahlreiche Notizen in seinem *Diarium* hinterlassen, die seine Aufmerksamkeit belegen. Auch andere betätigten sich auf diesem Feld. Wick scheint allerdings nach seiner Berufung zum zweiten Archidiakon zunehmend die Rolle des Prodigiensammlers monopolisiert zu haben. Sein Vorgänger, Wolfgang Haller, der als Stiftsverwalter weiterhin am Großmünster tätig blieb, erwarb mit seinen täglichen Wetterbeobachtungen ab 1545 eben-

---

[83] Vgl. die knappe Darstellung bei HOLENSTEIN, Tagespolitik (2007), S. 194–199, basierend auf BÄCHTOLD, Bullinger vor dem Rat (1982).

[84] Der Text der Prädikanten- und Synodalordnung vom 22. Oktober 1532, abgedruckt bei EGLI (Hg.), Actensammlung (1879), Nr. 1899, S. 825–837, umschreibt die »leer« der Prädikanten ausdrücklich so, daß »ein jeder uss biblischer geschrift, das siner kilchen gemäß und notwendig ist, erwöle, das fürtrage, interpretiere, darus lere, ermane, tröste und strafe« (S. 829). Unter Punkt 2 wird gleich anschließend auf die »Strafen« eingegangen, genauer gesagt: das Anklagen von Mißbräuchen und Aberglauben, unter Punkt 3 auf die damit zusammenhängenden obrigkeitlichen Mandate, die von der Kanzel verkündet werden sollen. Damit war das Wächteramt in der Prädikantenordnung fest verankert.

falls Erfahrungswissen über die Natur als Raum der Selbstdarstellung Gottes.[85] Das Wetter war eine Domäne des Herrn und konnte in Zürich, wie unter anderem der oben zitierte »Fürtrag« Bullingers vom 8. Mai 1560 belegt,[86] gleichfalls unter straftheologoischen »Forschungsinteressen« beobachtet werden. Man kannte den Zusammenhang zwischen ungünstiger Witterung, Ernteausfällen, darauf folgender Teuerung und Hunger, wie Hallers Preisnotizen während der Teuerung Anfang der 1570er Jahre und die drei Predigten *Von thüwre und hunger* von Ludwig Lavater belegen.[87]

Des »Pudels Kern«, weshalb die straftheologische Weltbeobachtung mit empirischer Methode durchzuführen war, liegt in der Freiheit des Menschen. Astrologische oder auf bloße Naturgesetzlichkeit abzielende Deutungen konnten dieser Dimension nicht gerecht werden. Die Freiheit des sündigen Menschen sorgte für unberechenbare Kontingenz. Erwartbarer war hingegen die Reaktion Gottes (Zorn und Strafe) und ihre wahrnehmbare Expression in Zeit und Raum, die das Geschehen in Natur und Gesellschaft zu einer Quelle des Wissens über den moralischen Zustand der Welt machte. Allerdings war diese Reaktion qua *Re*-aktion an die Kontingenz menschlichen Handelns gebunden, jedenfalls in der Perspektive des Menschen selbst, der nicht vollständigen Einblick in Gottes »Buch der Geschichte«, sondern nur Ausschnitte davon vor Augen hatte. Empirische Beobachtung trug dieser Unvorgreiflichkeit Rechnung.

Nicht nur die historischen Bücher der Bibel waren für Bullinger »Beipiele für Leben und Verhalten innerhalb jenes ewigen Bundes« zwischen Gott und Mensch.[88] Die Geschichte überhaupt war als Heilsgeschichte zugleich Föderalgeschichte.[89] Der kommunale Faktor, der jeweils damit verbunden war, ist in Bullingers *Tiguriner-chronik* ebenso sichtbar wie in Wicks Bezug auf die christlichen Reiche Europas und erklärt, weshalb die Eidgenossenschaft, Frankreich, die Niederlande, England, die Türken oder auch kleinere politische Einheiten Bezugspunkte bilden, oft schon

---

[85] ZBZ, Ms. D 269–271.

[86] Zahlreiche weitere Belege bei ULBRICHT, Wetterlagen (2005).

[87] Die wöchentlichen Kornpreise der Jahre 1571–1576 sind vollständig in den Kalendereinträgen Wolfgang Hallers überliefert (ZBZ, Ms. D 271), dazu fast immer auch die Preise für Hafer, häufig für Roggen, vereinzelt für Gerste und Wein. Einzelne Angaben ferner bei Bullinger (HBD, S. 107) und Wick (ZBZ, Ms. F 19, fol. 155ᵛ, 156ʳ, 211ʳ, 225ᵛ, 226ʳ zu 1571; weitere einzelne Einträge in Ms. F 21 und den Folgebänden). ABEL, Hungerkrisen (1972), S. 40, hat Lavater als »ersten Systematiker der Teuerungskrisen auf Predigerkanzeln« gewürdigt; vgl. auch ABEL, Massenarmut (1974), S. 37 ff., 50, 72, 96, 267 und 271 f. zu Lavater. Der moraltheologische Aspekt fehlt allerdings in Abels Einschätzung und läßt Lavater »moderner« erscheinen als er war.

[88] Mit Bezug auf die biblischen Historien heißt es bei BULLINGER, De prophetae officio (1532), fol. 8ᵛ: »Sunt enim foederis illius aeterni uitae & morum exempla«; dt. zit. nach HBSchr 1, S. 17.

[89] MOSER, Bullingers Reformationsgeschichte (2002), S. 10 f.

im Titel der *Wickiana*-Bände. Es ging da nicht nur um das Wirken des »Antichristen« (aus reformierter Sicht: das Papsttum und die Türken) und um den Kampf zwischen Gog und Magog – zwischen Gut und Böse, wahrem und falschem Glauben. Die bei Wick dokumentierten Wunderzeichen und Gottesstrafen lassen sich auch auf Obrigkeiten beziehen, die den Bund mit Gott gebrochen oder ihn vernachlässigt hatten. Die Föderaltheologie hält hier Politik, Natur und Geschichte zusammen.

2. Zürich und die »Renaissance« des Prodigiensammelns

Wunderzeichenberichte, besonders solche, die in Druckschriften verbreitet wurden, sind häufig mit der Sensations- und Boulevardpresse des neunzehnten und zwanzigsten Jahrhunderts verglichen worden. Dies scheint lange Zeit so etwas wie ein Schlüssel zum Verständnis des Phänomens gewesen zu sein. Der Begriff »Zeitung«, der im sechzehnten Jahrhundert in vielen Titeln aktueller Flugblätter und Flugschriften zu finden ist und einfach soviel wie »aktuelle Nachricht« bedeutete, hat solche Vergleiche nahegelegt, damit aber auch die Gefahr der Verwechslung geschaffen. So wurde die Wunderzeichenchronik von Conrad Lycosthenes, auf die ich in diesem Kapitel noch ausführlicher eingehen werde, als das »wunderbarste Bilderbuch – modern ausgedrückt: die raffinierteste Sensationsillustrierte – des sechzehnten Jahrhunderts« charakterisiert.[90]

Solche Vergleiche können weder dem Status noch der Intention der Wunderchronistik gerecht werden.[91] Wick verstand sich ganz gewiß nicht als Journalist, und Lycosthenes war ein humanistisch gebildeter Theologe, der seine Prodigienchronik in lateinischer Sprache verfaßte, um damit ein gebildetes Publikum anzusprechen. Zwar erschien gleichzeitig eine deutsche Übersetzung seines Werkes, wohl in erster Linie aus Gründen des Absatzes, die lateinische Fassung aber war der Erstling, und mit ihr, nicht mit der deutschen Fassung, reüssierte Lycosthenes im Kreis seiner gelehrten Freunde. Auch andere Prodigiensammler wie Camerarius, Melanchthon oder Caspar Peucer verstanden sich als Gelehrte, nicht als Journalisten, mochten sie auch vielfältig auf die brieflich mitgeteilten »neuen Zeitungen« oder auf Flugblätter und Flugschriften Bezug nehmen. Ihrem humanistisch geprägten Bildungsverständnis entsprechend suchten diese Gelehrten nach antiken Vorbildern und fanden sie in Livius, dem spätantiken Prodigiensammler Julius Obsequens, aber auch in Autoren wie Plinius, Seneca, Solinus oder Cicero, der als Augur in Zeiten der Römischen Republik direkt mit der Deutung der römischen Staatsprodigien befaßt gewesen war.[92]

Hatte also Aby Warburg Recht, der in seinem berühmten Aufsatz über *Heidnischantike Weissagung in Wort und Bild zu Luthers Zeiten* in den »fliegende[n] Blätter[n]« oder Einzelschriften über Monstra [...] gleichsam herausgerissene Blätter aus der

---

90 Schenda, Prodigiensammlungen (1962), Sp. 651.

91 Vgl. Schilling, Fincel (1974), S. 333 f., mit Bezug auf Fincel.

92 Zum römischen Prodigienwesen zuletzt die Studie von Rosenberger, Gezähmte Götter (1998), darin zu Cicero besonders S. 78–83.

großen, im Geiste echt antiken, annalistischen Prodigiensammlung« sah?[93] Kann man von einer Renaissance der Prodigiensammlung sprechen? Sicher sind an dieser Einschätzung heute einige Abstriche notwendig: Zum einen war die Tradition der Prodigiendeutung auch im Mittelalter nicht abgebrochen.[94] Was aber vor allem an der Idee einer Wiedergeburt zweifeln läßt, ist die Tatsache, daß es in der Antike gar nicht zur Herausbildung einer literarischen Gattung der »Prodigiensammlung« oder »Prodigienchronik« gekommen war. Die Ausnahme eines einzelnen Autors, Julius Obsequens, der seine chronikalischen Aufzeichnungen ganz auf Prodigien einschränkte, macht noch keine Gattung aus. Die Geschichtsschreibung, besonders die Chronistik war der eigentliche Ort Prodigien festzuhalten und blieb es auch im Mittelalter. Und dennoch hat Warburg einen entscheidenden Punkt getroffen, nämlich das humanistische Selbstverständnis der Prodigiensammler und -chronisten des sechzehnten Jahrhunderts. Ihr Bestreben, auch in dieser Frage antike Vorbilder zu suchen, ist unübersehbar. Von einer Renaissance der Prodigiensammlung zu sprechen, wäre also gattungsgeschichtlich fragwürdig, aber von einer *Renaissance des Prodigiensammelns* kann mit gutem Gewissen die Rede sein: Dies entspricht durchaus dem Selbstverständnis der daran beteiligten, humanistisch geschulten Akteure. Freilich öffnete sich das Feld schnell für eine Gruppe zwar gebildeter, nicht jedoch explizit an humanistisches Gedankengut anknüpfender Sammler und Autoren, allen voran Job Fincel. Natürlich spielte überhaupt die Reformation schon seit Luthers und Melanchthons berühmter Schrift über »Papstesel« und »Mönchskalb« eine tragende Rolle für den Wunderzeichendiskurs. Dies war ja auch der Kontext, in dem Warburg auf die humanistischen Wurzeln zu sprechen kam, die in Deutschland seit den Zeiten Kaiser Maximilians I. erkennbar waren: an Dürers *Monstra*-Darstellungen vor allem und den bekannten Flugblättern Sebastian Brants.[95] Durch Lycosthenes blieb der humanistische Gestus des Rückbezugs auf die Antike auch in der Mitte des sechzehnten Jahrhunderts ein Initialmoment für das ganze »Genre« der Wunderzeichenliteratur.

Die bedeutenden Prodigienwerke, sowohl im deutschsprachigen Raum als auch in Frankreich,[96] erschienen erst um die Jahrhundertmitte und danach, mit 1556/7 als Stichjahr: Zunächst wurde der erste Band von Job Fincels *Wunderzeichen*, dann das große *Chronicon* von Conrad Lycosthenes publiziert. Es ist bisher nie gefragt worden, welche Rolle das reformierte Zürich bei der Veröffentlichung des *Chronicon*

---

[93] WARBURG, Heidnisch-antike Weissagung (1932), S. 522.
[94] Als Beispiel kann hier neben vielen etwa Gregor von Tours zählen. Dazu ROHR, Naturerscheinungen (2003). Zur Rolle der Zeichen im Zusammenhang des apokalyptischen Denkens im Mittelalter außerdem einiges bei FRIED, Aufstieg (2001), passim; ferner SCHMITT, Heidenspass und Höllenangst (1993) und neuerdings SIGNORI, Wunder (2007).
[95] Als Faksimile-Drucke gebündelt greifbar durch HEITZ (Hg.), Flugblätter Brant (1915).
[96] Zu Frankreich nach wie vor die älteren Arbeiten von Rudolf Schenda: SCHENDA, Philippe le Picard (1958), SCHENDA, Märchenliteratur (1961) und SCHENDA, Prodigienliteratur (1961). Außerdem natürlich CÉARD, Prodiges (1996) (zuerst 1977).

spielte – oder ob es überhaupt eine Beziehung gibt. Wick, der mit seiner eigenen Wunderchronik etwa um die gleiche Zeit begann, trat selbst nicht publizistisch in den Vordergrund. Bisher lag daher allenfalls die Annahme nahe, er könnte selbst durch das Erscheinen des Werkes von Lycosthenes inspiriert worden sein. Betrachtet man jedoch das Zürcher Umfeld in dieser Zeit etwas genauer, dann erweist sich, daß Wick einen Faden aufnahm, der im Großmünsterstift und in der Hohen Schule längst gesponnen wurde.

2.1. Lavaters Kometenkatalog

Beginnen wir mit Ludwig Lavater, Archidiakon am Großmünster und mit einer Tochter Heinrich Bullingers verheiratet. Geboren 1527, war er etwas jünger als Wick, aber schon früher, nämlich 1550, als Archidiakon in den erlauchten Kreis der Chorherren aufgestiegen.[97] Die Erscheinung des Kometen vom März 1556 veranlaßte ihn zur Herausgabe eines Kometenbuchs, das in chronologischer Ordnung die Kometenerscheinungen von den Zeiten des Kaisers Augustus und der Geburt Christi bis zur aktuellen des Jahres 1556 mit ihren jeweiligen Folgen beschrieb. Die Widmung an Bullingers Sohn Johann Heinrich und der dem Katalog vorangestellte Abschnitt über die Bedeutung der Kometen können als Grundlagentexte für die Vereinigung von historischer und naturkundlicher Deutung unter dem Dach der Theologie gelesen werden.

In der Widmungsrede beschrieb Lavater, wie er bald nach der aktuellen Erscheinung von 1556 Kometenberichte aus den Historien kompilierte. Er habe auch erwogen, welche Denkwürdigkeiten danach vorfielen und welche Übel hauptsächlich folgten. Lavater drückte sich vorsichtig über den Nexus zwischen einzelnen Kometen und konkreten historischen Ereignissen aus. Letzte Gewißheit konnte es hier nicht geben. Zur Herausgabe des Werkes erklärte er: »Da nun einmal die kleinen Traktate wirklich nicht nur ergötzlich sein, sondern auch wahre Reue in uns wecken sollen, kann es nicht geringgeschätzt werden, daß ich sie dem Drucker zur Ausführung übergeben habe.«[98] Der moraltheologische Deutungszusammenhang rechtfertigte also den Druck. Einen gewissen Anspruch auf Originalität erhob Lavater, indem er bemerkte, außer Camerarius' gelehrtem Büchlein über die Wunderzeichen sei bis dahin nichts zum Thema Kometen erschienen.[99]

---

[97] Zu Lavaters Biographie: HBLS 4, S. 635. Eine kommentierte Bibliographie der Schriften Lavaters bei HOTTINGER, Schola Tigurina (1664), S. 144 f.; siehe auch GELDNER, Ludwig Lavater (1993). Ferner der Art. von Erich Wenneker in BBKL 15, Sp. 851–853. Außerdem: LANDWEHR, Ludwig Lavater (1988), S. 123 f.

[98] Vgl. LAVATER, Catalogus (1556), fol. A 2^r: »Quandoquidem vero haec tractatiuncula, non modo iucunda: sed etiam ad excitandam in nobis veram poenitentiam nonnihil momenti habere videbatur, typographo excudendam dedi.«

[99] CAMERARIUS, De eorum qui cometae appellantur (1558).

Bei der Kometenbeschreibung versuchte er der Tradition – in erster Linie Aristoteles, Plinius und Ptolemaeus – weitgehend gerecht zu werden, sofern es ihm seine Quellen gestatteten: Nach Möglichkeit sollten Form und Gattung (*cometa crinita, caudata* etc.), Ursprung (örtlich) und Entstehung, Höhe, Länge, Größe und Farben des Kometen angegeben werden, wo und wann sie erschienen und wie lange sie zu sehen gewesen waren.[100] Lavater räumte ein, daß es bei den Autoren verschiedener gelehrter Werke abweichende Auffassungen über die Folgen der einzelnen Kometen gab, die also unsicher waren. Diese Einschränkung war entscheidend für die von Lavater vertretene Verbindung zwischen theologischer einerseits und meteorologischer sowie astrologischer Kometendeutung andrerseits. Die genannten Beschreibungskategorien entstammten den aus der Antike überlieferten Naturlehren. Wenn sie in einer chronologischen Aufzählung von Kometen und ihren (vermeintlichen) Folgen berücksichtigt wurden, so implizierte dies, daß sie für die zu erwartenden Folgeereignisse bedeutsam waren.

Wie unterschied sich die historisch-chronologische Kometendeutung aber dann noch von meteorologischer oder astrologischer Prognostik? – Ein Abschnitt über die Bedeutung der Kometen (*De significatione cometarum*) gibt Aufschluß darüber. Dabei sind die Autoritäten, auf die sich Lavater bezog, nicht ganz unwichtig. Seine Aufzählung begann er mit antiken Poeten: Er zitierte Vergils *Georgica*, Lucan, Tibull und den christlichen Dichter Prudentius. Es folgten die »Philosophi« Cicero, Seneca und Plinius. Mit Isidor von Sevilla und Beda Venerabilis schloß sich die christliche Gelehrtenwelt an. Der Humanist und Historiker Johannes Nauclerus schließlich kam zu Ehren, weil er für eine historisch-chronologische Prodigiendeutung einstand, wie Lavater selbst sie vertrat: Die Erfahrung (*experientia*) vieler Jahrhunderte bezeuge, daß die Kometen nicht von ungefähr erschienen. »Wenn man nämlich die Geschichten aller Völker aufschlägt und sorgfältig sammelt, wird man wie durch vollkommene Induktion wahrscheinlich machen, daß alle Kometen irgend etwas Betrübliches ankündigen«, erläuterte Lavater.[101] Die Einsicht galt ihm als Induktion aus der historischen Erfahrung des ganzen Menschengeschlechts.

Erst anschließend an diese für humanistische Gelehrsamkeit typische Beweisführung, die bei den Antiken ansetzte und über alle Zeitalter hinweg Brücken schlug, verwies Lavater auf die Bibel als höchste Autorität. Es folgten vertraute Ausführungen über Wunderzeichen als Gnadenzeichen Gottes. Gleichzeitig räumte er grundsätzlich ein, daß die Zeichen auch ihre natürliche Erklärung besäßen. Nichtsdestotrotz wolle Gott die Menschen damit ermahnen. Das Paradebeispiel für dieses

---

[100] Vgl. LAVATER, Catalogus (1556), fol. A 2ᵛ: »... quae sint ipsorum formae siue species; quae origo et generatio, vbi, quando, quamdiu appareant: item quae sit ipsorum altitudo, longitudo et magnitudo, quos colores habeant, et alia huius generis.«

[101] Ibid., fol. A 4ᵛ »Si enim omnium gentium historias euoluas & cometas diligenter colligas, ueluti inductione quadam probabis, omnes fere cometas triste aliquid portendere.« Vgl. die Übersetzung bei LAVATER, Kometen (1681), S. 3.

2. Zürich und die »Renaissance« des Prodigiensammelns

Nebeneinander von Natur- und metaphysischer Moralkausalität war für Lavater wie in der gesamten gelehrten Wunderzeichenliteratur der alttestamentarische Regenbogen als Erinnerungszeichen für den Bund zwischen Noah und Gott nach der Sintflut.[102] Lavaters theologische Deutung wollte Naturerklärung also nicht grundsätzlich ausschließen, nur bestand sie darauf, daß die Bedeutung ungewöhnlicher Naturerscheinungen darin nicht aufging. Bekämpft und als epikureisch verunglimpft wurde eine Naturforschung, die das Außergewöhnliche ganz auf natürliche Ursachen reduzieren wollte und damit ihrerseits theologische Interpretationen ausschloß.

Die Auseinandersetzung mit der Naturforschung wurde bei Lavater noch spezifischer, wenn es um bestimmte Deutungskriterien von Kometen ging, genauer gesagt: um den Ortsbezug der Warnungen Gottes. Die Geltung der ptolemäischen Zuordnung bestimmter Sternzeichen zu Regionen und den Schluß von der Schweifrichtung auf den Ort, an dem das zu erwartende Unheil eintreffen würde, schränkte er durch die meteorologisch bedingte Wahrnehmbarkeit ein: Es würde all' denen Unheil angedroht, die einen Kometen zu Gesicht bekämen.[103] Bei wetterbedingter Unsichtbarkeit wurde göttliche Absicht unterstellt. Den Sündern unter der Wolkendecke galt seine Warnung dann gar nicht oder eben nur in dem Maße, in dem sie während der Gesamtdauer einer Kometenerscheinung freie Sicht hatten. Unter dieser Prämisse blieben Ort, Größe, Deutlichkeit, Farbgebung und weitere Charakteristika einer Kometenerscheinung deutungsrelevant. Der entscheidende Unterschied zwischen naturkundlicher Prognostik und historisch-chronologischer Wunderzeichendeutung lag aber darin, daß die Verknüpfung zwischen einem *prodigium* und seiner Bedeutung für letztere keinen deterministischen Charakter besitzen sollte. Sie deduzierte, und d.h. sie demonstrierte nicht, stellte keine Prinzipien auf, sondern nur Vermutungen an auf der Grundlage historischer Erfahrung. Induktion und Wahrscheinlichkeit, nicht Deduktion und Wahrheit beherrschten also dieses Feld. Der Nondeterminismus war in theologischem Interesse, denn er ließ Spielraum für religiöse Abwendungsrituale.

Mit seiner Verknüpfung von Theologie und Naturkunde ist Lavaters Kometenkatalog ein bedeutendes Zeugnis für den Zürcher Prodigienstil. Gedruckt und von späteren Autoren immer wieder zitiert, ist dieses Werk auch Beleg für eine offizielle Position der Zürcher in einem seit der Frühreformation geführten Diskurs, der in den Folgejahren eine Zeit der Hochkonjunktur erlebte.

---

[102] LAVATER, Catalogus (1556), fol. A 3ʳ. Vgl. ebenso Bullingers Ausführungen über Wunderzeichen in der 46. Predigt der *Dekaden*; deutsch: BULLINGER, Hausbuch (1558), fol. 396a.
[103] LAVATER, Catalogus (1556), fol. A 3ʳ.

2.2. Bullingers Prodigiensammlung

Von Wunderzeichen ist in Bullingers Werken immer wieder die Rede. Beispiele dafür boten bereits der Komet von 1527, der in seinem Lukas-Kommentar abgebildet wurde, und der Komet von 1531, den Bullinger in seiner Reformationsgeschichte mit Zwinglis Tod verknüpfte.[104] Die Beispielliste ließe sich verlängern. Auch sein sogenanntes *Diarium* bietet Belege für Bullingers Aufmerksamkeit auf Wunderzeichen. Die Kometenerscheinungen von 1556 und 1558 fehlen hier ebenso wenig wie die Ende des sechzehnten Jahrhunderts schwer ins aristotelisch-ptolemäische Weltbild einzuordnende Supernova von 1572/73: »Umb Martini«, notierte Bullinger dazu, »hub sich an erzeigen ein wunderschöner sternen zu oberst am himmel ad sidus Cassiopeiae; gieng in aller höche in einem zirkel umb«.[105] Solche aktuellen Erscheinungen waren auch Nachrichten, die in Briefwechseln gerne und häufig ausgetauscht wurden. Es gibt eine Vielzahl solcher Mitteilungen von und an Bullinger, die in seinem Briefwechsel überliefert sind. Häufig sind sie etwa in der Korrespondenz Bullingers mit Johann Fabricius und dessen Nachfolger Tobias Egli in Chur oder auch mit Ambrosius Blarer in Konstanz (später dann in Winterthur) zu finden.[106]

Im brieflichen Gespräch mit diesen Kollegen zeigt sich auch, daß ein kritischer Umgang mit Neuigkeiten und Gerüchten gepflegt wurde. Ein an den Kometendiskurs anbindbares Beispiel bietet eine Nachricht, die Blarer am 28. April 1546 an Bullinger übermittelte: Dem Rat in Luzern sei berichtet worden, ein gewisser Hans Greber aus dem Willisauer Gebiet habe nachts auf dem Heimweg einen Kometen und einen anderen Stern gesehen, später sogar noch weitere ungewöhnliche Erscheinungen bemerkt. Hans Greber habe dieses »Gesicht« auch vor dem Luzerner Rat bezeugt.[107] Bullinger reagierte in einem Brief vom 13. Mai 1546 so darauf: »Ob das waar sye, das man von Lucern sagt, weiß ich nitt. Es ist hie ouch also ein gassenmär xin; niemandts gipt imm glouben. Dann wenn gott durch zeichen ein volck schrecken und warnen will, last er die zeichen nitt einem alein oder zwen winiger xellen såhen, sunder etc.«[108] Tatsächlich war die Öffentlichkeit der Zeichen ein wichtiges Glaubwürdigkeitskriterium. Gerade Kometen konnten stets über weite Distanzen von verschiedenen Himmelsbeobachtern gleichzeitig entdeckt werden. Die Unplausibilität einer Einzelbeobachtung ließ sich darum auch nicht mit der

---

[104] Siehe oben S. 47–49. Ferner BAUER, Krise der Reformation (2002), S. 198–200.
[105] HBD, S. 110.
[106] Beispiele bei MAUELSHAGEN, Nachlaßstücke Bullingers (2001), passim.
[107] Brief von Ambrosius Blarer an Heinrich Bullinger, Konstanz, 28. April 1546; StAZ, E II 357, 168.
[108] Heinrich Bullinger an Ambrosius Blarer, Zürich, 13. Mai 1546; St. Gallen VI, 142.

2. Zürich und die »Renaissance« des Prodigiensammelns

Autorität einer Zeugenaussage vor dem Luzerner Rat kompensieren. Für Bullinger war dieses Argument so klar, daß er es mit einem »etc.« abkürzte.

So wenig wie bisher die Belege für Bullingers Prodigienglauben in seinen gedruckten oder ungedruckten Werken systematisch erschlossen wurden, so wenig ist bekannt, daß Heinrich Bullinger auch selbst Prodigien sammelte.[109] Dies ist erstaunlich, denn seine Sammlung ist bis heute am Ende des 13. Buchs (Jahrgang 1575) der *Wickiana* erhalten geblieben,[110] und ihr Umfang ebenso wie die Art, in der sie dort präsentiert wird, lassen es kaum glaublich erscheinen, daß sie jahrhundertelang immer wieder übersehen wurde. Spätestens seit dem neunzehnten Jahrhundert galten illustrierte Flugblätter als populäre Medien. Eine Sammlung gerade solcher Produkte der Druckerpresse paßte wohl nicht ins Bild, das sich Historiker von Führungsgestalten der Reformation wie Bullinger machten. Wick hatte die Sammlung nach Bullingers Tod 1575 von dessen Sohn Johann Rudolf erhalten (siehe im Anhang Dok. 1).[111] Es handelt sich um 77 Dokumente, darunter elf handschriftliche Zeugnisse und eine Flugschrift. Im wesentlichen besteht die Sammlung aus Flugblättern, 65 an der Zahl. Sie werden in der Regel zum Gesamtbestand der *Wickiana*-Flugblätter gerechnet. Wick selbst verlieh den Dokumenten aus Bullingers Nachlaß jedoch den Rang einer eigenständigen Sammlung, die er auf dem Titelblatt des 13. Buches seiner Chronik eigens ankündigte.[112] Ob Bullingers Sammlung hier voll-

---

[109] Erst WEBER, Wunderzeichen und Winkeldrucker (1972), S. 18, und SENN, Wick (1974), S. 50, haben auf die Bullinger-Dokumente überhaupt hingewiesen, jedoch ohne sie als eigenständige Sammlung zu würdigen und ohne ihre Bedeutung für die Entstehungsgeschichte des *Prodigiorum ac ostentorum chronicon* von Conrad Lycosthenes erkannt zu haben. Die Edition der *Wickiana*-Flugblattsammlung bei HARMS (Hg.), Flugblätter VII (1997), präsentiert den Gesamtbestand in einer chronologischen Ordnung, in der auch die Bullinger-Flugblätter aufgehen, ohne als Teil einer Sammlung in der *Wickiana*-Sammlung erkennbar zu sein. Die verschiedenen Kommentatoren nehmen bei den betreffenden Blättern auch nur unsystematisch Bezug auf die von mir 2001 vorgelegte Studie (MAUELSHAGEN, Nachlaßstücke Bullingers (2001)) und das Verzeichnis der Bullinger-Einblattdrucke im Anhang der von Urs Leu und Sandra Weidmann bearbeiteten Bibliographie der Privatbibliothek Bullingers: HBPB, S. 174–191.

[110] Vgl. ZBZ, Ms. F 24, 387–542. Eine vollständige Übersicht der 77 Einzeldokumente (darunter 65 Einblattdrucke und eine Flugschrift) mit Nachweisen bietet das Verzeichnis (Anhang B) bei MAUELSHAGEN, Nachlaßstücke Bullingers (2001), S. 99–115.

[111] Ibid., S. 96. Transkription des Briefes von Johann Rudolf Bullinger an Johann Jakob Wick, Berg, 27. Dezember 1575; ZBZ, Ms. F 24, 386, auch dort als Dok. 1.

[112] ZBZ, Ms. F 24, Titelblatt: »Was für Prodigia vnd wunder zeichen dem M. Heinrichen Bullinger såligen zůkomen vnnd die Kinder Jm verlassen[,] Welche mir syn Sun H. Hans Růdolff Bullinger Pfarrer zů Berg Vß frundschafft vnnd liebe Mitgetheilt. Sind ouch Jm vßgang diß bůchs verzeichnet vom 33 Jar Biß vff das 1573 Jar.« Mit »verzeichnet« ist hier nicht etwa ein (verloren gegangenes) Verzeichnis gemeint, das jedes Einzelblatt auflistet, wie LEU, Bullingers Privatbibliothek (2003), S. 7, Anm. 9 annimmt und erwartet. Der Sprachgebrauch des sechzehnten Jahrhunderts ist noch nicht auf diese Bedeutung eingeschränkt. »Verzeichnen« konnte jede Art von Aufzeichnung, Niederschrift oder Auflistung bedeuten und bezeichnet hier schlicht den Anhang der Bullinger-Flugblätter im 13. Buch

ständig erhalten blieb, läßt sich nicht sagen. Wir haben nur diese eine Momentaufnahme des Jahres 1575. Was Bullinger schon zu Lebzeiten – insbesondere an Wick selbst – weitergegeben hatte, läßt sich nicht mehr vollständig rekonstruieren. Flugblätter wurden selten mit Besitz- oder Schenkungsvermerken versehen. Das Sammlungsprofil muß daher unter dem Vorbehalt einer nicht mehr erkennbaren Fragmentierung beschrieben werden.

An der Existenz einer Flugblattsammlung Bullingers und ihrer thematischen Grundausrichtung auf Wunderzeichen bestehen allerdings keine Zweifel: Nur wenige der in den *Wickiana* überlieferten Dokumente lassen sich nicht unmittelbar als Nachrichten über *portenta, ostenta* oder *mirabilia* klassifizieren (Grafik 2). Es überwiegt Meteorologisches und Teratologisches. Aber auch in anderen Kategorien sind Wundergeschichten versteckt, darunter solche über Fastenwunder, die von Reformierten grundsätzlich mit Skepsis zur Kenntnis genommen wurden. Teufels- und Hexengeschichten hatten meist durch Magie eine Beziehung zum Wunder. Sie wurden im sechzehnten Jahrhundert aber auch als *exempla* für Gottesstrafen gelesen und ließen sich damit ins allgemeine moraltheologische Schema der Wunderzeichendeutung einordnen. Hierin finden auch die acht Flugblätter über Mordgeschichten ihren Platz. Es handelt sich durchweg um außergewöhnliche Fälle: Sexual-, Bruder-, Ehegatten- und Familienmorde.

Wie war Bullinger in den Besitz der von ihm gesammelten Dokumente gelangt? Nur für einige unter ihnen läßt sich diese Frage beantworten, für die wenigen handschriftlichen Nachrichten leichter als für die Einblattdrucke. Ein Bericht über ein inspiriertes Kind ist von Ambrosius Blarer unterzeichnet und auf den 17. Januar 1533 datiert.[113] Blarer gehörte über Jahrzehnte hinweg zu den wichtigsten Briefpartnern Bullingers. Der englische Reformierte John Butler signierte einen Text, der sich als Teilübersetzung eines direkt vorher in die Sammlung eingeordneten Flugblatts über eine Mißgeburt erweist.[114] Das Blatt hatte John Day in London herausgebracht,

der Wickiana. Vgl. Grimms Wörterbuch, Bd. 12, I. Abt., 2. Hälfte. Leipzig 1956, Sp. 2494 ff. Auch Bullinger gebraucht das Wort in diesem weiten Sinne, etwa in seinem »Verzeichnuß zů dem Interim« in ZBZ, Ms. A 43, pag. 197–203: Es handelt sich wiederum nicht um ein Register, sondern um summarische Aufzeichnungen. Das gleiche gilt für das Wort »verzeichnet« auf dem Titelblatt der Tigurinerchronik, ZBZ, Ms. Car. C 43, wo es soviel bedeutet wie »aufgezeichnet«. Zahlreiche Belege für den weiten Sprachgebrauch sind auch bei Wick in folgenden Titeln innerhalb seiner Chronikbände zu finden: ZBZ, Ms. F 15, fol. 400ʳ (»Kurtze Abschrifft vnd Verzeichnus ...«); Ms. F 16, fol. 54r, 75r; Ms. F 19, fol. 212v, 229r, 233r; Ms. F 21, fol. 25r (»Verzeichnuß der reiß ...«, im Sinne einer Reisebeschreibung), fol. 32v (»Verzeichnuß der Grauenherren ...«, hier eine Auflistung von Namen, also Verzeichnis im heutigen Sinne); weitere Belege in Ms. F 24, 25, 26, 28, 29, 29a, 30, 31, 32, 24 und 35.

[113] Nr. 9 im Verzeichnis bei MAUELSHAGEN, Nachlaßstücke Bullingers (2001), S. 102; Ein dazugehöriger Brief ist offenbar nicht erhalten und fehlt in HBBW 2.

[114] Nr. 39 (handschriftliche Übersetzung) und Nr. 38 (ZBZ, PAS II 12/45; Flugblatt von Day) im Verzeichnis bei ibid., S. 108; ferner dort S. 81 zum Vorgang.

der übrigens englische Übersetzungen von Werken Bullingers druckte.[115] Auch in den Besitz anderer Dokumente gelangte Bullinger durch seinen umfangreichen Briefwechsel. So wurde ihm eine mit Versen versehene Zeichnung des »Monstrums von Krakau« 1547 höchstwahrscheinlich von Joachim Vadian aus St. Gallen zugeschickt.[116] Sie war Teil eines umfassenden Nachrichtenaustauschs, den Bullinger mit Vadian und anderen Briefpartnern pflegte. Daß es einen vergleichbaren Austausch auch innerhalb der gelehrten Zürcher Führungselite gab, läßt sich an einer kurzen Notiz über Kreuzerscheinungen am Himmel ermessen, die von Johannes Fries d. Ä. stammte: Die gleiche Nachricht auf einem zum Verwechseln ähnlich aussehenden Zettel reichte Fries auch an Wick weiter, der die Notiz in den ersten Band seiner Sammlungen einklebte – ein kleines Detail, das einen ersten Einblick in die Funktionsweise des Chorherrenstifts als Nachrichtenbörse bietet.[117]

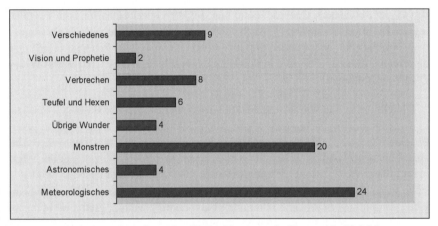

Grafik 2: Thematische Verteilung der 65 Flugblätter aus Bullingers Nachlaßdokumenten

Wieder andere Indizien deuten auf Schenkungen hin. Ein Flugblatt über eine Haloerscheinung, die 1551 über Wittenberg beobachtet wurde, ist mit einer Wid-

---

[115] Nachgewiesen in HBBibl I, vgl. die Einträge im Namensregister.

[116] Vgl. die Nr. 21 im Verzeichnis bei MAUELSHAGEN, Nachlaßstücke Bullingers (2001), S. 105; ferner dort Abb. 2, S. 83, und S. 82 zum Vorgang. Das angesprochene Schreiben Vadians an Bullinger datiert vom 29. April 1547 und enthält den signifikanten Hinweis: »Monstrum Cracoviense vidisse te existimo.« Zum Krakau-Monster vgl. auch DASTON, Wonders (1998), S. 192 f.; dort auch Abb. 5.3.1 und 5.3.2.

[117] Vgl. ZBZ, Ms. F 24, 495 (Nachrichtennotiz in Bullingers Sammlung) und Ms. F 12, 198ʳ (die gleiche Notiz im ersten Band der Wickiana). Vgl. SENN, Wickiana (1975), S. 44 (Text und Abb.). Die Handschrift wurde zuerst von Johann Jakob Fries, einem Sohn von Johannes Fries d. Ä., entziffert. Die Notiz auf dem in Ms. F 12 eingeklebten Zettel, die die Auflösung enthält, stammt von der Hand Johann Jakobs. Zum Nachrichtenaustausch weiter im Teil III, Kapitel 2. Informationsnetz und -auswahl, S. 176 ff.

mung Philipp Melanchthons versehen: »M. Othoni Werdmüller affini suo charissimo«.[118] Werdmüller hatte in den frühen dreißiger Jahren in Wittenberg studiert und dort sowohl Melanchthon als auch Luther gehört. Nach Zwischenstationen in Paris und Basel kehrte er 1540 nach Zürich zurück und wurde Professor für Physik und Ethik. Melanchthons Widmung auf einem meteorologischen Flugblatt steht vermutlich im Zusammenhang mit dieser Ausrichtung des Lehrers an der *Schola Tigurina*. Darauf deutet auch die Tatsache hin, daß derselbe Melanchthon die gleichzeitig erschienene lateinische Fassung mit einer handschriftlichen Widmung an Conrad Gesner versah. Werdmüller hatte 1551 allerdings die Positionen mehrfach gewechselt, war 1545 Leutpriester am Großmünster geworden und seit 1547 Chorherr und Zweiter Archidiakon.[119] In dieser Stellung war er Wicks Vor-Vorgänger. Er starb 1552. Teile seines Nachlasses dürften von den Hinterbliebenen an interessierte Personen verschenkt worden sein. Auf diese oder ähnliche Weise gelangte Bullinger in den Besitz des Blattes. Conrad Gesner war der Vorbesitzer eines weiteren Flugblattes der Bullinger-Sammlung.[120] Auch in diesem Fall ist wahrscheinlich, daß es aus dem Nachlaß des bedeutenden Naturforschers stammte. Möglicherweise gelangte ein Flugblatt über die Nordlichterscheinung vom 28. Dezember 1560 aus derselben Quelle an Bullinger.[121]

Die Hinweise, die wir auf die Herkunft einzelner Stücke aus Bullingers nachgelassener Sammlung haben, bieten – bei allen Unklarheiten im Detail – Indiz genug für eine intensive Zirkulation von Nachrichten über Wunderzeichen unter den Zürcher Chorherren und zwischen ihnen und ihren gelehrten Kollegen aus der reformatorischen Welt jenseits der Stadtmauern. Die Aufmerksamkeit auf Prodigien stand in solchen kommunikativen Zusammenhängen. Das gilt auch für einen Vorgang, der Bullingers Prodigiensammlung besondere Bedeutung gibt: eine Leihgabe an den Verfasser des *Prodigiorum ac ostentorum chronicon*, Conrad Lycosthenes in Basel.

---

[118] Vgl. ZBZ, PAS II 12/40; Nr. 32 im Verzeichnis bei MAUELSHAGEN, Nachlaßstücke Bullingers (2001), S. 107; ferner dort Abb. 2, S. 83, und S. 82 zum Vorgang. Ein Brief Melanchthons an Werdmüller, mit dem das Flugblatt übermittelt worden sein könnte, scheint im Korpus des Melanchthon-Briefwechsels nicht erhalten zu sein. Die Himmelserscheinung wird in einem Brief von Melanchthon an Laurentius Moller in Hildesheim (dat. 21. März 1551) erwähnt. MBW 6, Nr. 6024 (CR 7, 762 Anm.; Jena UB, Ms. Bos. q 24ˢ, fol. 397ᵛ).

[119] Für knappe biographische Angaben vgl. DEJUNG, Zürcher Pfarrbuch (1953), S. 611; ferner die Angaben bei JÖCHER, Gelehrten-Lexicon (1750), Bd. 4, S. 1751 (DBA I 1352, 454); HBLS 7, S. 487.

[120] ZBZ, PAS II 12/77; Nr. 77 im Verzeichnis bei MAUELSHAGEN, Nachlaßstücke Bullingers (2001), S. 115. Das Blatt enthält auf der Rückseite die Adresse: *Cuonr. Gesnero Medico Tigvrino*.

[121] ZBZ, PAS II 12/62; Nr. 62 im Verzeichnis bei ibid., S. 112.

2.3. Das *Prodigiorum ac ostentorum chronicon* von Conrad Lycosthenes

Etwa ein Jahr nach Lavaters Kometenkatalog wurde in Basel die erste Prodigien-sammlung im Weltchronikformat gedruckt, das *Prodigiorum ac ostentorum chronicon* von Conrad Lycosthenes (Abb. A4). Über zwei Jahrhunderte wurde dieses Werk regelmäßig zitiert, und zwar keineswegs nur von Theologen und Pfarrern, sondern auch – vielleicht sogar noch häufiger – in der naturkundlichen Literatur. Mit seiner chronologischen Ordnung und seiner Bildausstattung bot es schnellen Zugriff bei der Suche nach historischen Beispielen, die für einen Vergleich mit einem aktuellen Prodigium oder verschiedenen früheren Erscheinungen etwa zum Zweck teratologischer Forschungen dienen konnten. Auch Wick nutzte das Werk auf diese Weise. Aber nicht darum, und auch nicht wegen der zeitlichen Nähe zu Lavaters kleinem Kometenbuch oder der geographischen Nähe zu Zürich, gehört das *Chronicon* in den Zusammenhang dieses Kapitels, sondern deshalb, weil einige prominente Zürcher einen wesentlichen Anteil am Abschluß des lange geplanten Werkes hatten.

Voraussetzung dafür war, daß Lycosthenes gute Verbindungen nach Zürich besaß. Teils waren sie sogar verwandtschaftlicher Natur: Der Hebraist und Theologe Conrad Pellikan, den Zwingli an die Zürcher Hohe Schule berufen hatte, war sein Onkel. Beide stammten aus dem oberelsässischen Ruffach. Von Pellikan hatte Lycosthenes wie der berühmte Kosmograph Sebastian Münster ab 1529 in Zürich den ersten Unterricht erhalten. Dieser Aufenthalt führte zu bleibenden Kontakten, die durch Korrespondenzen aufrecht erhalten wurden. Außer Briefen an Pellikan sind weitere Schreiben von Lycosthenes an prominente Zürcher Gelehrte überliefert – an Bullinger die größte Zahl, darüber hinaus an Josias Simler, Rudolf Gwalther und Johannes Wolf.[122] Auch zu Conrad Gesner gab es Verbindungen. Er und Lycosthenes begegneten sich später in Basel wieder.[123] 1551 gab Lycosthenes eine gekürzte Fassung von Gesners großer Biobibliographie, der *Bibliotheca Universalis*, heraus.[124] Angesichts dieser Verflechtungen war es nicht übertrieben, wenn Lavater den Basler Kollegen als *vetus amicus noster* bezeichnete. Lavaters Kometenkatalog enthält eine Art Vorankündigung des *Chronicon* mit folgendem Wortlaut: »Vielleicht wird unser

---

[122] Die hier genannten Korrespondenzen befinden sich in ZBZ und StAZ. Auf eine Auflistung wird hier verzichtet, da von einer kompletten Erschließung bisher keine Rede sein kann. Auch die in Basel evtl. vorhandenen Briefe müßten aufgesucht werden.

[123] Vgl. FRETZ, Gessner (1948), S. 243.

[124] LYCOSTHENES, Elenchus scriptorum omnium (1551). – Vgl. FRIES, Bibliotheca instituta (1583), S. 169. Die Behauptung von WELLISCH, Conrad Gessner (1984), S. 50, Lycosthenes habe sein Kompendium ohne Wissen und Erlaubnis Gesners drucken lassen, bleibt ohne Beleg. Die Vermutung des Gegenteils ist plausibler.

alter Freund Conrad Lycosthenes, ein umsichtiger und eifriger Mann, in seinem Buch über die Vorzeichen, von dem ich hoffe, daß es nächstens ans Licht kommt, auch jenen Teil der Lehre [über die Kometen] ausschmücken und fügt darüber hinaus viele andere Kometen hinzu.«[125]

Man wußte in Zürich nicht nur, woran Lycosthenes arbeitete. Gerade in der letzten Phase waren Zürcher Theologen und Gelehrte aktiv an der Vollendung des Werkes beteiligt. Das *Chronicon* selbst bietet Indizien dafür. Nicht nur, daß Lycosthenes in einer Liste aktueller Werke, die er verwendet hatte, unter anderen Conrad Gesners *Historia animalium*, Lavaters Kometenbuch und die Abhandlung *De conceptu et generatione hominis* aus der Feder des Zürcher Chirurgen Jacob Rueff erwähnte. (Letzteres war eines der prominentesten medizinischen Werke über die Entstehung des Menschen im Mutterleib und seine Geburt, aus dessen fünftem Buch Lycosthenes eine Reihe von Beispielen für menschliche Monstergeburten übernahm.)[126] Vielmehr werden in einer zweiten Liste »gelehrter Männer und Freunde«, die den Autor und den Drucker des Werks bei der Bildausstattung unterstützt hatten und dafür nun öffentlich Dank ernteten, erneut Lavater und Gesner, darüber hinaus aber auch Heinrich Bullinger aufgeführt, immerhin drei Zürcher von insgesamt nicht mehr als siebzehn Personen.[127]

Bullingers Rolle in der Entstehungsgeschichte des *Prodigiorum ac ostentorum chronicon* läßt sich konkretisieren. Schlüssel dazu ist ein Brief von Lycosthenes an Bullinger, datiert auf den 6. April 1557, der sich heute unter den Dokumenten der Prodigiensammlung Bullingers im dreizehnten Buch der *Wickiana* befindet (siehe im Anhang Dok. 2). Lycosthenes und Bullinger hatten früher bereits miteinander korrespondiert. Es war also nicht der erste Brief, den sie wechselten, wohl aber der erste, seitdem Lycosthenes einen Schlaganfall erlitten hatte. Aus dem Brief nun geht hervor, daß er von Lavater den Hinweis auf die Prodigiensammlung Bullingers erhalten hatte. Bezug und Zweck seines Schreibens wurden klar genannt: Er stehe vor dem Abschluß einer Geschichte (*historia*) aller *prodigia* und *ostenta* von Adam bis zur Gegenwart. Heinrich Petri, der Drucker, betreibe großen Aufwand bei der Illustration des Werkes, daher erhoffe er sich sich von Bullingers Sammlung insbesondere neue Bildvorlagen, schrieb Lycosthenes.[128] Die Hoffnung war nicht un-

---

[125] Vgl. LAVATER, Catalogus (1556), fol. A 5: »Fortassis Conradus Lycosthenes vetus amicus noster, vir diligens et industrius, in libro suo de prodigijs, quem propediem in lucem edendum spero, etiam hanc doctrinae partem exornabit, et alios praeterea multos cometas adjicet.«

[126] Vgl. RUEFF, De conceptu et generatione hominis (1553), S. 38–62: »LIBER QVINTVS. DE MOLA ALIISQVE FALSIS uteri tumoribus, simulque de abortibus & monstris diuersis, nec non de conceptus signis uarijs.«

[127] *Catalogus doctorum virorum et amicorum, qui ad absoluendam prodigiorum historiam, liberalissime, communicatus rerum imaginibus nos iuuarunt.* Vgl. LYCOSTHENES, Prodigiorum ac ostentorum chronicon (1557), vorne (unpaginiert).

berechtigt, bestand Bullingers Sammlung doch nahezu ausschließlich aus illustrierten Flugblättern.

Vergleicht man die Bullinger-Dokumente mit dem *Chronicon*, so lassen sich zahlreiche Übereinstimmungen feststellen. Die meisten Wunderberichte, die Bullinger bis 1557 sammelte, tauchen in der einen oder anderen Weise auch bei Lycosthenes auf. Dennoch läßt sich kaum im einzelnen sagen, welche der Illustrationen tatsächlich auf Vorlagen aus der Sammlung Bullingers beruhen. Lycosthenes selbst äußerte schon in seinem Schreiben vom 6. April 1557 die Vermutung, daß ihm vieles dessen, was Bullinger gesammelt hatte, bereits bekannt sein werde. Das bestätigte sich: »All das Deine schicke ich, wie ich hoffe, treulich zurück«, schrieb er am 3. Oktober 1557 an Bullinger, nachdem sein Werk gerade erschienen war: »mag ich darunter auch vieles gefunden haben, das ich längst besitze, war gleichwohl auch vieles dabei, was mir fehlte«.[129] Was Lycosthenes schon vor dem April 1556 bekannt gewesen war und was nicht, läßt sich nur vermutungsweise bis auf die Ebene des Einzelfalls nachvollziehen. Für eine Nachricht über schwere Unwetter in Locarno 1556 läßt sich immerhin mit großer Wahrscheinlichkeit behaupten, daß sie auf einem handschriftlichen Bericht aus Bullingers Sammlung beruht.[130]

Geht man davon aus, daß Lycosthenes all' das vorlag, was heute bis zum Erscheinungsjahr des *Chronicon* 1557 in der erhaltenen Bullinger-Sammlung zu finden ist (was sich freilich nicht beweisen läßt), so kann man folgende Beobachtungen zur Auswahl machen (siehe Grafik 3): Nahezu alle *Meteorologica*, *Astronomica*, *Teratologica* und *Mirabilia* der Bullinger-Sammlung wurden im Text des *Chronicon* verarbeitet. Signifikant sind die Abweichungen bei den Teufels- und Mordgeschichten. Letztere ließ Lycosthenes sogar vollständig weg, mochten sie auch in manchen Augen symbolische oder gar prodigiöse Bedeutung gewinnen. Das hatte sicher vorwiegend darstellerische Gründe: Eine Weltchronik menschlicher Sünden hätte nicht nur den Prodigienrahmen, sie hätte jeden Rahmen gesprengt.

Gleichwohl folgte Lycosthenes ebenso wie Bullinger, der ja auch Mordgeschichten sammelte, und später Wick dem moraltheologischen Kausalschema. Die Defekte der Natur waren für ihn spiegelbildlich zu den moralischen Defekten der menschlichen Gesellschaft, die ihre erste Ursache im Sündenfall hatten.[131] Seine Prodigienchronik begann darum auch konsequent mit dem Sündenfall und dem »Wunderbaum« der Erkenntnis und fuhr mit Kain und Abel fort. Auf Mordexempel aus der

---

[128] Brief von Conrad Lycosthenes an Heinrich Bullinger, Basel, 6. April 1557: ZBZ, Ms. F 24, 471 f.; Transkription mit Übersetzung hier im Anhang Dok. 2, wie bei MAUELSHAGEN, Nachlaßstücke Bullingers (2001), S. 97 f. (Dok. 2).

[129] Ibid., S. 85 f. nach der Transkription mit Übersetzung größerer Passagen des Briefes von Conrad Lycosthenes an Heinrich Bullinger, Basel, 3. Oktober 1557; StAZ, E II 375, 494.

[130] Vgl. LYCOSTHENES, Prodigiorum ac ostentorum chronicon (1557), S. 656 f. mit ZBZ, Ms. F 24, pag. 487–490; MAUELSHAGEN, Nachlaßstücke Bullingers (2001), S. 110 (Nr. 50).

[131] Vgl. DASTON, Wonders (1998), S. 183.

eigenen Gegenwart verzichtete er jedoch, obwohl sich im frühneuzeitlichen Exempeldenken besonders die Parallele zwischen dem biblischen Kainsmord und der
Ermordung des spanischen Konvertiten Juan Diaz 1546 durch seinen katholischen
Bruder Alfonso aufdrängte. Schon Melanchthon hatte in der ersten Flugschrift, die
von diesem Ereignis berichtete, genau diese Parallele gezogen, und sie blieb das
herrschende Deutungsmuster in der protestantischen Publizistik, die den Fall Diaz
während des Schmalkaldischen Krieges wiederholt aufleben ließ und dabei die
christliche Brudermordkonstellation im Angriff der Katholiken gegen die Protestanten wiedererkannte und brandmarkte. Durch diese Chronologie bekam der Mordfall
einen vorzeichenhaften Charakter. Aber trotz dieses Umstands und obwohl ihm in
Bullingers Sammlung ein in Straßburg bei Jacob Cammerlander gedrucktes Flugblatt begegnete, das Juan Diaz zum protestantischen Märtyrer stilisierte, griff Lycosthenes diese Geschichte nicht auf, zweifellos wegen der politischen Sprengkraft,
die sie noch elf Jahre später in einem gedruckten Werk besessen hätte.[132] Hier liegt
eben ein wichtiger Unterschied zu den Sammlungen Bullingers und Wicks, die nicht
für den Druck bestimmt waren. Sie mußten keine Zensur passieren, weder die offizielle noch die präventive Selbstzensur eines Autors gedruckter Werke.

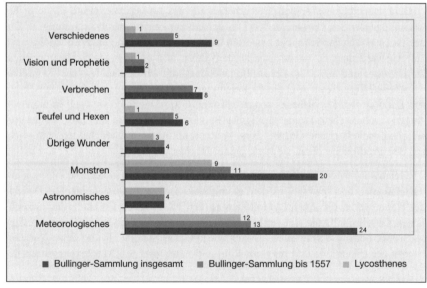

Grafik 3: Konvergenz zwischen Lycosthenes' *Prodigiorum ac ostentorum chronicon* und
Bullingers nachgelassener Prodigiensammlung

[132] Zur Episode Diaz mit Nachweisen zur zeitgenössischen Publizistik um diesen Fall vgl.
MAUELSHAGEN, Nachlaßstücke Bullingers (2001), S. 78–81, und STEGBAUER, Perspekti-
vierungen (2002). An einer vollständigen Erschließung aller überlieferten Dokumente zum
Fall Diaz arbeitet derzeit Ignacio Javier García Pinilla (Toledo/Spanien).

2.4. Conrad Gesner und das Nordlicht von 1560

Der »brennende Himmel« vom 28. Dezember 1560, dem Tag der Unschuldigen Kindlein, gehört zu den drei Ereignissen, die Wick im Rückblick des Jahres 1577 zur Initialzündung für seine Wunderbücher erklärte.[133] Mag man auch Zweifel an der Validität einer solchen Selbstaussage hegen, die mehr als fünfzehn Jahre nach dem Beginn der Aufzeichnungen Wicks gemacht wurde, läßt sich doch soviel belegen, daß das Ereignis in der Eidgenossenschaft und besonders in Zürich mit großer Aufmerksamkeit zur Kenntnis genommen wurde. Sowohl Heinrich Bullinger als auch Wolfgang Haller vermerkten es in ihren Diarien.[134] Das beredteste Zeugnis allerdings ist eine umfangreiche Druckschrift, die der Naturforscher Conrad Gesner unter dem Pseudonym *Conradus Bolovesus Fridemontanus* veröffentlichte. Gesner selbst löste es schon ein Jahr nach Erscheinen der Schrift in einer gedruckten Vita auf, die eine Autobibliographie in Brieform enthielt, in der er sich öffentlich zu seiner Autorschaft bekannte.[135]

Die Schrift gilt manchem Wissenschaftshistoriker als erste zuverlässige Beschreibung eines Nordlichts.[136] Freilich ist »Nordlicht« ein Terminus, der sich erst im Laufe des achtzehnten Jahrhunderts einbürgerte.[137] Tatsächlich kursierten Nordlichter, wie auch weniger spektakuläre Himmelserscheinungen im sechzehnten und siebzehnten Jahrhundert unter Bezeichnungen wie *Chasma, coelum ardens*, »feuriger« oder »brennender Himmel« und ähnlichem. Auch in neueren Studien, die sich nicht ausdrücklich der traditionellen Wissenschaftsgeschichte verpflichtet fühlen, wird die vermeintliche terminologische Unschärfe als klassifikatorische Verlegenheit interpretiert, mit der es nicht wirklich gelungen sei, das Phänomen dauerhaft in Bekanntes einzuordnen und wissenschaftlich zu erklären.[138] Dies aber wird als Grund dafür betrachtet, daß Nordlichter als Wunderzeichen gedeutet wurden, statt als rein natürliche Phänomene – eine fragwürdige Annahme, die unterstellt, daß sich wissenschaftliche und religiöse Deutungen prinzipiell ausschließen. Dahinter steckt eine alte aberglaubenskritische Vorstellung der Aufklärung, die den Wunderglauben mit einem Mangel an Wissen erklärte. Das klassische Gegenbeispiel dazu bieten

---

[133] Dazu oben S. 14 f. und Abb. A1.

[134] Vgl. HBD, 5: »Arsit coelum pluribus locis per Helvetiam circa finem anni huius 28. Decemb.«; Haller, Diarium, Ms. D 270, Kalender zu 1560, Notiz zum Monat Dezember unter dem Titel *Verum incendium coeli* usw.

[135] Vgl. SIMLER, Vita Conradi Gesneri (1562), dort in der *Epistola Gesneri de libris a se editis*, Nr. 63 Vgl. LEU, Gesner als Theologe (1990), S. 94; GUTWALD, Prodigium (2002), S. 251 (Anm. 36).

[136] Vgl. SCHRÖDER, Phänomen des Polarlichts (1984), S. 27.

[137] Vgl. IV/2.2.

[138] GUTWALD, Prodigium (2002), S. 240 und passim.

Eklipsen, die im sechzehnten Jahrhundert schon längst astronomisch vorausbere-
chenbar waren und dennoch zugleich als Prodigien gedeutet werden konnten. Dieses
Nebeneinander in der Kultur der Frühen Neuzeit – wie in jeder Kultur, in der es
existiert (bis in die Gegenwart) – will ernst genommen werden.[139] Gesner bietet von
der Seite des Naturforschers her ein Beispiel dafür. Denn in seiner Schrift über das
Chasma von 1560 werden natürliche mit religiösen Erklärungen kombiniert. Und
sicherlich nicht nur, weil die vorhandene Terminologie einen Überschuß an Erklärungsbedarf offenließ. Denn diese Terminologie reichte selbstverständlich aus, die
Erscheinung in das meteorologische Wissen der Zeit einzuordnen und auf dieser
Basis Vergleiche mit früheren Erscheinungen ähnlicher Art anzustellen. Zwar handelte es sich um ein *signum inusitatum*, ein außergewöhnliches Zeichen, aber ein
klassifikatorisches Problem ergab sich daraus nicht.[140] Gesner führte historische Beispiele ähnlicher Himmelserscheinungen an, insbesondere aus einschlägigen Beschreibungen naturphilosophischer Klassiker wie Aristoteles, Cicero und Seneca
oder aus Prodigiensammlungen wie denen von Julius Obsequens, Vergilius Poly-
dorus und Marcus Fritsche.[141] In einem eigenen Abschnitt *contra Epicureos* wurde
die göttliche Urheberschaft des Himmelszeichens verteidigt.

Obwohl Gesners Schrift im strengen Sinne keine Prodigiensammlung war, gehört
sie doch in den Kontext dieses Kapitels, weil er bei seiner Deutung des Nordlichts
von Ende 1560 ebenso wie die Zürcher Pfarrer historisch vorging. *Historia* ist auch
insofern ein signifikantes Titelwort, als Gesner es regelmäßig für seine naturhistorischen Werke verwendete, etwa für seine *Historia Animalium*. Auch im Falle der
Prodigiendeutung bleibt es das Signum der frühneuzeitlichen Empirie: Gesners
Schrift ist durch eine Vielstimmigkeit gekennzeichnet, die vor allem durch das Zitat
einer Reihe von Briefen entsteht, in denen die Beobachtung des *Chasmas* an verschiedenen Orten beschrieben wurde. Auch einige illustrierte Flugblätter werden

---

[139] Der Versuch von LEU, Gesner als Theologe (1990), Gesner nicht nur als Naturforscher,
sondern eben auch als Theologen zu verstehen, geht genau in diese Richung.
[140] Anders GUTWALD, Prodigium (2002), S. 240, der – mit Bezug auf GESNER, Historia et
interpretatio prodigii (1561), fol. A iii^v – das Adjektiv *inusitatum* als Indiz für »fehlendes
zeitgenössisches Erfahrungswissen hinsichtlich einer derartigen Wahrnehmung« deutet und
am Ende – mit Bezug auf Wick – meint, dieser habe keine Verknüpfung zwischen ähnlichen
Erscheinungen hergestellt, weil dies den Wundercharakter und die »besondere Aussagekraft
eines *prodigium inusitatum*« in Frage gestellt hätte. Gutwalds rein am Wort *inusitatum*
festgemachte Argumentation übersieht u. a., daß Gesner außer der Himmelserscheinung
vom 28. Dezember 1560 auch all die *prodigia & signa* der jüngeren Vergangenheit als
inusitata bezeichnete (GESNER, Historia et interpretatio prodigii (1561), fol. B v^r). Tatsächlich handelt es sich um eine völlig gebräuchliche Ausdrucksweise der Zeit bei allem, was
als *praeter* oder *contra naturam* eingestuft wurde. STUCKI, Prognosticon (1588), fol. 3^r,
spricht sogar von »duae Lunae eclipses magnae ... inusitatae«. Ähnliches kann man in
teratologischen Abhandlungen finden, die ständig vergleichen. Auch heute ist das Prädikat
bei Neubeschreibungen in der Botanik üblich, z. B. für das *Entoloma inusitatum Nordeloos*.
[141] Vgl. GESNER, Historia et interpretatio prodigii (1561), fol. Avii^r-Biii^v.

angeführt.[142] Die Übereinstimmungen dienten als Evidenz, daß es sich bei diesen Beobachtungen um dasselbe Phänomen handelte. Dies war Voraussetzung für die Bestimmung seiner geographischen Wahrnehmbarkeit. Sie war keineswegs nur naturwissenschaftlich von Bedeutung, sondern auch für die straftheologische, also metaphysische Deutung der Erscheinung als *prodigium*. Es konnte etwa nur dann als Vorzeichen des Jüngsten Tages gedeutet werden, wenn es nicht nur an bestimmten Orten oder Ländern, sondern überall sichtbar war.[143] Um dies festzustellen, war ein Nachrichtenaustausch notwendig, den Gesner, nicht anders als Bullinger, vor allem über seinen Briefwechsel abwickelte. Mit dem Informationssystem dieser »global players« (jedenfalls nach den eurozentrischen Maßstäben europäischer Gelehrter des sechzehnten Jahrhunderts) war auch Wick verknüpft, und auch in seinen »Wunderbüchern« entstand daraus eine ähnliche »Polyphonie« verschiedener Informationsquellen – Flugblätter und Flugschriften eingeschlossen –, die im skriptographischen System der Annalen allerdings anders »konserviert« werden konnten als im typographischen einer Druckschrift.[144]

Gesner vervollständigt insofern das Bild, das wir uns hier von Zürich zwischen 1556 und 1560 gemacht haben, als er nicht Pfarrer war, sondern an der *Schola Tigurina* Physik lehrte. Hier wie auch sonst erhält man den Eindruck eines gelassenen Nebeneinanders von Theologie und Naturforschung. Es war also kaum der Anspruch auf theologische Deutungsherrschaft und seine erfolgreiche Durchsetzung, der den Pfarrer Wick in diesem Kreis ab den 1560er Jahren zum Experten für Prodigien werden ließ. Es gibt keinen Grund, von einer Ablösung des Naturforschers Gesner oder von einer ideologisch begründeten neuen Aufgabenverteilung im Kreis des Zürcher Chorherrenstifts zu sprechen. Dazu steht Gesners *Historia et interpretatio prodigii* zu singulär in seinem Werk und zu offensichtlich auf der glei-

---

[142] Vgl. GUTWALD, Prodigium (2002), S. 250 und Abb. 1–4. Das Flugblatt ZBZ, PAS II 12/62 war Bestandteil der Bullinger-Sammlung. Die anderen drei Blätter (PAS II 1/14, 1/16 u. 1/17) waren vor der Versetzung Teil des ersten *Wickiana*-Bandes (Ms. F 12). Möglicherweise war Gesner ihr Vorbesitzer. Eine weitere Quelle zu Gesners Prodigienschrift ist eine fragmentierte handschriftliche Fassung in ZBZ, Ms. Z I 346, in einem Konvolut, das als Wick-Nachlaß eingeordnet wurde (vgl. dazu die Beschreibung im Quellenverzeichnis). Darauf wohl beruht die falsche Zuschreibung bei BAUER, Krise der Reformation (2002), S. 212, die diesen Faszikel für das Fragment einer Wunderzeichendeutung Wicks hält. SCHEUCHZER, Natur-Historie (1716–1718), Bd. III, S. 81, zitiert noch einen Brief von Benedictus Aretius aus Bern an Gesner.

[143] Vgl. GESNER, Historia et interpretatio prodigii (1561), fol. Av^r.

[144] Zum Stichwort »Polyphonie« (nach Michail Bachtin) vgl. die in dieser Hinsicht vorzügliche Analyse bei GUTWALD, Prodigium (2002), bes. S. 252–255, der mit Recht auch einen Zusammenhang mit dem Erfahrungsbegriff herstellt. Zweifel habe ich, ob man das anonyme Erscheinen der Schrift ebenfalls mit dieser Polyphonie erklären kann (vgl. ibid., S. 252 und passim). Es ist nicht ungewöhnlich, daß Autoren des sechzehnten Jahrhunderts ihren Namen über Texte setzen, die kaum ihre eigenen Worte enthalten. Vor allem aber müßte, will man Genaueres sagen, erst einmal das von Gesner verwendete Pseudonym erklärt werden, was bisher nicht gelungen ist.

chen Linie der Prodigiendeutung, die auch von den Zürcher Theologen seiner Zeit vertreten wurde.

2.5. Wunderzeichendeutung um die Mitte des 16. Jahrhunderts

Die chronologische Ordnung, die Hinweise auf Folgeereignisse, das Zugeständnis, daß viele der aufgeführten Prodigien neben ihrer Deutung als Wunderzeichen auch natürlich erklärt werden könnten,[145] machen Lycosthenes und Lavater – und andere – zu typischen Vertretern der historisch-chronologischen Wunderzeichendeutung. Schon fünf Jahre vor Erscheinen seines *Prodigiorum ac ostentorum chronicon* hatte Lycosthenes die Prodigienchronik des spätantiken Autors Julius Obsequens ediert.[146] Unter den Gegenwartsautoren nannte er wie schon Lavater den seit Erasmus wohl am höchsten angesehenen humanistischen Gelehrten auf deutschem Boden, Joachim Camerarius.[147] Dieser hatte 1532 *Norica sive de ostentis* verfaßt. Das wiederum chronologisch geordnete Werk enthielt ein Vorwort von Philipp Melanchthon an den italienischen Astrologen Lucas Gauricus.[148] Der Briefwechsel zwischen den Freunden Camerarius und Melanchthon belegt ihren intensiven Austausch über ungewöhnliche Naturphänomene und deren Bedeutung. In *De cometis* (1559) beschrieb Camerarius kurz und prägnant das Vorgehen des Empirikers der historisch-chronologischen Deutungsmethode: Wenn ein Himmelszeichen erscheine, solle man das Ereignis im Gedächtnis bewahren und festhalten was sich in der Folge ereigne. Was die Bezüglichkeit zwischen Himmelszeichen und Folgeereignissen anging, war Ähnlichkeit ein wichtiges Kriterium.[149]

Von Melanchthon aus lassen sich weitere Verbindungslinien ziehen, so etwa zu dessen Schwiegersohn Caspar Peucer, der 1593 in seiner Abhandlung *De praecipvis divinationvm generibvs* die Grenzen zwischen wahren und falschen Vorhersagen abzustecken versuchte. Anknüpfend an Melanchthons Physiklehrbuch stellte Peucer »die ärztlichen Prognosen hinsichtlich der Entwicklung einer Krankheit, Wettervor-

---

[145] LYCOSTHENES, Prodigiorum ac ostentorum chronicon (1557), fol. a 2^v in der *Epistola Nuncupatoria*. Vgl. DASTON, Wonders (1998), S. 183.

[146] OBSEQUENS, Prodigiorum liber (1552) (in ZBZ unter der Signatur Z 160 vorhanden in einem Exemplar aus der Privatbibliothek von Johann Rudolph Stumpf; Besitzvermerk am Ende; vorne mit handschriftlicher Notiz »De obitu Conradi Lycosthenis ...« nach Theodor Zwinger).

[147] Zu Camerarius vgl. STÄHLIN, Humanismus und Reformation (1936), und BARON (Hg.), Camerarius (1978). Nur Stählin geht kurz auf die Prodigienwerke ein. Zur Biographie noch: ADB 3, S. 720–724 (die Prodigienwerke nicht erwähnt) und NDB 3, S. 104 f. (auch hier nicht).

[148] Vgl. CAMERARIUS, Norica sive de ostentis (1532).

[149] CAMERARIUS, De eorum qui cometae appellantur (1558): »Cum ostentum extiterit, conseruari ait memoriam euentus, et perscribi quid fuerit secutum. Atque ita, si quid simile postea rursum extiterit, similes esse euentus secuturos, decerni.«

hersagen und Prophezeiungen über Kriege und Naturkatastrophen mit astrologischen Vorhersagen über ein individuelles Schicksal auf dieselbe wissenschaftstheoretische Ebene: eine Naturforschung, die der Vorsorge und Verhütung von Unheil diene, sei von Gott ausdrücklich erwünscht.«[150] In dieser Konzeption lag ein Plädoyer für Empirie als »weiche Wissenschaft«, die sich mit theologischen Dogmen vertrug und insofern legitimierbar war. Befremdlich daran ist aus heutiger Sicht, daß Wissenschaften, die nach der älteren Naturwissenschaftsgeschichtsschreibung gerade durch den sogenannten Fortschritt der Empirie in der Neuzeit obsolet geworden sind, hier auf einer Ebene mit Gebieten wie der Medizin stehen, denen seitdem zunehmende Anerkennung zuteil wurde. Der Schlüssel zu diesem Paradox besteht offenbar gerade nicht in der Aufwertung empirischen Denkens als solchem, sondern in der ständigen Auseinandersetzung um die Grenzen der Empirie. Solange diese Grenzen nicht auf derart kompromißlose Weise wie dann etwa in Kants *Kritik der reinen Vernunft* gezogen waren, gehörten grenzüberschreitende Kausalverbindungen zum Bestand möglicher Erfahrung – eine Feststellung, die freilich schon einen historisch relativierten Begriff von Erfahrung voraussetzt.

Bezugnahmen und Verbindungen lassen vermuten, daß die bei Lycosthenes ausgereifte Form des historisch-chronologischen Prodigienwerkes im protestantischen Humanismus verwurzelt war. Das kann hier nur als These hingestellt werden. Die Entstehungsgeschichte einzelner Prodigienwerke ist nach wie vor zu wenig erforscht, um ein genügend umfassendes Bild vom gelehrten Informationsaustausch zeichnen zu können. Vernetzung und Gruppenbildung bestimmter Personen, die an einem Nachrichtenaustausch über Prodigienerscheinungen beteiligt waren und als Verfasser von Prodigiensammlungen oder -deutungen hervortraten, müßten weiter erschlossen werden, was sich anhand von Briefwechseln bewerkstelligen ließe.

Solange diese Arbeit nicht gemacht ist, muß man sich mit weniger begnügen. Immerhin lassen sich Melanchthons Verbindungen nach Zürich weiter konkretisieren und an Indizien bis in die *Wickiana* verfolgen, so daß die hier vermuteten Beziehungen zwischen Bullinger, Lavater, Gesner und Lycosthenes einerseits sowie Camerarius und Melanchthon andererseits nicht völlig vage bleiben müssen. Bullinger, Calvin und die Straßburger versuchten schon in den vierziger Jahren, Melanchthon zum Weggang von Wittenberg zu bewegen.[151] Dessen Sympathie für Calvinisten und Zwinglianer war so bekannt, daß die Vertreter der lutherischen Orthodoxie den Philippisten Kryptokalvinismus unterstellten. Sympathie läßt sich an Widmungen ablesen. Unter den *Wickiana* finden sich zwei, zuvor bereits erwähnte Einblattdrucke von Melanchthon über eine Nebensonnenerscheinung, die am 21. März 1551 in Wittenberg beobachtet wurde, die mit persönlichen Widmungen Melanchthons an Otto Werdmüller und Conrad Gesner ausgestattet sind.[152]

---

[150] So zusammenfassend BAUER, Naturphilosophie (1999), S. 384.
[151] Dazu NEUSER, Versuche Bullingers (1975).

Für eine genauere Untersuchung der Prodigienwerke des 16. Jahrhunderts und ihrer Entstehungsgeschichte kann man, um Vergleiche anzustellen, thesenhaft vom Muster der »humanistischen Prodigienchronik« ausgehen, wie man es bei Lycosthenes, Camerarius und Lavater findet: chronologische Anordnung, lateinische Sprache (allenfalls Rückübersetzung aus dem Lateinischen ins Deutsche – wie bei Lycosthenes), Bezugnahme auf antike Autoren, vornehmlich Argumentation mit den Vorbildern der antiken Naturforschung, darunter Plinius der Jüngere mit seiner Naturgeschichte; empirische Ausrichtung, entsprechende Funktion des *historia*-Begriffs, der dem theologischen Deutungsanspruch Tribut zollen kann und insofern dem Frömmigkeitsmaßstab genügt, sich dabei aber zugleich integrativ gegenüber dem Deutungspotential von Astrologie, Meteorologie, Medizin und anderen frühneuzeitlichen Wissenschaften verhält.

Von diesem Typus lassen sich andersartige Werke unterscheiden. So schrieb Job Fincel nur in deutscher Sprache, und er bezog sich nicht auf antike Vorbilder. Er ließ seine chronologische Aufzählung erst mit dem Jahr 1517 einsetzen. Das Datum war Programm: Mit Luther begann aus orthodox-lutherischer Sicht ein neuer Abschnitt in der Heilsgeschichte – dadurch begründet, daß das Gotteswort erst jetzt wieder »rein« und »unverfälscht« zutage getreten war. Es fehlte auch nicht an antikatholischer Polemik. Das Papsttum spielte in Fincels düsterer Schilderung des Weltzustands eine entscheidende Rolle. Es hatte diesen Zustand wesentlich zu verantworten, weil es des Teufels war. Lutherische Papstpolemik – wie zuvor die Identifikation des Papsttums mit der Inkarnation des Antichristen – war hier der Tonfall Fincels, der am Ende seiner Übersicht über den Zeitraum 1517 bis 1556, dem Erscheinungsjahr des ersten Bandes (gut zehn Jahre nach Luthers Tod, nahezu vierzig Jahre nach Beginn der Reformation), an den Papstesel erinnerte. Das Tiber-Monstrum – in Wahrheit wohl eine abgebrochene Statue, 1496 in Rom gefunden – wurde noch einmal beschrieben und für eine angemessene Deutung auf den zweiten Band der Werke Luthers verwiesen.[153]

Fincel trug die Merkmale eines lutherischen, endzeitlichen Autors. Seine Konzeption war heilsgeschichtlich mit dem Datum der Reformation verknüpft und enthielt polemische Spitzen gegen das Papsttum, die man bei Camerarius oder Lycosthenes in dieser Weise nicht findet. Der Papsesel ist dafür ein guter Indikator: Lycosthenes beschrieb nur, enthielt sich aber jeder Deutung.[154] Auch das Mönchskalb entschärfte er: Luther habe darüber geschrieben, lautete seine nüchterne Bemerkung. Was Luther geschrieben hatte, wurde für den Leser des *Chronicon* aber

---

[152] ZBZ, PAS II 12/40 und PAS II 14/12. – Ein anderes Exemplar abgebildet bei BAUER, Naturphilosophie (1999), S. 355.

[153] Vgl. SCHILLING, Fincel (1974), S. 349f. und S. 368: »Fincel nimmt dieses Pamphlet als Beweis der Kronzeugenschaft beider Reformatoren in sein Werk auf.«

[154] Vgl. LYCOSTHENES, Prodigiorum ac ostentorum chronicon (1557), S. 505; LYCOSTHENES, Wunderwerck (1557), S. 460.

nicht wiederholt.[155] Die flüchtige Erinnerung an diese Episode antipäpstlicher Polemik genügte Lycosthenes offenbar, um die gewünschte Aufmerksamkeit zu erlangen. Zweifellos blieben gerade diese Monsterdeutungen auf evangelischer Seite wie ein Initial in der Erinnerung haften. Das gilt für Calvinisten und Zwinglianer wie für Lutheraner. In den Nachlaßstücken Bullingers, die Wick im 13. Buch (Ms. F 24) versammelt hat, findet sich auch ein Exemplar der Doppelschrift von 1523,[156] und im ersten Buch brachte Wick eine Zeichnung des Mönchskalbs[157] sowie ein Flugblatt des Basler Druckers Pamphilius Gengenbach an, das einen Auftritt dieses Monstrums vor Papst Hadrian inszeniert.

Fincels *Wunderzeichen* waren chronologisch geordnet, während Caspar Goltwurm 1557 verschiedene Ordnungssysteme miteinander kombinierte. Das Grundschema war nicht chronologisch, sondern folgte einer sachlichen Einteilung und verließ schon damit den Chronikrahmen. Er unterschied göttliche und geistliche Zeichen, Himmelserscheinungen, elementische, menschliche und teuflische »wunderwerck«.[158] Auch Goltwurm schrieb in deutscher Sprache und stellte apokalyptische Töne in den Vordergrund.

Wick lag auf der Linie der historisch-chronologischen Deutung. Lycosthenes' Weltchronik der Wunderzeichen machte er keine Konkurrenz, sondern setzte erst etwa da ein, wo sie abbrach. Viele Berichte waren lateinisch verfaßt. Sie wurden in den späten Bänden zunehmend übersetzt, vermutlich wegen der wachsenden Zahl von Lesern aus Ratskreisen.[159] Alles in allem überwiegen die deutschsprachigen Texte. Da die *Wickiana* nicht zum Druck bestimmt waren, konnte sich der Verfasser weit mehr polemische Töne gegen das Papsttum erlauben als Lycosthenes oder Camerarius. Wick stützte sich zum größten Teil auf schriftliche Quellen, vor allem auf Briefe, nur gelegentlich auf mündliche Mitteilungen oder eigene Beobachtungen. Der Brief als Quelle verband ihn in erster Linie mit der Gelehrtenwelt seiner Gegenwart, Theologen selbstverständlich eingeschlossen, Repräsentanten einer geistigen Elite, die Nachrichten über das Zeitgeschehen austauschten, darunter auch solche über Wunderzeichen.

---

[155] Vgl. LYCOSTHENES, Prodigiorum ac ostentorum chronicon (1557), S. 528 f.; LYCOSTHENES, Wunderwerck (1557), S. 473.

[156] ZBZ, Ms. F 24, pag. 387–398; im Verzeichnis bei MAUELSHAGEN, Nachlaßstücke Bullingers (2001), Nr. 1.

[157] ZBZ, Ms. F 12, fol. 121ʳ. Text und Bild bei SENN, Wickiana (1975), S. 56 f.

[158] Vgl. die Beschreibung bei BAUER, Naturphilosophie (1999), S. 411–416.

[159] Zu Wicks Leserschaft Kapitel III/1.2.3, S. 174 f.

3. ZEICHEN DER ENDZEIT

Kommen wir noch einmal auf eine Hauptfigur des vorangehenden Kapitels zurück, den Basler Prodigienchronisten Conrad Lycosthenes. Im Zentrum der Titelvignette seiner Wunder-Weltchronik ist Christus als Richter am Jüngsten Tag inmitten einer Serie von Bildern zu Wunderzeichen an allen Elementen zu sehen (Abb. A4). Die Botschaft scheint klar: Alle Wunderzeichen verweisen auf das Jüngste Gericht und damit auf das Ende der Welt. Darf man so weit gehen zu behaupten, daß Lycosthenes ein typischer Vertreter einer um die Mitte des sechzehnten Jahrhunderts verbreiteten protestantischen Naherwartung dieses Weltendes war?

Lorraine Daston und Katharine Park haben in diesem Zusammenhang auf die Widmung hingewiesen, in der Lycosthenes Stellen aus dem apokryphen 4. Buch *Esra* zitierte, die zu den einschlägigen Endzeitprophezeiungen in der Bibel gehörten: »Der Aufbau von Lycosthenes' Werk entsprach dieser apokalyptischen Orientierung«, fahren sie fort und belegen diese These mit der chronologischen Verdichtung der Prodigien am Ende des Werkes: »Obwohl sein *Chronicon* fast viereinhalb Jahrtausende umfaßte, widmete er beinahe ein Zehntel des Umfangs den Vorzeichen, die zwischen 1550 und 1557, dem Publikationsjahr des Buches, aufgetreten waren. Auch wenn diese Lawine von Wunderzeichen in erster Linie ein Artefakt des Druckwesens war, das so viele Berichte von Wunderzeichen verfügbar machte, suggerierte sie den Zeitgenossen trotzdem, der Jüngste Tag sei nahe.«[160] Vielleicht konnten sie wirklich solche Suggestionskraft besitzen. Zutreffend ist auch der Hinweis auf die Bedeutung des Druckwesens als Multiplikator: Häufiger als zuvor wurde nun mehrfach über dasselbe Ereignis berichtet, und es wurden mehr Prodigien auf dem Weg des Drucks von Flugblättern und Flugschriften bekannt gemacht als zuvor.

Es ist allerdings erstaunlich, daß Lycosthenes mit keinem Wort auf die Verdichtung der Prodigien in den vorangegangenen Jahrzehnten hinwies, was andere, Luther zum Beispiel oder Job Fincel, durchaus taten. Im Briefwechsel mit Bullinger, in dem es direkt um Nachrichten über Prodigien der letzten Jahre und Jahrzehnte vor Veröffentlichung des Werkes ging, fehlt jede Andeutung in diese Richtung. Und das *Chronicon* beginnt weder, noch endet es mit dem Ausblick auf das nahe bevorstehende Weltende. Der Titel selbst beschränkt sich ganz auf das straftheologische

---

[160] DASTON, Wonders (1998), S. 183/187, hier zitiert nach der deutschen Ausgabe: DASTON, Wunder (2002), S. 221. Auch KUECHEN, Botanische illustrierte Flugblätter (2002), S. 268, hat die Bedeutung der Drucktechnik für die Häufung von Wunderzeichenberichten hervorgehoben.

3. Zeichen der Endzeit

Denken, wenn es heißt, daß sich »diese Gattung von Vorzeichen nicht zufällig zu ereignen pflegt, sondern dem Menschengeschlecht vor Augen gestellt wird, um die Härte und den Zorn Gottes gegenüber Untaten und große Veränderungen in der Welt anzuzeigen«.[161] Wie verhält sich der Titel zu der direkt darunter plazierten Titelvignette? Ich werde am Ende des Kapitels auf diese Frage zurückkommen. Natürlich wäre jeder unmittelbare Rückschluß von der Interpretation der Titelabbildung auf die theologischen Auffassungen des Autors Lycosthenes diskussionsbedürftig, wenn nicht zweifelhaft. Schließlich handelt es sich um keine unmittelbare Bild-»Aussage« des Autors. Die am Ende dieses Kapitels vorgeschlagene Deutung setzt jedoch noch radikaler an und hinterfragt, inwiefern hier tatsächlich sinnbildlich eine Naherwartung zum Ausdruck kommt.

Natürlich geht es in diesem Buch in erster Linie um Johann Jacob Wick und das Verständnis seiner Chronik. Das Titelblatt des *Chronicon* von Lycosthenes ist hier darum ein geeigneter Ausgangspunkt für die Frage, die in diesem Kapitel erörtert werden soll, weil sich im Falle der *Wickiana* das gleiche Problem stellt, jedoch weniger augenfällig als bei Lycosthenes. Auch die *Wickiana* sind als »apokalyptische Nachrichtensammlung« charakterisiert worden.[162] So liest man, Wick habe, »beseelt von starken Vorahnungen des Untergangs [...] privatim, dreißig Jahre lang, in unermüdlicher Arbeit die Zeichen der Endzeit« gespeichert: »Nachrichten, Gerüchte und Sensationen, Flugschriften und Flugblätter, Newe Zeitungen, eine riesige Angstpropaganda, die ganze rüde Apokalyptik seiner Gegenwart.«[163] Der Chor der neueren Forschungsliteratur ist nahezu einstimmig im Rückschluß von Wicks Tätigkeit als Prodigienchronist auf sein ausgeprägtes Endzeitbewußtsein, das häufig explizit als Sammlungsmotiv genannt wird.[164] An Selbstzeugnissen, die diesen Konnex ausdrücklich herstellen, fehlt es jedoch auch in seinem Falle, und es gibt weitere gute Gründe genauer hinzusehen.

---

[161] »Quod portentorum genus non temere euenire solet, sed humano generi exhibitum, seueritatem iramque Dei aduersus scelera, atque magnas in mundo uicissitudines portendit.« Ähnlich im Titel der deutschen Ausgabe, in der ebenfalls jeder Hinweis auf ein nahes Weltende fehlt: »Zů gwiser anmahnung seiner Herrlicheit/ zuo abschrŏckung sŭndtlichs lebens. Oder aber sonst verhǎngt hatt/ den Ausserwŏlten zůr ŭbung vnd Christenlichem nachsinnen. Den bŏsen zůr straaff jres vnglaubens/ mit sonder wunderbarer geheymnus vnd bedeŭttung.«

[162] Vgl. WEBER, Wunderzeichen und Winkeldrucker (1972), S. 18.

[163] Ibid., S. 13 f.

[164] Z.B. KUECHEN, Botanische illustrierte Flugblätter (2002), S. 268: »Dieses in allen Lebensbereichen spürbare Endzeitbewußtsein veranlaßte Wick hauptsächlich, seine chronikartigen, handschriftlichen Kollektaneen anzulegen [...]«. Auch HARMS, Flugblatt (2002), S. 17, spricht davon, daß Wick und Bullinger »Nachweise von Spuren des Herannahens der Endzeit suchten«. Vgl. auch die Einleitung in: HARMS (Hg.), Flugblätter VI (2005), S. IX. Sehr viel differenzierter argumentiert BAUER, Krise der Reformation (2002), S. 204–211. Dazu weiter im Haupttext unten, S. 94.

Endzeiterwartung ist vor allem in der älteren Literatur gerne zu einem allgemeinen »Zeitgeist«-Phänomen des sechzehnten Jahrhunderts erklärt worden. Von solchen Pauschalisierungen ist im Licht neuerer reformationshistorischer Arbeiten Abstand zu nehmen. Seit einiger Zeit wird die These diskutiert, daß ein ausgeprägtes Endzeitbewußtsein um die Mitte des sechzehnten Jahrhunderts vor allem in bestimmten Strömungen des Luthertums verbreitet war. Konfessionelle Unterschiede müssen, nachdem Robin Bruce Barnes und Volker Leppin wichtige Studien vorgelegt haben, unbedingt in Betracht gezogen werden.[165] Das bedeutet natürlich, daß die Haltung einer bestimmten, nicht einmal im deutschen Luthertum wirklich dominierenden Strömung nicht ohne weiteres auf den Zürcher Zwinglianismus übertragen werden kann. Die Zürcher Haltung zu Endzeit und Apokalyptik bedarf einer eigenen Betrachtung.

Vor allem bedarf es einer Diskussion, was unter »Endzeiterwartung« zu verstehen ist. Es wird sich im Laufe dieses Kapitels noch zeigen, daß es sehr verschiedene Antworten auf diese Frage geben kann. Wenn die These, daß apokalyptische Erwartungen ein entscheidendes Sammlungsinteresse für Prodigien bildeten, haltbar sein soll, dann nur, wenn sich eine möglichst konkrete Naherwartung des bevorstehenden Weltendes nachweisen läßt.[166] Man steht dabei vor dem gleichen Problem wie im Falle des straftheologischen Deutungsmusters: Hier wie dort hat Wick seine Deutungsprinzipien niemals in Form einer Abhandlung dargelegt. Die bisherige Einschätzung beruhte auf einer Mischung aus Vorannahmen, die auf die *Wickiana* projiziert wurden, und Aussagen in den von Wick gesammelten Dokumenten, die als Belege dienten. Hier, bei den Dokumenten, erscheint es jedoch problematisch, wenn Druckschriften (Flugblätter und Flugschriften) als überwältigende Evidenz für Wicks Endzeitbewußtsein angeführt werden. Implizit werden Wick damit Aussagen zugeschrieben, die nicht von ihm selbst stammten.[167] Die Unterstellung bei diesem

[165] Die Rede ist von BARNES, Prophecy and Gnosis (1988), und LEPPIN, Antichrist und Jüngster Tag (1999). Die beiden Bücher werden hier in einem Atemzug genannt, obwohl die Verfasser ihre Positionen deutlich voneinander abzugrenzen suchen. Zu Leppins Kritik an Barnes siehe ibid., bes. S. 279–282; und zu Barnes' Kritik an Leppin: BARNES, Varieties (2002), S. 271–273. Barnes hat (ibid., S. 265) an dem Buch von CUNNINGHAM, Four Horsemen (2000), mit Recht kritisiert, daß die Autoren zwar die konfessionellen Differenzen zwischen Protestanten und Katholiken, nicht jedoch diejenigen zwischen verschiedenen protestantischen Konfessionen in Betracht ziehen. Vgl. auch die ähnlich gelagerte Kritik von LEPPIN, Antichrist und Jüngster Tag (1999), S. 278, an LEHMANN, Endzeiterwartung (1992). Barnes und Leppin ihrerseits haben sich in ihren Arbeiten auf das deutsche Luthertum und seine immanenten Differenzen beschränkt und gehen kaum auf Calvinismus und Zwinglianismus ein. Zum Calvinismus liegt bisher nur eine Einzelstudie vor: HOTSON, Paradise postponed (2000). Vgl. dazu wiederum BARNES, Varieties (2002), S. 267–271.
[166] Ganz im Sinne eines alltagssprachigen Verständnisses von »Apokalyptik«. Vgl. LEPPIN, Antichrist und Jüngster Tag (1999), S. 15–17.
[167] So auch TSCHOPP, Wahrnehmungsmodi (2005), S. 62–64, die am topischen Wort »erschrokenlich« und dem darin vermeintlich zum Ausdruck gebrachten »Gefühl von Bedro-

3. Zeichen der Endzeit

Vorgehen besteht darin, daß der Sammler und Autor Wick allem, was er in seine Chronik aufnahm, mehr oder minder zustimmte. Eigentlich steht eine solche Unterstellung schon im Widerspruch zu den einfachsten Prinzipien des historisch-kritischen Arbeitens. Aber auf ihr beruht auch der Vorwurf der Leichtgläubigkeit, der vor allem von der älteren Literatur immer wieder gegen Wick erhoben wurde. Ich werde später darauf eingehen und zeigen, daß der Kurzschluß zwischen den Meinungen in der von Wick gesammelten Publizistik und den Meinungen des Sammlers revidiert werden sollte.[168]

Eine alternative Strategie liegt auf der Hand, nämlich die Argumentation ausschließlich auf Zeugnisse zu stützen, die Wick selbst und seinem unmittelbaren theologischen Umfeld am Zürcher Chorherrenstift zugeschrieben werden können. Mittlerweile sollte deutlich geworden sein, wie sehr Wicks »Wunderbücher« in diesem Umfeld verwurzelt waren. Es handelt sich also um mehr als nur eine Hilfskonstruktion, mit der die geringe Zahl schriftlicher Aussagen Wicks kompensiert werden kann. Wick war nicht nur gleichsam logistisch, durch die Netzwerke des Großmünsters, sondern auch ideologisch ins theologische Umfeld der Zürcher Kirche seiner Zeit eingebunden. Natürlich werde ich auch nicht den Fehler begehen, die Auffassungen Bullingers, Gwalthers oder Lavaters einfach mit denen Wicks gleichzusetzen. Das wird auch nicht nötig sein, weil das, was direkt von Wick stammt, sich in den entscheidenden Aspekten als hinreichend erweist, um seine grundsätzliche theologische Übereinstimmung mit den Zürcher Kollegen zu belegen.

Von zentraler Bedeutung für die Frage nach der Naherwartung sind in erster Linie Auslegungen der Johannesapokalypse sowie Schriften und Predigten über das Jüngste Gericht. *Apokalyptik als Sammlungsmotiv* für Wick und damit als Entstehungshintergrund seiner »Wunderbücher« erweist sich als hochspezialisiertes Teilproblem, wenn man diese äußerst komplexen und exegetisch subtilen Schriften betrachtet, die überwiegend um die Mitte des sechzehnten Jahrhunderts entstanden. Es ist darum besonders wichtig, das Ziel im Auge zu behalten. Am Ende dieses Kapitels sollten vor allem zwei Kernfragen beantwortet werden können: Erstens, ob und, wenn ja, in welchem Sinne eine Naherwartung des Jüngsten Tags tatsächlich zu den Sammlungsmotiven Wicks gezählt haben kann; und zweitens, in welchem Verhältnis apokalyptische und straftheologische Denkmuster zueinander standen, ob sie sich ausschlossen oder, im Gegenteil, zusammengehörten und sich vielleicht sogar gegenseitig verstärkten. Diese letzte Frage bedarf vor allem deshalb der Klärung, weil im ersten Kapitel (oben I/1) das straftheologische Kausaldenken als strukturierend für Wicks Chronik dargestellt wurde. Wie paßt die Apokalyptik in dieses Schema?

---

hung und Angst« Wick als Rezipienten identifizieren zu können glaubt, »der sich die durch den vorgängig erörterten Einblattdruck [über eine Polarlichtbeobachtung 1580; ZBZ, PAS 17/13] bereitgestellten Wahrnehmungsmuster zu eigen macht« (S. 64).

[168] Siehe im Kapitel III/2.2, S. 189 f.

3.1. »Trůbselige Zÿth« – Apokalyptik in Zürich

An erster Stelle sei auf einen Trend reformatorischer Bibelexegese hingewiesen, der darin besteht, daß sich die Reformatoren nach den Evangelien des Neuen Testaments, die anfangs im Mittelpunkt standen, zunehmend anderen Teilen der Heiligen Schrift zuwandten, die mit den neuen Akzenten der Auslegung des Neuen Testaments rückgekoppelt wurden. Das führte schon recht bald auf den Text der Johannesapokalypse hin. Auch von den Auslegungen der prophetischen Bücher des Alten Testaments – insbesondere *Daniel* und *Esra* – führten Linien zur Johannesapokalypse und wieder zurück. Ebenso wurden die Endzeitprophezeiungen in den Evangelien exegetisch damit verknüpft. Hinzu kam das Bemühen um eine historische Lokalisierung der Reformation. Die Verstärkung dieses Trends zur Historisierung hat nicht nur mit dem Ableben der ersten Reformatorengeneration zu tun, deren Gedächtnis bewahrt werden sollte; und sie war keineswegs nur zeithistorisch orientiert, sondern zugleich auf einen universalhistorischen Zusammenhang ausgerichtet. Dieser Kontext aber war in der reformatorischen Theologie wie überhaupt in der Theologie der Frühen Neuzeit stets heilsgeschichtlich konnotiert, wobei das gesamte Deutungspotential apokalyptischer Schriften zum Tragen kam.

Trotz der von Erasmus von Rotterdam auf patristischer Grundlage (re-)formulierten Zweifel am apostolischen Ursprung der Johannesapokalypse,[169] war die Kanonisierung dieses Textes auch im protestantischen und reformierten Kontext vorgebahnt, und zwar schon durch die Antichrist-Polemik gegen das Papsttum seit den frühen 1520er Jahren. Seit Luthers Brandmarkung der Papstkirche als Babylonische Hure war diese Verbindung nicht mehr wegzudenken – weder aus dem öffentlichen Diskurs in der Pamphletistik, noch aus der Theologie. Die Gleichsetzung von Papsttum und Antichrist wurde geradezu zentral für die Geschichtstheologie. Auch für die Zürcher Theologen der Bullinger-Zeit war sie zu attraktiv, um philologischen Zweifeln geopfert zu werden.[170]

Hatte Huldrych Zwinlgi dem Text der Johannesapokalypse noch ablehnend gegenübergestanden,[171] wurde der Weg zu einer Exegese durch die 1542 von Leo Jud veröffentlichte *Paraphrasis oder Postille teütsch* gebahnt.[172] Kurz darauf legte Theodor Bibliander in einer Serie von Predigten, die er 1543/44 über den Text der Apokalypse hielt, seine Auslegung vor. Bullinger war ein treuer Zuhörer des älteren

---

[169] Ausgangspunkt der Kontroversen war eine Anmerkung zu Apc. 22,12 in: ERASMUS, Annotationes (1516). Vgl. dazu ausführlich BACKUS, Apocalypse (1998), S. 651–655.

[170] Dazu MOSER, Bullingers Antichristkonzeption (2003).

[171] Vgl. BÜSSER, Predigten (2000), S. 117; MÜLLER, Hoffnung (1989), S. 28 f.

[172] JUD, Paraphrasis (1542).

Kollegen. So auch in diesem Fall, was die erhaltenen Nachschriften von seiner und Rudolf Gwalthers Hand belegen.[173] Seine Ergebnisse hielt Bibliander selbst in seiner Schrift *Fidelis Relatio* fest, die 1545 in Basel gedruckt wurde. Darin ging er von einer Zeitdiagnose aus, die das ganze Arsenal dessen aufzubieten hatte, was später auch in den Annalen Wicks die »Trûbselige Zÿth« vor Augen führen sollte: Bibliander verwies auf die Sündhaftigkeit der Welt, die Gespaltenheit der Kirche, nannte Krankheiten (darunter die Pest) und die *prodigia* der vorangehenden Jahre, Kriege, Schismata und Sekten.[174]

Bullinger selbst beschäftigte sich vor allem in den 1550er Jahren intensiv mit der Eschatologie. Zwischen August 1554 und Dezember 1556 legte er in seinen Dienstagspredigten die Offenbarung aus.[175] In Predigtform erschien dann 1557 seine Auslegung, gedruckt unter dem Titel *In Apocalypsim conciones centum*.[176] Sie war das Ergebnis vieler Jahre Denkarbeit, die im Chorherrenstift auch gemeinsam mit anderen Theologen bewältigt worden zu sein scheint. Unter allen Zürcher Schriften zur Johannesoffenbarung ist dies die bedeutendste und erfolgreichste. Sie wurde innerhalb eines Jahrzehnts in sechzehn Ausgaben gedruckt und ins Deutsche, Französische, Englische und Holländische übersetzt.[177] Kurz vor der lateinischen Erstausgabe hatte Bullinger schon eine andere Schrift publiziert, die sich mit dem Jüngsten Gericht befaßte: *De fine seculi et iudicio venturo*.[178] Und zwei Jahre davor wiederum war eine deutsche Druckschrift zum gleichen Thema erschienen.[179] Die Häufung einschlägiger Schriften um 1556 ist auffällig, ebenso wie die Koinzidenz mit dem Erscheinen der ersten großen gedruckten Prodigienchroniken von Fincel (1556) und Lycosthenes (1557). Wie aus einem Brief von Lycosthenes Anfang Oktober 1557 hervorgeht, hatte Bullinger ihm sogar im Zusammenhang der Übermittlung seiner Flugblattsammlung ein Exemplar des frisch gedruckten Apokalypse-Kommentars übermittelt.[180] Offenbar lag der thematische Bezug für den Zürcher Antistes selbst auf der Hand.

---

[173] ZBZ, Ms. Car I 151.

[174] BIBLIANDER, Relatio fidelis (1545), S. 8 f. Vgl. für Wick das Titelblatt zum ersten Band, Abb. A1, und dazu oben S. 14 f.

[175] Vgl. HBD, S. 46 und 50. Vgl. MOSER, Bullingers Antichristkonzeption (2003), S. 84.

[176] Vgl. HBBibl I, Nr. 327. Dazu speziell: BÜSSER, Predigten (2000), und BACKUS, Reformation readings (2000), S. 102–111. Zu den Umständen der Drucklegung in Basel vgl. STEINMANN, Johannes Oporinus (1967).

[177] Vgl. BÜSSER, Predigten (2000), S. 117. Speziell zur Wirkungsgeschichte in England vgl. BAUCKHAM, Tudor apocalypse (1978).

[178] Basel 1557; HBBibl I, Nr. 320.

[179] HBBibl I, Nr. 281. Dazu insbesondere GORDON, Spirituality (2002).

[180] Lycosthenes an Bullinger, Basel, 3. Oktober 1557; StAZ, E II 375, 494 (Autograph). Für Auszüge aus diesem Brief siehe MAUELSHAGEN, Nachlaßstücke Bullingers (2001), S. 85 f. Bullingers eigenem Vermerk in seinem Diarium zufolge hatte Oporin sein Werk im Mai, Juni und Juli gedruckt. Vgl. HBD, S. 51.

Wie ist die Konjunktur von Schriften zur Theologie der Apokalypse und des Jüngsten Gerichts zu erklären? Robin Bruce Barnes weist neben Biblianders und Bullingers Arbeiten zur Johannesapokalypse auch auf Sebastian Meyer, Rudolf Gwalther, Ludwig Lavater sowie Johannes Stumpf als apokalyptische Autoren hin. Ungeachtet ihrer weitgehenden konfessionellen Übereinstimmung mit dem Calvinismus hätten diese Zürcher mit den Lutheranern »a growing mood of defensive nervousness« geteilt »as the sanguine assurance of the early Reformation faded.« Eine enorme Masse prophetischer und apokalyptischer Literatur, die in Zentren des Luthertums in deutscher Sprache gedruckt wurden, hätten wahrscheinlich zur Ausbreitung dieser charakteristisch lutherischen apokalyptischen Einstellung beigetragen: »and the Swiss-German Reformation continued to be affected by this sort of expectancy. In this important respect, sixteenth-century Zwinglians had more in common with Luther's heirs than with Calvin's«,[181] ungeachtet der sonst größeren theologischen Nähe zum Calvinismus unter dem Dach der *Confessio Helvetica*.

Die bei Barnes mitschwingende Annahme, die Sprachgrenze in der Schweiz habe im Hinblick auf die Rezeption der deutschsprachigen apokalyptischen Literatur einen Unterschied gemacht, erscheint auf den ersten Blick plausibel, hat aber doch nur sehr begrenzte Erklärungskraft. Die konfessionellen Eliten konnten diese Grenze jederzeit mit Hilfe des Lateinischen überschreiten und taten dies auch. Was bleibt, ist allenfalls das Argument der »Masse« der deutschsprachigen apokalyptischen Literatur. Aber ließen sich die Zürcher Theologen wirklich davon beeindrucken? Es gibt keinen Beleg dafür. Statt ihre apokalyptischen Abhandlungen in Abhängigkeit vom deutschen Luthertum zu betrachten, scheint es plausibler, den Einfluß der deutschsprachigen Pamphlete aus dem Reich auf die Zürcher Kirchenleitung allenfalls als Handlungsdruck zu begreifen, der dahin gewirkt haben mochte, daß die Zürcher ihren eigenen theologischen Kurs bestimmten und veröffentlichten. Diese Sichtweise wird dem Umfang, der Diversität und Qualität der Schriften, die in Zürich zur Frage der Apokalyptik ab den 1540er Jahren entstanden, besser gerecht. Sie zeugen durchweg von der dezidierten Formulierung eigenständiger theologischer Auffassungen. Diese Eigenständigkeit wird durch die erkennbaren Unterschiede zwischen verschiedenen Zürcher Autoren, die Irena Backus herausgearbeitet hat, nur unterstrichen. Zwar war keiner von ihnen ein Millenarist, aber während Leo Jud sich selbst nicht am Ende der Geschichte sah und auch Bibliander »quite untainted by any eschatological fears or expectation« war, formulierte Bullinger bei mehreren Gelegenheiten seine Erwartung, das Weltende sei nahe.[182]

---

[181] BARNES, Prophecy and Gnosis (1988), S. 275 (Anm. 66). Ob Barnes bei seinem Hinweis auf deutschsprachige apokalyptische Druckschriften lutherischer Provenienz Wicks Chroniksammlung vor Augen hatte, ist unklar.
[182] BACKUS, Reformation readings (2000), S. 94.

3. Zeichen der Endzeit

Die politischen Umstände der 1540er und 1550er Jahre helfen eher als die Masse der deutschsprachigen Pamphletistik, die Konjunktur der Apokalypse in Zürich und die Differenzen zwischen ihren Deutungen zu erklären. Das Gefühl, in einer »Trübseligen Zyth« zu leben, hatte sich noch einmal verschärft. Der Schmalkaldische Krieg spielte dabei eine Katalysatorrolle. Die reformierte Kirche hatte gerade begonnen, in den südwestdeutschen Raum zu expandieren, mit einem Vorposten in Augsburg, wo Johannes Haller 1545 eine Pfarrei übernommen hatte. Nur drei Jahre später mußte er zurückkehren.[183] Der größte Schock aber war der Verlust von Konstanz, wo Ambrosius Blarer – einer von Bullingers besten Freunden – seit 1525 die reformierte Stellung gehalten hatte. Das politische Gerangel um das Konzil von Trient fällt ebenfalls in diese Phase, die zeitlich etwa vom Schmalkaldischen Krieg bis zu Abdankung und Tod Karls V. andauerte. Die Erfahrungen dieser Zeit verdichteten sich in einem Gefühl der Verfolgung, das noch verstärkt wurde, als eine Anzahl protestantischer Flüchtlinge aus dem England Maria Tudors 1554 und aus Locarno 1555 in Zürich Asyl erhielten.[184] Während der folgenden, nur wenig ruhigeren Periode der 1560er Jahre setzte die lange Phase der Französischen Religionskriege ein. Eine Serie einschneidender Ereignisse Anfang der siebziger Jahre trifft mit einer zweiten Konjunktur apokalyptischen Schreibens und Predigens in Zürich zusammen. Vor allem das Massaker der Bartholomäusnacht in Paris 1572 besorgte die Zürcher Reformierten zutiefst,[185] woran sich übrigens zeigt, daß sie keineswegs alleine auf das Deutsche Reich als medial vorwiegend deutschsprachig formierten Kommunikationsraum fixiert waren. Im selben Jahr 1572 kam es in Graubünden zu einem durch die Gegenreformation ausgelösten Konflikt, in den die reformierten Pfarrer am Ort hineingezogen wurden. Im Mai 1572 schlug auch noch der Blitz ins Zürcher Großmünster ein, und der Glockenturm brannte ab.[186] Die Liste ließe sich

---

[183] Vgl. BÄCHTOLD, Bullinger, Augsburg und Oberschwaben (1995).

[184] Ausführlicher zu den politischen Umständen: MÜLLER, Hoffnung (1989), S. 12–15.

[185] Vgl. zur Bartholomäusnacht: BULLINGER, Veruolgung (1573); HBBibl, Nr. 575. – Zu den genannten historischen Hintergründen vgl. MÜHLING, Kirchenpolitik (2001), S. 35–37. Der Hinweis auf die »Kleine Eiszeit« überzeugt mich allerdings nicht. Den Beobachtern des sechzehnten Jahrhunderts stand diese Kategorie nicht zur Verfügung. Sie ist ein Konstrukt der heutigen Klimageschichte. Unklar bleibt bei Mühling auch, inwiefern »Bullingers Naherwartung« als Begründung seiner Kirchenpolitik« (so die Kapitelüberschrift) angesehen werden kann. Und inwiefern kann bei Bullinger von einer »akuten Naherwartung« oder einem aus seiner Sicht »unmittelbar bevorstehenden Weltende[ ]« die Rede sein (S. 35)? Was heißt »akut«, was »unmittelbar«? Zu Bullinger als Wetterbeobachter vgl. die bemerkenswerte Studie von ULBRICHT, Wetterlagen (2005), der sich auch zu einem möglichen Zusammenhang zwischen dem im *Diarium* recht gut dokumentierten Klimawandel und den apokalyptischen Schriften Bullingers äußert (S. 168–172). Die neuere Forschung zu diesen Schriften und ihrem Entstehungskontext ist allerdings zu wenig berücksichtigt. Die These, daß Bullingers Beobachtungen wie seine Prodigiensammlung dazu dienten, »herauszufinden, wie nahe das Jüngste Gericht schon gekommen war« (S. 171), bleibt ohne klaren Beleg.

[186] Vgl. zu diesen Ereignissen weiter die Kapitel II/1 und II/2.

verlängern: Schon Mitte der sechziger Jahre hatte die Pest in Zürich und andernorts gewütet; 1571 wurde auch die Schweiz von einer langanhaltenden Subsistenzkrise erschüttert. Die Armut hatte ohnehin seit zwanzig Jahren stetig zugenommen.

In den *Wickiana* ist die Zäsur der frühen siebziger Jahre augenfällig. Wick ging 1572 zum repräsentativen Folioformat über und folgte seitdem auch strikt dem annalistischen Einteilungsprinzip, seine Bände Jahr für Jahr abzuschließen. Dies deutet auf eine veränderte Aufmerksamkeit und Sorgfalt in der Gestaltung seiner Chronikbücher hin.[187] Wie einschneidend die Ereignisse der frühen siebziger Jahre in Zürich empfunden wurden, läßt sich noch deutlicher an einer Serie von Predigten erkennen, die Ludwig Lavater 1571 unter dem Titel *Von thüwre vnd hunger* drucken ließ. Bei seiner theologischen Ursachenforschung bemühte sich Lavater die These zu widerlegen, die gegenwärtige Teuerung sei eine Gottesstrafe für den »nüwen glouben«.[188] In einer Phase, in der die Erfolge der Gegenreformation in Italien, insbesondere durch den Mailänder Bischof Borromeo, viele Flüchtlinge ins Veltlin und nach Graubünden trieben, sahen sich die Schweizer Reformierten umzingelt von Feinden und wohl darum wieder einmal genötigt, die Reformation gegen die Vorstellung zu verteidigen, der unglückliche Lauf der Dinge sei als Gottesurteil in der Frage des wahren Glaubens zu verstehen und folglich ein Beweis gegen ihre theologische Einstellung.

Ob solche Zusammenhänge freilich, wie Barbara Bauer vorgeschlagen hat, unter dem Schlagwort einer »Krise der schweizerischen Reformation« verallgemeinert werden können[189] und diese Krise dann als Erklärung für ein angeblich gesteigertes Endzeitbewußtsein gelten kann, scheint mir fraglich. Ereignisse wie die Aufdeckung der Ridolfi-Verschwörung in England und der Ausgang des Bullenhandels in Graubünden konnten in Zürich als politische Erfolge und Bestätigung verbucht werden. Was sich freilich beobachten läßt, ist die enge Verknüpfung zwischen krisenhaften Umständen und religiös-konfessionellen Reaktionen, zu denen auch der Gedanke an den Jüngsten Tag zu zählen ist. Überhaupt scheint das Wiederaufleben von Endzeitvorstellungen bestimmte Rhythmen zu haben, für die auch Jahrhundert- oder gar Jahrtausendwenden eine Rolle spielen. Aber gerade das macht skeptisch gegenüber

---

[187] Vgl. ausführlicher dazu den Abschnitt III/3.2, S. 202 ff.

[188] LAVATER, Von thüwre vnd hunger (1571), fol. 20ʳ.

[189] Vgl. BAUER, Krise der Reformation (2002), S. 201–204. In diesem Zusammenhang sind auch die Argumente, die LEPPIN, Antichrist und Jüngster Tag (1999), S. 278 f., gegenüber LEHMANN, Endzeiterwartung (1992) vorgebracht hat, von Bedeutung. Leppin hält, mit Blick auf die von ihm und Lehmann untersuchte lutherische Flugschriftenpublizistik, den »Krisenbegriff mit seiner scheinbaren sozialhistorischen Griffigkeit« für »viel zu allgemein, beziehungsweise in sich aufgrund der Vielfalt der darunter gefaßten Phänomene natürlicher, ökonomischer und sozialer Art viel zu vielschichtig [...], um die tatsächliche Vielfalt der apokalyptischen Produktion zu erklären.« Es kommt hinzu, daß unter »Krise der Schweizerischen Reformation« bisher konkret die prekäre Lage nach dem Zweiten Kappeler Krieg bezeichnet wurde: vgl. MEYER, Kappeler Krieg (1976), schon im Untertitel.

den hochrechnenden Diagnosen eines gravierenden, krisenbedingten Mentalitäts-
wandels während der Frühen Neuzeit, die vor allem durch Jean Delumeaus schon
klassische Studie *Angst im Abendland* ermutigt worden sind.[190] Solche Chronologien
erscheinen zu grob angesichts konjunktureller Schwankungen bestimmter Verhal-
tens- und Deutungsmuster. Mentalitätshistorische Forschungen und solche aus dem
Umkreis der Historischen Anthropologie haben sich in der Vergangenheit vor allem
auf die gedruckte Pamphletistik gestützt, meist ohne Rücksicht auf die begrenzte
Reichweite dessen, was allzu eilig mit dem Siegel der »Massenliteratur« ausgestattet
wurde. Ideologische, vor allem konfessionelle, und lokale Unterschiede wurden dabei zu häufig mißachtet. Gerade am Zürcher Beispiel läßt sich zeigen, daß die
Gravität, die bestimmten Ereignissen beigemessen wurde, viel mit geographischer
und jener emotionalen Nähe zu tun hat, die durch persönliche Netzwerke und ihre
Kommunikationskanäle (vor allem Briefwechsel) hergestellt wurde. Auch bei der
Frage nach den Konjunkturen apokalyptischer Weltdeutung in Zürich ist darum eine
Lokalstudie gefragt, die zugleich die europäische Dimension der Zeitwahrnehmung
einer kirchlichen Führungselite im Blick behält.

Die chronologische Verknüpfung zwischen historischen Ereignissen und der theologischen Exegese der Johannesapokalypse (oder anderer eschatologischer Bibeltex-
te) stellt keineswegs eine nur äußerliche Erklärung für die besagten Konjunkturen
dar. Sie findet sich vielmehr in den Texten selbst. Über konfessionelle Grenzen
hinweg gab es einen Grundkonsens, daß die erlebte und erinnerte Geschichte eine
Art Bühne des Heilsgeschehens war. Unter dieser Maßgabe öffnete sich ein publi-
zistisches Feld für konfessionelle Polemik. Unglücksfälle, militärische oder politische Niederlagen, Flucht und Vertreibungen warfen das Problem auf, gegen ein
direktes Verständnis solchen Mißgeschicks als Zeichen für die Ungnade Gottes Argumente zu finden. Je mehr sich solche Ereignisse häuften, je mehr sie sich zum
geschichtlichen Trend zu verdichten schienen, desto eher dehnte sich der Erklärungsbedarf aufs heilsgeschichtliche Ganze aus. Schon Luther hatte in der Vorrede
zur *Offenbarung* in der *Biblia Deudsch* von 1545 ganz grundsätzlich eine historische
Auslegung empfohlen, mit der sich die Unklarheiten der düster-visionären Bilder-
sprache dieses Buches auflösen ließen. Auch das Sinnstiftungspotential, das die
Johannesapokalypse für Unheil und Leiden bot, brachte er zur Sprache:

> Weil es sol eine Offenbarung sein kůnfftiger Geschicht / vnd sonderlich kůnfftiger
> trübsaln vnd vnfal der Christenheit / Achten wir / das solte der neheste vnd gewisseste
> griff sein / die Auslegung zu finden / So man die ergangen Geschicht vnd vnfelle in der

---

[190] Vgl. DELUMEAU, Angst im Abendland (1985). Sehr kritisch dazu jetzt SOERGEL, Portents
(2007). Zweifelhaft sind mittlerweile auch die mentalitätsgeschichtlichen Folgen der Kleinen Eiszeit, die seit LEHMANN, Frömmigkeitsgeschichtliche Auswirkungen (1986), diskutiert werden. Vgl. Wolfgang Behringers langes Schlußplädoyer zu dem Sammelband BEH-
RINGER (Hg.), Kulturelle Konsequenzen der »Kleinen Eiszeit« (2005), in dem er eine Definition der Frühen Neuzeit als Epoche durch die Kleine Eiszeit vorschlägt.

Christenheit bisher ergangen / aus den Historien neme / vnd dieselbigen gegen diese Bilde hielte / vnd also auff die wort vergliche. Wo sichs als denn fein würde mit einander reimen vnd eintreffen / So kůndte man drauff fussen / als auff eine gewisse / oder zum wenigsten als auff eine vnuerwerffliche Auslegung.[191]

Anders als Luther, der unter Verweis auf Eusebius' Kirchengeschichte die von Erasmus wieder aufgeworfenen Zweifel am apostolischen Charakter der *Offenbarung* einfach auf sich beruhen ließ und die *Offenbarung* (dennoch) kanonisierte, blieben die Zürcher Theologen (mit Ausnahme Zwinglis) von der Autorschaft des Evangelisten Johannes fest überzeugt und begründeten dies in Auseinandersetzung mit Erasmus.[192] Davon abgesehen folgten aber auch sie dem von Luther vertretenen historischen Auslegungsprinzip. Bullinger formulierte programmatisch: »Dieses Buch enthält die Geschichte der Kirche: Wie es der Kirche ergehen wird von der Zeit der Apostel bis zum Ende der Welt.«[193] Diese Festlegung auf den Grundcharakter des Buches öffnete Tür und Tor für Bullingers umfangreichen, über Jahrzehnte erworbenen Geschichtskenntnisse, die er durchwegs in seine Auslegung einfließen ließ, und zwar keineswegs im Exempelstil, sondern in universalgeschichtlicher Manier. Für Bullinger war die Johannesapokalypse tatsächlich »ein kurtzer begriff aller historien vnnd geschichten der kirchen«.[194]

Bullingers Apokalypsepredigten verdienen hier natürlich ganz besondere Aufmerksamkeit. Ihre Veröffentlichung stand unter dem Eindruck des Verfolgtseins. Das Werk ist »allen, die in Deutschland und in der Eidgenossenschaft wohnen, aus Frankreich und England, aus Italien und andern Königreichen und Nationen um Christi willen vertrieben sind, ebenso allen Gläubigen, wo sie auch wohnen und auf die Wiederkunft unsres Herrn Jesus Christus warten«, gewidmet.[195] Das »Buch der Offenbarung« wird vor diesem Hintergrund als Trostbuch ausgelegt.[196] Was den treuen Anhängern des evangelischen Glaubens Trost spenden sollte, war in erster Linie die Aussicht auf das Ende aller Trübsal mit der Erlösung von allem Bösen am Jüngsten Tag.[197] Neben diesen Trost rückte der Aspekt der Warnung: Alle Trübsal,

---

[191] LUTHER, Biblia Deudsch (1545), fol. 395a. MÜLLER, Hoffnung (1989), S. 41, kommt zu der Einschätzung, Bullinger habe die »antiekklesiologische Interpretation [...], die zur Zeitgeschichte in eine unmittelbare Beziehung gesetzt wird,« von Luther aufgenommen.

[192] Für Bullinger siehe BULLINGER, In Apocalypsim Iesu Christi (1557), in der Vorrede; BULLINGER, Offenbarung Jesu Christi (1558), fol. aa3ʳ, aa5ʳ und bb3ᵛ.

[193] BULLINGER, In Apocalypsim Iesu Christi (1557), S. 302; Übersetzung nach BÜSSER, Predigten (2000), S. 126; vgl. auch BULLINGER, Offenbarung Jesu Christi (1558), fol. aa3.

[194] BULLINGER, Offenbarung Jesu Christi (1558), fol. bb4ʳ. Zu Bullinger als Historiker vgl. MOSER, Bullingers Reformationsgeschichte (2002), MOSER, Bullingers Geschichtswerk (2004) sowie insbesondere die Beiträge von Christian Moser und Hans Ulrich Bächtold in: CAMPI (Hg.), Bullinger (2007).

[195] BULLINGER, In Apocalypsim Iesu Christi (1557), die Widmung; Übersetzung nach BÜSSER, Predigten (2000), S. 117. Vgl. BULLINGER, Offenbarung Jesu Christi (1558), fol. aa3ʳ.

[196] Vgl. zu diesem Aspekt ausführlich MÜLLER, Hoffnung (1989), S. 61–111.

[197] Vgl. BULLINGER, Offenbarung Jesu Christi (1558), fol. aa5ʳ und cc3ᵛ.

3. Zeichen der Endzeit

führte Bullinger aus, sei »dahin gerichtet [...]/ dz alle auserweltē gnůgsamlich vor-
gewarnet vnd bereit/ alle zeyt/ so lang dise wålt stadt/ dē Herren Christo jrem
erlŏser/ einigem vnd ewigem Künig vñ obersten Priester allein mit warē glauben
anhangind«.[198] Die Auslegung der Apokalypse war Arbeit an der Sinnstiftung des
Leidens, damit aber auch ein Stück Rechtfertigung Gottes angesichts der erlebten
Übel – dies alles im Zeichen der Gewißheit, mit dem reformierten Glauben auch den
wahren zu besitzen. Bestätigung fand dies in der Erfüllung der Prophezeiungen, in
der Auflösung der sieben Siegel:

> So wirt in der auflŏsung der siben siglen ein anderen nach beschriben vnnd erzellet/
> was grosser trůbsalen über die menschen koḿen/ von welchen auch die glŏubigen/ so
> in diser wålt sind/ nit werdind gefreyet seyn. Hie werdēd gemeldet krieg/ schlachten/
> verlursten/ hūger/ pestilentz vñ was der gleychen ist: herwideruḿ auch die veruol-
> gungen/ aufrůren/ vnd (das noch vil schådlicher ist) die verfůrung vnd verderbůg der
> menschē/ so durch die falsch leer wirt angerichtet.[199]

Auch in der Dialektik von Trost und Warnung kann man eine Parallele zu Luther
feststellen, der beide Perspektiven in seiner Auslegung der Johannesoffenbarung
ebenso wie in seinen Predigten zu Lk 21,25 ff. hervorhob.[200] Im Vergleich zu Luther
verschob Bullinger allerdings deutlich den Akzent auf den Trost hin, was mit dem
angesprochenen Zielpublikum der verfolgten Glaubensgenossen zu erklären sein
dürfte.

Die freudige Aussicht auf das Weltende, die von diesen Reformatoren immer
wieder beschworen wurde, zeigt eine Dimension apokalyptischen Denkens, die von
der historischen Forschung bisher so gut wie vollständig übergangen wurde: die
theologische Idee einer Lebensausrichtung auf eine jenseitige Heilserwartung. Daß
damit Trost, Hoffnung und sogar Freude konnotiert und geradezu eingefordert werden konnten, will mit dem seit Jean Delumeau immer wieder gezeichneten Bild
eines von kollektiven apokalyptischen Ängsten durchrüttelten Abendlandes nicht
zusammenpassen. Es mag sein, daß die theologische Botschaft in ihrer medialen

---

[198] Ibid., fol. aa 3ᵛ.

[199] Ibid., fol. aa5ʳ. Ähnlich wiederum BULLINGER, Das jüngste Gericht (1555), fol. fol. A iiiᵛ:
»Das ioch dise arge vnnd letste verderbung der wålt/ mengklichem sŏlte syn ein gnůgsamer
vnd sicherer zůg vñ vorbott deß letsten allgemeinen gerichts/ welches vns so gewůß vor der
thůr ist/ so eigentlich wir alle (so wir anders mit gesåhendē ougen nit wŏllend blind syn/)
gesåhen habend dise vnd alle andere zeichen vnd vorgende vorbotten dem gericht/ erfůllt
vnd fůrgeloffen syn.«

[200] LUTHER, Biblia Deudsch (1545), fol. 396b. Für ein musterhaftes, ausformuliertes Predigt-
beispiel siehe Luthers Predigt am 2. Adventsonntag, den 10. Dezember 1531; WA II 34,
S. 459–482. Dort (S. 460) unterscheidet Luther zwischen zwei Adressatengruppen für das
gesprochene oder geschriebene Wort: den Gläubigen, die Trost verdienen, und »den andern
rohen, gottlosen hauffen, welchen diese zeichen gelten«. Vgl. ebenso die Predigt zum
2. Advent, gehalten am 9. Dezember 1537; WA II 45, S. 335–341, hier S. 335. Weitere
Beispiele für Luther-Predigten am 2. Adventsonntag: WA II 27, S. 445–454 (6. Dezember
1528); WA II 36, S. 379–382 (8. Dezember 1532).

Vermittlung solche Ängste gefördert hat. Gleichwohl sollte der theologische Anspruch der Apokalypsekommentatoren ernst genommen werden – der Anspruch, der sie bewog, die Aussicht auf das Weltende aus einem Standpunkt der Glaubensgewißheit heraus als tröstlich zu vermitteln. Denn nur so vermag verständlich zu werden, wie aus der Perspektive weltlicher Leiderfahrung ausgerechnet der Text der Johannesapokalypse sinnstiftend werden konnte.

3.2. Endzeiterwartung und pastorale Fürsorge

Es ist auffallend, wie selten in den Zürcher exegetischen Schriften zur Johannesoffenbarung oder anderen eschatologischen Büchern der Bibel – meist handelt es sich um gedruckte Predigten – auf aktuelle Wunderzeichen hingewiesen wird.[201] Damit unterscheiden sie sich zum Beispiel von Luthers Predigten zu Lk 21,25 ff., die nach Perikopenordnung alljährlich am Zweiten Adventsonntag abgehalten wurden und immer wieder auf aktuelle Prodigien zu sprechen kamen.[202] Die früher schon einmal angeführte Stelle aus Bullingers Kommentar zu Lk 21 ist in dieser Hinsicht eher die Ausnahme als die Regel.[203] Bezeichnenderweise jedoch bemerkte Bullinger hier eine ganz andere Verdichtung solcher Prodigien als einige lutherische Autoren, deren Wahrnehmung stärker auf eine mit Luthers Auftreten einsetzende Reformationsepoche fokussierte. Bullinger nennt einen Zeitraum von 400 Jahren, über dessen Signifikanz man unmittelbar nichts erfährt. An seinen Beginn zurückgerechnet kommt man etwa auf das Jahr 1170, das in Bullingers historischer Auslegung der Johannesapokalypse mit der Offenbarung des Papstes als Antichrist koinzidiert. Damit begann für ihn eine lange Vorgeschichte der Reformation, die er dem Leitfaden der mittelalterlichen Antichristpolemik gegen das Papsttum folgend darstellte.[204] Bullinger verfolgte also offensichtlich ganz andere Ziele als das, in einer sehr viel kurzfristigeren Verdichtung von Wunderzeichen Evidenz für das nahe bevorstehende Weltende zu suchen. Er erkannte vielmehr in einem längeren Zeithorizont ihrer Verdichtung Evidenz für die Offenbarung des Antichristen und Beleg für die Erfüllung der Prophezeiungen der Johannesapokalypse.

---

[201] Hier stellt der Lukas-Kommentar von Rudolf Gwalther eher eine Ausnahme dar, insbesondere zu Lk 21,25 ff. Das Werk erschien 1570. Zwar gibt es kaum eindeutige Hinweise auf Wunderzeichen, die von Wick gesammelt wurden. Die ziemlich ausführliche Aufzählung von Erscheinungstypen am Himmel, auf der Erde und im Meer (in der Marginalie als *Signa nouiβimi seculi* zusammengefaßt) jedoch läßt erkennen, daß sich Gwalther intensiv mit den Zeichen Gottes auseinandergesetzt hatte. Vgl. GWALTHER, Lucas Euangelista (1570), S. 497 f.

[202] Z. B. Predigt am 10. Dezember 1531; WA II 34, S. 461 f., 463; noch klarer die Predigt am 9. Dezember 1537; WA II 45, S. 338, wo Luther für die Häufung von Zeichen an »Sonne, Mond und Sternen« den Zeitraum der vorangehenden dreißig Jahre angibt.

[203] Vgl. dazu oben S. 49.

[204] Vgl. BULLINGER, Offenbarung Jesu Christi (1558), fol. bb6ᵛ–cc2ʳ.

3. Zeichen der Endzeit

Wie oben ausgeführt, hat Bullinger die Offenbarung des Johannes als Kirchengeschichte *in nuce* ausgelegt, in der es ihm vor allem um Sinnstiftung für das Leiden der wahren Kirche des evangelischen Glaubens in Zeiten ihrer Verfolgung ging. Der Trost, der in dieser Erkenntnis lag, wurde von Bullinger ganz direkt auch auf die Gemeinde bezogen,[205] und es lohnt sich, den darin angedeuteten seelsorgerischen Aspekt zu vertiefen, bevor wir gleich den Blick auf andere Zürcher Autoren richten, die sich zur Frage des Jüngsten Tages und seiner Naherwartung geäußert haben, angefangen beim Übersetzer der hundert Apokalypse-Predigten Bullingers, Ludwig Lavater, der zu der von ihm besorgten Ausgabe ein eigenes Vorwort verfaßte, in dem er unumwunden von den »letsten zyten/ in denen wir jetzdan sind«, sprach.[206] Gerade in den schweren Zeiten der Verfolgung – so das hier vermittelte Zeitgefühl – sollten Gläubige die entsprechenden Bücher der Bibel lesen, die von solchen Zeiten und von der Endzeit handelten, darunter natürlich auch die Johannesapokalypse. Wie der Kommentar nun auch den deutschen Lesern zu zeigen beanspruchte, waren alle Zeichen erfüllt und das Jüngste Gericht nahe.

Was aber bedeutete dies? Ausgehend von Bullingers Deutung der Zahl 666 in seinem Apokalypse-Kommentar, die ich hier nicht weiter ausbreiten will, hat Irena Backus auf das Jahr 1739 geschlossen – eine Berechnung, die wiederum mit Bullingers Verständnis der Offenbarung des Antichristen zu tun hat. Dabei hat sie gleichzeitig betont, »that at no stage does he [Bullinger] [...] mention either 1739 or any other specific date«.[207] Freilich, selbst wenn Bullinger sich zur Angabe der Jahreszahl 1739 hätte verleiten lassen, hätten seine Zeitgenossen dies wohl kaum als besonders drängendes und nahes Datum für das Weltende aufgefaßt. Vielleicht im Gegenteil: Man denke nur an die sehr viel nähere Prognose für 1588, an die einige Lutheraner glaubten.

Nach allem, was wir an Explizitem haben, lehnte Bullinger jede Datierung ab. Das gilt für das ganze Umfeld der Zürcher Kirche in Bullingers Zeit und danach. Es gibt kein Beispiel für eine Abweichung von dieser Haltung. Statt nach einer Jahreszahl, muß man folglich nach anderen Indizien suchen, will man verstehen, in welchem Sinne das Ende als nahe betrachtet wurde. Es ist dabei, kaum überraschend, das Thema der Parusieverzögerung, das weiteren Aufschluß bietet. 1552 erörterte Rudolf Gwalther in einer gedruckten Trostpredigt zum ersten Petrusbrief, wie die Worte Petri, das Ende aller Dinge sei nahe (2 Petr 3), zu verstehen seien, da »von der zyt Petri an yetz wol fünffzåhen hundert jar verloffen/ vnd ist doch das end nit kommen«.[208] Für die Auflösung dieser Schwierigkeit bot er zwei Lösungen an:

---

[205] Ibid., fol. aa4[r].

[206] Ibid., fol. aa 2[r], vgl. erneut fol. bb4[v]. Vgl. auch BULLINGER, Das jüngste Gericht (1555), fol. A iii[r]: »Dann die menschen der letsten/ das ist/ vnserer zyten [...]«.

[207] BACKUS, Reformation readings (2000), S. 111.

[208] GWALTHER, Trostpredig (1552), fol. Aiiij[r].

Erstlich so mag es vßgeleit werdē vō dem letsten alter der welt [...]. Dann die zyt der gantzen welt wirt geteilt in drü alter. Das erst ist die zyt von dē anfang biß vff Mosen oder gesatz. Dz anderist vō Mose an biß vff Christum / in wellichem die propheten vnd jre wyssagungen begriffen werdend. Das dritt ist von Christo an biß vff sin letste zůkunfft. Vñ wirt dises in der gschrifft allenthalben die letste zyt genennet / darumb daß alle prophecyen vñ wyssagungen schon erfült sind / vnd man yetz nüt anders dañ der zůkunfft Christi wartend ist / welliche ouch nit kā seer lang verzogen werdē / diewyl die letste zyt schon in jrē louff ist.[209]

Die seit Petrus inzwischen beträchtliche Parusieverzögerung erklärte Gwalther weiter mit der Relativität der Zeit: einerseits, noch im Anschluß an Petrus, mit der Tatsache, daß für Gott »ein tag wie tusent jar« für den Menschen sei; zum anderen aber – in einem *argumentum ad hominem* – mit der Relativität der Zeiterfahrung, die mit zunehmender Altersdistanz in der Erinnerung einschrumpfe.[210] Petrus behielt, so schloß Gwalther, schließlich auch in dem Sinne Recht, daß jeder Mensch bis zu seinem Tode nur relativ kurz zu leben habe. »Die zyt aber / die nach dinem abgang din fleisch im grab růwen / vnnd die seel der vferstentnus deß fleischs in him̄len wartē / wirt / dich kum ein ougenblick sin beduncken.«[211] Der sichere Tod des einzelnen wurde damit zum entscheidenden Argument: Durch ihn schrumpfte Weltzeit seelenheilspraktisch auf die Lebenszeit jedes einzelnen zusammen. Die Frage nach der »Zukunft« des Jüngsten Gerichts ließ sich so einerseits offen halten, andererseits aus der Perspektive jedes einzelnen auf eine absehbar kurze Zeitspanne reduzieren, ohne daß dies einen Verstoß gegen das Prinzip des geheimen göttlichen Ratschlusses bedeutete. Eine welthistorische Datierung war seelsorgerisch unnötig, die Aufgabe des Predigerseelsorgers ohnehin klar genug: Alle Gläubigen mußten jederzeit und rechtzeitig auf das Jüngste Gericht vorbereitet werden.

Genau in dieser Perspektive bekam das Argument mit der Parusieverzögerung nach dem Muster »tausend Jahre ein Tag, ein Tag tausend Jahre« bei Johann Rudolf Stumpf, einem anderen, späteren Zürcher apokalyptischen Autor, sogar noch einen besonderen heilsgeschichtlichen Sinn: Der Herr sei »dultmůtig [d. i. duldsam] gegen eůch / vnd wil nit das yemants verloren werde / sonder dz sich yedermā bessere«.[212] Stumpf betonte wie alle anderen Zürcher »Apokalyptiker«, daß die Stunde des Gerichts verborgen sei, sogar den Engeln. Nur der himmlische Vater kenne sie. Auch für Ludwig Lavater, der sich auf Joël stützte, wenn er ausführte, daß Kometen Vorzeichen des Jüngsten Tags seien,[213] bedeutete dies nicht, daß dieser gleich morgen bevorstand. Vielmehr sah er den Sinn in Ermahnung und Erinnerung an gottgefälliges Tun und Lassen. Außerdem wolle Gott damit die künftige Strafe anzeigen.[214] Schon hier deutet sich an, wie über die Funktionen der Warnung und

---

[209] Ibid., fol. A iiij^v.
[210] Ibid., fol. A v^r.
[211] Ibid.
[212] J. R. STUMPF, Vom Jüngsten tag (1563), fol. A v^v; nahezu gleichlautend auch fol. A vi^v.
[213] LAVATER, Catalogus (1556), A 3^r (»quae ostendunt diem illum adesse«).

3. Zeichen der Endzeit

Erinnerung, die mit dem Erscheinen von Wunderzeichen verbunden wurden, der apokalyptische Deutungshorizont in den straftheologischen Sinnkontext eingebettet werden konnte.

Auch bei Wick schließlich ist der endzeitlich-memorative Deutungskontext der Zeichen und Wunder Gottes präsent. Und auch er lehnte eine konkrete Vorhersage des Jüngsten Tages ab, was eine verschärfte Aufmerksamkeit auf die Zeichen der Endzeit keineswegs ausschließt. Gerade im Geheimnis des Wann, das bestehen bleiben mußte, weil der göttliche Ratschluß unergründlich war, erkannte er wiederum den moralischen Sinn gewissenhafter Sündenerkenntnis:

> Der tag aber ist vns verhalten, vnd wüssend ein stund vnd all stund nütt, wen der herr kommen wird, vnd weÿlen, Gott hatts im selber vorbehalten, Mar: 13 Matth: 24. Nemo scit nisi ipse, nec angeli nec Christus secundum humanitatem etc.
> Warum hatt er vns dz verhalten? Darum dz wir dester bhůtsamer werind, dz vns nütt also vnuersåhenlich der tag überfalle. [...]
> Worum aber wird vns der tag fürghalten dan allein darum dz wir von sünde abstandint? Mer můssend alle gstelt werden für den richterstůl, vnd rechnungschafft gen [=geben] vnsers låbens.[215]

Die Erwartungen des Weltendes und des Jüngsten Gerichts, die fester Bestandteil des Geschichtsbildes waren und für das Seelenheil eines jeden Relevanz beanspruchten, bildeten gleichsam einen allgemeinen Hintergrund für die Deutung des Weltgeschehens. Wunderzeichen hatten darin und im Hinblick auf ihre Funktion als Erinnerung an diese Zusammenhänge natürlich besondere Signifikanz. Aber ohne eine konkrete Vorhersage des Weltendes blieb die Apokalyptik dann doch im Allgemeinen, wenn es um konkrete Prodigien ging.

Direkte, von Wick selbst stammende Bemerkungen, ein Zeichen deute auf das nahe Weltende hin, finden sich hier und dort, wie etwa im Zusammenhang der Deutung des Nordlichts von 1560: »Fhürige zeichen am Himel sind on zwÿfel vorbotten deß künfftigen Jüngsten tags, in welchem alle element vor hitz zerschmelzen, vñ die wålt durch dz Fhür gereiniget werden«.[216] Häufiger fehlt aber jeder Hinweis auf einen apokalyptischen Deutungszusammenhang – auch da, wo man ihn erwarten würde. Beispiele dafür sind bereits früher erwähnt worden, weitere werden folgen.[217]

Schauen wir jedoch zunächst noch einmal in Wicks nächstes Umfeld: Die Art wie sich sein Kollege Ludwig Lavater in seinem Kometenkatalog von 1556 auf ver-

---

[214] Ibid., A 3^{rv}. »Quemadmodum in quibusdam rebus publicis si quis trahendus est ad supplicium, campana signum datur: ita Deus si de ciuitate uel gente aliqua poena sumere uelit, signis id significat.«

[215] ZBZ, Ms. D 79, Nr. 7, fol. 73^{rv}.

[216] ZBZ, Ms. F 12, fol. 136^{r}. SENN, Wickiana (1975), S. 58.

[217] Vgl. oben S. 39 und 49.

schiedene Bibelstellen bezog, zeigt, daß die apokalyptische Wunderzeichendeutung in Zürich auch im konkreten Prodigienkontext nur eine neben andern Möglichkeiten war: die von Moses prophezeiten Plagen Gottes über Ägypten gehörten zum Standardrepertoire, ebenso Stellen aus den Propheten Amos und Joel, an denen sich eindringlich der Aspekt der Strafandrohung exemplifizieren ließ, dann freilich auch Lk 21,25 ff. über die Zeichen und Wunder an Sonne, Mond und Sternen als Vorzeichen des Jüngsten Gerichts. Aber hier verallgemeinerte Lavater gleich wieder: »Diese Zeichen können auch auf alle Gottesurteile jeglicher Art bezogen werden.«[218] Die »Zeichen der Endzeit« ließen sich im Zweifelsfall wieder auf die allgemeine Straftheologie zurückbringen, in der es ja immer um Gerechtigkeit und Gericht ging.

Angesichts der Vielzahl möglicher biblischer Kontexte, in deren Licht aktuelle Wunderzeichen Gottes gesehen werden konnten – auch die Geschichte von Sodom und Gomorra etwa –, war es gar nicht notwendig, alle beobachteten Zeichen apokalyptisch zu deuten. Das hätte ihren Sinn durch die Reduktion auf ein allzu allgemeines und aufs Jenseits gerichtetes Deutungsschema auch derart entleert, daß kaum noch verständlich bliebe, woher das Interesse am einzelnen Prodigium motiviert war. Wenn vornehmlich in Predigten und Predigtflugschriften über aktuelle Wunderzeichen die apokalyptische Deutung besonders häufig betont wurde, so liegt darin noch keine hinreichende Bedingung dafür, auf eine datierbare Endzeit*erwartung* zu schließen. Der schlichte Glaube, *daß* die Welt eines Tages mit dem Jüngsten Gericht enden würde, sollte davon unterschieden werden.

Es gehörte zu den Pflichten der Prediger und Theologen, diese Möglichkeit jeweils aus aktuellen Anlässen, bei Wunderzeichenerscheinungen und Katastrophen in Betracht zu ziehen, um die Gemeinde und einzelne ihrer Mitglieder in typischen Situationen der seelsorgerlichen Praxis, in denen moralische Appelle angezeigt schienen, zur rechtzeitigen Umkehr zu mahnen. Eine der wichtigsten Aussagen in Lk 21 und Mt 24 war ja, daß das Jüngste Gericht überraschend kommen würde, daß darum jederzeit Wachsamkeit geboten sei. Das erforderte im Grunde ein ständiges Vorbereitetsein, und in diesem Sinne übernahmen die Zeichen und Wunder Gottes eine memoriale Funktion. Die Memoriafunktion der Zeichen ließ sich mit der allgemeinen Memoriafunktion der Geschichte verknüpfen. Zwischen einem moralischen Appell, des kommenden Jüngsten Gerichts zu *gedenken*, und einer konkreten Endzeiterwartung bestand aber ein signifikanter Unterschied. Wenn man ihn in Betracht zieht, sieht auch die Medienwelt der Mitte des sechzehnten Jahrhunderts plötzlich anders aus. Dann fallen nämlich die meisten der in den Flugblättern und Flugschriften überlieferten »apokalyptischen« Topoi viel zu allgemein aus, um als Evidenz für eine datierbare Naherwartung gelten gelassen zu werden. Volker Leppin

---

[218] »Possunt etiam haec signa omni iudicio dei aliquo modo aptari.« LAVATER, Catalogus (1556), A 3ʳ. Vgl. LAVATER, Kometen (1681), S. 4: »Dise Zeichen/ können auch auf alle Gerichte Gottes/ etwelcher gestalt gezogen werden.«

geht so weit, daß ihm selbst die ausdrückliche Feststellung, das Ende sei nahe, für sich alleine nicht ausreicht, um eine Flugschrift als apokalyptisch einzuordnen. Solche »Floskeln«, die z. T. topischen Charakter annähmen, seien semantisch nicht eindeutig: »Die letzten Zeiten können auch schlicht die Zeit zwischen erster und zweiter Ankunft Christi bedeuten.«[219] Das trifft, wie wir gesehen haben, auf unsere Zürcher zu. Mit ihrer konkreten, manchmal sogar datierten Naherwartung sind einige Lutheraner in der zweiten Hälfte des sechzehnten Jahrhunderts insgesamt eher die Ausnahme, nicht die Regel.

Einen signifikanten Beleg für die Vorsicht, die im Umgang mit apokalyptischen Deutungstopoi geboten ist, findet sich im vorletzten Buch der *Wickiana*: Nach der schweren Subsistenzkrise der frühen 1570er Jahre spitzte sich im Jahr 1586 eine zweite klimatisch bedingte Ernährungskrise dramatisch zu. In seinen Aufzeichnungen stellte Wick die Übereinstimmung mit den drei alttestamentlich belegten Gottesstrafen Teuerung, Krieg und Pest fest (Jer 24,10; II Sam 24,13): »Wie vnns Gott in disem 1586. Jar, mit sinen drÿen straffen die er in sinem wort trôuwt, heimgsûcht mit Türe, Krieg und pestilentz.«[220] Zum Stichwort »Thüre« (Teuerung) notierte er nüchtern die hohen Kornpreise vom Zürcher Wochenmarkt zur Zeit nach der Ernte, auf die in normalen Jahren die Preise wieder zu sinken pflegten. Ebenso nüchtern wirken die knappen Bemerkungen zum Stichwort »Krieg«: Wegen der Rüstung des Herzogs von Savoyen hätte die Stadt Genf von ihren Bündnispartnern Zürich und Bern militärische Unterstützung angefordert. Ein »Fähnlein« sei ihnen von Zürich gewährt worden, zwei von Bern. Wick zählt die Hauptleute auf, nennt die Daten für Auszug und Heimkehr und hält fest, zwei Männer seien umgekommen, aber nicht in Kampfhandlungen. Etwas belebender wirken da schon die Notizen zum Stichwort »Pestilentz«. Die habe zuerst in Winterthur und an anderen Orten im Zürcher Gebiet gewütet, ehe sie auch die Stadt Zürich erfaßt habe. Bis Weihnachten seien zweihundert Opfer zu beklagen gewesen.

In diesem Beispiel aus Wicks Aufzeichnungen aus dem Jahr 1586 konzentrierten sich seine Beobachtungen ganz auf Zürich. Er verfuhr in der Subsumtion unter die Strafentrias streng nach dem Prinzip des Ortsbezugs, was sich besonders am Stichwort »Krieg« zeigt. Es hätten sich sicher weitaus aufregendere militärische Konflikte nennen lassen, wenn es Wick um eine bevorstehende Katastrophe im Weltmaßstab gegangen wäre. Die Einschränkung des Blicks auf Zürich war gewiß nicht geeignet, aus der Strafentrias einen Beweis für den nahe bevorstehenden Weltuntergang zu führen. Sie diente Wick vielmehr dazu, die aktuelle Erfahrung nach einem der geläufigsten biblischen Topoi zu ordnen und damit auf die Wiederholungsstruktur im göttlichen Strafwirken hinzuweisen, die jedesmal auch als Bestätigung der biblisch geprägten Sicht weltlichen Geschehens aufgenommen werden

---

[219] LEPPIN, Antichrist und Jüngster Tag (1999), S. 18.
[220] ZBZ, Ms. F 34, fol. 200^rv; noch einmal (am Ende unvollständig) fol. 341^v.

konnte. Der Zweck dieser »Übung« hielt sich ganz im Rahmen der Straftheologie, ohne jede Andeutung von Apokalyptik.

In lutherischen apokalyptischen Flugschriften ist der Hinweis auf die drei Strafen Krieg, Hunger und Pest (*bellum, fames, pestis*) häufig zu finden. »Ihren neutestamentlichen Ort hat diese auf alttestamentlichen Vorgaben basierende Strafen-Trias (II Sam 24,13; Jer 24,10) neben der synoptischen Apokalypse in der Öffnung des zweiten bis vierten Siegels in Apk 6,3–8, die ein rotes, Krieg bedeutendes, ein schwarzes, Teuerung bedeutendes und ein fahles, Pest bedeutendes Pferd mit sich bringen, wobei das erste Siegel, das weiße Pferd, freilich eine Interpretationsschwierigkeit darstellte«, erläutert Leppin.[221] In solchen biblischen Deutungskontexten wird aus der Strafentrias eine apokalyptische Trias, die als Merkmal der Erwartung des nahen Weltendes gewertet werden kann. Aber nicht überall, wo die Trias auftaucht, kann zwingend auf Naherwartung zurückgeschlossen werden. Die drei Gottesstrafen ließen sich in der Lebenswirklichkeit – vor allem der zweiten Hälfte des sechzehnten Jahrhunderts – zur Deutung einer ganzen Reihe krisenhafter Symptome heranziehen, ohne Weltuntergangsvisionen zu wecken.

Unsere Überlegungen sind reif für ein Fazit, das auf die beiden Kernfragen zurückkommt, die in der Einleitung zu diesem Kapitel formuliert wurden.

Die Zürcher Kirchenleute um Heinrich Bullinger lebten, vor allem bedingt durch historische Umstände, in dem Gefühl, daß der Jüngste Tag nahe bevorstehe. Aber dieses Ende war für sie nicht datierbar und mußte es auch nicht sein. Es sieht so aus, als wäre eine eher kleine Gruppe von Lutheranern im sechzehnten Jahrhundert die Ausnahme darin gewesen, exakte Vorhersagen zu machen, die meist auf das Jahr 1588 hinausliefen. In eben diesem Jahr 1588 veröffentlichte Wilhelm Stucki ein *Prognosticon*, in dem nochmals alle Versuche apokalyptischer Kalkulation zurückgewiesen wurden, was Zürcher Kontinutität in dieser Frage belegt.[222] In ihrer Auslegung der Johannesapokalypse verbanden Bullinger und die Zürcher Theologen die Prophezeiungen dieses reformatorischen Schlüsseltextes mit der Welt ihrer Gegenwart, dem Gang der Geschichte und dem Motiv der Gottesstrafe, von dem auch Wicks »Wunderbücher« durchdrungen sind. Die Vorstellung des nahen Weltendes untermauerte eine letztlich moralische Botschaft, die der Seelsorge für den einzelnen dienen sollte. In diesem Sinne verbanden sich Apokalyptik und Straftheologie.

Diese Einschätzung stimmt mit dem überein, was vor allem Bruce Gordon und Irena Backus in ihren Arbeiten über Apokalypse und Jüngstes Gericht in Zürich gezeigt haben, nämlich wie in Zürich die pastorale Sorge als Konsequenz aus dem Gefühl der Verfolgung, aus dem die intensive Auseinandersetzung mit dem Text der

---

[221] LEPPIN, Antichrist und Jüngster Tag (1999), S. 98 f.
[222] STUCKI, Prognosticon (1588).

Johannesapokalypse historisch motiviert war, betont wurde.[223] Prodigienerscheinungen ordneten sich ein in diesen Kontext als Warnungszeichen und Zeichen der Erinnerung daran, daß der Jüngste Tag unwiderruflich kommen würde. Insofern waren Wunderzeichen durchaus willkommene seelsorgerische Instrumente. Es lag auch in einer Weltchronik der Prodigien wie derjenigen von Conrad Lycosthenes nahe, diesen Zusammenhang herzustellen. Es gibt jedoch keinen Beleg dafür, daß Lycosthenes mit der Verdichtung der Zeichen am Ende des Buches seinen Lesern das bevorstehende Weltende »beweisen« wollte. Für Lycosthenes wie für die Zürcher gab es da nichts zu beweisen, wo Fincel und andere die heilsgeschichtliche Bedeutung des Auftretens Luthers mit apokalyptischer Weissagung zu unterstreichen versuchten. Die Titelvignette (Abb. A4) des *Prodigiorum ac ostentorum chronicon* mit der Darstellung des Jüngsten Gerichts im Zentrum verbildlicht den allgemeinen heilsgeschichtlichen Sinnzusammenhang einer Weltchronik der Prodigien, mit dem auch ein Sammlungsinteresse verbunden war, das der Erinnerung diente. So wie die dargebotenen Prodigien selbst als Erinnerungen an die Prophezeiungen des Jüngsten Tags in den Evangelien wahrgenommen werden sollten, waren Prodigienchroniken Instrumente der christlichen *memoria*. Luther hat dies, mehr als ein Vierteljahrhundert vor Erscheinen der großen Prodigienwerke zu Beginn der zweiten Hälfte des sechzehnten Jahrhunderts, geradezu programmatsch formuliert. In seiner Predigt am 2. Adventssonntag 1531 argumentierte er gegen eine rein natürliche Erklärung, daß Eklipsen und andere Erscheinungen »zeichen« seien, »sonderlich, wenn jr so viel auff einander komen«.

> Und wie viel hat man eine zeitlang zeichen am himel gesehen wider die natur? mit so viel Sonnen, regenbogen und mancherley andern seltzamen, schrecklichen figuren? Das, wenn man sie solt zu samen schreiben, wurden sie allein ein gros buch geben, Aber es ist alles vergessen, wenn mans nicht alle stunden fur der nahen sihet [...].[224]

Im Sinne der *memoria*, die überhaupt eine der zentralen Funktionen frühneuzeitlicher Geschichtsschreibung (wenn nicht jeder Geschichtsschreibung) war, mag man denn auch ein »apokalyptisches« Sammlungsinteresse Wicks konstatieren. Endzeitliche und apokalyptische Kontexte gehörten zweifellos zu den auch von ihm vertretenen Deutungshorizonten von Wunderzeichen. Aber die Vorstellung einer demonstrativen Absicht, die er mit den »Zeichen der Endzeit« verbunden haben könnte, geht an den Grundlagen der in Zürch dominierenden Apokalypse-Deutungen der Bullingerzeit vorbei. Für die Zürcher waren alle Prophezeiungen (und damit auch alle Zeichen) der Apokalypse erfüllt. Es bedurfte keiner histortischen Beweise mehr für die Überzeugung, in der »letzten Zeit« zu leben. Das stand in der von ihnen bevorzugten Chronologie der Weltalter ohnehin fest. Bei Wick ist Apokalyptik, aufs Ganze der 24 Chronikbücher gesehen, die er hinterließ, kein vorrangiges Deutungs-

---

[223] GORDON, Spirituality (2002); BACKUS, Reformation readings (2000), S. 103, spricht mit Bezug auf Bullingers Apokalypse-Predigten von »a strong pastoral concern«.
[224] WA II 34, S. 462.

muster. Es wiederholt sich mit mechanischer Regelmäßigkeit in nahezu immergleichen Formeln, was die rein memoriale Funktion nur unterstreicht. Ein auf diese Funktion gerichtetes Sammlungsinteresse ergibt sich, wenn man annimmt, daß Wick und sein Umfeld die »Wunderbücher« als Predigt-Thesaurus nutzten, was völlig plausibel erscheint, auch wenn konkrete Belege dafür (bisher) nicht gegeben werden können. Wichtiger ist, daß bei Wick die »Zeichen der Endzeit« ins funktionale Schema des straftheologischen Denkens eingebunden wurden. Gerade dadurch, daß die apokalyptische Sinndimension auf die Erinnerung eingeschränkt war, konnte sie dem straftheologischen Denken Emphase verleihen. Auf geschichtstheologischer Ebene bot die Apokalyptik darüber hinaus einen Rahmen für den Ausdruck eines vorherrschenden Zeitgefühls, das Wick im Titelblatt (Abb. A1) auf die Formel »Trübselig Zÿt« brachte.

So wichtig die »Apokalyptik« war, so sehr sie in der Zürcher Theologie um die Mitte des sechzehnten Jahrhunderts debattiert wurde – für Wick bot sie einen Deutungsrahmen unter vielen. Ich möchte sogar behaupten: einen vergleichsweise unbedeutenden. Die Straftheologie mit ihrer Semantik war für das Spektrum der von Wick gesammelten Geschichten und die Ordnung seiner Bücher viel bedeutsamer, und sie generierte als Schema auch ein weiteres Spektrum an Bedeutungsmöglichkeiten, über die spekuliert werden konnte. Noch wichtiger als dies aber war ein tagespolitischer Verständnishorizont, der Wick zu größeren thematisch bezogenen Zusammenstellungen von Zeugnissen veranlaßte, wie wir gleich im nächsten Teil an zwei Beispielen sehen werden.

TEIL II:

REFORMIERTE WUNDERZEICHENPOLITIK

Wunderzeichen scheinen so wenig mit Politik zu tun zu haben wie das Wetter.[1] Diesen Eindruck gewinnt man aus neueren Darstellungen zum Themenkreis »Wunder und Wunderzeichen« ebenso wie aus der älteren Literatur. Ich greife den Ergebnissen des letzten Teils dieses Buches vorweg: Neuere historisch-anthropologische und wahrnehmungsgeschichtliche Studien scheinen hier eine Hypothek der älteren Volkskunde übernommen zu haben, an der sich ihre Fragestellungen orientierten. Die Frage nach Mentalitäten und Deutungen schränkt die Perspektive einseitig auf kognitive Vorgänge und ihren (angeblichen) Wandel ein. Neben aller Problematik, die für sich schon der Versuch, in die Köpfe der Menschen der Vergangenheit hineinzusehen, mitbringt, fallen auf diese Weise die politischen Implikationen des Wunderzeichendiskurses meist unter den Tisch. Daß aber mit Wunderzeichen auch Politik gemacht wurde, hat Aby Warburg am mittlerweile klassischen Fall von Luthers und Melanchthons Doppelschrift von 1523 über Papstesel und Mönchskalb herausgestellt.[2] Wenigstens die propagandistische Seite an der Wunderpamphletistik ist von der Forschung aufgegriffen worden. Sie paßte ins Denkmuster der älteren Pressegeschichte, vor allem zum Verständnis des gezielten Einsatzes der Presse im Glaubenskampf, wie er besonders für die Frühphase der Reformation typisch war. Aber der Fokus auf Publizistik und Flugschriftenpropaganda hat den Blick für komplexe politische Zusammenhänge verstellt. Denn zugleich damit wurden ältere Generalklauseln wie die von der Befriedigung einer Sensationsgier der Massen[3] und das Pauschalurteil von der »Sensationsliteratur«[4] übernommen.

Ich möchte hier, im zweiten Teil, den politischen Charakter zweier prodigiöser Ereignisse des Jahre 1572 beleuchten. Im ersten Fall handelt es sich um die Deutung einer merkwürdigen Sonnenerscheinung, die im Januar über der Stadt Chur in Graubünden beobachtet wurde. Die Zürcher Kirchenleitung, allen voran Heinrich Bullinger, war wesentlich daran beteiligt, eine bestimmte Interpretation dieses »Zeichens« in die konfessionelle Auseinandersetzung um den sog. »Bullenhandel« einzubringen, und zwar – ganz anders als dies beim reformatorischen Prototyp der lutheri-

---

[1] Ein Beispiel für viele: J. WEBER, Avisen (1997), S. 22, unterscheidet in den gedruckten periodischen Zeitungen des siebzehnten Jahrhunderts ganz selbstverständlich zwischen politischen und nicht-politischen Nachrichten und rechnet zu den letzteren: »ungewöhnliche Witterungsverhältnisse, Naturkatastrophen, Stürme, Überschwemmungen, Erdbeben, Vulkanausbrüche, Hungersnöte, Großbrände, aufsehenerregende Kriminalfälle, Wunderzeichen oder besonders grauenerregende Begebenheiten«.

[2] WARBURG, Heidnisch-antike Weissagung (1932).

[3] Typisch etwa FEHR, Massenkunst (1924), passim.

[4] SCHENDA, Prodigiensammlungen (1962), S. 698. Kritisch zu Pauschalisierungen der älteren Pressegeschichte: MAUELSHAGEN, Netzwerke (2005), S. 415 f.

schen »Papstesel und Mönchskalb«-Flugschrift von 1523 der Fall gewesen war – mit defensiven Absichten. Als defensiv wird sich die Zürcher Wunderzeichenpolitik auch im zweiten Beispiel erweisen. Diesmal war die Stadt direkt betroffen – oder vielmehr: getroffen, nämlich vom Blitz, der einen schweren Brand im Glockenturm des Großmünsters auslöste. Beide Fälle sind über die Darstellung in Wicks »Wunderbüchern« hinaus gut dokumentiert, was Bedingung für einen Vergleich zwischen verschiedenen Überlieferungen und Darstellungen ist. So nämlich läßt sich zeigen, wie und welche Informationen Wick auswählte, wieweit er einer »offiziellen Linie« folgte und wie er durch das Arrangement der von ihm verarbeiteten Nachrichten zu eigenen Aussagen kam. Damit sind bereits Aspekte wie Auswahl und Gestaltung angesprochen, die dann im dritten Teil dieses Buches weiter erörtert werden.

1. DIE SONNE ÜBER CHUR

1.1. Der Bullenhandel

Am 2. und 3. Januar 1572 wurde über der Stadt Chur eine ungewöhnliche Sonnenerscheinung beobachtet. Wick hat einen langen Bericht darüber in seine Chronik
aufgenommen, der, wie sich im Laufe dieses Kapitels noch erweisen wird, zur
Vorlage für eine Druckschrift wurde. Die Einleitung des Textes verknüpft das ungewöhnliche Phänomen mit einem zeitgleichen Ereignis. Es sei, heißt es, gerade zu der
Zeit beobachtet worden, als die Boten der drei Bünde zu einem Beitag zusammen-
gesessen hätten, um sich »einer Bullen halb« zu beraten, »so man innē wordē wie
der Bapst, vor etlicher zÿt, Herren Johannsen Planta, Beÿder Råchten Doctor, vñ
Herren zů Rhezüns zůgeschikt hatt«.[5] Der sog. »Bullenhandel« war Auftakt zu einer
Serie ähnlicher Unruhen, die das Bündnerland bis in die erste Hälfte des siebzehnten
Jahrhunderts erschüttern sollten und schließlich sogar dazu beitrugen, daß es in den
Dreißigjährigen Krieg verwickelt wurde.

Johann von Planta hatte im Februar 1571 eine Bulle von Papst Pius V. erhalten,
die ihn zur Wiedergewinnung aller ehemaligen Güter der katholischen Kirche in den
Bistümern Como und Chur südlich und nördlich der Alpen ermächtigen sollte. Vor-
angegangen waren zwei weniger ambitiöse päpstliche Breven, die eine entsprechende Vollmacht zuerst nur für die säkularisierte Propstei St. Ursula zu Teglio im Val-
tellina erteilt hatte, mit der Erlaubnis für Planta, sie an seine Söhne zu vergeben.[6]
Dieses gegenreformatorische Vorgehen im Veltlin war eine späte Folge der Be-
schlüsse des Konzils von Trient. Der Erfolg der Gegenreformation in Italien hatte
die Reformation im Oberengadin und im Veltlin eher beflügelt, weil aus Italien
geflüchtete Protestanten dort Zuflucht fanden und nun eben hier für die Reformation
aktiv wurden.[7] Als Johann von Planta dazu überging, die Breven – nicht die Bulle –

5   ZBZ, Ms. F 21, fol. 80^r. Vgl. Dok. 8 im Anhang.
6   Die Bulle und die Breven sind in mehreren Abschriften erhalten. Vgl. dazu und zu ihrem
    Inhalt VALÈR, Johann von Planta (1888), S. 32 f. und S. 39 f. Die neuesten Interpretationen
    im Rahmen einer umfassenden Analyse des politischen Systems in Graubünden in der
    Frühen Neuzeit liegen mit zwei Arbeiten von Randolf Head vor: HEAD, Social order (1996),
    S. 270–276 und S. 341 f., sowie HEAD, Early modern democracy (1995), S. 130–132, 150
    und 154; kurz Peter Stadler in HSG 1, S. 613 f., und HBLS 3, S. 653. Ausführlichere ältere
    Darstellungen des Bullenhandels: Hermann Wartmann in der Einleitung zu CAMPELL, De-
    scriptio (1884), Bd. 2, S. XIX-XXIII, sowie Traugott Schiess in der Einleitung zu HBGr 3,
    S. XCVIII-CXI.
7   Zu diesen Zusammenhängen vgl. HSG 1, S. 612 f.

umzusetzen, löste das bei der reformierten Bevölkerung Empörung aus. Der Prediger Paulus Gadius in Teglio gelangte in den Besitz von Abschriften der päpstlichen Dokumente und leitete diese nach Chur zu Tobias Egli und Ulrich Campell weiter.[8] Egli war seit 1566 Pfarrer an St. Martin und Vorsteher der churrhätischen Synode, Campell versah seit 1571 die Pfarrei an der Regulakirche.[9]

In die Empörung der Evangelischen spielte noch die Erinnerung an die Entführung des Prädikanten Francisco Cellario aus dem Veltlin mit hinein. Er war zuerst nach Mailand verschleppt und dann in Rom als Ketzer verbrannt worden – ein Opfer der Inquisition.[10] Schon vor diesem Hintergrund sahen sich die evangelischen Prediger in Chur von der Gegenreformation bedroht. Der Fall Planta bedeutete für sie eine weitere Zuspitzung. Päpstliche Bullen standen ohnehin seit frühesten Reformationszeiten im Kreuzfeuer protestantischer Polemik und wurden als Instrumente des Antichristen perhorresziert. Auch auf katholischer Seite gab es Interessengruppen, die im Bullenhandel in erster Linie eine konfessionelle Auseinandersetzung sahen. Die fünf katholischen Orte etwa wollten später in den evangelischen Predigern die treibende Kraft hinter dem Volksaufruhr erkennen, der Johann von Planta schließlich den Kopf kostete. Dessen Sohn, Conrad von Planta, Domdekan des Bischofs von Chur, erwirkte am 5. Mai 1572 auf einer Konferenz der Fünf (katholischen) Orte die Aufnahme einer entsprechenden Passage in den Abschied. Darin heißt es, die »zwinglischen Bündner« hätten Johann von Planta wegen seines katholischen Glaubens grausam foltern und hinrichten lassen.[11] Von der Bulle des Papstes, die vermutlich eben jener Conrad von Planta seinem Vater erst verschafft hatte, ist darin bezeichnenderweise nicht die Rede.

Die Glaubensfronten erscheinen weniger klar, wenn man in die Bündner Gemeinden schaut. Nicht nur reformierte Teile sahen ihre weitgehenden Selbstbestimmungsrechte durch die Bulle gefährdet. Auch den Katholiken erschien sie in den Händen Johann von Plantas als Mittel zum »Staatsstreich«.[12] Die Oberhäupter der

---

[8] Vgl. die Einleitung zu HBGr 3, S. XCIX f.

[9] Zu Egli und Campell die Einleitung zu HBGr 3, S. IX-XIX; kurz HBLS 2, S. 481 und S. 790; über Campell ferner die Einleitung von Kind in CAMPELL, Descriptio (1884) und Erich Wenneker in BBKL XV, Sp. 386–389, sowie Conradin Bonorand in HLS 3, S. 185 f.; zu Egli wiederum Wenneker in BBKL XV, Sp. 510–514. Zur Rolle der Prediger in den Unruhen des Jahres 1572 und später: VALÈR, Johann von Planta (1888), S. 59, sowie HSG 1, S. 614.

[10] Vgl. HEAD, Social order (1996), S. 272; VALÈR, Johann von Planta (1888), S. 57 f.; zu Cellario knapp HBLS 2, S. 524.

[11] Vgl. EA IV/2, S. 493. Am 13. Oktober 1577, auf einer weiteren Konferenz der Fünf Orte, ließ sich Conrad von Planta, der offenbar eine Schwäche für schriftliche Bescheinigungen hatte, urkundlich bestätigen, Johann von Planta sei nicht wegen eines Verbrechens, sondern alleine wegen seines Glaubens hingerichtet worden. Vgl. EA IV/2, S. 632.

[12] Vgl. dazu die Anklagepunkte des Strafgerichts gegen Planta: HEAD, Social order (1996), S. 274; VALÈR, Johann von Planta (1888), S. 86–89.

einflußreichsten Familien standen unabhängig von der Konfession im Verdacht, ihre Macht auf Kosten der Gemeinden erweitern zu wollen. Einen wesentlichen Faktor in dieser Konstellation spielte die Familienfehde zwischen den Planta und den Salis, die sich ebenfalls nicht auf konfessionelle Gegensätze reduzieren läßt. In beiden Familien waren beide Konfessionen vertreten. Die von Salis wurden zur treibenden Kraft hinter dem »Fähnlilupf«, der Ende März 1572 zur Hinrichtung Johann von Plantas führte.[13] Die politische Konfliktlage in den Drei Bünden war also zu komplex, als daß man sie auf den Glaubensgegensatz reduzieren könnte. Wenn Conrad von Planta im Nachhinein bemüht war, seinen Vater von der katholischen Führungselite der Fünf Orte als Opfer einer Art »reformierten Inquisition« und damit als religiösen Märtyrer anerkennen zu lassen, so ging es ihm wohl vor allem um eine externe Stärkung seiner Familie im innerkatholischen Zwist der Bündner.

Die Rolle der reformierten Prediger in der Planta-Affäre war natürlich ebenfalls nicht so klar wie im Abschied der Fünf Orte vom 5. Mai 1572 behauptet. An einer Eskalation hatten die reformierten Prediger in Chur kein Interesse gehabt, wenngleich ihr Vorgehen wesentlich zum Ergebnis beitrug. Am 3. Dezember 1571 waren sie mit Planta im Pfarrhaus in Chur zusammengetroffen, um den Streit ohne öffentliches Aufsehen beizulegen. Planta erklärte sich bereit, die Bulle in Stücke zu zerreißen, hielt aber an seinen Ansprüchen auf die Propstei St. Ursula in Teglio fest. Eine Einigung kam jedoch nicht zustande, woraufhin Egli und Campell in Chur gegen Planta zu predigen begannen und – was entscheidend war – Abschriften der Bulle samt einer Schilderung des bisherigen Hergangs der Angelegenheit an alle bündnerischen Prädikanten verschickten.[14] Die dadurch ausgelöste Empörung in den Gemeinden zwang Planta, schnell von seinen Positionen abzurücken – zu spät allerdings, um seinen Niedergang noch zu verhindern. Auf dem Beitag vom 2. Januar 1572 verzichtete er auf die Propstei und gab die Bulle ab. Am 2. Februar wurde er vom selben Gremium außerdem zu einer hohen Geldbuße verurteilt. Aus Sicht der reformierten Kirchenleitung in Chur hätte die Affäre damit ein Ende haben können. Aber der »Druck von unten« war schon nicht mehr zu kontrollieren und forderte weitere Sanktionen. Am 11. März beschloß der Beitag die Abhaltung eines Sondergerichts am 23. März, das nicht nur über den Bullenhandel, sondern auch über die Ernennung einiger führender Personen zu päpstlichen Rittern verhandeln sollte, darunter auch Dietegen und Baptista von Salis. Daran läßt sich ablesen, wie weit sich der Skandal inzwischen ausgeweitet hatte. Planta floh nun aus dem Engadin in den

---

[13] Zu Stellung und Rolle der Salis: HEAD, Social order (1996), S. 272; VALÈR, Johann von Planta (1888), S. 21–31; HSG 1, S. 614. Die 48 Gerichtsgemeinden der Drei Bünde durften militärische Einheiten, sog. Fähnlein bilden, die ihre Vorgesetzten selbst wählten. Die »Fähnlilupfe« waren »tumultuarische Erhebungen der Gemeinden unter ihrer Fahne« (HSG 1, S. 612).

[14] Dazu ausführlicher die Einleitung zu CAMPELL, Historia Raetica II (1890), S. XXI, und die Einleitung zu HBGr 3, S. Cf. Beide Darstellungen beruhen auf Campell.

Grauen Bund, wurde dort aber in der katholischen Kommune Laax gefaßt und in Fesseln nach Chur überführt. Die Gemeinden reagierten mit Entsendung von Fähnlein, ausgelöst durch die von Salis, was innerhalb weniger Tage zu einem Massenauflauf bewaffneter Einheiten um Chur führte.[15] Die Lage spitzte sich bedrohlich zu, besonders in der aktuellen Teuerungs- und Hungerkrise, die zweifellos ihren Teil zur Verschärfung des kollektiven Vorgehens gegen die »großen Hansen« beitrug.[16] Diese Stimmung scheint sich auch gegen die Minister der reformierten Kirche gewendet zu haben, insbesondere gegen Egli.[17] Das Gericht konstituierte sich am 25. März. Am 31. März wurde Johann von Planta enthauptet, trotz diplomatischer Anstrengungen eidgenössischer und ausländischer Mächte. Es war am Ende ein »Sieg« der Bündner Gemeinden, nicht der Reformierten.

1.2. Campells Flugschrift

Welche Rolle nun spielte in alldem die Sonnenerscheinung vom 2./3. Januar 1572? Tobias Egli berichtete in einem Brief vom 7. Januar erstmals davon nach Zürich und verband das Ereignis sofort mit der gleichzeitigen Sitzung des Beitags.

> ... so hat denn Gott am 2. und 3. Januar, zur gleichen Stunde, als sie hier zur Beratung zusammensaßen, aus der Höhe eine wundersame Veränderung der Sonne zu bedeuten gegeben. Denn um acht Uhr vormittags ist die Sonne wundersam und vielfältig nur in Gestalt eines Halbkreises erschienen, während der gleichsam erstorbene Rest in Form eines Waldes und beweglicher, miteinander tanzender oder vom Wind von hier nach dort getriebener Bäume bestehend gesehen wurde. Ich selbst habe dies weder wahrgenommen noch gesehen; aber viele sowohl aus dem Rat als auch aus dem gemeinen Volk haben dies beobachtet usw.; wir werden es sorgfältig untersuchen.[18]

Die Koinzidenz zwischen der geheimen Beratung und der Sonnenerscheinung war von Anfang an signifikant. Sie war sofortiger Mitteilung wert. Aber danach blieb das Phänomen wochenlang unerwähnt. Das änderte sich erst im Laufe des März, als

---

[15] Zur Chronologie vgl. VALÈR, Johann von Planta (1888), S. 68 ff. und HEAD, Social order (1996), S. 273 f.

[16] Vgl. dazu unten im Zusammenhang der Darstellung bei Wick; außerdem ein Schreiben von Landrichter und Rat des Oberen Bunds an den Rat der Stadt Chur vom November 1571, zitiert bei VALÈR, Johann von Planta (1888), S. 60.

[17] Vgl. die Briefe Eglis vom März 1572 in HBGr 3, S. 303–325 passim. Dazu HEAD, Social order (1996), S. 276 und VALÈR, Johann von Planta (1888), S. 82 f.

[18] Die ganze Stelle im lat. Original: »... sic enim 2. et 3. Ianuarii, iisdem horis, cum consedissent hi ad consultandum, Deus solis variatione miraculosa ex alto monuit. Sol enim hora octava antemeridiana mirus et varius apparuit semicirculi tantum figura reliquis quasi emortius, quibus silvae forma et arborum flexibilium et inter se saltantium sive vento huc atque illuc impulsarum insistere videbatur. Ego id non animadverti neque vidi; at plures et ex senatu et ex faece vulgi id observarunt etc.; inquiremus diligentius.« HBGr 3, S. 285. Das Original des Briefes in ZBZ, Ms. F 182, fol. 145ʳ–146ᵛ & fol. 153ʳ, die Stelle hier fol. 146ᵛ; Kopie von Simler in Ms. S 125, Nr. 96.

1. Die Sonne über Chur

,ich die Ereignisse dramatisch zuspitzten und Bullingers Korrespondenz mit den Graubündner Glaubensbrüdern immer intensiver wurde. Durchreisende wie Achilles Xerer oder Johann Baptist Müller, die oft als Boten eingesetzt wurden und dann mündlich als Augenzeugen berichten konnten – auch Wick profitierte von ihnen –, brachten Briefe und Nachrichten aus dem Bündnerland nach Zürich.[19] Am 17. März kam Egli auf die Sonnenerscheinung zurück:

> Ich hätte auch vermeint, wir wollten das wunderwerk, so sich den 2. und 3. Jan: als die botten mit dieser Bullen handlen wöllen, an der Sonne zwüschen 8. und 9. als sie zůsamengeseßen am morgen, zůgetragen, mit schrifft und gemåhl beÿ eüch zu trucken hinabgeschikt haben, damit es vor der Catastrophe dem gemeinen mañ eingebildet hätte, so verhinderend uns im̄erdar neüe geschäffte.

Er und Campell, schrieb Egli weiter an Bullinger, wollten die Schrift noch im Laufe der Woche fertigstellen: »[...] wer es truken würde oder wolte, möchtend wir wol wüßen: dañ es kom̄t alles auf ein bogen, und werdend der Soñen änderungen in die 8. oder 9. werden, da sie einest nicht geseÿn wie andreß.«[20] Da Chur über keine eigene Buchdruckerei verfügte, war man auf die Hilfe der Zürcher Glaubensfreunde angewiesen.[21]

Bullinger antwortete am 21. März zustimmend: Die Schrift könne nach Froschauers Rückkehr von der Frankfurter Messe in Druck gehen.[22] Bis dahin sollte sie schon einmal den Zensoren vorgelegt werden. In seiner Antwort vom selben Tag teilte Egli mit, Campell habe das Sonnenmirakel (*miraculum in sole*) »zusammengeschrieben« (*conscripsit*). Das war treffend ausgedrückt, denn eine Beschreibung der Erscheinung mußte aus mündlichen Berichten Dritter mühsam zusammengebastelt werden. Egli prüfte Campells lateinische Fassung.[23] Offensichtlich bereitete die Erstellung einer glaubwürdigen Version erhebliche Schwierigkeiten – kaum überraschend, wenn man bedenkt, daß das Ereignis mehr als zwei Monate zurücklag und sich nicht ohne weiteres in die zeitgenössische Phänomenologie ominöser Sonnenerscheinungen einordnen ließ, was eine nachträgliche Beschreibung enorm erleichtert hätte.[24] Noch dem gedruckten Text merkt man überall das krampfhafte Bemühen um eine konsistente Synthese verschiedener mündlicher Schilderungen an. Um-

---

[19] Vgl. HBGr 3, S. 307. Zu Müller vgl. die Einleitung zu HBGr 3, S. XXI-XXIV.

[20] Egli an Bullinger, Chur, 17. März 1572. ZBZ, Ms. S 126, Nr. 31. HBGr 3, S. 310.

[21] Keine Angaben bei BENZING, Buchdrucker (1982).

[22] Bullinger an Egli, Zürich, 21. März 1572. StAZ, E II 342, 656. HBGr 3, S. 313.

[23] Egli an Bullinger, Chur, 21. März 1572. ZBZ, Ms. S 126, Nr. 42. HBGr 3, S. 316f. Die Stelle lautet wörtlich: »Conscripsit D. collega meus miraculum in sole datum; sed quia ab aliorum ore pendere coactus est, ego quoque perquiram ac, si quae minus Germanicis auribus grata videbuntur, mutabo et ad te imprimenda mittam.«

[24] Es handelte sich weder um eine Sonnenfinsternis (so VALÈR, Johann von Planta (1888), S. 65) noch um eine Nebensonnenerscheinung (so HBGr 3, im Regest zu Nr. 284, S. 313). Halos und Nebensonnen führen in zeitgenössischen Berichten zu völlig anderen Darstellungen in Text und Bild und waren auch terminologisch klar bestimmt.

ständlichkeit ist das augenfälligste Symptom. Zwar halfen die Illustrationen – ein paar kleine Holzschnitte, die hinzugefügt wurden – dem Leser dabei, einen Weg durch das entstandene Wirrwarr zu finden, aber mit dem wirklich Gesehenen hatten diese Bilder wohl noch weniger zu tun als der Text.

Campell übermittelte die fertige Schrift am 24. März, einen Tag bevor sich das Strafgericht gegen Planta konstituierte. Am 31. März, am Tag der Hinrichtung, drang Egli auf Beschleunigung des Drucks: »Ich hätte das Sonnenmirakel gerne gedruckt. Das Deutsche habe ich nicht geprüft; es wird schon gehen. [...] Wenn es möglich ist, den Druck des Mirakels voranzubringen, so nützt uns dies, wenn nicht alle steinern und eisern sind.«[25] Noch einmal am 4. April drückte er seinen Wunsch auf baldigen Druck der Schrift aus.[26] Dann setzte Schweigen ein. Die Lage beruhigte sich vorübergehend, spitzte sich aber schnell wieder in einer Serie weiterer Prozesse zu, unter anderem gegen Baptist und Herkules von Salis. Erst am 6. Mai wurde die Druckschrift wieder erwähnt, die Egli mittlerweile von Campell erhalten hatte: »Vier Exemplare des Prodigiums hat mir D. Campell gegeben, und Du hast aufs klügste gehandelt, daß Du sowohl den Namen Plantas als auch die Anzeichen einer blutrünstigen Sprache ausgemerzt hast.«[27] Die Druckschrift war endlich erschienen. Ihr Titel: »Ein gar wunderbarlich vnd seltzam wunderzeichen vnnd verenderung der Sonnen/ ob der Statt Chur der dryen Pünthen Rhetier lands gesehen worden am anderen vnd dritten tag Jenners diß gegenwürtigen M.D.LXXII. Jars« (Abb. A5).

Für ihre Entstehungsgeschichte geben die zitierten Bemerkungen aus dem Briefwechsel Eglis mit Bullinger einigen Aufschluß, ebenso für die handschriftliche Fassung in Wicks Chronik. Die Einsichten lassen sich so zusammenfassen: Der Druck wurde etwa Ende April 1572 bei Forschauer in Zürich hergestellt. Egli hatte die deutsche Fassung des Textes nicht mehr revidiert. Vermutlich war die Schrift ursprünglich in lateinischer Sprache verfaßt gewesen. Die deutsche Version wurde in Zürich noch einmal redigiert. Wie von Bullinger angekündigt, mußte der Text ohnehin zuerst durch die Zensur. Dabei wurden, wie Egli ausdrücklich bemerkte, der Name Plantas und Andeutungen einer »blutrünstigen Sprache« ausgemerzt. Nach dieser Beschreibung zu schließen, dürfte Wick die unzensierte Version abgeschrieben haben, was auch die Abweichungen vom Druck erklärt, denn bei ihm werden Johann von Planta und der Bullenhandel noch beim Namen genannt, während die Flugschrift nur vom Beitag am 2. Januar spricht (vgl. Dok. 8). Die unausgefüllten

---

[25] »Cuperem imprimi miraculum solis. Germanicum ego non inspexi; es thuet's wol. [...] Si promoveri possit impressio miraculi, prodesset nostris id, nisi lapidei sint toti et ferrei.« Egli an Bullinger, Chur, 31. März 1572 (erstes Schreiben). ZBZ, Ms. F 182, fol. 191^v. HBGr 3, S. 322–324.

[26] Egli an Bullinger, Chur, 4. April 1572. ZBZ, Ms. F 182, fol. 183^r. HBGr 3, S. 326.

[27] »4 exempla prodigii mihi D. Campellus dedit, et prudentissime fecistis, quod et nomen Plantae et linguarum cruentarum designationem expunxeritis.« Egli an Bullinger, Chur, 6. Mai 1572: ZBZ, Ms. F 182, fol. 202^r. HBGr 3, S. 337.

Lücken, die Wick für die Bilder offenließ, sprechen dafür, daß die Druckvorlage der Churer Pfarrer dieselben Freiräume aufwies, daß also die Bebilderung der Flugschrift dem Holzschneider überlassen wurde, der sich folglich am Wortlaut orientieren mußte. Die deutliche geometrische Stilisierung der insgesamt neun Einzelbilder unterstützt diese Vermutung.

1.3. Politische Wirkung des »Sonnenmirakels«

Campell und Egli erhofften sich politische Entlastung durch die Veröffentlichung der Schrift. Wenn es möglich sei, den Druck des Mirakels zu beschleunigen, so nütze ihnen dies, wenn nicht alle Welt steinern und eisern sei, hatte Egli am 31. März geschrieben. Daß sich die Gemüter von Gottes Zeichen und Wundern erweichen lassen sollten, gehörte zu den Grundanliegen der Wunderzeichendeutung. Aber welche Wirkung erhofften sich die Prediger in Chur davon für ihre Position in der Auseinandersetzung?

Die Flugschrift selbst gibt keinen Aufschluß. Sie entzieht sich jeder näheren Auskunft mit den üblichen Standardformeln, nur der Herrgott kenne die Bedeutung des Zeichens, und man solle darauf hoffen, daß er »unsere sünd« verzeihe. Alleine der Hinweis auf den Beitag stellt die Beziehung zum politischen Zeitgeschehen her. Das dürfte allerdings, was die Festlegung des Sinnkontextes betraf, in den sich die Druckschrift einschaltete, deutlich genug gewesen sein. Die Beteiligung der Bündnergemeinden an der Affäre Planta garantierte einen breiten Verständnishorizont beim Zielpublikum. Ebenso wie auf eine Detailinterpretation verzichtete die Flugschrift auf jede konfessionelle Polemik. Ihre Strategie bestand also nicht darin, der katholischen Seite die Schuld zuzuweisen. Worin dann aber?

Die Churer Pfarrer Egli und Campell waren mit dem Vorwurf konfrontiert, sie hätten den Tumult mit ihren Predigten heraufbeschworen. Den ganzen März über stand dieser Vorwurf im Raum und blieb Dauerthema im Briefwechsel zwischen Egli und Bullinger, der am 14. März dazu Stellung nahm und die päpstliche Bulle zum Anfang allen Übels erklärte. So sei es auch in England gewesen, wo eine einzige Bulle zu »zwo uffrüren« geführt habe. Gemeint war die Bulle *Regnans in Excelsis* von Pius V. (1570), die Bullinger kausal mit der Erhebung der Feudalherren im Norden der britischen Insel und mit der Ridolfi-Verschwörung verknüpfte, deren Aufdeckung wenige Wochen zuvor zum Todesurteil über den Herzog von Norfolk geführt hatte. Mit Bezug auf die aktuelle Stimmung in Chur fuhr Bullinger in dem Schreiben vom 14. März – zunächst ironisch – fort: »Es wird aber das evangelium müssen an der unrůw schuldig sin, so es klärer dann die sonn ist, das alle schuld des bapsts ist.«[28] Die sprichwörtliche Klarheit des Sonnenlichts war wohl keine Anspie-

---

[28] Bullinger an Egli, Zürich, 14. März 1572. StAZ, E II 342, 654. HBGr 3, S. 305 f.

lung auf die trübe Sonnenerscheinung vom 2./3. Januar, mag aber in Chur entsprechende Assoziationen und die Idee geweckt haben, das Sonnenmirakel publizistisch auszuschlachten, wie der Antwortbrief Eglis vom 17. März nahelegt, in dem erstmals das Anliegen eines Drucks der Beschreibung in Zürich vorgebracht wird.

Am 14. März schrieb Bullinger weiter: »Was hat er wöllen, die hellischen buller under üch zů schicken? Worumb hat er Franciscum Cellarium uß frömbder herrschaft lassen stälen und verbrennen? Worumb hat er ritter gemachet und inen guldin kettinen angehenckt, dann das er uffrůr under üch machte? So ist das evangelium entschuldiget; alle schuld ist des uffrůrers, der alle land betrügt und verwirrt.«[29] Diese Aktivierung des reformatorischen Feindbildes schlechthin erschien Egli so passend, daß er Bullingers Brief als Grundlage für seine Predigt am 16. März benutzte.[30] Im Druck der Wunderzeichenflugschrift findet sich nichts Vergleichbares. Ein entscheidender Unterschied war natürlich, daß Egli in Chur zu einem reformierten Publikum sprach, während die Druckschrift auch in katholischen Gemeinden überzeugend wirken sollte.

Wenn man in Chur und Zürich hoffte, die Position der reformierten Prediger vom Vorwurf der Volksaufwiegelung zu entlasten, so konnte das nur gelingen, wenn man eine konfessionsübergreifende Sprache fand. Hier dürfte der Schlüssel zum Verständnis der Wunderzeichenpolitik der Churer und Zürcher Pfarrer liegen. Denn die Zeichen und Wunder Gottes konnten als interkonfessionelle Verständigungsbasis dienen, sofern es sich nicht um Heiligenwunder oder gar wundertätige Heiligenbilder handelte, die auf reformatorischer Seite strikt abgelehnt wurden, und sofern ihre Deutung nicht zur konfessionellen Polemik genutzt wurde wie im Falle der Doppelschrift über »Papstesel und Mönchskalb« von Luther und Melanchthon. In der politischen Konstellation der Drei Bünde und in der aktuellen Lage in und um Chur war aus reformierter Sicht ein anderer Ton angezeigt.

Wovon sollte und wovon konnte die Leserschaft unter diesen Voraussetzungen mit Hilfe der Flugschrift überzeugt werden? Die Antwort darauf ist nicht im Text des Drucks zu finden und nur andeutungshaft in den zitierten Briefen enthalten. Man kann sie dennoch mit Hilfe der im ersten Teil dieses Buches (I/1) entwickelten Logik der Wunderzeichen als Ankündigung bevorstehender Gottesstrafen zu beantworten versuchen. Denn zu diesen Strafen gehörte auch Aufruhr. Bullinger schrieb genau dies in einem Brief vom 21. März an Egli. Als Verhaltensregel empfahl er ihm, er solle stets predigen, »sömliche uffruren syend grosse straaffen der sünden«.[31] Das Entlastende dieser Argumentation dürfte gerade in der Nivellierung aller komplexen Ursachenzusammenhänge durch Reduktion auf ein allgemeines, letztlich heilsgeschichtliches Kausalschema zu suchen sein. In solcher Allgemeinheit löste sich jede

---

[29] Ibid.
[30] Vgl. Egli an Bullinger, Chur, 17. März 1572. ZBZ, Ms. S 126, 31. HBGr 3, S. 307.
[31] Bullinger an Egli, Zürich, 21. März. StAZ, E II 342, 656. HBGr 3, S. 311.

individuelle oder kollektive Verantwortung für das Geschehen auf, was nun tatsächlich die Position der Churer Pfarrer stärken konnte, um so mehr, als sie sogar als Werkzeuge eines vom Gotteswillen unaufhaltsam gelenkten Geschehens dastanden. Das Sonnenphänomen vom 2./3. Januar war geeignet, gerade diesen metaphysischen Charakter der Ereignisse im Nachhinein zu bestätigen. Aus der Logik von Strafankündigung (Wunderzeichen) und göttlicher Strafe folgte überdies zwingend der Rückschluß auf zuvor geschehene Sünden, denn an der göttlichen Gerechtigkeit war kein Zweifel möglich. Somit aber konnte plötzlich das ganze Geschehen eben durch diese höhere Gerechtigkeit selbst gerecht und dadurch gerechtfertigt erscheinen.

Die gewünschte Anwendung der allgemeinen und zum Konsens zwischen den Konfessionen gehörenden, metaphysischen Wunderzeichenkausalität auf den Bullenhandel war durch den Zeitpunkt der Herausgabe der Flugschrift (nach dem Fähnlilupf) und durch den Verbreitungsraum in den drei Bünden mit einiger Sicherheit gewährleistet. Das Textverständnis war insoweit vom Kontext getragen. Die knappe Bemerkung zur zeitlichen Koinzidenz des Beitags mit dem Wunderzeichen zu Anfang der Flugschrift mußte genügen, um das »Sonnenmirakel« als Vorzeichen für das anschließende Geschehen erscheinen zu lassen. Die ausführlich beschriebenen Details der Sonnenerscheinung konnten unter dieser Prämisse vom Leser allegorisch auf die Folgeereignisse bezogen werden. Anknüpfungspunkte für eine solche Ausdeutung waren durch die Zahl gleicher Elemente, durch den Charakter des Gestirns gegeben, an dem sie gesehen wurden, durch die Himmelsrichtung von Bewegungen, durch Farben und ihre Intensität, durch die Dauer der Erscheinung als solche, die Zahl der Veränderungen, die sie durchmachte, und der Bilder, die sich dabei ergeben hatten.

An solchen Anhaltspunkten mag sich Egli orientiert haben, wenn er in seinem Brief vom 17. März eine mögliche Deutung des Zeichens skizzierte: »Allda werdend ir greiffen mögen, um wen es zu thun seÿe, und daß es sonderlich gemeine 3 Bündt an ihren haübteren betreffen will [...].«[32] Veränderung in Herrschaft oder Religion gehörte zu den Standarddeutungen von Wunderzeichen, die am Himmel und an den Gestirnen gesehen wurden. Das Wort »sonnenänderungen« brachte also gewisse Assoziationen mit sich, und die Vielzahl der beobachteten Änderungen während der Erscheinung deutete auf tumultuarische Zustände hin. Konkretere Anhaltspunkte dafür gab das Auf- und Abtreten der menschlichen Figuren im Bild der Sonne, das etwa als Auf- und Abtreten der einflußreichen Männer verstanden werden konnte, die im März und April nach und nach vor das Strafgericht gezogen wurden. Eglis Behauptung, daß das Sonnenzeichen die drei Bünde an ihrer politischen Führungsspitze betraf, läßt sich mit den drei Sternen zusammenbringen, die gegen Ende des wundersamen Geschehens auf der Sonnenscheibe beobachtet wurden. Hier deuten sich sehr konkrete Vorstellungen an, wie das Wunderzeichen zu verstehen war, und damit zugleich überraschend präzise Erwartungen an die Rezeption der Flugschrift.

---

[32] Egli an Bullinger, Chur, 17. März 1572. ZBZ, S 126, 31. HBGr 3, S. 310.

Ob solche Erwartungen begründet waren oder nicht: Es war wohl in jedem Falle klug, auf die öffentliche Verbalisierung konkreter Interpretationen zu verzichten, weil sie zu leicht als reformierte Polemik hätten abgetan werden können. Mit dem Offenlassen einer Deutung eignete sich der Text zudem als Auffangbecken für den von je unterschiedlichen Interessen geleiteten Deutungswillen der Leserschaft. Je konkreter sich die Flugschrift auf eine Interpretation eingelassen hätte, je mehr die einzelnen Erscheinungen allegorisch auf Ablauf und Ausgang des Bullenhandels bezogen worden wären, desto mehr wäre die Leserschaft dadurch gespalten worden. Der veröffentlichte Text der Schrift zielte hingegen auf einen Minimalkonsens, der in der allgemeinen Wunderzeichenlogik auch erreichbar schien. Während Conrad von Planta im Nachhinein die katholischen Orte auf eine Linie einzuschwören versuchte, die seinen Vater als Opfer einer reformierten Inquisition erscheinen lassen sollte, bestand die Politik der Evangelischen gerade darin, ihre Verantwortung für die Eskalation der Affäre bis zur Hinrichtung herunterzuspielen. Die von Zürich und Chur gemeinsam betriebene Wunderzeichenpolitik lag genau auf dieser Linie.

Ähnlich liest sich auch Campells etwa 1582 abgeschlossene *Historia Raetica*. Das Wunderzeichen wird dort in die chronologisch geordnete Schilderung des Bullenhandels eingefügt und seitenlang beschrieben. Eine genaue Deutung unterbleibt auch hier. Die Verknüpfung mit dem Bullenhandel wird aber durch eine zweite Darstellungsstrategie unterstützt, die Wick ebenfalls häufig verwendet, nämlich durch die Aufzählung anderer wundersamer Ereignisse. Campell nennt zuerst eine zweite, im Februar in Chur beobachtete, merkwürdige Himmelserscheinung und zählt dann ominöse Ereignisse aus den Jahren 1569 bis 1571 auf, die auch in Wicks Chronik zu finden sind: zunächst eine in Chur und an anderen Orten beobachtete blutrote Sonne, die als Vorzeichen der Schlacht von Lepanto gedeutet wird. Wick unterstützt übrigens dieselbe Auffassung mit einem historischen Rückblick auf gleiche Erscheinungen vor großen militärischen Auseinandersetzungen in den Jahren 1515, 1547 und 1569.[33] Auch einen Bericht vom Brand des Zeughauses in Venedig am 13. September 1569, den Campell im Zusammenhang mit der Eroberung Zyperns durch die Türken sieht, hat Wick in seine Chronik aufgenommen.[34] Zuletzt erwähnt Campell das Erdbeben von Ferrara und Florenz im November 1570 und die etwa zeitgleichen Überschwemmungen in verschiedenen europäischen Regionen,

---

[33] Vgl. ZBZ, Ms. F 19, fol. 280ᵛ–281ʳ. Text und Bild bei SENN, Wickiana (1975), S. 212–214. Am Ende der Aufzählung der Parallelereignisse kommt Wick mit Bezug auf die Sonnenerscheinung vom 29. September 1571 zu dem Schluß (die ganze Stelle durch Unterstreichung hervorgehoben): »Vff dise wunderbarliche schÿnung der sonnen habeñ hernach am 7 octob: die Venediger, mitt der hilff Gottes, den herlichen, wyt verrůmpten Sig, wider die Türggen eroberet«. Eine Randbemerkung dazu von anderer Hand (wahrscheinlich Johann Jacob Fries) erklärt die Blutsonne zum Vorzeichen der Bartholomäusnacht: »Sÿ hatt nit der Christen sig vnd Turggisch verlurst bedeutet, sonder Christen blůtt vergiesen so A. 1572 ervolgt.«

[34] ZBZ, Ms. F 18, fol. 170ʳ–172ʳ.

Ereignisse, die Wick sehr ausführlich dokumentiert hat. Campell unterstreicht also den ominösen Charakter des Sonnenmirakels vom 2./3. Januar 1572 und seinen Bezug zum Bullenhandel. Die Wunderzeichenmetaphysik diente auch in seiner *Historia Raetica* ausgesprochen apologetischen Zwecken.

Halten wir fest: Die publizistische Aktivität Zürichs und seiner Churer Freunde im Zusammenhang mit der ungewöhnlichen Sonnenerscheinung über Chur im Januar 1572 war defensiv ausgerichtet, nicht polemisch. Der politische Kontext blieb dennoch mehr als deutlich, auch wenn sich kaum eine Spur davon in dem gedruckten »Wunderzeichen« findet. Auch auf eine Deutung wurde darin verzichtet. Der publizistische Einsatz setzte auf Evidenz, die sich aus einem überkonfessionellen Minimalkonsens der Wunderzeichendeutung ergeben sollte. Trotz dieser Zurückhaltung haben die reformierten Pfarrer in Chur und Zürich das »Wunderzeichen« natürlich politisch instrumentalisiert. Die Bemühungen um Authentizität durch Anhörung von Augenzeugen sprechen jedoch auch dafür, daß zugleich die Überzeugung vom übernatürlichen Charakter der Erscheinung dahinter stand.

1.4. Wicks Darstellung

Kommen wir schließlich – und endlich – zu Wick und seiner Darstellung der Affäre Planta und der folgenden Strafgerichte im April/Mai 1572. Sie bilden einen Kontext unter der Überschrift: »Wie sich die vnrûw in pündten zûgetragen, vñ was sich verloffen, deß Herren von Rhezüns halb, vñ sunst. Item wie vor Chur XX Fåndli der Pündteren gelågen, vñ was da wŷter ghandlet«.[35] Die Sequenz abgeschriebener und paraphrasierter Dokumente beginnt mit dem Stein des Anstoßes, der päpstlichen Bulle.[36] Dann springt Wick gleich zu den Ereignissen vom März. Die Beratungen des Beitags vom 2. Januar, vom 2. Februar und vom 11. März werden völlig übergangen. Die Dokumentation der Ereignisse wird mit einem Auszug aus Eglis Brief an Bullinger vom 10. März 1572 fortgesetzt.[37] Anschließend faßt Wick knapp ein Schreiben der fünf katholischen Orte an den Rat der Stadt Zürich, das die Bitte um Intervention der Zürcher für eine friedliche Beilegung des Konflikts ausspricht, und die Antwort des Zürcher Rates zusammen.[38] Die folgende Nachricht vom Aufmarsch der ersten fünf Fähnlein vor Chur und von der Gefangennahme Johann von Plantas in Laax geht auf Eglis Brief vom 20. März zurück.[39] Es geht weiter mit einer

---

[35] ZBZ, Ms. F 21, fol. 98^v–127^r.

[36] Datiert auf den 28. Februar 1570, also ein Jahr zu früh, wie in Campells Rhätischer Geschichte. Zu richtiger und falscher Datierung: VALÈR, Johann von Planta (1888), S. 44f.

[37] ZBZ, Ms. F 21, fol. 109^rv. Vorlage in Johann Jakob Simlers Abschrift: Ms. S 126, 11. Gedruckt: HBGr 3, S. 303f.

[38] Zu diesem Vorgang auch Bullingers Brief an Egli vom 21. März 1572: StAZ, E II 342, 656; HBGr 3, S. 311–313. Vgl. VALÈR, Johann von Planta (1888), S. 84f.

Bitte des Churer Rates um Sendung von Korn. Der Auflauf der Fähnlein drohte in der aktuellen Hunger- und Teuerungskrise in und um Chur schnell zu einem Versorgungsengpaß zu führen. Bullinger schrieb am 21. März dazu an Egli: »Ich kan wol gedäncken, wie der statt Chur mitt der proviand sachen hert standind; dann hie ist es seer thüwr. Noch hat man inen 100 mûtt kernen geordnet.«[40] Die Zürcher schickten also Korn, trotz eigener Knappheit.

Mit dem beginnenden Auflauf der Fähnlein, also in dem Augenblick, da eine militärische Eskalation drohte, setzten eilige diplomatische Aktivitäten innerhalb und außerhalb der Eidgenossenschaft ein. Wick erwähnt kurz ein Schreiben aus Luzern vom 23. März, das zu koordinierten Missionen nach Chur aufrief. Zürich entsandte daraufhin Bürgermeister Johannes Kambli und Seckelmeister Heinrich Thomann.[41] Von der Überführung Johann von Plantas nach Chur nimmt Wick einen mündlichen Augenzeugenbericht von Ludwig Muralt auf. Zum Aufmarsch der Fähnlein zitiert er ein Schreiben von Achilles Kerer an seinen Vater in Zürich, verfaßt am 23. März, samt einer Aufzählung aller bis dahin aufgelaufenen Einheiten. Eine aquarellierte Federzeichnung mit der Hinrichtungsszene leitet über zum Urteil des Strafgerichts.[42] Es folgt ein Fazit, ehe die weiteren Händel zur Sprache kommen.

Wick zitiert also aus den verschiedensten Quellen: aus Bullingers Briefwechsel mit Egli, aus der Ratskorrespondenz, aus privaten Briefen, aus Berichten von Augenzeugen. Er kopiert längere Passagen, aber selten vollständige Briefe, schon gar nicht den gesamten Breifwechsel. Häufig beschränkt er sich auf Paraphrase. Die Auswahl aus der Überfülle der Dokumente zeigt eine klare Tendenz zur Deutung des Gesamtgeschehens: Die Papstbulle am Anfang läßt Wick für sich sprechen. Die anschließenden Verhandlungen zwischen den Churer Pfarrern mit Planta, ihr Einfluß auf die öffentliche Meinung durch Predigten und durch Verbreitung von Abschriften der Bulle kommt mit keinem Wort zur Sprache. Damit verfolgt Wick dieselbe Strategie wie die Churer Pfarrer in Absprache mit Bullinger.

Der Fokus liegt ganz auf dem Aufruhr, dem Fähnlilupf und den Strafgerichten gegen die »großen Hansen«, Ereignisse, die als unmittelbare Folge der päpstlichen

---

[39] Wörtliche Anklänge. Vgl. ZBZ, Ms. F 21, fol. 109^v, und die Abschrift des Originals: Ms. S 126, 31, gedruckt: HBGr 3, S. 307–311.

[40] Bullinger an Egli, Zürich, 21. März 1572. StAZ, E II 342, 656. HBGr 3, S. 312. Vgl. dazu auch den Brief von Egli an Bullinger, Chur, 23. März 1572. ZBZ, Ms. S 126, 44. HBGr 3, S. 318 f.

[41] ZBZ, Ms. F 21, fol. 110^r. Das Schreiben aus Luzern erwähnt bei VALÈR, Johann von Planta (1888), S. 84. Vgl. zu den Gesandten aus Zürich und den Fünf Orten auch den Brief von Bullinger an Egli, Zürich, 23. März 1572. StAZ, E II 342, 658. HBGr 3, S. 317 f.

[42] ZBZ, Ms. F 21, fol. 114v–115r (Zeichnung) und fol. 115v–116v (»Wie über den Herren von Rhezüns, gricht vnd gevrtheilet«). Es handelt sich um das gemilderte Urteil. Textvorlage unter den Aufzeichnungen Eglis über die Ereignisse vom März und die Verhandlungen des Strafgerichts: Ms. F 182, fol. 53^v–54^r.

Bulle erscheinen. Beides, das Verschweigen der Mitverantwortung der evangelischen Pfarrer am Aufruhr und die Reduktion auf die päpstliche Bulle als Ursache dafür, spiegeln natürlich eine typisch reformierte Sicht der Dinge wider. Es paßt dazu, wenn Wick das persönliche Vergehen Johann von Plantas völlig jenseits der Glaubensfrage diskutiert, um seine Hinrichtung keinesfalls als Durchsetzung evangelischer Interessen erscheinen zu lassen. Plantas Ende soll nicht im mindesten als gerechte Strafe für einen Eiferer des katholischen Glaubens dastehen, nicht einmal als Folge eines Reinfalls auf das Wirken des römischen Antichristen, dessen Bulle ihn ins Unglück stürzte. Über Plantas Haltung zu diesem Dokument herrscht ebenso vielsagendes Schweigen wie über die Rolle Eglis und Campells auf der Gegenseite.

Wick folgt der von Bullinger und Egli vorgezeichneten Linie, aber er weitet sie aus: Der Aufruhr selbst, die Empörung des Volkes über die »großen Hansen« wird bei ihm stärker akzentuiert. Egli sah im Aufruhr eine unwillkommene Eskalation, was in seiner Lage verständlich war. Bullinger legte ihm nahe, den Fähnlilupf als göttliche Strafe für Sünden anzusehen,[43] und dieser Kausalnexus lag genau im Kompetenzbereich eines Verfassers von Wunderbüchern. Nun erscheint aber ausgerechnet bei Wick die Empörung des Volkes nicht derart metaphysisch entrückt, sondern er hört aus den eintreffenden Berichten die Töne der Unzufriedenheit heraus und hebt sie graphisch durch Unterstreichung hervor: »sy sagend, die grosen hansen habind lang gnůg miet vñ gaben genoɱen, vñ gricht vñ råcht, eer vnd åmpter vɱ gålt verkaufft, dardurch sy ÿez vil iar har übel getrukt worden, das wőllend sÿ åben nütt mer lÿden.«[44] Abgabendruck und Simonie waren typische und sehr weltliche Gravamina. Mit ihrer Verbalisierung büßte der Aufruhr viel von seinem diffusen metaphysischen Charakter ein. Er wurde als sozialer Konflikt greifbar. Wicks Sympathie für den »gemeinen Mann« ist dabei unübersehbar. Die Aufzählung der Fähnlein bekommt etwas Feierliches. Dem mündlichen Bericht von Ludwig Muralt entnimmt er, daß bei der Überführung Plantas nach Chur »ein wunder schön hüpsch, vnd wol gerüst volk« Spalier gestanden habe.[45] Es wirkt diszipliniert und alles andere als bedrohlich, ganz anders als dies der attakierte Egli empfand.

Wick schließt die Affäre Planta mit einem Fazit ab, das zu den Vorwürfen des Volkes paßt und den Fall eines »großen Hansen« ins moralisch Exemplarische hebt. Erst in dieser Steigerung erscheint das Strafgericht von Chur als Instrument der göttlichen Gerechtigkeit:

---

[43] Vgl. BULLINGER, Hausbuch (1558), fol. 78 a: »Vnd ist also die böß oberkeit von Gott / gerad wie auch auffruor / krieg / pestilentzen / hagel / reyffen vnd andere plagen vnd vnfäl der menschen von jm sind / als straffen der sünden vnd lasteren / die damit von dem gerechten Gott also gestrafft werdend ...«.

[44] ZBZ, Ms. F 21, fol. 111ᵛ (die ganze zitierte Stelle unterstrichen).

[45] Ebd. fol. 110ʳ.

Dieses ist ein erschrokenlich exempel, darbÿ ÿederman lernen sol Gott fürchten, vñ
das sich niemands sines gwalts, glüks, gůtts, vnd wolstands überhebe. das auch im
niemand das gålt zuil laße lieb sin. dan wen straff Goz über ein menschen gan sol, vñ
sin stund hie ist, so hilfft åben nütt darfür. Ettlich sagend, das er 40. tuset kronen
verheÿssen, alleÿn das man im sin låben geschenkt, aber es můsst ein mal sin. Gott
habe im gnad verlÿhen, das er wol vñ såliklich abgestorben, mit erkantnuß siner
sünden. Dan diser einiger streÿch, hatt vil bôser practiken gebrochen, vñ behüte Gott
nachmals wÿter dise Drÿ Lobliche pündt, vñ ein Lobliche froɱe Eÿdgnoschafft, die
wôlle der allmechtig Gott in sinen gnaden erhalten. Amen.[46]

Die Text- und Bildsequenz zu den Ereignissen im Bündnerland läßt sich auch
noch in größeren internationalen Zusammenhängen lesen, die Wick mit unterschiedlichen Mitteln herstellt. Zum einen durch die Aufeinanderfolge ähnlicher Ereignisse:
Unmittelbar vorher hat er einige Dokumente zur Ridolfi-Verschwörung versammelt.[47] So entsteht eine Verbindung, die auch Bullinger gesehen hatte. Der Papst
erschien in beiden Fällen als Drahtzieher einer Verschwörung und damit als Urheber
für den Niedergang eines großen Herrn. Die Hinrichtungsszenen werden jeweils
bildlich dargestellt. Freilich verschieben sich mit der Erweiterung des Kontextes ins
Internationale implizit noch einmal die Akzente in der Deutung der Bündnerhändel.
Im nonverbalen Arrangement kommt das verbal unterdrückte konfessionelle Kon-
flikt- und Interpretationspotential sehr viel deutlicher zum Ausdruck. Die konfessionelle Sicht bringt sich auf dem Schleichweg zur Geltung. Der Kontext ergänzt den
Text.

Eine offenbar später von Wick hinzugefügte Notiz stellt eine weitere Verknüpfung her. Auch daran erweist sich, wie sehr sich in seinem Fazit auf das Exempel
des »Herrn von Rhäzüns« eine antikatholische Deutung der graubündner Ereignisse
selbst beschnitten hatte:

NOTA. Diser Rhezünzer, als man in zů Chur vßgefůrt, vñ richten wôllen, sol er in
allem vßfůren, gerett habeñ, man werde wol såhen über ein halb iar, wie es ergan
werde, daruff am 24 Augusti, beträffend sich xxii wuchen, das mord in Frankrÿch
angangen, der glÿchen nie mer ghôrt als lang als die wålt gestanden, derhalb vß sinen
worten wol ein ÿeder mag abneɱen, das er ôttwz wüssen darvon gehept.[48]

Plantas Bemerkung war in Eglis Aufzeichnungen über den Bullenhandel und das
Strafgericht zu finden, die Bullinger erhalten hatte.[49] Wick ließ die dort verbalisier-

---

[46] Ebd. fol. 117^r.

[47] Ebd. fol. 92^r–98^r.

[48] ZBZ, Ms. F 21, fol. 114^r.

[49] ZBZ, Ms. F 182, fol. 54^r: »Er der Herr von Rezüns als er bemerkt das man inn ein armen
menschen genant, hatt er von stund an gerett (als dann etlich erlich Burger vnd herr
Statts[chreiber] gehört) es werde kum ein 1/2 iar, vnd ein kurtze zyt anston, man werde
såhen ob Johannes Plant ein armer mensch sÿe oder nüt. Darob ietzund vil Disputierens
erwachsenn. Dan einteill verstaat, es werde vɱ sinen willen gros vnglück volgenn, vñ
werde villicht ein sterkerer komen, der dise ding ins werch bringen werde. Sonderlich
diewyl er (als die sag ist) ettlich der gwünneren iemerdar gefraget, ob nitt die fendle

ten und überlieferten Spekulationen der »Ohrenzeugen« über den genauen Wortlaut und seinen Sinn beiseite, weil er des Rätsels Lösung in der Bartholomäusnacht gefunden zu haben meinte, durch die wiederum die Erinnerung an Plantas Worte auf dem Weg zur Richtstatt aktiviert wurde. Die Massaker in Frankreich sind natürlich ein *terminus post quem* für die gerade zitierte Notiz. Wicks Aufzeichnungen über die Ereignisse in Graubünden könnten schon Ende Mai 1572 in einem Zug entstanden sein, sind es aber auf jeden Fall vor der Bartholomäusnacht.

In Wicks Deutung der Worte Plantas schwingt Angst vor einer katholischen Verschwörung mit, die nicht erst mit den französischen Ereignissen geweckt wurde. Schon das Geschehen in England und Graubünden deutete auf ein vom Papst gemeinsam mit Spanien und womöglich auch noch mit dem Haus Österreich geplantes Vorgehen hin, das auf nichts anderes als die völlige Vernichtung des Protestantismus zu zielen schien. In Zürich hatte man schon den Erfolg in der Schlacht bei Lepanto mit gemischten Gefühlen aufgenommen. Schließlich hatten die Türken in Südeuropa spanische und italienische Kräfte gebunden, die nun, wenigstens für einen Augenblick, frei zu werden drohten für einen Einsatz gegen die Evangelischen. Aus dem christlichen drohte ein katholischer Sieg zu werden. Da wirkten Nachrichten über Uneinigkeit zwischen den Spaniern und den Venezianern nach der Schlacht allemal beruhigend.[50] Als Ausgleich für die Störung des Gleichgewichts in Europa erschien die Aussicht auf ein Bündnis der Eidgenossen mit Frankreich gegen Spanien nach dem Frieden von Saint-Germain, der durch die geplante Hochzeit Heinrichs von Navarra mit Margarethe von Valois gefestigt werden sollte. Vor allem das angebahnte englisch-französische Bündnis machte Hoffnung. Coligny hatte auch Zürich ein Bündnis mit Frankreich nahegelegt.[51] Die Bartholomäusnacht vom 24. August 1572 und die anschließenden Massaker in Frankreich machten diese Hoffnungen mit einem Schlag zunichte. Die Lage der europäischen Protestanten erschien so prekär wie nie zuvor. Die Verkündigung eines christlichen Jubeljahrs durch den neu gewählten Papst Gregor XIII. als Reaktion auf die Bartholomäusnacht[52] war geeignet,

---

abzogen, vnnd ob nitt vil frömbds volks her zů kome, verhoffenlich man werde anders zůschaffen gwünnen, das man sýnen vergeßenn werde. Der anderteil legts vs, er habe villicht gmeindt, wenn man also procedieren welle, werde mā woll finden die grösere ůbeltheter syend dann er vñ vil ermere menschenn.« Zu diesen Spekulationen fügt Egli am Rand eine weitere hinzu: »Andere sagend er habe gesagt, ia frilich bin ich wol ein armer mensch.«

[50] Vgl. ZBZ, Ms. F 21, fol. 85ᵛ–87ᵛ (»Von groser vneinikeijt der Venedigeren vñ Hispanieren, vor vnd nach irem erlangeten sig wider den Türggen. Ein schrÿben vß Venedig den 8 Feb: 1572.«).

[51] Vgl. HSG 1, S. 594.

[52] In den *Wickiana* dazu folgende Dokumente: ZBZ, PAS II 9/13 (»IVBILEVM S. D. N. GREGORII PAPÆ XIII. PRO FELICI CHRISTIANISSIMI REGIS CONTRA HÆRETICOS SVCCESSV ...«, Einblattdruck 1572; versetzt aus Ms. F 21, fol. 270ᵛ–271ʳ; im Titel in der Formel »GREGORIVS EPISCOPVS, SERVVS SERVORVM DEI« das letzte Wort handschriftlich durchgestrichen und durch »DIABOLI« ersetzt; am Rand fünfmal die Be-

Weltuntergangsstimmung hervorzurufen, die sofort mit der bevorstehenden Herrschaft des römischen Antichristen in Verbindung gebracht wurde.

Kehren wir zurück zur Sonnenerscheinung vom 2./3. Januar 1572 über Chur. Wir haben sie in Wicks Darstellung der bündner Händel nicht übergangen, sondern sie kommt darin nicht vor. Für Wick hatte sie nichts mit dem Bullenhandel zu tun. Er übernahm neben der handschriftlichen Version ein Exemplar der Flugschrift.[53] Beide Versionen fallen aus seiner dokumentarischen Sequenz zum Aufruhr in Graubünden und der vorangehenden Schilderung der Ridolfi-Verschwörung in England völlig heraus. Da der Beitag vom 2. Januar bei ihm nicht erwähnt wird, fehlt auch dieser mögliche Anknüpfungspunkt zum Text der Beschreibung des Wunderzeichens. Ausschließen läßt sich, daß seine Trennung von der Darstellung des Aufruhrs etwas mit dem Zeitpunkt des Eintreffens der Nachrichten in Zürich zu tun haben könnte.[54] Zwar liegt die Sonnenbeobachtung Monate vor dem Fähnlilupf, aber die Entstehungsgeschichte von Campells Flugschrift hat gezeigt, daß der Text, den Wick kopierte, erst mit Schreiben vom 24. März aus Chur in Zürich eintraf. Zu diesem Zeitpunkt stand die Deutung der Erscheinung als Vorzeichen des Aufruhrs für Egli und Campell bereits fest, und das war in Zürich bekannt. Wenn die ursprüngliche Anordnung des 10. Buchs der *Wickiana* während der Jahrhunderte nicht gerade an dieser Stelle massiv gestört wurde, was nicht völlig auszuschließen ist,[55] so kann man nur folgern, daß Wick den Text der Beschreibung bewußt von der Schilderung des Aufruhrs ablöste, weil er eine andere Deutung im Auge hatte.

Aus der Plazierung der handschriftlichen Fassung innerhalb des 10. Buches läßt sich mutmaßen, daß er zunächst eine Beziehung zum Mordanschlag auf einen reformierten Prediger in Morbegno im Februar 1572 erwogen hatte.[56] Die gedruckte

---

merkung »Nugae«); dazu die Übersetzung in Ms. F 21, fol. 265ᵛ–270ʳ (»Ein nüw Jubeliar Bapsten Gregorij deß XIII diß nammens, zuo glüklicher hinrichtung der käzeren in Frankrijch ...«).

[53] CAMPELL, Wunderzeichen (1572); ZBZ, Ms. F 21, fol. 222ʳ–225ʳ. Auf dem Titelblatt der handschriftliche Vermerk: »Getrukt Zürich« (Hand des Chronisten Johannes Haller?); die Holzschnitte handkoloriert. Im Druckschriftenverzeichnis von Emil O. Weller Ms. F 35a, S. 320 (Nr. 22). Unter »Christoph Froschauer d. J.« angegeben bei VISCHER, Bibliographie (1991), S. 283 (C 847a). Ein weiteres Exemplar in dem Sammelband: 18.71, Nr. 15. Im Spiegel des Rückens der Besitzvermerk: »Joannis Rodolphi Stumphij Tigurini ad anno Domini 1588:«. Vorne ein Register von Stumpfs Hand. Von fremder Hand (wahrscheinlich J. J. Fries) ist hier die Nr. 15 ergänzt und knapp als »Wunderzeichen« bezeichnet.

[54] Vgl. bei SENN, Wick (1974), S. 35, und SENN, Wickiana (1975), S. 14 die These, daß Wick die Nachrichten nach der eher zufälligen Reihenfolge ihres Eintreffens sortierte.

[55] Das 10. Buch (Ms. F 21) ist im Laufe der Jahrhunderte offenbar stärker beschädigt worden als andere Bände der *Wickiana*. Zur Überlieferungsgeschichte vgl. MAUELSHAGEN, Überlieferung und Bestand (i. V.).

[56] Vgl. dazu das direkt auf die Abschrift der Schrift Campells folgende Fragment eines Briefes von Egli an Bullinger, Chur, 18. Februar 1572: ZBZ, Ms. F 21, fol. 83ʳ. Original in Ms. F 182, fol. 165ʳ–166ᵛ. HBGr 3, S. 300–302. Dazu außerdem ein Schreiben von Scipio Ca-

1. Die Sonne über Chur

Flugschrift mit dem leicht veränderten Text befindet sich im letzten Drittel des Bandes, noch weiter entfernt von der Darstellung der Strafgerichte in Chur als die handschriftliche Kopie der Druckvorlage.[57]

Ein gewisser Kontext wird hier allerdings durch das vorangehende Schreiben des Erzherzogs Ferdinand von Österreich an die Ratsboten der Drei Bünde vom 30. April 1572 und durch den anschließenden Auszug aus einem Brief Eglis an Bullinger vom 20. Mai 1572 geschaffen. Diese kurze Sequenz von Dokumenten steht inmitten von Schilderungen der Hugenottenmorde nach der Bartholomäusnacht. Das Schreiben Ferdinands enthält ein Dementi gegenüber mutmaßlichen Interventionsabsichten Österreichs unter gleichzeitiger Warnung vor Provokationen durch einen Übergriff auf Güter des Hauses Habsburg in Rhätien.[58] Egli dankt in seinem Brief vom 20. Mai für Nachrichten über Untaten des Herzogs Alva in den Niederlanden und übersendet die Kopie des erzherzoglichen Schreibens. Außerdem zeigt er sich interessiert an einer ausführlicheren Beschreibung des Brandes nach dem Blitzeinschlag im Glockenturm des Zürcher Großmünsters am 7. Mai 1572. (»Ich fürchte wohl, daß nicht entweder der Republik oder der Kirche irgendein Schaden widerfahre.«)[59]

Versucht man, zwischen diesen Dokumenten und der Bartholomäusnacht einen Zusammenhang zu konstruieren, so könnte er darin gesehen werden, daß hier Vorahnungen und Vorzeichen gesammelt wurden. Wick könnte also mit einer Deutung des Sonnenmirakels als Vorzeichen für eine allgemeine katholische Verschwörung gespielt haben, was überhaupt in die Stimmung nach Lepanto passen würde. Aber schon wegen der doppelten Überlieferung der Beschreibung in Handschrift und Druck führen die von Wick erzeugten Ordnungskontexte zu keiner eindeutigen Antwort auf die Bedeutungsfrage. Diese – mindestens vorläufige – Vieldeutigkeit ließ sich kaum vermeiden. Wick ging als Vertreter einer historischen Wunderzeichendeutung davon aus, daß die Bedeutung der Zeichen erst nach späteren Ereignissen entschlüsselt werden konnte. Solange er sich nicht sicher war, experimentierte er mit verschiedenen Möglichkeiten – oder folgte bei seinen Aufzeichnungen schlicht der Chronologie, mit der ihm Dokumente in die Hand fielen.

---

landrino, dem Nachfolger von Cellarius, an Egli: Ms. F 21, fol. 91^r–91^v (»Clarissimo viro Dno. Tobiae Jconio, Ecclesiae Curiensis pastori fidelissimo, ac me pluribus nominibus obseruando SCIPIO CALANDRINVS.«), deutsche Übersetzung: fol. 83^v–84^r (»Von einer mordlicher that, die zů Morbeñ im Våltlyñ, in der kilchen fürgangen.«). Der lateinische Bericht ist defekt und durch einige Dokumente von der deutschen Fassung getrennt, was für die Zerstörung der ursprünglichen Anordnung spricht. Vermutlich folgte auf die Beschreibung des Wunderzeichens erst Eglis Brief vom 18. Februar, dann der Brief Calandrinos lateinisch und deutsch.

57 ZBZ, Ms. F 21, fol. 222^r–225^r.
58 ZBZ, Ms. F 21, fol. 220^r–221^v.
59 ZBZ, Ms. F 21, fol. 226^r: »Vereor certe, ne damnum aliquod vel reipublicae vel ecclesiae eveniat.« Das Original: Ms. F 182, 204. Vgl. HBGr 3, S. 340.

Die scheinbare Zusammenhanglosigkeit der Chronologie machte das annalistische System Wicks offen für das, was man ohnehin erst später wissen konnte. Für Wick bewährte sie sich auch im vorliegenden Fall. Zwei Notizen von 1574 und 1576 neben dem Titel zur handschriftlichen Version der Beschreibung des Churer »Sonnenmirakels« zeigen, daß er sich später über dessen Bedeutung gewiß war:

> Dises wunderzeichen, ist ein warnung, vñ ein gwüßer vorbott gsin, der schädlichen brunst, die sich hernach im̄ 1574 am 23 Julÿ zůgetragen. auch der anderen brunst, die sich am 21 Septemb: im̄ 1576 verloffen.[60]

Spätestens diese Deutung steht quer zur Wunderzeichenpolitik, die Campells Flugschrift verfolgte, ebenso wie zu dessen Darstellung in der *Historia Raetica*. Wick, der die Entstehungsgeschichte des Drucks aus nächster Nähe verfolgt hatte, mißtraute vielleicht den Details der Schilderung. Weder zur handschriftlichen Kopie noch zum Druck machte er irgendwelche Anmerkungen, wie man sie häufig zu anderen Dokumenten findet. Sicher war nur, daß am 2./3. Januar 1572 eine ungewöhnliche Sonnenerscheinung beobachtet worden war. Vielleicht leuchtete Wick die Verbindung zum Aufruhr und zur Hinrichtung Plantas darum nicht ein, weil die Sonne nicht blutrot gefärbt gewesen war wie vor verschiedenen blutigen Schlachten. Die gegen Ende der Beschreibung erwähnten Regenbogenfarben paßten nicht zur Hinrichtung. Näher lag darum die Assoziation von Sonne und Feuer. Außerdem dürfte Wick von einem lokalen Bezug auf die Stadt Chur überzeugt gewesen sein, weil ihm keine vergleichbaren Nachrichten zur Beobachtung der ungewöhnlichen Sonnenerscheinung an anderen Orten bekannt geworden waren. Als sich später die Feuersbrünste ereigneten, handelte Wick wieder einmal wie ein Wunderzeichendeuter, der das Buch der Geschichte aufschlägt und darin nach passenden Vorzeichen sucht, um die Bedeutung der göttlichen Prodigien »nachherzusagen«. In diesem Fall führte ihn das auf eigene Wege, jenseits der offiziellen Wunderzeichenpolitik Bullingers und der Churer Kirchenmänner.

Geht man davon aus, daß Nachrichten und Dokumente über die Churer Ereignisse unter den Großmünsterpfarrern zirkulierten, daß die Ereignisse Gesprächsthema waren, so darf man vielleicht noch weiter gehen und vermuten, daß die Zürcher Pfarrer überhaupt zweifelten, daß das »Sonnenmirakel« mit der Planta-Affäre etwas zu tun hatte. Vielleicht mißtraute auch Bullinger der mühsam rekonstruierten Beschreibung des Zeichens wegen des zeitlichen Abstands, der zwischen dem Datum der Erscheinung am 2./3. Januar 1572 und der Befragung von Augenzeugen durch Egli und Campell eingetreten war.[61] Ist diese Vermutung zutreffend, so wäre zwi-

---

[60] ZBZ, Ms. F 21, fol. 80ʳ (Randbemerkungen zum Titel der handschriftlichen Kopie der Wunderzeichenflugschrift Campells).

[61] In HBD wird weder in der knappen Schilderung der Affäre Planta (S. 109), noch bei Erwähnung des Churer Stadtbrandes von 1574 (S. 121) auf das Sonnenmirakel vom Januar 1572 eingegangen.

schen zwei Deutungsversionen, die in Zürich kursierten, zu unterscheiden: einer offiziellen und einer inoffiziellen. Die offizielle, politisch opportune und publizistisch verbreitete, hätte demnach einen eindeutig funktionalen Charakter; die inoffizielle hingegen würde nur noch einmal unterstreichen, wie ernst es die Zürcher Pfarrer mit der historisch-chronologischen Wunderzeichendeutung nahmen und wie sehr sie dieser Methode vertrauten.

Wenn eine Stadt wie Chur 1574 und 1576 brannte, so hatte dies aus zeitgenössischer Perspektive immer etwas vom Schicksal Sodoms und Gomorras an sich, und dies warf in retrospektiver Deutungsrichtung des theologisch-moralischen Kausalmodells ein sehr unvorteilhaftes Licht auf die Betroffenen. Der Ortsbezug des »Sonnenmirakels«, den Wick durch seine spätere Deutung auf Chur selbst einschränkte, brachte insofern einige peinliche Implikationen für den moralischen Zustand der Stadt mit sich. Aus der Distanz von mehr als hundert Kilometern scheint ihm eine solche Bewertung, bei aller konfessionellen Nähe zur Churer Kirchenleitung, nicht sonderlich schwergefallen zu sein. Gottesstrafen lassen sich aus sicherer Entfernung bequem zum Gegenstand theologischer Kontemplation machen und zum Exempel für das Wirken einer metaphysischen Gerechtigkeit, aber ebenso für eine metaphysische Gnade erheben, hat Gott doch durch Zeichen viele Jahre vor dem Vollzug seine Strafe angedroht. Die Dinge verhalten sich anders, wenn man selbst betroffen ist ...

2. BLITZSCHLAG UND GOTTESURTEIL

> *Marcellus:*
> Something is rotten in the state of Denmark.
> *Horatio:*
> Heaven will direct it.
>
> Shakespeare, Hamlet (I/4)

2.1. Wo der Blitz einschlägt

Wenn Kirchen in Flammen aufgehen, so ist dies im konfessionellen Zeitalter ein hochbrisantes Politikum. Kirchtürme pflegen weit in den Himmel hinaufzuragen. Schließlich müssen sie den Glockenschall über die ganze Gemeinde verteilen, damit die »Kinder Gottes« ihren Tagesablauf danach einrichten können. Kirchenglocken erfüllten auch nach der Reformation, und auch im reformierten Zürich, weit mehr als nur die Funktion, zum Gottesdienst zu läuten, wie ein Blick in Bullingers Schrift *Von dem Glocken lüthen* unmittelbar deutlich macht.[62] Die spitzen Kirchtürme wirkten freilich schon immer wie Blitzfänger. Kein Wunder, daß es in Kirchen besonders häufig einschlug, bevor Blitzableiter Abhilfe leisteten.

Im sechzehnten Jahrhundert kam das Wetter immer noch direkt von Gott, und wenn es donnerte und blitzte, so war dies ein sicheres Zeichen für einen Ausbruch seines Zorns. Blitzeinschläge in Gotteshäuser wurden diesen Voraussetzungen entsprechend wahrgenommen: Sie sagten unmittelbar etwas über den Zustand der Kirchengemeinde aus, die es traf. »Something is rotten ...« – aber was? Die Interpretationen solcher Ereignisse hingen ganz von der Perspektive dessen ab, der sich an eine Deutung wagte, ob in polemischer oder apologetischer Absicht. Alle Differenzen, die für die moralisch-sittliche Ordnung der Gemeinwesen in der zweiten Hälfte des sechzehnten Jahrhunderts eine Rolle spielten, konnten dabei aktiviert werden, vor allem natürlich konfessionelle.

---

[62] Heinrich Bullinger, *Von dem Glocken lüthen/ ouch von den brüchen vnd sachen die dem lüthen anhangend/ für das alt recht der gleübigen lüthen/ Wider das nüw bápstisch vnd abergleübig gelüth/ Kurzer bericht vß der Biblischen geschrift vnd alten historien zesamen gezogen.* Erhalten in einer Abschrift von Johann Rudolf Stumpf: ZBZ, Ms. A 70, pag. 75–84. Weitere Abschriften: ZBZ, Ms. A 124 b, Nr. 6; Ms. B 285, S. 350–359; Ms. F 89, fol. 724–729; Ms. J 290, Nr. 6; S 403, Nr. 5; S 433, Nr. 20. Unter dem Titel »Das Glockenläuten« gedruckte Transkription in: BULLINGER, Schriften zum Tage (2006), S. 315–327; modernisierte Version in: HBSchr VI, S. 469–481.

2. Blitzschlag und Gottesurteil

Aus protestantischer und reformierter Sicht wirkte es bestätigend, wenn aus Rom berichtet wurde, der Blitz habe am 16. Februar 1572 das päpstliche Castel S. Angelo getroffen, und dabei seien die vergoldeten Kupferengel auf den Turmspitzen vollständig eingeschmolzen. Diese Nachricht traf im März 1572 aus Augsburg in Zürich ein, und Wick notierte dazu ein Parallelereignis aus dem Jahr 1537, als es ebenfalls einen Engel auf der Engelsburg getroffen hatte.[63] Es versteht sich beinahe, daß die Berichterstattung auf jede Deutung verzichtete, zumal sie aus einer konfessionell geteilten Reichsstadt kam. Aber auch Wick enthielt sich in diesem Fall wertender Kommentare, wenn auch vielleicht nicht aus vornehmer Zurückhaltung, sondern darum, weil aus zwinglianischer Sicht die Tatsache für sich selbst sprach. Man muß nicht tief in reformiertes Denken eingedrungen sein, um sich ausmalen zu können, welche Vorstellungen von den Verfehlungen des Papsttums es wohl mit den vergoldeten Engeln auf der Engelsburg verband: vor allem den Bildertand der katholischen Kirche und ihren Reichtum. Zwar glaubten auch Protestanten und Reformierte an die Existenz der Engel. Von Calvin und in der von Bullinger verfaßten *Confessio Helvetica posterior* wurden sie aber nicht als Mittler zwischen Gott und Mensch (im Sinne der Interzession) angesehen.[64] Im *Hausbuch* erklärte Bullinger die Engel für unzerstörbare, geistige Substanzen, die verschiedene körperliche Gestalten annehmen konnten, um für den Menschen sichtbar zu werden, und er widersprach damit den *Definitiones Ecclesiasticae*, denen zufolge die Engel leiblich waren.[65]

Nun bestand das Dilemma, daß Gewitter auch vor protestantischen und reformierten Kirchen nicht Halt machten. Die Peinlichkeit solchen Geschehens läßt sich an einem Bericht zum Brand von St. Pauls in London am 4. Juni 1561 ablesen, der den Zürchern aus England zugeschickt wurde.[66] Die schweren Brandschäden wurden darin ausführlich und unverblümt geschildert. Wahrhaben wollten die Londoner aber zuerst nicht, daß der Turm der Kathedrale vom Gewitter entzündet worden war. Fahrlässigkeit und Brandstiftung zog man in Betracht, doch schließlich, heißt es, »müßt menklich bekennen, das sömlicher Thurn vñ kirchē von der Straal angangē vñ verbrunnen«.[67] Gottes Zorn über Mißstände in Kirche und Gemeinde war damit zur Tatsache geworden. Die Reaktion war konsequent: Am Sonntag nach dem Unglück rief der Bischof das Volk zur Besserung des Lebens und zum Gehorsam gegen

---

[63] Vgl. ZBZ, Ms. F 21, fol. 150ʳ. LYCOSTHENES, Wunderwerck (1557), S. 493, berichtet lediglich von einem Blitzeinschlag in der Engelsburg, kommt also als Quelle nicht in Betracht.

[64] Das geht gegen die Angelologie des Pseudo-Dionysios. Vgl. zusammenfassend TRE 9, S. 606.

[65] BULLINGER, Hausbuch (1558), 39. Predigt, fol. 306ᵛ.

[66] ZBZ, Ms. F 12, fol. 212ʳ–214ᵛ. Laut Wicks Vermerk am Ende übersetzte Julius Terentianus, der Diener von Petrus Martyr Vermigli, die englische Vorlage ins Lateinische, Christoph Froschauer d. J. dann weiter ins Deutsche.

[67] ZBZ, Ms. F 12, fol. 214ʳ.

die Obrigkeit auf: »item zur verbesserung dess grosen missbruchs, so bishar in S. Pauls kirchen gebrucht«, heißt es weiter, »als mit schwåzen, fechten, troffierer der hundē vn̄ dess fåderspils, mit kauffen vnd verkauffen, vermanet, darmitt der zorn Gottes so sich enzündt, vn̄ ettlicher maass erzeigt, mōge hingenommē vn̄ gestille werden.«[68] Die Devotion ging nicht so weit, die protestantische Kirche Englands in Frage zu stellen. Akzentuiert und selbstbewußt datierte der Bericht das Ereignis auf das dritte Jahr der Regierung der Königin Elisabeth, »bschirmerin dess waren Glaubens«,[69] die auch tatsächlich sogleich ihre finanzielle Hilfe zusagte, um den Schaden so schnell wie möglich zu beheben. Erst im »Great Fire of London« 1666 ging der alte Bau endgültig in Flammen auf. St. Pauls wurde danach von Christopher Wren neu konstruiert.[70]

Nicht alle Einschläge in reformierte oder protestantische Gotteshäuser wurden in Zürich mit gleicher Sorge zur Kenntnis genommen. Dazu waren sich die Evangelischen untereinander viel zu uneinig. Die Bewertung hing von der jeweiligen politischen Lage ab. Mit Blitzeinschlägen in Wittenbergs Schloßkirche, in die Pfarrkirche und ins Augustinerkollegium am 13. Juli 1577 konnte man in Zürich gut leben. Man brachte sie mit der zwei Tage zuvor in der Schloßkirche gehaltenen Predigt von Jakob Andreae in Zusammenhang.[71] Andreae war Hauptinitiator der lutherischen Konkordienformel, die gerade im vorangehenden Mai einen entscheidenden Schritt vorangekommen war.[72] Sie bezweckte und erreichte schließlich eine Einigung unter den zerstrittenen Lutheranern, klammerte damit aber eine Einigung der verschiedenen protestantischen und reformierten Richtungen in ganz Europa aus. Aus Sicht der Ausgeschlossenen bedeutete dieser Alleingang Spaltung. Das führte zu Kontroversen.[73] Der Weg zur Konkordienformel wurde in Sachsen gebahnt, nachdem dort zuerst die Flacianer und dann sogar die kryptocalvinistischen Philippisten ausgeschaltet worden waren.

---

[68] Ibid., fol. 214^v.

[69] Ibid., fol. 212^v.

[70] Vgl. PORTER, Great Fire (1996), Abbildungen des alten Baus S. 53 und S. 146. Zum Brand von 1561 kurz BURMAN, St. Paul's (1987), S. 11 f.

[71] Jakob Andreae wird in den *Wickiana* mehrfach erwähnt, so etwa in einer Randbemerkung, ZBZ, Ms. F 19 fol. 203^r. Außerdem in einem Schreiben von Georg Kugelmann an Bullinger vom 31. Juli 1573; siehe Ms. F 22, pag. 549–554. Erneut in einem Gedicht auf eine Mißgeburt, in dem an die Predigten von Brenz und Andreae für die betrügerische »Jungfrau von Esslingen« erinnert wird: Ms. F 29, fol. 97^r–104^r. Später noch einmal in einem Brief von Abraham Musculus an Ludwig Lavater vom 4. Mai 1586 über die Mömpelgarder Disputation mit Beza über Abendmahl, Christologie, Prädestination und Taufe; siehe Ms. F 34, fol. 133^r–134^v.

[72] Vgl. den Art. Konkordienformel von Ernst Kocher in: TRE 19, S. 476–483. Über Andreae vgl. Martin Brecht in TRE 2, S. 672–680. Kurz auch DBE 1, S. 129, NDB 1, S. 277 und ADB 1, S. 436–441. Außerdem seine Autobiographie: ANDREAE, Jakob Andreae (1991), die aber nur bis Ende 1561 reicht.

[73] Hierzu ausführlich DINGEL, Concordia (1996).

2. Blitzschlag und Gottesurteil

Die Antipathie der Zürcher gegen Andreae reichte zurück in die Zeit der Auseinandersetzungen zwischen Bullinger und Johann Brenz um die Ubiquitätslehre, in die sich Andreae 1565 einschaltete und die er nach Brenz' Tod allein weiterführte. Bullinger schloß sie mit zwei 1575 erschienenen Schriften ab.[74] Wick bietet in späteren Jahrgängen weitere Dokumente und ominöse Ereignisses auf, die mit Andreae und seiner Konkordie zu tun haben.[75] So erfuhren die Zürcher 1579 von Grynaeus aus Basel vom Tod des Paulus Crellius', der als Andreaes engster Anhänger betrachtet wurde. Heinrich Moller habe Grynaeus aus Hamburg geschrieben, ein Hund habe Crellius »by der gurgel erwüscht«, so daß er seine Hetzreden – vor allem gegen Peucer – nicht mehr fortsetzen konnte und er an den Folgen elend verstorben sei.[76] Das Bild zur Geschichte zeigt Crellius mit dem Konkordienbuch in der Hand und einem Hund am Hals. Die Begebenheit wird als »vrtheil Gottes« gewertet.

Zu den Philippisten und Gegnern Andreaes gehörte der Nürnberger Geistliche und ehemalige Wittenberger Professor Lorenz Dürnhofer. Er bewegte sich im engsten Umfeld des Juristen und Humanisten Christoph Herdesian, der publizistisch gegen die Konkordienformel vorging und mit den wichtigsten Vertretern der protestantischen Kirchen in ganz Europa korrespondierte.[77] Es war Dürnhofer, der die Nachricht von dem Wittenberger Gewitter in einem Schreiben vom 10. August 1577 nach Zürich meldete.[78] Darin heißt es, nachdem Andreae am 11. Juli die vorher von Dürnhofer »aufgezählten Blasphemien und Lehren« von sich gegeben habe, sei es ein »völlig evidentes Zeugnis eines Gottesurteils«, daß der Blitz zwei Tage später in die Schloßkirche, die Pfarrkirche und das Augustinerkollegium eingeschlagen habe.[79] Für Dürnhofer und für die Zürcher richtete sich dieses Gottesurteil gegen

---

[74] BULLINGER, Apologia (1575); deutsch: BULLINGER, Antwort Der Dieneren der Kyrchen (1575); und BULLINGER, Responsio (1575); deutsch: BULLINGER, Antwort Heinrych Bullingers (1575). Vgl. HBBibl 1, S. 266 f. Zur Auseinandersetzung mit Brenz und Andreae: SCHULZE, Stellung zum Luthertum (1975), S. 300–314.

[75] ZBZ, Ms. F 29, fol. 29^r–30^v (»Wie doctor Schmidli an Landgraff Wilhelm zu Hessen der subscription halb an sin Concordi buoch begärt.«), fol. 31^r–32^v (»Ein Nüwes Erhalt vns herr sich hiemit nit vor dem Römischen Sonder dem schwäbischen Baapst zuo sägnen.« – Lied in 30 Strophen), fol. 33^r–35^r (»Schrijben Landgraff Wilhelmen an D. Celestinum, darinn ime die Biblia quinque linguarum überschikt mitt angehenckter erinnerung deß Concordij buochs.«); Ms. F 29a, fol. 60^r (»Neuwer Zeitung vber dz Concordien buoch gemacht.«).

[76] ZBZ, Ms. F 29, fol. 195^r.

[77] Zu Herdesian, Dürnhofer und Nürnbergs Haltung zum Calvinismus einerseits und zur Konkordienformel andererseits ausführlich DINGEL, Concordia (1996), S. 207–279.

[78] Lat. Briefauszug von Wicks Hand in ZBZ, Ms. F 26, fol. 35^{rv}, mit anschließender Übersetzung fol. 35^v–36^r und einer Abbildung. Die Vorlage war mit Hilfe der in der ZBZ vorhandenen Briefregister nicht zu ermitteln. Einige Briefe Dürnhofers an Heinrich Bullinger, Rudolf Gwalther, Josias Simler und Johannes Wolf vom Anfang der 70er Jahre sind im Thesaurus Hottingerianus überliefert. Hier auch ein Brief an Heinrich Wolf von 1587. Siehe ZBZ, Briefreg. Thes. Hott. (alphabetisch). Auszug eines Schreibens an Bullinger vom 16. Juni 1572 in Ms. F 21, fol. 226^v–227^r.

[79] Die zitierten Stellen lauten im lat. Original: »enumeratas blasphemias et doctrinas« sowie

Andreae und seine Bestrebungen. Am 25. Mai 1582 berichtete Dürnhofer von ähn
lich ominösen Blitzschlägen in den Turm der Kirche St. Lorenz in Nürnberg, in de
gegen Herdesian gepredigt wurde.[80]

2.2. Münsterturmbrand 1572

Was aber, wenn es die eigene Kirche trifft? – Mittwoch, der 7. Mai 1572 war ei
heißer Frühlingstag. Am Nachmittag zog ein schweres Gewitter über der Stadt auf
Zwischen fünf und sechs Uhr fuhr der Blitz in den Glockenturm des Zürcher Groß
münsters und löste ein Feuer aus.[81]

Wick läßt die Sequenz von Dokumenten, die er im zehnten Buch seiner Chroni
zu diesem Ereignis zusammengetragen hat, mit einem Brief Bullingers an eine
nicht genannten guten Freund beginnen.[82] Niemand anders als der Vorsteher de
Zürcher Kirche selbst war in diesem Fall gefragt. Ich zitiere das Original in volle
Länge:

> Am mitt wuchen den 7 Maÿ vff den abendt zwüschend 5 vnd 6 hat die heiß Straal i
> Münsterthurn allhie Zürich geschlagen/ in den/ der gägen minem huß oder gägen
> Zürichberg stadt. Vnd nam in zů oberist vnder dem hälm. Da gieng es entwäril
> hindurch vnd hůb an brünnen. Vnd mocht aber niemandt von wägen der höhe vnd eng
> des turns darzů komen. Ettlich thattend sich in den halben helm oder tach/ vnd vnder
> stůndend das ober brünnend teil zůfellen. Das wolt aber vilen nit gefallen/ das sÿ von
> howen ließend. Also bran er oben herab/ biß zum end/ vff das murweerch/ das in
> niemandt gewerren kont noch mocht. Das wäret biß vm die 9 vff die nacht. In de
> anderen thurn hat man löcher vßbrochen/ darunder warend redlich lüt/ die in aller hi
> verharretend mit schütten. Dan der selb turn zum anderen mal anhůb rüchen. Da sÿ s
> häfftig schuttend vnd wartend/ vnd vorab Gott gnad gab/ das er erhalten ward. Vnd v
> dem brünnenden thurn/ fielend die balchen vnd trem herab vff den kilchhoff/ vnd zun
> teil vff das Münstertach/ vff die kilchen/ zerschlůgend das tach/ Es warend aber di
> Burger vff der kilchen tach/ vnd innen der kilchen/ in der höhe vff dem gwelb/ di
> wartend dem füwr/ das es nit mocht an der kilchen tachstůl anzünden. Dan sÿ da ga
> trostlich arbeitend. Dieweil aber in dem brünnenden thurn die gloggen warend/ vn
> große gefaar das dz fhür hinab in thurn/ vnd kilchen kame/ stalltend sich etliche
> burger/ vnd etlich vnser herren selbs/ vff den obristen boden/ bi den ergglen vn
> wächter hüßli/ ob den gloggen/ überschuttend den boden mit mist/ vnd machtend al
> ein wÿer mit waßer. Dahin schoß herab des träms vnd der fhürinen balchen vil/ di

---

»euidentissimo diuini iuditij testimonio«. Vgl. ZBZ, Ms. F 26, fol. 35^v; deutsche Überset
zung fol. 36^r.

[80] ZBZ, Ms. F 30, fol. 257^rv in einem Schreiben an Rudolf Gwalther. Absender und Empfän
ger werden hier genannt, außerdem die bestätigende Meldung eines Zürcher Händlers au
Nürnberg notiert.

[81] Vgl. die Beschreibung im Tagebuch Wolfgang Hallers: ZBZ, Ms. D 271, »Brunst Jm Mün
sterthurn«, Kalender 1572, das Blatt nach dem Kalenderblatt »Maius/ Mey«, auf der Rück
seite.

[82] ZBZ, Ms. F 21, fol. 140^r–141^r.

erwischtend sÿ dan vnd stießends zů den fensteren vß/ vnd werffends hinab vff den kilchhoff/ vnd verharretend mit großer nodt/ das iederman in engsten was sÿ werdend all verbrünnen. Dan sÿ im̃ selben boden allein die fallen hattend/ die eng ist/ dardurch man Inen das waßer zůbracht. Doch gab Gott gnad das sÿ da verharretend biß das holzwerch gefallen vnd das fhür gestillet das kein gefaar me da was.

Alle hüser vm̃ das Münster warend wol versähen mit anstellen der leiteren/ mit standen/ mit waßer/ vnd lüthen die daruff wartetend. Die wält man vnd weib döchteren Jung vnd alt/ werchetend trostlich mit waßer vnd mist tragen. Da was nieman vnwillig. Vnd in allem brünnen/ wie es im halben tach was/ schikt gott ein gwaltigen plazregën/ der gar wol half/ das der ander thurn nit ouch angieng/ vnd das fhür ouch nit hefftig wůtet/ sunder zam vnd gmachsam nidsich bran.

Vnd ist sich größlich der gnad Gottes zů verwunderen/ das in einer so großen wält/ als do was/ vnd in der höhe/ vnd in so gfarlichem fhür/ insonders mit dem fallen vnd[83] werffen der trämen vnd balchen/ ouch der zieglen vnd eÿmeren nieman me schädlich verlezt. Ettlich vff der fallen sind wol übel geprändt/ doch ouch nit schädlich. In sum̃a Gott hat sin gnad vnd hilff nit von vns zogen/ ob er glichwol domit gwarnet hat.

Es kam ouch ein große welt ab dem Seeh/ vnd ab dem land/ gar trostlich gehorsam vnd willig. Aber die Burger hattend schon langist/ beid thürn/ die kilchen/ vnd alles ingenom̃en. Vnd hulfend die biderben lüt ouch trüwlich wz sÿ kontend.

Vnd das noch wunderbarer/ ward grad am donstag/ gester/ ia ein tags/ der thurn/ die kilch/ vnd kilchhoff/ welche doch alle verwůstet/ voll verbruñer trämen/ voll Zieglen/ mists/ waßers/ standen/ leiteren/ eÿmeren lagend/ das ÿemands vermeinen mög in 8 tagen werde das nit gesüberet/ ia eins tags gesüberet werden vnd alle tächer so zerschmäteret/ vf den tag widerum gemacht werdend/ darzů in 8000 Ziegel verbrucht/ ia das alles ward gesüberet vnd wider gerüst/ das ich hüt fritags/ wider zum Münster prediget hab. Gott sÿe gelobt. Das schrib ich üch/ das ich wol weiß das vil reden vß gand/ vnd das ir den rechten grund habind. Vnd alle Zÿt wir Gott füreinanderen bittend/ das er vns vor böserem behůte. Amen. 9 Maÿ 1572.[84]

Der Brief vom 9. Mai 1572, voll frischer Erinnerung, beginnt mit der *narratio* des Ereignisses. Bullingers Schilderung ist die eines Augenzeugen, nur zwei Tage nach den Ereignissen niedergeschrieben, detailliert und gewiß auch detailgetreu. Aber sie ist keineswegs ein neutraler Tatsachenbericht. Absichtsvoll rückt der Zürcher Antistes den Kampf der Gemeinschaft gegen das Feuer in den Mittelpunkt. Schließlich ging es um den Erhalt des wichtigsten Zürcher Kirchenbaus, der die zentrale Schaltstelle und darum die ganze Zürcher Kirche im geistigen Sinne, und d.h. ja im eigentlichen Sinne des Wortes repräsentierte. Am Einsatz der Bürgerschaft, an der Opferbereitschaft der einzelnen, ihrem Mut, ihr Leben einzusetzen, erwies sich die moralische Qualität des ganzen Zürcher Gemeinwesens. Die Einigkeit der Gemeinschaft in der Not war es, die Schlimmeres verhinderte, Schlimmeres als den Verlust von Holzwerk und Helm des Glockenturms und ein paar andere Schäden – Schlimmeres, das aber möglich gewesen wäre, etwa der Übergriff des Feuers auf den zweiten Turm, auf das Kirchenschiff oder die umliegenden Häuser, oder Personen-

---

[83] Ein Wort gestrichen: »trämen«.

[84] Brief von Heinrich Bullinger an Conrad Ulmer, Zürich, 9. Mai 1572: StBS, Ministerialbibliothek, Cod. 127 (=Ulmeriana III), Nr. 198, S. 591 f.

schaden durch herabfallende Trümmer. Entscheidend dafür war aber nicht etwa gute Feuerwehr.

Die Abwendung größeren Schadens war für Bullinger eine Frage der Gnade Gottes. Ohne sie konnte der gefallene Mensch ohnehin nichts Gottgefälliges tun. Die Ablehnung katholischen Verdienstdenkens ist konsequente reformatorische Lehre.[85] Gnade war schon die Strafe selbst, deren Funktion darin bestand, die Zürcher Gemeinde zurück auf den Weg zu Christus und zum Heil zu bringen. Dreimal bemerkte Bullinger, daß Gott Gnade gegeben habe. Die Gnade des nachlassenden Feuers aber läßt der Brief dann doch als unmittelbare Reaktion Gottes auf den sichtbaren Zusammenhalt und die Funktionsfähigkeit des Zürcher Gemeinwesens im Kampf gegen das Feuer erscheinen – beinahe so, als mildere er nach dem Aufrütteln der Gemeinde und ihrer sichtbaren Bewährung seinen Gewitterzorn wieder ab. Als Zeichen der Abmilderung erscheint auch, daß Gott selbst zur Unterstützung der Löscharbeiten einen »gewaltigen plazregen« schickte, der vermeintlich zu verhindern half, daß auch der zweite Turm Feuer fing. Der Allmächtige hält eben nicht nur Blitz und Donner in seiner Hand, er ist auch sonst ein Wettergott.

Die Bewährung der Gemeinschaft, die von ihr abverlangte Leistung war mit dem Löschen des Feuers freilich noch nicht vollständig erbracht. Erst mußte das Gotteshaus in einen Zustand versetzt werden, der es gestattete, wieder darin zu predigen. Erst nachdem die äußere Ordnung der Christengemeinde wieder restauriert war, konnte sie auch innerlich wieder als intakt gelten. Am Tag nach dem Unglück, am Tag nach dem Donner – »ward grad hernach am Donstag«, schrieb Bullinger – waren der Turm, die Kirche, der Kirchhof, der Kreuzgang geradezu verwüstet: Trümmer lagen herum, Balken, Ziegel und leere Eimer, Leitern lehnten an den Wänden, Mist und Wasser bedeckten den Boden, die Dächer mußten neu gedeckt werden.[86] Für Bullinger war es »noch wunderbarer« als die glückliche Wende während des Brandes, daß dieses Chaos an einem einzigen Tag so weit beseitigt wurde, daß er schon am Freitag wieder die Predigt halten konnte.

Die Dramaturgie des Geschehens und die der Schilderung sind schwer auseinanderzuhalten. Aus erster Hand besitzen wir nur Bullingers Darstellung, und die konstruiert Steigerungen. Ein Moment der Steigerung betrifft das Handeln der Gemeinschaft: Zunächst scheint es, als habe niemand helfen wollen noch Rat gewußt; dann kommen die ersten Mutigen, immer mehr Menschen beteiligen sich an der Lösch- und Rettungsaktion; schließlich nimmt auch die Bevölkerung der Landgemeinden aus nächster Umgebung Anteil. Dieser Umstand war von größter Bedeutung, denn zum Gemeinwesen Zürichs gehörte auch die Landbevölkerung: »Es kam ouch ein große welt ab dem Seeh/ vnd ab dem land/ gar trostlich«, betonte Bullinger, und

---

[85] Vgl. treffend GROH, Weltökonomie (i. V.), in den Ausführungen zur Sündenlehre Bullingers.
[86] Zu diesem Szenario auch kurz Haller: ZBZ, Ms. D 271, zu April 1572 (Rückseite) unter der Überschrift: »Res insolita Tiguri. Concio non habita«.

wichtiger noch: auch »gehorsam vnd willig«, der Zürcher Stadtbürgerschaft mit helfender Hand beizustehen.

Eine zweite, damit verbundene Steigerung liegt in der Bekämpfung des Feuers und seiner Folgen: Sie gipfelt darin, daß nur zwei Tage nach dem Unglück im Großmünster wieder die Predigt gehalten werden konnte. Indirekt gab Bullinger damit zu, daß dies am Tag nach dem Brand nicht geschehen war. Daß sich genau dieser Umstand auch umgekehrt betrachten ließ, und zwar im engsten Umfeld des Großmünsters, zeigt eine Notiz des Stiftsverwalters Wolfgang Haller: »vñ ward kein predig vff den tag gehaltē[,] das wol als bald sid der Reformation nie beschehen was. Vñ gschach ouch kein Predig in aller statt.«[87] Für einmal, so scheint es, brachte Gottes Zorn selbst die Prediger zum Schweigen. Gerade in diesem Umstand kommt die ganze Peinlichkeit des Geschehens zum Ausdruck. Hallers Sicht repräsentiert eher als Bullingers eine Zürcher Innenperspektive, der gegenüber die Schilderung in Bullingers Brief als Umwertung gelesen werden kann.

Bullingers Darstellung wird im Ganzen von einer Sichtweise gesteuert, die selbst nicht zur Sprache kommt. Sie war so tief in der Logik theologischer Wunderzeichen- und Katastrophendeutung verwurzelt, daß sie gar nicht eigens verbalisiert werden mußte: Das wundersame Geschehen hatte Verweisungscharakter. Es bedeutete etwas anderes als es selbst. Im äußeren Ereignis spiegelte sich der innere Zustand des Gemeinwesens. Das Ereignis und seine Darstellung waren deshalb durch und durch allegorisch. Bullingers Brief setzte das gerade im Verzicht auf explizite Allegorese schon voraus. Gottes Zorn war ebenso evident wie der darin liegende Hinweis auf einen Defekt im Gemeinwesen Zürichs. Folglich konnte nur eine Wende zum Guten den Eindruck dauerhafter Unzufriedenheit des Allmächtigen abmildern.

Der Brief wandte sich mit apologetischer Absicht nach außen, wenn auch an einen Freund. Bullinger erklärte sich deutlich darüber: Er schreibe dem Freund, führte er aus, weil er wisse, »das vil reden vss gend, darmitt irr den rechten grund habind«. Es ging also um Prävention gegenüber dem Hörensagen, dem unvermeidlichen Gerede, dem von vornherein eine offizielle Version des Geschehens entgegengestellt werden sollte. Die Unvermeidlichkeit der in Umlauf kommenden »reden« ließ dies politisch klug erscheinen. Kommunikation erzeugt Kommunikation.

Bullingers Vorgehen durchdringt man erst dann, wenn man das Verhältnis von Erzählung und Ereignis bedenkt und eine Vorstellung davon entwickelt. Das Ereignis verbreitet sich nur in Erzählungen und lebt darin weiter. Es geht dabei aber weder in der Summe noch im Gemeinsamen aller Erzählungen auf – so wenig, wie es die Summe oder den kleinsten Nenner aller Wahrnehmungen derer bildet, die es mit eigenen Augen gesehen haben. Aus der Vielzahl der Wahrnehmungen entstehen

---

[87] Ibid.

bereits verschiedene, oft unvereinbare Versionen des Geschehens, und keine davon ist das Ergebnis interesseloser Objektivität. Auch der Historiker schreibt am Ende nur seine Version auf und setzt damit die »Arbeit am Mythos« fort. Weil diese Arbeit nie zur letzten, definitiven Version kommt, wird Geschichte immer wieder neu geschrieben. Wenn nun die »reden« ausgehen, vermehren sich die Varianten, vermischen sie sich untereinander usw. Mündlich, in Form des Gerüchts, oder auf schriftlichem Weg erreichen Erzählungen des Geschehens die Träger öffentlicher Kommunikation in einer konfessionell gespaltenen Gesellschaft. Nachrichten gewinnen dann schnell eine politische Qualität.

Was konnte Bullinger mit seinem Schreiben bewirken? – Will man diese Frage beantworten, so verdient zunächst der Adressat Aufmerksamkeit. Für Wick und die Überlieferung des Briefes in seiner Chronik scheint es nur wichtig gewesen zu sein, daß es sich um einen Freund handelte, um jemanden also, der Zürich, seinem Glauben und dessen wichtigsten Repräsentanten in der Zürcher Kirche wohlgesinnt war. Von einem Freund erwartet man ganz sicher keine üble Nachrede – und auch nicht, daß er eine so heikle Geschichte wie die vom Brand des Zürcher Großmünsters zum Schaden der Freunde mißbraucht. Im Gegenteil.

Dieser Freund nun war Conrad Ulmer, Vorsteher der reformierten Kirche in Schaffhausen und eine Schaltstelle im Nachrichtensystem, weil Schaffhausen am Kreuzungspunkt verschiedener Postwege lag, mit der Hauptlinie, die von Nürnberg herunter bis nach Lausanne, Genf und weiter nach Lyon führte. Bullinger war durch Boten damit verbunden. Dem Freund Ulmer war vermutlich die Rolle eines einflußreichen Multiplikators einer für die Zürcher Kirche günstigen Version des Ereignisses vom 7. Mai 1572 zugedacht. Daß Bullinger an eine weitere Verbreitung seiner Schilderung dachte, dafür spricht die Form des Nachrichtenbriefs in deutscher Sprache: Die Schilderung der Ereignisse wurde also auf einem separaten Blatt als Briefanhang verschickt. Für solche Beilagen galt allgemein, daß sie herumgezeigt, vorgelesen, kopiert und weiterverschickt werden konnten. Vor allem die Mitstreiter Zürichs sollten aus erster Quelle vom Geschehen erfahren und auf solche Weise vom Funktionieren des Zürcher Gemeinwesens und davon überzeugt werden, daß es nach wie vor auf die Gnade Gottes vertrauen konnte und ihrer würdig war – trotz des »Warnschusses« in den Glockenturm des Großmünsters. Bullingers Schreiben stellte somit eine Art außenpolitischen Akt dar, ganz besonders in der angespannten Lage des Jahres 1572.

Bullinger selbst gab dem Brief den Rang eines offiziellen Schreibens. In seinen *Annales Vitae* findet man nach einer knapperen Schilderung der Ereignisse vom 7. Mai 1572 die Bemerkung, er habe »davon ein besondere gschrift verzeichnet«.[88] Etwas anderes als der Nachrichtenbrief an Ulmer kommt dafür nicht in Frage. Eine

---

[88] HBD, S. 109.

Verbreitung in gedruckter Form, als Flugschrift oder Flugblatt, erfolgte nicht und lag auch nicht im Zürcher Interesse.

Stichproben können den Erfolg der Apologetik Bullingers belegen. Noch in der katholischen Chronistik klingt sie durch. Renwart Cysat in Luzern datierte das Ereignis zwar irrtümlich in das Jahr 1571 zurück, gab sonst aber eine in ihrer Kürze durchaus zutreffende Darstellung, die auf jede konfessionelle Polemik verzichtete: »Anno 1571 geschah der statt Zürich ein großer schaden. Das wetter schlůg jn den einen Münsterthurn, hat den helm gar abgebränt, hatt nitt mögen gelöscht werden, vnd mitt großer sorg vnd arbeitt die gloggen erhallten worden.«[89] Auch hier also war der Erhalt der Glocke ein Detail, das nicht verschwiegen wurde, und sicher eines, das nicht zum Nachteil der konfessionellen Konkurrenz in Zürich ausgelegt werden konnte. Und in Zürich selbst? In Ludwig Lavaters Bullinger-Biographie heißt es unter 1572 lakonisch: »Jn disem jar ist der ein thurn am Grossen Münster Zürych von der straal zů oberist angezündt/ vnd on wyteren schaden abgebrunnen.«[90]

Aber kehren wir noch einmal zum Kern des Problems zurück, dem heiklen Punkt selbst, nämlich dem offensichtlichen Zorn Gottes. Daß er ins Herz der Zürcher Kirche traf, war dem Ereignis unübersehbar eingeschrieben. Bullinger versuchte dieses ebenso evidente wie peinliche Faktum, so gut er vermochte, herunterzuspielen. Wo er es eingestand, offenbart sich bei näherem Hinsehen eine nach wie vor bewährte Strategie politischer Apologetik, nämlich eine Verschiebung der Akzente, so daß aus der Nebensache die Hauptsache wurde. Bevor er die Schilderung mit den »wunderbaren« Aufräumarbeiten am Tag nach dem Brand fortsetzte, zog er folgendes Zwischenfazit: »In suma Gott hat sin gnad vnd hilff nit von vns zogen/ ob er glichwol domit gwarnet hat.« Diese Ordnung von Haupt- und Nebensatz stellte die Chronologie und die mit ihr in diesem Fall verbundene Wertigkeit auf den Kopf, war doch zunächst ein göttlicher Zornesausbruch über Zürich hergefallen. Erst dann folgten Umstände, die man in Zürich als Gnadenbeweise Gottes deuten wollte, in Bullingers Bericht jedoch absichtsvoll in den Vordergrund gerückt wurden.

In einem Brief an Tobias Egli in Chur – am selben Tag (siehe im Anhang Dok. 3), vermutlich jedoch vor dem Brief an Ulmer verfaßt – gab Bullinger der Warnung Gottes noch den ihr gebührenden Vorrang: »Gott hatt uns heÿmgesůcht/ aber in allem vil gnaden bewisen in mitten alles lÿdes«, heißt es dort ganz am Ende. Im Brief an Egli war außerdem die Steigerung des Wunderbaren im glücklichen Wirken der Gemeinschaft nicht so deutlich herausgestellt.

---

[89] Kollektaneen von Renwart Cysat, Transkription nach dem Original: ZHBL: 97.fol., 143ᵛ. Vgl. in der Teiledition von Josef Schmid: CYSAT, Collectanea chronica (1961), 1. Abteilung, 1. Bd., 1. und 2. Teil, S. 899.
[90] LAVATER, Vom låben vñ tod Bullingers (1576), fol. 29ʳ.

Der Vergleich wirft weiteres Licht auf Bullingers rhetorischen Stilmittel: Während im Brief an Egli die Balken vom Holzwerk des Glockenturms in das Wächterhäuschen schlicht »fallen«, »schießen« sie im Brief an Ulmer gefährlich herab und werden von den Männern »erwischt« – nicht bloß gefaßt – und zum Fenster hinaus in den Kirchhof gestoßen. Während die Löscharbeiten im Brief an Ulmer mit größerer Emphase geschildert werden, wohl um deren Gefahr und Leistung zu unterstreichen, wird der Charakter des Feuers, der in direkter Beziehung zum Zorn Gottes steht, gemildert. Das Feuer habe »nit hefftig wůtet« und sei »zam vnd gmachsam nidsich« gebrannt. Davon ist im Schreiben an Egli ebensowenig die Rede wie von dem angeblich so hilfreichen Platzregen. Auch Gottes Gnade wird dort nur am Ende einmal betont.

Bullinger kam in einem weiteren Brief an Egli vom 16. Mai 1572 noch einmal auf den Blitzeinschlag im Glockenturm zurück, und hier, in lateinischer Vertraulichkeit, hört man ganz andere Töne. Was stutzig macht, ist Bullingers Unsicherheit darüber, ob er Egli von dem Ereignis überhaupt schon berichtet hatte. Eine Gedächtnislücke? Vielleicht muß man der Äußerung mißtrauen und sie wiederum als Versuch werten, dem Geschehen wie seinen Ergänzungen so weit wie möglich den Charakter des Beiläufigen zu geben. Wie dem auch sei: Bullinger verzichtete auch diesmal nicht darauf, zunächst Gottes Gnade in der erfolgreichen Abwehr größerer Schäden zu betonen:

Ich meine, Dir neulich von unserem Brand geschrieben zu haben, der den Glockenturm unserer Kirche verbrannt hat mit größter Gefahr für uns alle, obgleich auch wieder mit der größten Gnade und Verteidigung Gottes. Wenn ich Dir die Geschichte nicht geschickt habe, habe ich andere geschickt, falls du mich erinnert hast. Ich glaube allerdings, Dir die ganze Angelegenheit dargelegt zu haben. Wir bitten den Herrn, daß diese Zeichen nicht Vorzeichen größerer Übel sind.[91]

Dann folgt eine Passage, die in Bullingers »geschrifft« an Ulmer nicht zu lesen war:

Wenn sie [die Übel] von Gott beigebracht worden sein sollten, könnte man sich unmöglich beklagen. So groß ist der Frevel aller in ganz Helvetien. Ich fürchte, ich fürchte, es ist nicht weit bis zum Ende und zur Vergeltung.[92]

---

[91] »Nuper arbitror me tibi de incendio nostro scripsisse, quo tectum turris templi nostri conflagravit maximo omnium nostrum cum periculo, rursus maxima cum Dei gratia et defensione. Si historiam non misi, mittam alios, si monueris. Puto tamen me tibi summam exposuisse rei. Oremus Dominum, ut portenta haec non sint ostenta maiorum malorum.« StAZ, E II 342a, 680.

[92] »Quae si Domino inferrentur, accusari non posset. Tanta est omnium per Helvetiam consceleratio. Ich fürcht, ich fürcht, es sÿe nitt wÿt vom end und von der vergältung.« StAZ, E II 342a, 680.

2.3. Wicks Darstellung

Bullingers Briefe vom 9. Mai 1572 verschwiegen zwei Umstände, die den heiklen Punkt göttlichen Zorns stärker zur Geltung gebracht hätten. Es mag sein, daß Bullinger erst später oder gar nicht davon erfuhr.

Zum einen schildert Wolfgang Haller: »Es sazt der bÿswind an in aller brunst vñ treib das füwr vast gegen dem Carli turn«, der Wind habe dann aber bald wieder ausgesetzt.[93] Zum anderen erwähnt Wick, gegen sieben Uhr abends, während der Feuersbrunst, hätten viele Menschen die Sonne rot und blutfarben untergehen sehen, was sie mehr erschreckt habe als das Feuer selbst. In der doppelseitigen Illustration, die dem Münsterturmbrand im zehnten Buch der *Wickiana* gewidmet ist, fehlt dieses Detail nicht (Abb. F2). Die Sonne steht oben links im Bild, ganz korrekt im Südwesten, wie es sich für eine untergehende Maisonne in Zürcher Breiten gehört.

Vielleicht erklärt dies sogar die Ausrichtung des Bildes, das wie viele ähnliche Darstellungen in Wicks Büchern unmittelbar den Eindruck einer kindlich-dilettantischen Ausführung erweckt. Man sollte aus technischen Mängeln jedoch nicht schließen, daß der Zeichner nicht in der Lage gewesen wäre, Details, die ihm wichtig erschienen, hervorzuheben und sein »Werk« absichtsvoll zu gestalten. Es wäre auch irreführend, das zeichnerische Repertoire hier an den hohen Maßstäben der Renaissancekunst zu messen. Das würde nur zur Empörung über falsche Proportionen und verzerrte oder gar nicht vorhandene Perspektiven führen. Die *Wickiana* stehen in der Tradition der Bilderchroniken und damit zugleich der Buchillustration des Mittelalters. Zwar kann die Qualität der Illustrationen auch im Rückblick auf diese Tradition bei weitem nicht mit den Prachthandschriften konkurrieren, die man vor Augen haben mag. Aber im Hinblick auf die verfügbaren Ausdrucksmittel ergibt sich doch ein signifikanter Unterschied zum Realismus der Renaissance, denn in der Buchmalerei des 15. Jahrhunderts stellt es keine Regelverletzung dar, die Akteure überdimensional in Szene zu setzen. Vergleichbar mit dem Zürcher Großmünsterbrand ist etwa die Darstellung des großen Berner Stadtbrandes von 1405 im sog. »Berner Schilling« (Abb. A6). Die verzweifelt mit Löscharbeiten beschäftigten Bernburger sind hier im Verhältnis zu den brennenden Bauten sogar noch höher aufgeschossen als bei Wick.

Bei diesem Vergleich und der Einordnung in die Tradition der Buchmalerei geht es nur vordergründig um den Stil der Zeichnungen. Wichtiger sind die Folgerungen aus diesem Befund. Wenn nämlich die Überdimensionierung der Personen nicht einfach als dilettantischer Regelverstoß beiseite geschoben werden muß, dann kann

---

[93] ZBZ, Ms. D 271, zu Mai 1572, »Brunst Jm Münsterthurn«.

sie als Ausdruck einer darstellerischen Absicht in die Bilddeutung einbezogen werden, denn offensichtlich dient das optische Entgegenkommen übernatürlicher Vergrößerung, wie beim Gebrauch einer Lupe, zur Hervorhebung der Hauptsache. Die aber ist hier die Löschaktion der Gemeinschaft. Dieser Fokus im Bild würde also mit Bullingers apologetischer Hauptabsicht übereinstimmen.

Wick definiert seine Rolle als Chronist durch die Vorgaben Bullingers. Die Sequenz von Aufzeichnungen zum Münsterturmbrand beginnt mit dessen Schilderung, und schon daran zeigt sich der maßgebliche Charakter dieses Dokuments für die anschließende Deutung des Geschehens. Es folgt eine Liste der Personen, deren Einsatz besonders zu loben war, weil sie »irr lẏb vnd låben trostlich gewaget hannd«.[94] Gleichzeitig betont Wick, daß sich die Gemeinde als Ganze bewährt habe. Die Aufzählung ist streng hierarchisch und beginnt mit den Ratspersonen. Es folgen weitere Details, die Bullingers Bericht ergänzen: Sicherheitsmaßnahmen des Rates während der Löschaktion, die Organisation der Aufräumarbeiten am Tag nach dem Feuer, das schon erwähnte Wunderzeichen an der Sonne.[95] Daran schließt sich die Affäre um einen Schmachredner aus Affoltern an, auf die ich noch zurückkommen werde. Schließlich werden Parallelereignisse aufgezählt: Zur selben Zeit sei der Glockenturm der Kirche von Rosheim im Unterelsaß vom Gewitter entzündet worden und abgebrannt; in Freiburg im Üchtland habe »die Stral« ein Kruzifix in Stücke geschlagen. Am 26. Mai sei das Colmarer Münster abgebrannt,[96] am 5. Juni sei »das wetter« zu Schwyz in den Kirchturm gefahren, so auch am 26. Juni in einem Ort nahe Konstanz. Später werden noch weitere Brände genannt und der schon erwähnte Blitzeinschlag geschildert, der in Rom die Engel auf Castel S. Angelo eingeschmolzen haben soll.

Die Auswahl betrifft ausnahmslos katholische Kirchen und dürfte damit eine potentielle Verteidigungsstrategie erkennen lassen, die der konfessionspolemischen Ausschlachtung des Zürcher Brandes notfalls mit dem Hinweis auf »katholische« Kirchenbrände begegnen konnte. Dabei bleibt hier wie an anderen Stellen, an denen Blitzeinschläge in Kirchen geschildert werden, das kontroverstheologische Deutungspotential, das etwa in Bullingers Schrift über das Glockenleuten angelegt war,[97] ungenutzt, jedenfalls vorläufig. Die berichteten Gewitterschäden werden auch nicht ausdrücklich zum Blitzeinschlag in das Zürcher Großmünster in Beziehung gesetzt. Aber daß Wicks Leser hier vergleichen sollten, liegt auf der Hand. Dabei fällt sofort auf, daß der Schaden in Zürich – besonders an Personen – gering ausgefallen war. Darin mochte sich nochmals Gottes Gnade mit den Bürgern der Limmatstadt wi-

---

[94] ZBZ, Ms. F 21, fol. 141ᵛ.
[95] Ibid., fol. 142ʳ.
[96] Haller überliefert für den Colmarer Brand das Datum des 9. Mai. Vgl. ZBZ, Ms. D 271, zu April 1572 (Rückseite).
[97] Vgl. Bullingers bereits zuvor erwähnte Schrift »Von dem Glocken lüthen ...« (wie Anm. 62 in diesem Kapitel).

derspiegeln. Der Verzicht auf Deutung und damit die Nüchternheit, mit der hier die Nachrichten aneinandergereiht werden, könnte der Demonstration dieses Punkts gedient haben. Erreicht wird sie alleine durch Auswahl und Arrangement der Nachrichten in einer thematischen Sequenz. Der Verzicht auf Explikation mag beim modernen Leser den Eindruck zusammenhangloser Aufzählung erwecken. Kulturhistorisch muß man jedoch mit einem völlig anderen Leserverhalten rechnen, zu dem die Gewohnheit gehörte, Zusammenhänge durch Vergleich, Analogiebildung und Exemplifikation selbst herzustellen, ohne dafür die ausdrückliche Erklärung eines Autors zu benötigen.

Gottes Gnade im Zorn zu betonen, das ist die eine Tendenz, die Wicks Dokumentation aus Bullingers Interpretation übernahm. Die andere richtet sich auf das Funktionieren der Zürcher Christengemeinschaft und streicht dabei das Verdienst einzelner stärker heraus, als es in Bullingers Brief an Ulmer in Schaffhausen sinnvoll gewesen wäre. Das Mittel des Chronisten ist das der Personenmemoria. Hierher gehört nicht nur die schon erwähnte Namensliste, sondern auch eine in lateinischen Majuskeln beschriebene Seite, die wie die Kopie oder der Entwurf einer Gedenktafel aussieht, die vielleicht im Großmünster angebracht wurde, deren Existenz sich heute freilich nicht mehr nachweisen läßt.[98] Dieser Text erinnert an den Blitzeinschlag und den Wiederaufbau des Turms, der – das belegt Bullingers *Diarium*[99] – im November 1573 abgeschlossen wurde.

Eine Versdichtung setzt im 10. Buch der *Wickiana* die lateinische »Inschrift« in volkssprachliche Merkverse um. Beide Texte wurden offenbar erst nach Abschluß der Wiederherstellungsarbeiten, also frühestens Ende 1573 verfaßt und nachträglich den Dokumenten zum Brand von 1572 integriert. Die Merkverse lauten:

---

[98] Ms. F 21, fol. 149^v. Nicht erwähnt in HBD. Auch nicht bei GUTSCHER, Grossmünster (1983). Nichts dergleichen ist heute am oder im Großmünster aufzufinden, wie der ehemalige Großmünsterpfarrers Dr. Hans Stickelberger in einem Brief an den Verf. vom 3.2.2000 bestätigte.

[99] Vgl. HBD, S. 113: »Wie in dem vorigen jar der ein münsterturn verbrunnen von der stral, also hub man in wider buwen und uffrichten dises jars im Meien. 2. Juni satzt man in die helmstangen. 25. satzt man uff en knopf sambt mon und sternen, mit trumen und pfyffen. Demnach ward er mit kupfer bedeckt und ußgemacht umb den anfang Novembris bis an die tracken.« Zu den Baumaßnahmen siehe auch eine Notiz von Haller, derzufolge die Herren von Zürich in der Woche zwischen dem 17. und 24. Oktober 1572 Holz zum Wiederaufbau des Helms auffahren ließen: ZBZ, Ms. D 271, zu Oktober 1572. Ferner zu Juni 1573 (2. Juni: Aufrichtung der Helmstange) und zum Abschluß der Arbeiten unter den Einträgen zu November 1573. In diesem Zusammenhang könnte ein Patent um Zollbefreiung für erhandeltes Kupfer stehen, das der Zürcher Stadtrat am 1. Mai 1573 ausgestellt hat. Siehe: StAZ, A 49.1, Nr. 32.

Im Jar nach dem als Jesus Christ
Inn d'wålt ein mensch geboren ist/
Ein Tusennt vnnd fůnffhundert Jar/
Vnnd zweÿ vnnd sibentzig fürwar/
Der sibend Meÿen es ist gsin/
Des tags ließ sich ein wåtter in/
So das der helm von oben an
An disem thurn vom tonder bran/
Biß vff der wåchter Huß hinab/
Was holtzwerck gsin bran alles ab :
Doch vnderthalb was da ist gsin/
On Schaden ists alls bliben sin.
Das fhür ouch gschwind ist glöschet vß/
Das keins mans schad ist kommen druß.
Vnnd ist der helm nach diser brunst/
Im nechsten Jar mitt gschwind vnd kunnst/
Mitt grossem glück vnnd Gottes krafft/
Von einer Ersam Burgerschafft/
Mitt grosser arbeit vffgericht :
Dises gebüw wie mans ietz sicht/
Mitt schindel es bedeckt ist gsin/
Jetzt ists mitt kupfer zieret fin.
Herr Johanns Kamblÿ diser zÿtt/
Herr Johanns Bråm regiret mitt
Zůglich im Burgermeister Ampt/
Das sÿ gar loblich gfůret hanndt.
Herr Caspar Thomman buwherr war/
Statthalter ouch im selben Jar.
Herr Conradt Escher auch bewacht/
Mitt im sind hauptlüth über dwacht
Verordnet gsin zwen redlich man/
Hanns Ulrich Grebel/ auch mitt nam
Hanns Meÿß/ vom Adel alle beid/
Sins thůns von im hatt ieder bscheid.[100]

Von Gottes Zorn und seiner Warnung oder von einem schrecklichen Ereignis ist hier nirgends mehr die Rede. Dieser Punkt, eigentlich die Hauptsache im Schema theologischer Wunderzeichendeutung, ist vollends vor dem Lob der bewiesenen Arbeitsmoral gewichen. Von »magna industria et labore« spricht der lateinische Text noch akzentuierter als der deutsche.[101] Zwölf von 34 Versen dienen zur Erinnerung an die Herren von Amt und Würden, unter deren Aufsicht und Leitung der angeschlagene Glockenturm ebenso wie der verschonte Karlsturm jene markanten Kupferhelme erhielt, die zur elekrostatischen Attraktion für weitere Gewitter wurden (bereits 1576),[102] bis man sie Ende des achtzehnten Jahrhunderts entfernte. Die

[100] ZBZ, Ms. F 21, fol. 146ʳ.
[101] Ibid., fol. 149ᵛ.
[102] Vgl. Wicks Notiz in ZBZ, Ms. F 25, fol. 13ᵛ. Zitiert bei GUTSCHER, Grossmünster (1983), S. 163.

genannten Herren repräsentierten die ganze Bürgerschaft. Die offiziöse Memoria ihres Anteils am Wiederaufbau des Glockenturms in Wicks Chronik hat jedoch, wie wir gleich (in 2.5.) sehen werden, eine Kehrseite.

2.4. Studers Schmähworte

Das von Bullinger gegen außen erzeugte Bild der Einigkeit von Stadt und Land Zürich in der Not des Großmünsterbrandes wird vor allem durch die Episode Studer differenziert und in Frage gestellt. Wick griff die Begebenheit auf und berichtete, Joder Studer aus Affoltern hätte, als er von der Feuersbrunst hörte, »kein mittlyden mit vns in der statt« gezeigt, sondern »ganz greweliche wort gerett«, nämlich daß er gewollt hätte, nicht nur der Turm, sondern das ganze Münster mit samt der Stadt Zürich wäre niedergebrannt. Mit dem Hinweis auf mangelndes Mitleiden charakterisierte Wick Studer implizit als Epikuräer. Er fährt fort, die Zürcher Obrigkeit habe Studer in Haft genommen und ihn dazu verurteilt, von der Kanzel im Großmünster herab seine Verfehlung zu bekennen und Gott sowie die versammelte Gemeinde um Verzeihung zu bitten.[103] Wick gab auch den Text der öffentlichen Abbitte wieder, geschrieben von der Hand des Stadtschreibers, auf der gegenüberliegenden Seite dazu ein Bild der Szene, wie Studer, von Zwinglis Kanzel herab, am 1. Juni 1572 die ihm vorgelesenen Worte nachspricht (Abb. A7)[104] – wie beim gemeinsamen Eidschwur von Rat und Bürgerschaft. Diese Form hat symbolische Bedeutung. An den Schwörsonntagen, zweimal im Jahr, mußten sich alle Bürger und die neu gewählten Räte zur Vereidigung einfinden. Voran ging das »schwereluten«. Der Stadtschreiber verlas die Namen der versammelten Ratsherren und Zunftmeister, die anschließend dem Bürgermeister den Eid leisteten. Der neue Bürgermeister nahm auch der Gemeinde den Eid ab. Es folgte der Vortrag von Geboten und Verboten.[105] Joder Studer war durch seine Schmähworte aus der so »verschworenen« Gemeinschaft ausgeschert. Das Strafzeremoniell, das er über sich ergehen lassen mußte, diente seiner spiegelbildlichen Reintegration und damit – aufs Ganze gesehen – der Wiederherstellung einer intakten Gemeinschaft.

---

[103] ZBZ, Ms. F 21, fol. 144ʳ. Ebenso bei Haller: ZBZ, Ms. D 271, zu Juni 1572. Der Fall ist auch in den »Kundschaften und Nachgängen« dokumentiert: Vgl. StAZ, A 27.29, Nr. 16.4.30. Zu Gotteslästerung und den verschiedenen Strafformen der Zürcher Obrigkeit im Umgang mit diesem Delikt siehe LOETZ, Mit Gott handeln (2002), insbes. das II. Kapitel.

[104] ZBZ, Ms. F 21, fol. 144ᵛ (Studers Abbitte) und fol. 145ʳ. Vgl. GUTSCHER, Grossmünster (1983), S. 161 (Abb. 180) und S. 163 sowie S. 30 zum Fall Studer (irrtümlich »Jodoc Snider« genannt); außerdem GUTSCHER, Zwinglis Kanzel (1984), S. 311.

[105] Zum Ablauf an den Schwörsonntagen: GKZ 2, S. 20. Ausführliche Darstellung außerdem bei GOPPOLD, Politische Kommunikation (2007), S. 177–187.

Die *Wickiana* überliefern zwei Parallelfälle, erkennbar schon an der Präsentation. Am 12. Juli 1579 wurde Anna Wieland wegen Gotteslästerung auf die Kanzel des Großmünsters gestellt. Wie schon im Parallelfall Joder Studers von 1572 bot Wick zuerst den Text der Abbitte, dann ganzseitig Zwinglis Kanzel mit der reuigen Sünderin auf (Abb. A8).[106] Von dort sprach Anna Wieland die Worte nach, in denen die Gnade der Herren von Zürich betont wurde, die ihren Leib und ihr Leben verschont hatten, weil sie schwanger war. Ganz unverblümt hieß es auch, sie sei »zu einem Exempel vff dise Cantzel« gestellt worden.[107] Die Moraldidaxe wurde also explizit, aber darin spiegelt sich auch eine Erwartungshaltung beim Publikum wider, die in der wissenschaftlichen Debatte, die in den letzten Jahrzehnten um das Konzept der Sozialdisziplinierung geführt wurde, oft ausgeblendet blieb. Das Exemplarische selbst zeigt sich bis in Wicks Darstellung hinein, denn Exempel ist alles, was sich prinzipiell wiederholen kann, und diese Wiederholung fand sichtbaren Ausdruck einerseits im Strafritual der öffentlichen Abbitte, andererseits in ihrer Darstellung in Bild und Text.

Der zweite Parallelfall ereignete sich 1586. Jagli Roth aus Hedingen hatte sich in trunkenem Zustand »grusames« Schwören, Lästern und schreckliche Gebärden zuschulden kommen lassen und mußte dafür, wiederum von der Kanzel, widerrufen, diesmal aber – anders als Anna Wieland und Joder Studer – in allen vier Pfarrkirchen Zürichs (Abb. A9). Wick vermerkte die Abweichung von der bisherigen Praxis: »Dann vor etliche mal, allein zum Grossen münster, vnd nüt in allen vier kylchen bruchig gsin, söllich personen vffzestellen.« Die Prediger hätten jeweils das Exempel dazu genutzt, das Volk, besonders aber die Jugend zu ermahnen.[108] Erneut gibt Wick den Widerruf wörtlich wieder und setzt die Szene ins Bild, das die Abweichung von der bisherigen Praxis dadurch sinnfällig anzeigt, daß die Kanzel einer der drei anderen Pfarrkirchen und nicht Zwinglis Kanzel im Großmünster dargestellt wird.[109] Auch Roth war mit seinen Fluch- und Lästerworten aus der christlichen Gemeinschaft ausgeschert. Im Wortlaut des Widerrufs wurde wiederum nachdrücklich die Gnade der Herren von Zürich betont, die auch in seinem Fall von einer Strafe an Leib und Leben abgesehen hatten. Nicht so glimpflich war 1572 ein Klotener namens Keyser davongekommen, der »glyche wort« gesagt haben soll wie Studer und dafür in Kiburg mit dem Schwert hingerichtet wurde.[110]

---

[106] ZBZ, Ms. F 28, fol. 191^{rv}.

[107] Ibid., fol. 191^r.

[108] ZBZ, Ms. F 34, fol. 50^v.

[109] Ibid., fol. 51^r (der »offentliche Widerrüf«) und fol. 51^v (Bild). Vgl. GUTSCHER, Zwinglis Kanzel (1984), S. 313 mit der Abbildung zum Fall Roth. Senn und GUTSCHER, Grossmünster (1983), S. 161 (Abb. 181) gehen davon aus, daß es sich auch hier um eine Darstellung von Zwinglis Kanzel handelt, die folglich vor 1586 neu gestaltet worden sein muß. Dann aber müßten auch die Fenster in der Mauer dahinter entfernt worden sein, die Wick 1572 und 1579 noch darstellt, 1586 aber fehlen. Die Darstellung aus Ms. F 28 ist Gutscher und Senn offenbar nicht bekannt gewesen. Auf den Text zu Ms. F 34, fol. 51^v gehen sie nicht ein.

2.5. »Ir seid der spitz vnd das tach«

Die beiden Fälle von Schmachreden auf den Münsterturmbrand 1572 belegen, daß
Bullingers Bild von der in sich geschlossenen Zürcher Bürgerschaft und der Soli-
larität der umliegenden Landgemeinden seine noch frische Wahrnehmung, die sich
weitgehend auf das Szenario um das brennende Großmünster konzentrierte, verab-
solutierte, daß in Wahrheit aber diese Wahrnehmung – wie selbstverständlich jede
Wahrnehmung eines einzelnen – höchst selektiv war. Welcher Teil vom Ganzen des
Zürcher Gemeinwesens tatsächlich aktiv Anteil am Geschehen genommen hatte,
vermochte Bullinger so wenig genau zu sagen wie irgend jemand anderes. Ob er
sich dessen bewußt war oder nicht, darauf kommt es letztlich nicht an, sondern auf
die Außenwirkung, die Bullingers Erzählung des Ereignisses entfalten sollte, und
dazu gehörte wesentlich das Bild der Geschlossenheit. Der Fall Studer macht überdies deutlich, wie begrenzt Bullingers Versuch war, den öffentlichen Diskurs über
das Ereignis durch eine offizielle Schilderung zu beeinflussen. Wahrscheinlich hatte
dieser Versuch überhaupt nur da Aussichten auf Erfolg, wo die Zahl der Augenzeugen und damit der Multiplikatoren von Erzählungen nicht so unübersichtlich war
wie am Ort des Geschehens selbst und in seiner nächsten Umgebung. Hier, in Zürich
und auf der Landschaft, braute die Gerüchteküche Deutungen des Geschehens zusammen, die Gift für die *communitas* sein konnten.

Rat und Kirche erkannten im Fall Studer Handlungsbedarf, um nach innen Sorge
für »gute Polizei« und ihren Willen zu demonstrieren, die innere Einheit des Gemeinwesens notfalls mit Gewalt zu erzwingen. Natürlich war es kein einzelner, der
sie bedrohte, sondern eine allgemeine Unzufriedenheit. Das Verhältnis zwischen
Stadt und Land Zürich war tatsächlich äußerst gespannt. In Studers Worten kam
etwas davon zur Sprache. Seinen Unwillen gegen das Großmünster und die Stadt
begründete er damit, daß man »inn der statt z̊uessen habe vnnd vnns drussen mangel
lasse«.[111] Die Erbitterung der Hungerjahre war unüberhörbar. Studer war sicher kein
Einzelfall. Der Vorwurf hatte schon einige Zeit in der Luft gelegen. Bullinger selbst
hatte ihm bereits in seiner Schlußrede zur Herbstsynode 1571 die Verdienste der
Stadtobrigkeit um die Sozialpolitik entgegengehalten. Die auf der Synode anwesenden Pfarrer sollten als Multiplikatoren wirken, wenn sie entsprechende »reden«
vernähmen; sie sollten den »rächten grund anzeigen« können.[112] Das war noch das
alte, bewährte Mittel der Kommunikation. Nach dem Münsterturmbrand, als sich die
subversive Polemik verstärkte, wurden Exempel statuiert.

---

[110] ZBZ, Ms. F 21, fol. 144ʳ.

[111] Ibid., fol. 144ᵛ.

[112] Vgl. *Acta Synodi des 23 Octobris imm 1571 iar*, hier: *H. Bullingers abred in diesem Synodo*
(Autograph); StAZ, E II 1, fol. 627ʳ–629ᵛ, hier: fol. 627ʳᵛ.

Der Fall Studer sollte folglich im größeren Zusammenhang gesehen werden. An fang der siebziger Jahre des Reformationsjahrhunderts war die Lage des Zürcher Gemeinwesens vor allem durch eine hartnäckige Subsistenzkrise angespannt. Aus gelöst wurde sie durch zwei witterungsbedingte Mißernten 1571 und 1572. In dieser Krise kam das Dauerthema der zweiten Jahrhunderthälfte wieder auf die politische Tagesordnung: die Armenfürsorge. Sie gab Anlaß für vielfältige Auseinandersetzungen zwischen Kirche, Rat und Bürgerschaft. Angespannt war die Lage schon seit der Mißernte im Sommer 1571. Auf dem Land herrschte der Eindruck, daß die Stadt einen Großteil der Versorgung für sich beanspruchte, ohne selbst an der Produktion der Grundnahrungsmittel mitzuwirken. Tatsächlich wurden landwirtschaftliche Produkte zu einem großen Teil auf den Zürcher Markt gekarrt.

Die Neuregelung der Armenfürsorge erwies sich als dringend notwendig, war aber höchst umstritten: Nach den Vorstellungen des Rates sollte die Landschaft für ihre eigenen Armen aufkommen, damit das Almosenamt der Stadt entlastet werden konnte, was auf den Widerstand einiger Seegemeinden stieß, die sich – unter Verweis auf die Säkularisierung der Kirchengüter und die damit verbundene Einrichtung des Almosenamtes zu Zwinglis Zeiten – auf das Herkommen beriefen.[113] Auch das mit Mandat vom 19. September 1571 eingeführte Dienstagsgebet wirkte »nicht integrativ sondern zunächst eher polarisierend« und »erhöhte die Spannung zwischen der städtischen Obrigkeit und der Landbevölkerung«.[114] Die Klagen der Pfarrer über mangelnde Beteiligung ließen sich ab November 1572 regelmäßig, besonders häufig aber in den Jahren 1575 bis 1581 vernehmen. Diese Resistenz auf dem Land verband sich mit dem Argument des Arbeitszeitverlustes.[115]

Widerstand und Unzufriedenheit vermitteln einen anderen Eindruck vom Zustand des Gemeinwesens Zürich Anfang der siebziger Jahre des sechzehnten Jahrhunderts als Bullingers Brief an Conrad Ulmer, was nur noch einmal unterstreicht, wie sehr dieser Brief letztlich ein Akt der außenpolitischen Staatsräson war. Die Innenperspektive ergab ein anderes Bild. Hier wurde der Münsterturmbrand als symptomatisch für herrschende Mißstände betrachtet und konnte von verschiedenen Personen oder Gruppen als Argument gegen andere eingesetzt werden. Nicht nur Joder Studer, sein Klotener »Double« Keyser oder die Landgemeinden taten dies, sondern auch die Kirchenleitung selbst. Am 20. August 1572 wurde sie unter Bullingers Führung beim Zürcher Rat vorstellig, indem sie eine ihrer zahlreichen Eingaben machte. Die Kirchendiener betonten ihre Rolle als Mahner und Sittenwächter einerseits, die Exekutionspflicht der Ratsherren und Bürgermeister andererseits. Be-

---

[113] Vgl. BÄCHTOLD, Hunger (1999), S. 20, und BÄCHTOLD, Bullinger vor dem Rat (1982), S. 267 f.; kurz GKZ 2, S. 228.
[114] BÄCHTOLD, Hunger (1999), S. 27.
[115] Ibid., S. 21. Bächtold spricht von einem heiklen »Eingriff in die ländliche Lebens- und Wirtschaftsordnung«.

2. Blitzschlag und Gottesurteil

klagt wurde die mangelnde Bereitschaft der Obrigkeit, sittliche Vergehen den geltenden Ordnungen gemäß zu bestrafen. Geschehe dies weiterhin nicht, so müsse man Sorge haben, daß »wir zů grund gen müssend«. Und weiter:

> Wir hand, gnedig herren, in einem Jar vilerleÿ vnfällen vnd warnungen gehept, mit der vnerhördten thüre, mit abtrag Ewers schans, mit der strāl, die denn thůrn verbrennt. Ir seid der spitz vnd das tach, vnd hat vns Gott gescheidē, das der schad nit grösser worden. Das alles sol vns erwecken zůr besserung, vnd seid Ir vnd wir schuldig vor Gott, zů rathen vnd helffen, das wir bÿeinanderen blÿben mögend, in Einigkeit vnnd ziemlichē wolstand.[116]

Ihr seid die Spitze und das Dach – das war die allegorische Deutung des Gewitterschadens am Großmünster, die von den Kirchenleuten hier vertreten und dem Rat entgegengehalten wurde. Der sichtbare Kirchenbau repräsentierte das christliche Gemeinwesen, sein Dach und seine Spitze die Obrigkeit. Da es in Bullingers Bundestheologie (wie bei Zwingli) nur eine einzige Obrigkeit gab, und keine Trennung zwischen weltlichem und geistlichem Schwert, war klar, welche Spitze gemeint war. Im Licht dieser Deutung erhält der Einsatz von Bürgermeistern und Rat für die Wiederherstellung der zerstörten Teile des Kirchenbaus eine symbolische und zugleich hoch politische Qualität. Die Obrigkeit war für den Zustand des Gemeinwesens verantwortlich und folglich auch für die Reparatur des zerstörten Dachs. In diesem »Schadensersatz« – bei Wick in positive Memoria geglättet, nachdem er geleistet war – materialisiert sich geradezu die unmittelbare Schadensfolge obrigkeitlicher Versäumnisse im Vorgehen gegen Sünden. Wie vielleicht an keinem zweiten Beispiel erweist sich am Blitzschlag in den Glockenturm des Großmünsters die argumentative Sprengkraft der Gotteszeichen im politischen Kraftfeld der Entscheidungsträger, Kirche und Rat, am Ort Zürich.

---

[116] »Fürtrag an min gnädig Herren Räth vnd Bůrger der satt Zürich, den 20stē Augusti Anno 72. Meister Heinrich Bullingers, Herrn Růdolffen Walters, Herren Hans Wolffen, M. Burckhart Leeman. In Nammen aller anderer Dieneren«, ZBZ, Ms. A 70, pag. 649–653, hier pag. 650. Im Katalog der neueren Handschriften, Sp. 52, wird die Eingabe auf 1574 datiert. Das ist ein Druck- oder Lesefehler. Abgesehen davon, daß die Überschrift das Jahr nennt und der Text auf Ereignisse des Jahres 1572 Bezug nimmt, ergibt sich durch den Tod von Hans Wolf im November 1572 ein *terminus ante*. Vgl. LEU, Schweizerisches Lexicon (1747–1795), Bd. 19 (1764), S. 549 f.; DEJUNG, Zürcher Pfarrbuch (1953), S. 635.

TEIL III:

INFORMATION UND IHRE VERARBEITUNG

Es ist gelegentlich erwogen worden, Wicks »Wunderbücher« als geplante Fortsetzung von Bullingers Reformationschronik zu verstehen.[1] Tatsächlich verfolgte der Chronist Johannes Haller Anfang des siebzehnten Jahrhunderts dieses Projekt, wobei er auf die *Wickiana* als Hauptquelle für den Zeitraum zwischen 1560 und 1587 zurückgriff.[2] Aber schon das spricht dafür, daß aus Sicht der Zeitgenossen Wick selbst diese Aufgabe nicht wahrgenommen hatte. Wicks Chronik definierte nicht den Standpunkt der Reformation in der Geschichte Zürichs und der Eidgenossenschaft. Sie berührte ihn zwar ständig, setzte ihn aber schon voraus. Hinzu kommt, daß Bullinger seine Reformationschronik in letzter Version erst in den sechziger Jahren abschloß. Seine *Tigurinerchronik* enthielt eine Widmung an die Zürcher Chorherren, in der er die Hoffnung äußerte, »das ich mitt diser miner arbeit/ eintwöders üch/ oder aber vnsern nachkümligen/ ein anlaß gäbe/ in glicher sach/ zů arbeiten/ vnd vnsers vatterlandts rhůmwürdige sachen herfür zů bringen/ vnd zů erklären.«[3] Aber das sind Formulierungen des Jahres 1573, die sich nicht direkt auf die Entstehung der *Wickiana* beziehen lassen. Wicks »Wunderbücher« waren da schon längst auf einem eigenen Weg. Daß Wick durch Bullinger ermuntert worden sein könnte, eine historische Sammlung anzulegen, bleibt dennoch wahrscheinlich, wurde von früherer Forschung auch vermutet,[4] läßt sich aber bisher nicht durch ein schriftliches Zeugnis beweisen.

Grundlegender ist freilich die Frage, wie die *Wickiana* überhaupt in die zeitgenössische Geschichtsschreibung eingeordnet werden können. Die vorherrschende Meinung über ihre Form – besser gesagt: ihre angeblich mangelhafte, wenn nicht völlig mangelnde Form – hat eine solche Einordnung bisher verweigert. Seit dem achtzehnten Jahrhundert wurden die *Wickiana* häufig als *collectanea* bezeichnet. Die deutsche Variante »Kollektaneen« hat sich mit den Arbeiten von Bruno Weber und Matthias Senn als Gattungsbezeichnung durchgesetzt. In einem neueren Lexikonartikel bezeichnet Rolf Wilhelm Brednich die *Wickiana* sogar als schlechthin typisches Beispiel für Kollektaneen des sechzehnten Jahrhunderts und stellt sie neben die Sammlungen des Überlinger Chronisten Jakob Reutlinger. Er rechnet beides zur Kompilationsliteratur, charakterisiert durch oft großformatige Klebebände, in denen

---

[1] Vgl. BAUER, Krise der Reformation (2002), S. 197.
[2] Zu Hallers *Wickiana*-Rezeption siehe ausführlich in Kapitel IV/1.2, S. 231 ff.
[3] ZBZ, Ms. Car. C 43, fol. VI^v-VII^r.
[4] WEBER, Wunderzeichen und Winkeldrucker (1972), S. 18, vermutet: »der Antistes wird ihn ermuntert und bestärkt haben, wahrscheinlich hat er selbst den Anstoß zu dieser apokalyptischen Nachrichtensammlung gegeben.« SENN, Wick (1974), S. 38 f., schließt sich dieser Ansicht an.

der jeweilige Kompilator seine Aufzeichnungen und andere Materialien sammelte.[5] Ich möchte im folgenden diese Einschätzung prüfen, indem ich zeitgenössische Perspektiven auf die »Wunderbücher« sowie Wicks Selbstverständnis einbeziehe und seine Darstellungsweise genauer untersuche. Ich setze zunächst bei der Gattungsfrage an (1.), gehe dann zu einer Untersuchung des Informationsnetzwerkes über, aus dem Wick seine Nachrichten bezog und auswählte (2.), ehe ich seine Leistungen als Redaktor und Autor in den Blick nehme (3.). Die Frage, ob die *Wickiana* lediglich eine Sammlung oder doch eine Chronik waren, zielte – so, wie sie bisher gestellt und beantwortet wurde – auf Wicks Qualitäten im Umgang mit Informationen, die Auswahl die er traf und die Kriterien, die über seine Auswahl entschieden. In diesem Zusammenhang wird es vor allem um das Problem der Glaubwürdigkeit gehen. Wick ist häufig ein unkritischer und wahlloser Umgang mit seinen Quellen vorgeworfen worden, eine pauschalisierende Wertung, deren Validität geprüft werden muß. War das Ergebnis seiner Sammeltätigkeit von daher einmal als Sammelsurium (ab)qualifiziert, wurden Mittel der Gestaltung in Wicks »Wunderbüchern« gar nicht mehr ins Auge gefaßt.

---

[5] Brednich, Art. Kollektaneen, in: RANKE (Hg.), Enzyklopädie des Märchens (1977 ff.), Bd. 8, S. 63. Zu Reutlinger: BOELL, Reutlinger (1882), und BREDNICH, Sammelwerk (1965), jeweils ohne ausführliche gattungstheoretische Erörterungen.

1. Sammlung und Geschichtsschreibung

1.1. Die Gattungsfrage

Die Frage, mit welcher historiographischen Gattung es der Leser der *Wickiana* zu tun hat, wurde bisher am ausführlichsten von Matthias Senn erörtert. Unter dem Stichwort »Form« weist er zunächst auf die Formenvielfalt der in den *Wickiana*-Bänden versammelten Texte hin. Neben Briefen halte Wick auch mündliche Berichte fest, Gedichte und Lieder, Grabsprüche, Namenlisten, Reiseberichte, Tagsatzungsprotokolle; er kopiere und sammle Flugschriften und Einblattdrucke. Außerdem weist Senn auf die Illustrationen hin. Der auffallendste Charakterzug der *Wickiana* sei ihre Vielfalt. Eine solche Vielfalt aber sei nur »bei einer möglichst großen formalen Offenheit des ganzen Werkes denkbar. Was Wick zusammenstellt, läßt sich denn auch keiner der damals verbreiteten, in der Form mehr oder weniger festgefügten Gattungen der Geschichtsschreibung zuzählen.«[6] Senn tut gewiß recht daran, wenn er *Diarium* und Briefsammlung als Kandidaten schnell verwirft. Aber auch als Bilderchronik will er die *Wickiana* nicht einordnen, »da man unter dieser Benennung eine straffer komponierte Darstellung historischer Zusammenhänge erwarten würde.« Die *Wickiana* enthielten »eine Menge Rohstoff« für eine Chronik und seien darum am besten als »Kollektaneen« zu bezeichnen.[7]

Senn stützt sich dabei auf einen Vergleich mit den *Collectanea* des Luzerner Stadtschreibers Renwart Cysat.[8] Bei diesem sei, im Unterschied zu Wicks blindem Sammeleifer, ein »einigermaßen kritisches Auswählen des Materials« zu erkennen.[9] Nicht nur an den Titeln der verschiedenen Einzelbände,[10] auch in einer Notiz innerhalb seiner Sammlungen ließ Cysat deutlich werden, daß er nicht Anspruch erhob, eine historiographisch abgeschlossene Ausarbeitung geleistet zu haben, sondern lediglich Vorarbeit dafür: Es habe ihm angesichts seiner Verpflichtungen als Stadtschreiber Luzerns die Zeit gefehlt, seine Sammlungen abzuschließen und wenigstens in ein Kompendium zu bringen. Er hoffte daher, daß ein anderer »Liebhaber des Vaterlands« und der Geschichte seinem Beispiel folgen würde, um seine Arbeiten fortzusetzen und das Ganze in eine rechte Ordnung zu bringen.[11] Ähnlich klare

---

[6] Senn, Wick (1974), S. 35 f., Zitat S. 36.
[7] Ibid., S. 37.
[8] Ibid., S. 79–83.
[9] Ibid., S. 80.
[10] Vgl. die Übersicht zu den Titeln der Einzelbände in der Einleitung zur Edition der *Collectanea Chronica* von Josef Schmid, in: Cysat, Collectanea chronica (1961), S. XLVIII-LV.

Absichtsbekundungen sucht man bei Wick vergeblich. Auch wird man auf den Titelblättern Bezeichnungen wie *Chronica* oder *Collectanea pro Chronica* nicht finden. Senn hat daraus den wohl zutreffenden Schluß gezogen, daß Wick nicht die Absicht hatte, seine Bücher in eine andere Darstellungsform zu bringen. Der Hinweis auf die Zeichnungen wird hier zum Argument: »Der Chorherr denkt keinen Augenblick daran, seine Bücher einmal noch zu einer Chronik umzuarbeiten, im Gegenteil – und darin zeigt sich seine Beschränkung – er sieht in den Jahr für Jahr entstehenden Bänden ein abgeschlossenes Ganzes, das er nach dem Vorbild der berühmten Bilderchroniken mit unzähligen Illustrationen ausschmücken lässt.«[12] Wick erscheint in dieser Sicht als Geschichtensammler, dem das intellektuelle Format für die Bewältigung des von ihm gesammelten Materials fehlte. Senns Antwort auf die Formfrage läßt sich auf den Begriff »Stoff« bringen.

Was aber wären die Maßstäbe für eine straffer komponierte Darstellung gewesen? Eine fundierte gattungsgeschichtliche Erörterung zu den Stichworten »Chronik« und »Bilderchronik« sucht man vergeblich bei Senn. Das gleiche gilt für das Lösungswort »Kollektaneen«. Ich erwähnte bereits, daß hinter dieser Beschreibung eine erstaunliche Kontinuität seit dem achtzehnten Jahrhundert steht. In dieser Zeit hatte der Begriff *collectanea* im Zürcher Bibliothekswesen – und wohl nicht nur dort – Hochkonjunktur: Im Katalog der Stiftsbibliothek, den Johann Jacob Hottinger 1710 anlegte, ist von »Joh. Jacob Wicken allerhand historischen Collectaneorum gedruckte und geschribne Tractetleinen« und von »Wickensammlungen« die Rede.[13] Auch in einem späteren Katalog, der um 1776 unter Johann Jacob Breitinger entstand, werden die Bezeichnungen »Sammlung« und »Collectanea« gebraucht; erneut schließlich von Leonhard Brennwald 1809.[14] Gottlieb Emanuel von Haller spricht von »historischen Sammlungen«, ebenso Friedrich Egbert von Mülinen und Georg von Wyss rund hundert Jahre später.[15] »Kein Chronist, sondern ein Sammler war der zürcherische reformierte Geistliche Johann Jacob Wik«, erklärte Hans Fehr kategorisch.[16] Josef Zemp erkannte zwar den Einfluß der schweizerischen Bilderchroniken in den *Wickiana* wieder, sah darin aber zugleich nichts anderes als ein Sammelsurium.[17] Unter die eigentlichen Bilderchroniken wollte er sie nicht rechnen.

---

[11] Ibid., S. 11. Die zweite Stelle ausführlich: »Rogo Deum vt aliquando aliquem patriæ et eiusdem historiæ amatorem meo exemplo suscitet et inspiret, qui, quod ceptum est, continuet et prosequatur, omniaque in ordinem dirigat et disponat, quæque ad sua loca collocet, et ita id quod ego non sine meo dolore tum præ nimijs et gravissimis occupationibus, tum etiam deficientibus auxilijs non potui, ipse tandem absolvat.« Vgl. SENN, Wick (1974), S. 80.

[12] SENN, Wick (1974), S. 83.

[13] ZBZ, Ms. Car. XII 8, fol. 47ʳ.

[14] ZBZ. Ms. Car. XII 9, fol. 36ᵛ und Ms. Car. XII 10, fol. 43ᵛ.

[15] HALLER, Bibliothek der Schweizer-Geschichte (1785–1788), Bd. 4, S. 523; MÜLINEN, Prodromus (1874), S. 208; WYSS, Historiographie in der Schweiz (1895), S. 211.

[16] FEHR, Massenkunst (1924), S. 23.

[17] ZEMP, Bilderchroniken (1897), S. 164 f.

Carl Pfaff ist dieser Einschätzung gefolgt.[18] Lediglich Ricarda Huch hebt sich ein wenig vom einstimmigen Chor der Jahrhunderte ab. Wick, meinte sie, habe sich wohl »als Chronist gefühlt«.[19] Die Aussage bleibt jedoch ohne Beleg, formuliert nur einen Eindruck Huchs und signalisiert gleichzeitig ihre Distanz zu dieser vermeintlichen Selbsteinschätzung Wicks. Schon der Titel ihres Aufsatzes über die »Wicksche Sammlung von Flugblättern und Zeitungsnachrichten aus dem 16. Jahrhundert« läßt erkennen, daß auch Ricarda Huch nicht von der allgemein vertretenen Ansicht abweichen wollte.

In der Gattungsfrage herrscht offenbar seit dem achtzehnten Jahrhundert Konsens. Frühere, gar zeitgenössische Perspektiven spielten dabei bisher keine Rolle. Lediglich der Ratserlaß vom 28. August 1588 (siehe im Anhang Dok. 4),[20] mit dem die *Wickiana* nach dem Tod ihres Verfassers in die Bibliothek des Chorherrenstifts beordert wurden, wurde in die Diskussion einbezogen.[21] Darin ist zunächst von »Chronickbůcheren« die Rede. Weiter heißt es, falls einer der Erben Wicks Willens sei, »was erhaffts daruß Inn ein formeliche Chronic zůuerfassen«, so solle ihm der Zugang zu den Büchern gewährt werden. Und etwas weiter dann:

> Ald so Jemmandts anderer glÿchsfals derglÿchen Inn ein ordenliche zůsamen begrÿffung stellen, vnnd daruß etwas notwëndig sÿn, demselben söllend disere bůcher Inn geheimbd zebruchen nitt abgeschlagen werden.

Ob man hinter der Terminologie des Ratsbeschlusses eine hintergründige Spitzfindigkeit oder eher Ratlosigkeit oder vielleicht auch nichts als begriffliche Nonchalance vermuten soll, das ist hier die Frage. Letzteres dürfte am wahrscheinlichsten sein. Es ging in erster Linie darum, die Nutzung der *Wickiana* als Quelle zukünftiger Geschichtsschreibung in geregelte Bahnen zu lenken. Man kann freilich auch eine gattungsgeschichtlich relevante Einschätzung herauslesen: Wicks Bücher wären dann aus Sicht des Rates keine »ordenliche zůsamen begrÿffung« in ein einziges Buch gewesen, wie man sie von einer »förmlichen Chronik« im Unterschied zu einer Vielzahl von »Chronikbůcheren« erwartete. Was nun freilich nach Meinung der Ratsherren eine »ordenliche zůsamen begrÿffung« gewesen wäre, die den Namen einer Chronik verdient hätte, bleibt offen. Die naheliegende Frage, wie weitgehend die Ratsherren überhaupt mit Inhalt und Umfang der *Wickiana* vertraut waren, ist schwerlich zu beantworten (vgl. weiter in III/2.1).

Mit der zuletzt erwogenen Lesart des Ratserlasses stimmt die Bemerkung eines frühen Lesers der *Wickiana* überein.[22] In den *Wickiana* ist ein Schreiben Gregor

---

[18] PFAFF, Schweizer Bilderchroniken (1991). Vgl. auch Pfaffs Art. Bilderchroniken im HLS 2, S. 419 f.

[19] HUCH, Wicksche Sammlung (1895), S. 1.

[20] Zum Ratserlaß ausführlich S. 222 ff.

[21] SENN, Wick (1974), S. 37.

[22] Vgl. WEBER, Wunderzeichen und Winkeldrucker (1972), S. 18, und SENN, Wick (1974), S. 83 f.

Mangolts überliefert, der zur ersten Generation von Anhängern der Reformation in Konstanz gehörte, 1548 nach Zürich emigrierte, wo er seinen Lebensunterhalt als Buchbinder verdiente,[23] und eine Chronik der Städte und Landschaften am Bodensee verfaßte.[24] In seinem Schreiben dankte Mangolt Wick für die Überlassung eines Jahrgangsbandes zur Lektüre. Vermutlich handelte es sich um das 8. Buch. Wick nahm den Brief ins 9. Buch (1571) auf.[25] Mangolt ermunterte ihn zur Fortsetzung seiner Arbeiten, weil davon Nutzen für die Zukunft zu erhoffen sei: »Wirt werd sin das alle teil diß bůchs in ein bůch ordenlich gestelt werdint«, schreibt der erfahrene Chronist. Auch hier also fällt das Wort »ordentlich«, wie schon im Ratserlaß. Ist es unbedingt als Gegenbegriff zum Vorhandenen zu verstehen?

Gegenüber Mangolts Einschätzung ist zu berücksichtigen, daß die frühen *Wickiana*-Bände noch heute ein anderes Bild geben als die späten, die Mangolt noch nicht vor Augen haben konnte. Erst mit dem Jahr 1572 ging Wick zum repräsentativen Folioformat über. Die letzten Bücher sind in Schrift und Bild immer einheitlicher gestaltet. Seltener werden die eingeklebten Zettel von fremder Hand, die für Wick lange Zeit eine dokumentarische Funktion gehabt zu haben scheinen, also keineswegs bloß Schreibarbeit ersparten. Schließlich, auch das ist zu berücksichtigen, wurden die frühen Bände bis zum 9. Buch im Jahr 1577, also einige Jahre nach dem Brief Mangolts, überarbeitet, vor allem mit Bildern ausgestattet. Wicks Bücher machten einen Wandel durch. Mangolts Urteil bezieht sich auf einen Bruchteil des Ganzen und einen Zustand, der dem heutigen und auch demjenigen nicht entsprach, den die Ratsherren nach Wicks Tod vor Augen gehabt haben mögen.

Bleibt also die vom Ratserlaß und von Mangolt nahegelegte Zusammenfassung in ein Buch, die für eine Art der Komprimierung plädiert, die zum allgemeinen Geschäft der historiographischen Arbeit eines Chronisten gehörte. So betonte Sebastian Franck in seinen *Chronica* von 1531, er habe »auß vil Chronicken ein Chronick« gemacht und »frembde that vnd red/ auß frembden bůchern« angezeigt.[26] So bestimmte er geradezu das Amt des Geschichtsschreibers. Es gilt schließlich auch noch zu berücksichtigen, daß Wick den Brief Mangolts kommentarlos in eines seiner Bücher aufnahm: Gegen die ihm nahegelegte Zusammenfassung in ein Buch scheint er keinen Einwand gehabt zu haben, woraus man nicht zwingend auf die bescheidene Absicht einer bloßen *collectio pro chronica* schließen sollte. Die Benutzung von Chroniken als Bergwerke, aus denen man für neue Chroniken abbaute, was man dafür benötigte, war im sechzehnten Jahrhundert so wenig ungewöhnlich wie heute das Abschreiben aus älteren Geschichtswerken beim Verfassen neuer.

---

[23] Für ein Beispiel für die buchbinderische Arbeit Mangolds siehe BODMER, Kantonsbibliothek Zürich (1985), S. 57–59.
[24] ZBZ, Ms. A 83; Ms. S 425.
[25] ZBZ, Ms. F 19, fol. 188ᵛ. Ohne Datum. Der Text bei SENN, Wickiana (1975), S. 186. Vgl. SENN, Wick (1974), S. 75.
[26] FRANCK, Chronica (1531), Vorrede, fol. Aᵛ.

1. Sammlung und Geschichtsschreibung

Ein Buch wird mit Hilfe anderer Bücher geschrieben, aus denen man Material sammelt und abschreibt. Insofern lagen Chroniken immer irgendwelche *collectanea* zugrunde, ja *chronica* waren immer auch *collectanea*, wie schon der Plural in beiden Bezeichnungen andeutet. Sie beruhten auf Abschriften, die oft wörtlich eingearbeitet wurden, häufig sogar ohne daß sie als Zitat gekennzeichnet waren. So arbeiteten auch Johannes Stumpf[27] und Heinrich Bullinger, der in seiner Tigurinerchronik in der Widmung an die Chorherren beschreibt, wie er für seine Geschichtsschreibung »allerley bücher / von hand geschribē vnd sunst getruckt« erworben und nach und nach »in Zädel verzeychnet« habe, »der meynung / das ich das alles / in rächte gůte ordnūg / so bald mir der wÿl vnd můß wurde / stallin.« Hätte man alleine seine Zettel gefunden, so wäre seine Arbeit vielleicht verworfen worden, weil man nicht mehr erkannt hätte, »worzů sÿ verzeychnet«. Ordnung läßt also einen Zweck erkennen und sichert einer Schrift damit das Nachleben. Er habe sein Material »lang gesamlet«, schreibt Bullinger. Es sei »in vil papÿr vnd zädel zerströwt« gewesen, nun aber von ihm »in ein rächte ordnůg« gebracht worden.[28]

Lesen und Schreiben von Geschichte gehörten und gehören zusammen. Bullinger hat – wie viele seiner Zeitgenossen – die wichtigste Technik der Textverarbeitung in der *Ratio studiorum* beschrieben: Die *Loci*-Methode, also die Ordnung des Gelesenen nach bestimmten Obertiteln, die nach dem Vorbild der antiken Mnemotechnik als Orte (*loci*) bezeichnet wurden.[29] Die Technik selbst hatte eine »longue durée«, besaß aber angesichts der Schriftenflut seit Erfindung des Buchdrucks in der Frühen Neuzeit zweifellos Hochkonjunktur und wurde durch Autoritäten wie Erasmus von Rotterdam propagiert.[30] Aus der Rhetorik übernommen, diente sie nicht nur der Vorbereitung lebendiger Rede, sondern wurde auch zur Abfassung geschriebener Werke verwendet, welchen Inhalts auch immer. Die Erstellung von Zitatsammlungen gehörte also zur Arbeit eines Autors, der am Ende dem Werk seinen Namen voranstellte, selbst wenn der Text nur aus nicht gekennzeichneten Formulierungen »fremder Bücher« bestand. Aus heutiger Sicht wäre das Ergebnis in manchen Fällen geradezu als Plagiat anzusehen. Daran läßt sich ermessen, wie sehr sich das Textverständnis und damit zugleich das Autorverständnis gewandelt haben. Michel Foucault hat in seinen Überlegungen zur Autor-Funktion im Diskurs der Literatur und der Wissenschaften mit Recht darauf hingewiesen, daß man »über verschiedene Epochen hinweg eine gewisse Invarianz in den Regeln der Konstruktion des Autors finden« kann.[31] »Autor« ist eine Chiffre, die für ein Ensemble an Zuschreibungen an

---

[27] Vgl. dazu MÜLLER, Johann Stumpf (1945), passim, der die Rolle Bullingers und Vadians herausstreicht.

[28] ZBZ, Ms. Car. C 43, Vorrede.

[29] HBRSt, S. 110–137 (der Abschnitt *31. De locis parandis*). In diesem Zusammenhang zur Bedeutung von Erasmus von Rotterdam siehe LEU, Loci-Methode (2007), zu Bullinger dort S. 330–332.

[30] Grundlegend nach wie vor: YATES, Gedächtnis und Erinnerung (1994).

[31] FOUCAULT, Autor (2001), S. 1018.

einen Personennamen oder auch für bestimmte Erwartungen an den Urheber eines Werkes steht. Aber diese Zuschreibungen und Erwartungen sind historisch variabel.

Geschriebene Sammlungen waren das Ergebnis der *loci*-Technik. Christian Weise formulierte Ende des 17. Jahrhunderts: »Collectanea sind zusammen geschrieben Sachen/ welche nach gewissen Titeln eingetheilet sind/ daß man sich derselben etwas bequemer bedienen kan.«[32] Sie dienten in erster Linie der *inventio* des Redners. Damit ist ein möglicher Zweck von *Collectanea* als literarischem Genus angesprochen. Im Mittelalter dienten sie als Reservoir für Predigten, besonders Predigtexempel. Kollektaneen gehörten häufig zur Exempelliteratur. Der Terminus *Collectanea* taucht zuerst bei Sueton als Bezeichnung für eine Spruchsammlung auf, dann bei Solinus (*Collectanea rerum memorabilium*). Der Buchdruck führte schnell zu seiner verbreiteten Verwendung in Buchtiteln. Rechtsgeschichtliche, medizinische, theologische und andere Textsammlungen kamen in Mode. Zu den berühmtesten Kollektaneen der Frühen Neuzeit gehören Erasmus' *Adagiorum collectanea*. Die *Locorum communium Collectanea* von Johannes Manlius lassen schon im Titel die Beziehung zu den *Loci communes* seines Lehrers Melanchthon erkennen und damit auch zur *Loci*-Methode. Exempel, Sprichwörter und Anekdoten, die Melanchthon angeblich verwendet hatte, wurden von Manlius zusammengetragen, ganz in der Tradition der »Commonplace-Books«, »deren Ursprung jene mittelalterliche Kompilationsliteratur bildet, die den Geistlichen einen Vorrat an Predigtmaterial bereitstellte.«[33]

Da Wick Prediger war, muß man in Betracht ziehen, daß seine Bücher als Sammlung von Predigtexempeln gedient haben und insofern der Gattung der Kollektaneen zuzurechnen gewesen sein könnten. Typisch selbst für Sammlungen historischer Exempel war jedoch eine »räumliche«, d. h. thematische Grundordnung nach Sachtiteln, die meistens die jeweilige Verwendbarkeit für bestimmte topische Predigtkontexte erkennen ließen. Topische Sachtitel etwa bot der Dekalog, der in Andreas Hondorffs *Promptuarium exemplorum* oder in den bereits erwähnten *Locorum communium collectanea* von Manlius als Ordnungsprinzip verwendet wurde.[34] Hondorff verdient hier auch darum Aufmerksamkeit, weil er sein Predigtamt ausdrücklich als Motiv nannte – und weil Rudolf Schenda das *Promptuarium exemplorum* wegen der Vielzahl an Wundergeschichten zu den Prodigiensammlungen gerechnet hat.[35] Der Vergleich mit Wick liegt darum nahe, und wenn man ihn wagt, so stellt man eine Ähnlichkeit darin fest, daß Hondorff jeweils seine Quelle nannte, was keine Selbstverständlichkeit in der Kompilationsliteratur war. Auch Wick tat dies, wenn auch

---

[32] WEISE, Gelehrter Redner (1693), S. 542.
[33] H. Mayer, Art. Kollektaneen, in: HWR 4, Sp. 1125–1130.
[34] Vgl. WACHINGER, Dekalog (1991). Zu Hondorff auch: SCHADE, Promptuarium Exemplorum (1966).
[35] SCHENDA, Prodigiensammlungen (1962), Bibliographie Nr. 15.

1. Sammlung und Geschichtsschreibung

nicht ausnahmslos. Hondorff rückte zudem seine Exempelsammlung in die Nähe der Chronistik, wenn er die Ansammlung historischer Exempel damit rechtfertigte, daß man an seinem Werk »auch ein Chronicken wunderbarlicher Geschicht vnd mancherley Historien« habe.[36] Das spielt auf die chronologische Anordnung der historischen Exempel unter den Titeln an. Das oberste Ordnungsprinzip war bei Hondorff jedoch nicht die Zeitfolge, sondern eben eine bestimmte Topik.

Anders bei Wick: Seine Grundordnung ist chronologisch, ab 1570 sogar annalistisch. Von da an entspricht ein Jahr einem Buch. Übergeordnete Sachtitel sind nirgendwo zu finden, auch keine Indizes. Die Titel der Texte umschreiben das einzelne Ereignis und folgen keiner übergeordneten Systematik von *loci communes*. Das schließt natürlich nicht aus, daß Wick den Einzelfall häufig als moralisches Exempel herausstellte. Das Exempeldenken gehörte zu seiner Profession, auch wenn es nicht die Ordnung seiner Bücher bestimmte. Zwar wandte er gleichsam »verräumlichende« Verknüpfungstechniken an, die erlaubten, das Ungleichzeitige zum Zweck des Vergleichs nebeneinanderzustellen – etwa durch Hinweise auf »Historien« in anderen Bänden seiner Annalen. Für die von Wick vertretene historische Wunderzeichendeutung *ex post* waren solche Vergleiche unverzichtbar. Aber auch das für diese Deutung grundlegende Kausalschema von Sünde, Warnungen Gottes und Strafe folgte der Zeitordnung. Da Wick die Zeitgeschichte beobachtete, bestimmte dieselbe Ordnung ganz unvermeidlich auch seine Aufzeichnungen. Vergessen wir nicht, daß in der Aktualität des Zeitgeschehens die Zukunft immer offen ist. Der vergleichende Rückblick konnte die Erwartung zwar strukturieren, die Zukunft aber nicht bestimmen. Nur eine chronologische Ordnung bot die nötige Gestaltungsoffenheit. Von den im sechzehnten Jahrhundert zur Verfügung stehenden historiographischen Genera paßt darum die Chronik am ehesten für die *Wickiana*.

Wie steht es dann aber mit Wicks Leistung als Autor? Man darf, nach den Maßstäben des sechzehnten Jahrhunderts, keine zu großen Erwartungen an die schriftstellerische Eigenleistung eines Chronisten knüpfen. Überhaupt sind die Gattungsmerkmale spärlich, wenn man den engen Rahmen der Weltchroniken verläßt. Die chronologische Anordnung von historischen Aufzeichnungen dürfte schon das einzige verallgemeinerbare Merkmal sein. Die Grenzen zwischen Annalistik und Chronistik waren ebenso fließend wie zwischen Chronistik und Chronologie in älterer Zeit.[37]

Aus einem Glossar, das der Sohn des Schweizerchronisten Johannes Stumpf, Johann Rudolf Stumpf, zusammenstellte, kann man ein zeitgenössisches Zürcher Zeugnis zur Terminologie herbeiziehen, das diese Einschätzung unterstützt. Das Glossar steht unter dem Titel *De Bibliothecis*. Zum Stichwort *Chronica* liest man dort:

---

[36] Zitiert nach WACHINGER, Dekalog (1991), S. 250.

[37] Vgl. SCHMALE, Mittelalterliche Geschichtsschreibung (1993), S. 105–111. Außerdem den Art. zum Stichwort »Chronik« in: LMA 2, Sp. 1956–1960.

Geschlecht: Neutrum; im Singular: *Chronicon*, nicht *chronica, chronicae* [also kein Femininum, F. M.], wie die Ungelehrten [sagen]; »in der Zeitfolge«. Annalen sind: Bücher, die Taten in der Jahresabfolge enthalten, die man auch als Chronologie bezeichnet. [...] Und Chroniker [nennt man], die von den Zeitläuften schreiben. Plinius, im 35. Buch: »... wie ein altes Gedicht des Timagoras selbst bezeugt, während die Chronisten zweifellos irren«.[38]

Die Pliniusstelle am Ende des Zitates streicht Datierung als eine der wichtigsten Aufgaben der Chronistik heraus. Eine korrekte Chronologie war Grundlage für die Arbeit des Chronisten. Zu Deutsch wurden Chroniken im sechzehnten und siebzehnten Jahrhundert auch gelegentlich als »Zeitbuch« bezeichnet.[39]

Die Zeitgenossen erkannten in den *Wickiana* ohne weiteres *chronica* (sicher aber kein *chronicon*, schon wegen der Mehrzahl der Bücher). Irritierend wirkte allerdings die große Zahl der Druckschriften, die Wick seinen Annalen integriert hatte, was zu Spezifizierungen führte. Der Bibliothekar der Stiftsbibliothek, Johann Jacob Fries, machte aus Anlaß der Übergabe der *Wickiana* durch die Erben Wicks einen Vermerk und sprach darin von »chronica so er [Wick] zůsamē sampt allerley newen zeytungē, geschriben vnd getrukte tractätelÿ insezet« habe.[40] Fries war sich des Spektrums der von Wick zusammengestellten Dokumente zweifellos bewußt, als er sich für die Bezeichnung *chronica* entschied. Er hatte die Entstehung der *Wickiana*-Bände mehr als zehn Jahre aus nächster Nähe im Chorherrenstift verfolgen können. Der eine und andere Beitrag aus Privatbriefen stammte von ihm (vgl. III/2.1). Nach der Versetzung der *Wickiana* in die Stiftsbibliothek dann machte er sich an eine eigene chronistische Arbeit, eine Sammlung neuer Zeitungen, die sich aus dem Vorrat der *Wickiana* speiste, allerdings im Stadium der Materialsammlung steckenblieb (siehe IV/1.1).

---

[38] Die ganze Stelle lautet: »Chronica: [chronic]arum: Neutrius generis: in singulari Chronicon: non chronica, Chronicae, vt quidam indocti. ἀπὸ τοῦ χρόνου, a tempore dicta. Annales sunt: Libri pertinentes res gestas secundum annorum mundium positas: quae etiam chronologia dicitur. Et chronicus, [chroni]carum, ut chronici libri: chronici scriptores: chronica historia. Augusti[ni] De civ[itate] dei: Nam sicut scribunt, qui chronicam historiam persequuti sunt. Et Chronici, qui de temporibus scribunt. Plin[ius] li[ber] 35. Quod et ipsius Timagore carmine vetusto adparet, chronico[rum] errore non dubio.« ZBZ, Ms. D 192, fol. 196. Die Plinius-Stelle lautet: »quin immo certamen etiam picturae florente eo institutum est Corinthi ac Delphis, primusque omnium certavit cum Timagora Chalcidense, superatus ab eo Pythiis, quod et ipsius Timagorae carmine vetusto apparet, chronicorum errore non dubio.« Zu Deutsch (Übersetzung von R. König): »Ja, zur Zeit seines Höhepunktes [von Panainos, dem Bruder des Phidias ist die Rede] wurde sogar ein Wettkampf in der Malerei zu Korinth und Delphi veranstaltet, und als erster von allen stritt er mit Timagoras aus Chalkis, unterlag aber diesem bei den pythischen Spielen, wie ein altes Gedicht des Timagoras selbst bezeugt, während die Geschichtsquellen zweifellos irren.« Plinius, Nat. Hist. lib. 35, XXXV, 57–58 (erster Wettstreit in der Malerei).

[39] So im Titel bei FRANCK, Chronica (1531). Ähnlich ZILLHARDT (Hg.), Heberles *Zeytregister* (1975).

[40] ZBZ, Ms. Car XII 5., fol. 191; vgl. den vollständigen Text im Anhang, Dok. 5.

1. Sammlung und Geschichtsschreibung

Fries wußte sicher, womit er es zu tun hatte, als er die *Wickiana* als *chronica* bezeichnete. Noch ein weiteres Mal, diesmal *in margine*, sprach er von »H. Wikens chroniken« – erneut also im Plural.[41] Anders im Verzeichnis der Einzelbände im Katalog der Stiftsbibliothek: Dort sprach Fries dann von einem »mancherley« oder »allerley gschichten verzeichnuß« und später immer wieder von »newen Zeitungen« zu den Bänden der Einzeljahre.[42] Diese Abweichung war keine Selbstkorrektur, sondern sie paßt zu der ausführlichen Umschreibung, mit der Fries im Übergabevermerk die knappe Charakteristik als *chronica* ergänzte, was zeigt, daß Wicks Bücher aus der Sicht eines erfahrenen Bibliothekars, der sich als Fortsetzer von Gesners *Bibliotheca universalis* mit dem Buchwesen und den literarischen Genera seiner Zeit bestens auskannte, nicht darin aufgingen, eine Chronik zu sein. Für Fries waren sie zugleich *mehr* als das, eine Chronik nämlich, in welcher der Autor außerdem noch eine Vielzahl »neuer Zeitungen«, geschriebene und gedruckte Traktate eingearbeitet hatte. Das »ingesezt« weist auf die Technik der Zusammenstellung von Handschrift und Druck hin. Es waren die »neuen Zeitungen«, womit vor allem die Flugblätter gemeint sein dürften, und handgeschriebene Sammelnachrichten, die aus Augsburg und anderen Orten eingegangen waren, sowie die Flugschriften, die in Fries' Augen eine Art Mehrwert der *Wickiana* gegenüber einer gewöhnlichen Chronik ausmachten.

Wir können noch ein Zeugnis anführen, das bisher unbeachtet blieb. Matthias Bachofen – auch er ein Nachrichtenkorrespondent Wicks – benutzte für seine *Cornucopiae historiarum* die *Wickiana* als Quelle. In einem Quellenverzeichnis, das er seinen Kopien voranstellte, beschrieb ihren Inhalt als »Chronica vnd Wundergeschichten beschriben in 19 Tomis, von Herren Johansen Jacob Wickenn von Zürich«.[43] Aus der Bandzahl ergibt sich der ungefähre Zeitpunkt für Bachofens Arbeit, nämlich 1581, wenn Bachofen Wicks Einteilung der Bücher folgte, oder 1582, wenn er sich nach der Zahl der Bände richtete. Bachofen griff noch zu Lebzeiten Wicks auf die *Wickiana* zu und bietet damit eines der ersten Rezeptionszeugnisse. In seinem Quellenverzeichnis werden außerdem Bullingers *Tigurinerchronik*, Stumpfs Schweizergeschichte, Sebastian Francks Chronik und die Holsteinerchronik von Johannes Petersen als *Chronica* bezeichnet. Bachofen bleibt sich jedoch nicht treu in der Terminologie. Aus den *Wickiana* kopierte er einen Bericht über die »Jungfrau von Esslingen«, eine der größten Betrugsgeschichten der Frühen Neuzeit.[44] Neben der Überschrift vermerkte er dazu: »Aus den Sammlungen des Herrn Wick«.[45]

[41] Wiederum ZBZ, Ms. Car XII 5., fol. 191.
[42] ZBZ, Ms. Car. XII 7, fol. 413ʳ und fol. 408ʳ.
[43] ZBZ, J 266, fol. 0ᵛ.
[44] ZBZ, Ms. F 13, fol. 100ʳ–103ᵛ. Vgl. Bachofen, Cornucopiæ historiarum, ZBZ, Ms. J 266, fol. 193ʳ–194ᵛ: »Warhaffte bschrÿbung der Jungfrauwen von Eßlingen, vnd wie irr btrug zuo letst an tag kommen, Wie auch ire muotter mitt sampt dem gemachtem buch verbrent.« Vgl. ohne genaue Angaben auch bei Senn, Wick (1974), S. 84.
[45] »Ex Domini Wickii collectaneis.« ZBZ, Ms. J 266, fol. 193ʳ.

Dieses frühe Nebeneinander von *chronica* und *collectanea* als Bezeichnungen ist vermutlich nicht auf eine Unsicherheit über den Charakter der *Wickiana* zurückzuführen. Ähnliches findet man bei Lycosthenes: Für seine Wunderweltchronik verwendete er die Bezeichnung *chronicon*, aber in der Anrede an den Leser, vor Auflistung seiner Quellen, spricht er auch von seinen Sammlungen (*nostris collectaneis*). Chroniken beruhten eben auf Sammlung von Berichten über die Zeitläufte. Daneben nannte Lycosthenes sein Werk auch eine »historia prodigiorum« (so etwa im Titel zur Liste der Gelehrten, die ihn in seiner Arbeit unterstützt hatten). *Collectanea*, *chronica* und *historia* gehören hier zusammen, ohne daß die Gattung deshalb in den Augen der Zeitgenossen des späten sechzehnten Jahrhunderts unklar gewesen wäre: Sammlungen gehörten zur Vorarbeit des Chronisten; das Ergebnis und damit das historiographische Genus war eine Chronik; und unter wiederum übergeordneten Gesichtspunkten gehörte diese zum Spektrum der Historien. Daß auch die *Wickiana* selbstverständlich zu den Historien gerechnet wurden, zeigt wiederum ihre Einordnung im Katalog der Stiftsbibliothek von Johann Jacob Fries: die Historien gehörten zu den Profanwissenschaften, die er im zweiten Band indizierte, während er im ersten die *Theologica* versammelte.[46]

Die zeitgenössische Einordnung verstand Wicks Bücher also als Chronikwerk und damit selbstverständlich zugleich als ein Produkt der Geschichtsschreibung. Wegen der chronologischen Ordnung und der zugrundeliegenden historisch-chronologischen Wunderzeichendeutung läßt sich außerdem mit Sicherheit ausschließen, daß die *Wickiana* als Exempelsammlung oder überhaupt als *Collectanea* angelegt waren. Dem widerspricht nicht, daß Wick als Chronist selbstverständlich auch Sammler von Zeitzeugnissen war. Die seit dem achtzehnten Jahrhundert gewandelte Einschätzung hat zum einen mit der Erweiterung des Sammlungsbegriffs zu tun, zum anderen mit einem gewandelten, sehr viel engeren Autor- und Textverständnis. Was man seitdem bei Wick mehr denn je vermißte, war die Ordnung, genauer gesagt: eine Ordnung, die den gewandelten Erwartungen entsprochen hätte.

Hier liegt die eigentliche Bedeutung der Gattungsfrage. Sie ist darum nicht müßig, weil in der Vergangenheit mit ihr Vorentscheidungen verbunden waren, die den Zugang zu den *Wickiana* als historische Quelle mitgeprägt haben, wie der letzte Teil dieses Buches (IV.) an Beispielen zeigen wird. An Urteilen über das Fehlen von Ordnung, über den Anspruch eines Autors, über seinen Gestaltungswillen und sein Gestaltungsvermögen hängt eine ganze Heuristik. Wichtiger als die Etiketten »Chronik« oder »Sammlung« ist darum das Bild vom Ganzen der Bücher. Wer in der

[46] Unter den Profanwissenschaften erhielten die Geschichtsbücher die Bezeichnung »V«. Fries unterteilte weiter in Universalhistorien (I), Geschichtsschreibung über einzelne Nationen und Länder (II) sowie Historien einzelner Personen, »Historici singulares« (III). So erhielten die *Wickiana* die Signatur V.III., ergänzt durch eine arabische Ziffer für die Einzelbände. Innerhalb jeder Abteilung unterschied Fries schließlich noch einmal nach den Formaten *Quarto* und *Folio*. Vgl. ZBZ, Ms. Car. XII 5–7.

Kollektaneen Wicks lediglich ein Sammelsurium zu erkennen vermochte (Zemp, Fehr u.a.), hatte damit zugleich die Frage nach der Ordnung für sich entschieden: Sie war nicht vorhanden und bedurfte folglich auch keiner Untersuchung. Wicks Arbeitsweise bei der Komposition der Einzelbände, die bei seinem Informationssystem anfängt, ist darum bisher nicht Gegenstand der Forschung gewesen. Die Frage der Informationsauswahl wurde ebenso pauschal mit dem Verdikt erledigt, Wick sei nun einmal leichtgläubig gewesen und hätte alles aufgerafft, was ihm irgendwie in sein Thema zu passen schien. Einiges von der Evidenz, die gegen solche Pauschalansichten spricht, werde ich in den folgenden Abschnitten vorbringen. Die wichtigste Voraussetzung dafür ist ein historisiertes Verständnis von den Leistungen eines annalistischen Autors im Zeitalter des Buchdrucks, der mit spezifischen, so im Spätmittelalter nicht gegebenen medialen Voraussetzungen konfrontiert war.

1.2. Anspruch auf Geschichtsschreibung

Wick hat sich weder ausdrücklich als Chronist, noch als Wegbereiter einer Chronik zu erkennen gegeben. Statt dessen spricht er immer wieder von seinen »Büchern« oder »Wunderbüchern«. Wurden solche Hinweise von der Forschung noch aufgegriffen, fehlt es doch an der Auswertung weiterer Indizien, die etwas über den Anspruch und das Selbstverständnis der *Wickiana* aussagen. An einigen wenigen Stellen wandte sich ihr Autor direkt an den Leser. Auch gelegentliche Bemerkungen am Rand oder unter Überschriften wie »Nota« oder »NB« (*Nota bene*) konnten an ihn gerichtet sein. Darüber hinaus bezeichnete Wick einige seiner Aufzeichnungen ausdrücklich als »chronikwürdig«. Ihre Relevanz als Zeugnisse für sein Selbstverständnis liegt auf der Hand. Die genannten Indizien sprechen dafür, daß Wick seine Arbeit nicht wie Cysat in einem aus seiner Sicht unbefriedigenden Zustand mangelnder Bearbeitung hinterlassen mußte, sondern eine Form gefunden hatte, die er für angemessen hielt.

1.2.1. Chronikwürdig

Beginnen wir mit dem Prädikat »chronikwürdig«. Für sich betrachtet ließe es sich sowohl selbstreferentiell auf die *Wickiana* beziehen als auch auf eine Chronik, die aus ihr noch hervorgehen sollte. Wenn die Einschätzung jedoch zutrifft, daß Wick beanspruchte, etwas in sich Gestaltetes und insofern auch Fertiges geschaffen zu haben, läßt sich die zweite Möglichkeit ausschließen. Etwas anderes ist an den »Historien«, die Wick ausdrücklich als »chronikwürdig« bezeichnete, bedeutend, nämlich daß sich an ihnen weitere Merkmale seiner Arbeit als Chronist ablesen lassen. Wie sich zeigen wird, lagen diese Geschichten an der Grenze dessen, was noch würdig war, in einer Chronik festgehalten zu werden, und insofern gehörten sie nicht selbstverständlich zum Arsenal historischer Aufzeichnungen. Ihre schriftliche Fixierung bedurfte der Begründung. Das berührt schon den Aspekt der Auswahl, den wir später vertiefen werden.

Tatsächlich sind es eher kleine Geschichten, die Wick »chronikwürdig« nannte: alltägliche Begebenheiten jenseits der weltbewegenden Ereignisse, zu denen etwa die französischen Religionskriege zu rechnen waren. Gerade am Stichwort »chronikwürdig« läßt sich Wicks eigenes Bewußtsein über diesen Unterschied festmachen. In einem Bericht über einen im Gefängnis vom Blitz erschlagenen Kuhhirten aus Embrach begründete Wick: Die »Historia« sei »Chron[ik]wirdig [...] darbÿ man sicht die gwaltig raach Gotts, über die, die frommen lüthen ir ehr abschnident vnd verlügend«. Inhaltlich ging es um den unerhörten Vorwurf der Sodomie (im modernen Sinne, nicht im frühneuzeitlichen): Ein Kuhhirte wollte gesehen haben, wie sich der Sohn des Wirtes an einer Kuh zu schaffen gemacht hatte. Die Anschuldigung jedenfalls führte dazu, daß beide, Kuhhirte und Wirtssohn, auf Geheiß des Landvogts von Kiburg festgesetzt und peinlich befragt wurden. Der Wirtssohn hielt der Befragung stand, während der Kuhhirte »eingestand«, die Geschichte erfunden zu haben. Der Beklagte wurde daraufhin freigelassen, während der vermeintliche Verleumder in Haft blieb. Noch ehe ein Landtagsbeschluß herbeigeführt werden konnte, wie mit ihm weiter zu verfahren sei, habe dann ein Gottesurteil den Fall entschieden: Am 22. Mai sei der Kuhhirte im Gefängnis vom Blitz erschlagen worden. Wick schloß mit der Bemerkung: »Die Begebenheit ist tatsächlich würdig aufgezeichnet zu werden, sofern wir daran die wunderbaren Werke und Urteile Gottes erkennen.«[47] Wicks Formulierung erinnert natürlich an Dürnhofers Brief zum Blitzeinschlag in Wittenberg nach den Predigten Jakob Andreaes, wo von einem »euidentissimo diuini iuditii testimonio« die Rede war.[48] In diesem hochpolitischen Fall aber stand die Chronikwürdigkeit von vornherein außer Frage. An anderer Stelle der *Wickiana* begegnet noch einmal der Blitzschlag als Strafe für Hoffart.[49] In den Zusammenhang chronikwürdiger Wetterberichte gehört auch eine Nachricht über schweren Hagel in Zug, wo am 5. August 1586 Hagelsteine aufgelesen worden sein sollen, die vier Pfund wogen. Diesmal war es die Seltenheit eines solchen Ereignisses, mit der Wick die Chronikwürdigkeit begründete.[50]

Auch eine »vnwitzige thaat eines Appts zů Dantzig« wird als »Cronwirdige Historia« angekündigt.[51] Ein Abt und zwölf weitere Personen sollen gegen die Nachwirkungen eines schlecht gebratenen Aals ein mysteriöses Öl eingenommen und daran zugrunde gegangen sein, wird berichtet. Die »Moral« am Ende verallgemeinerte der

---

[47] »Historia sane notate digna qua uidemus Dei mirabilia opera et iudicia.« ZBZ, Ms. F 26, fol. 34^v.
[48] Siehe oben S. 133.
[49] ZBZ, Ms. F 26, fol. 132^r.
[50] »Hoc unum ex rara contingentibus, & notatu dignum.« ZBZ, Ms. F 34, fol. 216^v.
[51] ZBZ, Ms. F 34, fol. 284^{rv}.

Fall und wies auf die Folgen einer unbedachten *curiositas* hin: »meniglichem zů einer warnung, das man nit lýchtlich allerleÿ dinge průfen wőlle.« Die Begebenheit als solche war singulär im Kontext der *Wickiana*. Erst die Verallgemeinerung rechtfertigte den Chronisten selbst vor dem Vorwurf unbotmäßiger Neugier und bloßer Sensationslust. Selbst da, wo Wick auf eine Explizierung der Moral verzichtete, ist mit exemplarischem Denken zu rechnen. Beim Einzug von Hans Brendli aus Hischwyl aus der Pfarrei Wald mit seinen zehn Söhnen auf dem Kirchweihfest 1577 wurde der Schaulust durch eine große Zeichnung Raum gegeben.[52] Dennoch ging es auch in dieser »chronwirdigen« Begebenheit keineswegs bloß um eine genealogische Sensation. Brendli wird im begleitenden Text als seltener Besucher des Kirchweihfestes eingeführt, der sich gegen die verpönte Mode der »zerhauenen Hosen« – also der Pluderhosen – schon vor Jahrzehnten bescheiden, aber festlich und edel eingekleidet hatte. Dies sowie die von den Zürcher Pfarrern stets geteilte Skepsis gegenüber den oft ausufernden Festgelagen der Kirchweihfeste ließ ihn würdig erscheinen für den ihm zuteil gewordenen Söhnesegen – und die Erinnerung in einer Chronik.

Die ausdrücklich als chronikwürdig apostrophierten Schilderungen bewegen sich alle im Rahmen moraldidaktischen Exempeldenkens im Kleinformat. So auch die letzten beiden Geschichten, die ich hier anführen möchte. Die erste von 1579 zeigt schon im Titel, daß es um Tapferkeit und Männlichkeit ging: »Wie einer mitt dem strik gericht vnd ein exempel chronwirdig, einer grossen tapferkeÿt vnnd einer manlichen that«.[53] Der von Dieben überfallene und verletzte Caspar Bleuler, so erfährt man, soll sich todesmutig auf einen der drei Übeltäter gestürzt und ihn überwältigt haben, während die anderen beiden flohen. Der Gefangene wurde schließlich seiner gerechten Strafe zugeführt und hingerichtet. Bleulers Tat wird *in margine* noch einmal als »exempel einer grossen tapferkeit« herausgestellt, also als Beispiel für die sittliche Qualität eines einzelnen, der auf bewundernswerte Weise dazu beigetragen hatte, die »böse Welt« von einem der vielen Übeltäter zu befreien. Die Verbildlichung der Hinrichtungsszene gehörte hier unbedingt zur Ausstattung der Nachricht. Es ging also letztlich nicht um den Helden oder seine Tat. Die sittliche Qualität des einzelnen hatte nur exemplarischen Charakter. Sie war nicht Zweck, sondern Mittel im Denken moralischer Weltverbesserung.

Auch die »Chronwirdige Histori« von zwei alten Zürcher Eheleuten, die 1581 nach mehr als 50 Jahren Ehe im Abstand von kaum drei Tagen in hohem Alter starben, zielt aufs Exemplarische.[54] Bereits im Jahrgang 1572 hatte Wick die Goldene Hochzeit dieses Ehepaars vermerkt.[55] Das Paar stellte alleine wegen der Zeit-

---

[52] ZBZ, Ms. F 26, fol. 171^v–172^r. Johann Martin Usteri hat die Zeichnung von Brendli und seinen zehn Söhnen in seinen Chronikstudien später kopiert: KHZ, Nachlaß Usteri, L 11.

[53] ZBZ, Ms. F 28, fol. 208^{rv}.

[54] ZBZ, Ms. F 29a, fol. 29^v–30^r.

[55] ZBZ, Ms. F 21, fol. 272^r–273^r.

dimensionen seines Zusammenlebens in der Frühen Neuzeit eine demographisch seltene Ausnahme und insofern ein Kuriosum dar. Aber wiederum dürfte die Lust am Außergewöhnlichen moralischen Demonstrationszwecken untergeordnet gewesen sein. Zwei kurz darauf folgende Geschichten führten Gottes Strafe für Ehebruch vor Augen.[56] Die Logik des Gegensatzes, die so aufgebaut wurde, war in der Dialektik von Tugend und Laster angelegt. Die guten Exempel durften natürlich nicht fehlen. Freilich überwiegen bei Wick die Übeltaten, grausame Morde und ebenso grausame Hinrichtungsszenen, so daß ihm gelegentlich eine perverse Lust an solchen Geschichten vorgeworfen wurde. Solche selbst wiederum moralisierenden Urteile verkennen, daß eine solche Tendenz in der Auswahl der Geschichten im Grundmuster der Wunderzeichendeutung angelegt war: die Sünden waren darin Ursachen für Zorn (Wunderzeichen) und Strafe Gottes. Wenn Wick, in dieser Kausalkette rückwärts, nicht nur Zeichen, sondern auch die Ursachen für Gottes Zorn thematisierte, kamen nun einmal vorrangig Sünden, also Mißstände zum Vorschein, seltener hingegen die andere Seite der sozialen Wirklichkeit. Wenn dies aber einmal der Fall war, steigerte der Gegensatz von Gut und Böse den Eindruck des Staunenswerten. Das war ein zweifellos beabsichtigtes, quasi rhetorisches Mittel des Wunderchronisten, für den das Sich-Wundern und Staunen eine Wahrnehmungsweise war, die wesentlich zum Wunder gehörte und auf die kein Prediger gerne verzichtete. Gerade bei den kleinen Geschichten aus der Alltagswelt wurden Mittel der Steigerung eingesetzt, um dem Staunen und Verwundern beim Leser nachzuhelfen, das als Vehikel für das Eindringen der Botschaft ins Innere diente. Das Staunenswerte und Außergewöhnliche fesselte die Aufmerksamkeit und diente als starkes Mittel zum Zweck der Moralisierung. Eine ähnliche Rolle erhielt das Wunderbare im achtzehnten Jahrhundert wieder in den theoretischen Schriften Bodmers und Breitingers, dann aber völlig subjektiviert und auf ein poetisches Stilmittel reduziert. Das war der Nährboden für eine Aneignung der älteren Chronistik, darunter auch Wick, auf die ich in einem späteren Kapitel (IV/3) zurückkommen werde.

1.2.2. Geschichte und Wiederholung

Schon früher wurde einer der Abschnitte zitiert, in denen sich Wick direkt an seine Leser wandte, um die Bedeutung der Wunderzeichen als gnädige Warnungen Gottes vor der drohenden Strafe zu erläutern – reichlich spät, wenn man bedenkt, daß dies im 21. Buch geschah.[57] Aber im Grunde wurde hier etwas erläutert, das sich von

---

[56] »Von einem leÿdigen vnfal der sich eines eebruchs halb zůgetragen.« ZBZ, Ms. F 29a, fol. 33ᵛ–34ʳ; »Von einem selzamen vnerhörten fhal der sich zů Frawfäld vff letare den 5 Martij hatt zůgetragen mitt Herren Schuldtheß Kochen Dienstmagt, vnd einem eeman, als sy ir vnzucht mitteinanderen getriben, gott sy zur straff irer sünd offentlich zů schanden gemacht.« Ibid., fol. 34ᵛ.

[57] Siehe dazu oben, S. 39.

selbst verstand und darum nicht programmatisch an den Anfang des Ganzen gestellt werden mußte. Wenn Wick dennoch einmal das Selbstverständliche aussprach, so war dies durch eine Aufeinanderfolge aktueller Wunderzeichenberichte veranlaßt. Die Wunderzeichen selbst wurden als ständig wiederholte Erinnerungen an den Folgezusammenhang von Sünde und Strafe aufgefaßt. In verschiedenen Anreden an den Leser wurde nur ausgesprochen, was ohnehin zu den strukturellen Voraussetzungen der Form von Geschichtsschreibung gehörte, die Wick betrieb: eben das Exemplarische. Auch wenn Wick nicht die Darstellungsform der Exempelsammlung wählte, bildete die damit verbundene Denkweise doch eine der Grundlagen für die *Wickiana*. Geschichte verstand Wick als Reservoir an Beispielen. Worauf es hier ankommt ist, daß sich diese Auffassung innerhalb der chronologischen Grundordnung der »Wunderbücher« auf die Gestaltungsweise auswirken konnte.

Das Exempeldenken gehört zu den großen Konstanten der europäischen Geistesgeschichte. Es reicht von der Antike bis ins achtzehnte Jahrhundert, ohne daß es seitdem völlig verschwunden wäre. Aus der juristischen Kasuistik etwa ist es bis heute kaum wegzudenken. Erst mit der Metaphysik der philosophischen und theologischen Morallehren, vor allem aber seit der Kritik an der traditionellen Rhetorik steht es in Frage. Sie hatte im theologischen Zusammenhang starken Anteil an einer Auffassung der Geschichte als Reservoir moralischer Exempel, die wiederum gut mit dem heilsgeschichtlichen Gesichtspunkt vereinbar war. Heilsgeschichte verhält sich zu den historischen Exempeln wie das Ganze zum Teil.[58]

Wicks Anreden an den Leser waren Augenblicke der Besinnung, die einer bestimmten Art der Geschichtslektüre korrespondierte. Heinrich Bullinger beschrieb sie in seiner *Ratio studiorum*, einer knapp gehaltenen Anleitung zum Studium, die ebenso Schülern wie Lehrern dienlich sein wollte. Er ging zunächst von Gemeinplätzen aus: die Geschichte als *testis temporum* (Zeuge der Zeit), *lux veritatis* (Licht der Wahrheit), *magistra vitae* (Lehrerin des Lebens) und *nuntia vetustatis* (Anzeige des hohen Alters der Welt), alles nach Cicero.[59] Bei der Geschichtslektüre war die Aufmerksamkeit nach der Doppelstruktur von *res et verba* (Sachen und Wörtern) auszurichten, denn die rhetorische Darstellung (*verba*) war für angehende Pfarrer und Theologen, ja im Grunde für alle Gelehrten kaum weniger wichtig als die Inhalte der Geschichte, die nach *loci* geordnet werden sollten, vor allem nach solchen, die auf moralische Lehren zielten. Alles wurde nach Tugenden und Lastern, nach Gut und Böse eingeteilt, auch Personen.[60] So erst wurden Exempel zum Thesaurus, aus dem man schöpfen konnte. Die Geschichte war selbst dieser Thesaurus,

---

[58] Für eine Exempelsammlung mit heilsgeschichtlicher Gesamtkonzeption vgl. das Beispiel des »Seelenwurzgartens« aus dem 15. Jahrhundert; dazu WILLIAMS-KRAPP, Exempla (1991).

[59] Cicero, De oratore 2, 36; vgl. 2, 51.

[60] HBRSt, S. 47.

der in der auswählenden Aneignung dann nur noch auf ein individuelles Maß zweckgerichteter Verfügbarkeit gebracht werden mußte.

Nicht nur Bücher wurden mit diesem Instrumentarium gelesen, auch die Welt selbst, Raum und Zeit. Mit dem Exempelblick betrachtet, bekam Geschichte eine charakteristische Struktur, die von metaphysischen Wahrheiten durchdrungen war, vor allem von denen der Morallehre. Die Rolle der Geschichte als dienende Disziplin war dabei vorgegeben. Tugenden und Laster waren so wenig der zeitlichen Veränderung ausgesetzt wie das Wesen des Menschen und der Dinge, andere (als menschliche) Lebewesen eingeschlossen. Der Dekalog und die Morallehren der Bibel, allen voran die Nächstenliebe, waren selbst keine historischen Tatsachen. Zwar waren sie als Stiftungen zu einem bestimmten Zeitpunkt in der Geschichte wirksam geworden. Aber ihre Inhalte standen außerhalb der Geschichte, galten zeitlos, mochte der Dekalog im christlichen Denken auch durch den Opfertod Christi eine andere Bedeutung erhalten haben als zuvor. Die Geschichte von daher zu lesen, kam der Übung gleich, das Zeitliche auf den Nenner ewig wahrer Lehren zu bringen und das Ewige im Zeitlichen aufzuspüren.

Diese Verschränkung von Zeitlichkeit und Ewigkeit drückte sich am deutlichsten in zyklischen Zeitabläufen aus. Das Maß der Zeit und die Zeitmessung beruhten selbst schon auf Zyklizität. Übertragen auf die Geschichte implizierte dies ihre grundsätzliche Wiederholbarkeit. Tatsächlich war dies die entscheidende Voraussetzung des Topos der *historia magistra vitae*. Ohne Wiederholung hätte die Geschichte ihrer Rolle als Lehrmeisterin niemals gerecht werden können. Wiederholung erst gewährleistete die Übertragbarkeit der Vergangenheit auf die Gegenwart, die das Exempeldenken unterstellte. Dahinter stand die Substanzmetaphysik der Tradition, und das bedeutete: ein von oben nach unten, vom Allgemeinen zum Besonderen geleitetes Denken. Im Ausgang von wesentlichen Merkmalen einer Sache, einer Eigenschaft wie den Tugenden oder Lastern, deren Definitionen gelegentlich neu ausgehandelt werden mußten, war die Reduktion des Besonderen auf das *exemplum* bereits angelegt. Verbrechen wiederholten sich. Analog dazu verhielten sich Strafen in der Frühen Neuzeit. Die Wiederholung des Geschehens drückte sich noch in Strafritualen sichtbar aus. Vermittelt wurde damit nicht nur ein Geschehen, sondern auch eine Weltordnung, die von der Wiederholung geprägt schien. In ritualisierten Formen wurde Geschehen rhythmisiert. Der Rhythmus der Wiederholung drückte sich schließlich auch in Präsentationsformen der Geschichtsschreibung aus: Die Form paßte sich der Wirklichkeitswahrnehmung an und umgekehrt. Schon die drei Bilder von Widerrufen, die Schmachredner(innen) von den Kanzeln Zürcher Kirchen herab sprechen mußten, führten dies vor Augen. Sie geben auch ein sinnenfälliges Beispiel für die hohe Sensibilität bei minimalen Abweichungen vom gewohnten Lauf der Dinge.[61]

---

[61] Siehe dazu II/2.4., S. 145 f., dazu die Abb. A7–A9.

Zu den moralischen Konstanten gehört die Ablehnung des Spiels. Neben übermäßigem Essen und Trinken, Fluchen, Gotteslästern, der Hoffart und dem Tragen verwerflicher Kleidung wurde in Sittenmandaten (auch den Zürchern) häufig das Spielen erwähnt und eingeschränkt oder gar verboten. Eine der bekanntesten eidgenössischen Geschichten in der Frühen Neuzeit dürfte das »Spiel von Willisau« im Luzerner Gebiet gewesen sein. Wieweit die Begebenheit überhaupt auf wirklichem Geschehen beruht, läßt sich schwer sagen. Darauf kommt es hier aber auch nicht an. Die Überlieferung reicht ins Mittelalter zurück. Manches spricht für 1392 als Datierung des Ereignisses.[62] Bei der Verbreitung der Geschichte im sechzehnten Jahrhundert dürften zwei Straßburger illustrierte Flugblätter von 1553 eine erhebliche Rolle gespielt haben.[63] Kurz danach erschien die Geschichte im »Fluchteufel« von Andreas Musculus (1556), im »Spiel Teuffel« von Eustachius Schildo (1557), in Fincels »Wunderzeichen« (1556) und bei Caspar Goltwurm.[64]

Die erwähnten Flugblätter schildern das teuflische Ende eines Kartenspiels. Einer der Spieler habe »vil gelt verspilt«, daraufhin zu fluchen angefangen, »wie dann der Spiler bruch ist«, und als er schließlich eine gute Karte bekam, habe er sich zu dem frevelhaften Schwur verstiegen, verliere er diese Runde, so wolle er Gott erstechen. Natürlich verliert er, woraufhin er seinen Dolch in die Luft wirft mit dem Effekt, daß dieses Mordgerät nicht mehr gesehen wurde. Statt dessen aber seien »fünff blůts troffen herab auf die schyben«, also den Spieltisch, gefallen. Nach dieser Tat wird der Mann ganz einfach vom Teufel »in die ewige verdamnuß« hinweggerafft. Auch die anderen beiden Spieler erleben ein böses Ende. Der eine wird von Läusen aufgefressen, der andere hingerichtet. Die Erzählung wird als Wirtshausgeschichte ein-

---

[62] Vgl. LIEBENAU, Geschichte des heiligen Blutes (1892); DENEKE, Goltwurm (1974), S. 167 f. – Die Darstellung bei Renwart Cysat gibt 1407: »am dritten tag Augstmonats / vnder Gregoris dem 12. vnd Keyser Sigmund«, ZHBL: Ms. 97, fol. 120ʳ; am Rand aber findet sich die Korrektur: »Daselbs besin 1392 den 7 Juny«; vgl. auch (nur 1392, durchgestrichen dort: 1409) bei Cysat in einer chronologischen Aufzeichnung von Ereignissen in ZHBL, Ms. 98, fol. 111ʳ.

[63] 1) [E]in Wunderbarlich gantz Warhafft Geschicht / so gesche[hen] ist in dem Schwytzerland / bey der Statt Willisow ...; Straßburg (Augustin Mellis, gen. Fries) 1553; ZBZ, PAS II 2/27. Vgl. HARMS (Hg.), Flugblätter VI (2005), Nr. 54 (S. 110 f.); BAECHTOLD, Literatur in der Schweiz (1892), S. 417; HBLS 2, 281 (Abb.); Schilling SCHILLING, Bildpublizistik (1990), S. 86 f., Nr. 100 und Abb. 73. – 2) Ein wunderbarlich gantz warhafft geschicht so geschehen ist in dem Schwytzerland / by einer statt heist Willisow ...; Straßburg (Augustin Mellis, gen. Fries) 1553; ZBZ, PAS II 12/42. Vgl. HARMS (Hg.), Flugblätter VI (2005), Nr. 55 (S. 112 f.); FEHR, Massenkunst (1924), S. 103 f., Abb. 44; RITTER, Répertoire bibliographique (1960), S. 528, Nr. 2550; STRAUSS, Woodcut 1550–1600 (1975), Nr. 218. – Es gibt neben diesen Flugblättern eine Reihe textgleicher Flugblätter. Vgl. SCHILLING, Bildpublizistik (1990), S. 87 Anm. 39.

[64] Vgl. STAMBAUGH (Hg.), Teufelbücher (1980), Bd. 4, S. 78 f. (Musculus) und Bd. 5, S. 148 f. (Schildo). FINCEL, Wunderzeichen (1556), F 1, q 4ʳ. Vgl. SCHILLING, Bildpublizistik (1990), S. 87; SCHILLING, Fincel (1974), S. 375; DENEKE, Goltwurm (1974), S. 167 f.; ALSHEIMER, Teufelserzählungen (1974), S. 477 (Nr. 381).

geführt, die der Dichter Heinrich Wirri, der als Bürger aus Solothurn auftritt und im süddeutschen und Schweizer Raum als Pritschenmeister bekannt war, dem Briefmaler Augustin Frieß in Straßburg zum Druck übermittelte.[65] Die Geschichte diente allenthalben als moralisches Exempel gegen das Spielen und Fluchen.[66]

Bei Wick waren die beiden Straßburger Einblattdrucke im zweiten und zwölften Buch integriert: Das erste stand inmitten einer kurzen Serie von drei Teufelsgeschichten,[67] das zweite war unter den Blättern aus Bullingers Nachlaß eingeordnet.[68] Im 14. Buch kam Wick aus aktuellem Anlaß auf die Geschichte zurück, und dies nun mit einer seiner wenigen direkten Anreden »Zum låser«:

> Laß dich nütt wunder nen, froḿer Christenlicher låser, worum Gott erzürnt, vñ ein sȯllichs grusam, erschrokenlich wåtter, mitt sampt dem vnerhȯrten (bÿ mans dechtnuß) hagel, daher geschickt. Dan nåbet anderen sünden, die wir (leider) tåglich begond, mit Gozlesterung, eebruch, trunkenheÿt, hoffart, gÿz vñ wůcher, wie S. Johans in siner epistel seÿt, die ganz wålt legge im bȯsen,[69] da hatt man åben vff den selbigen tag, namlich vff sant Oswalds tag, den 5. Augusti, zů Willisauw in Lucerner piett die alt histori (die ein grewel ist zu hȯren, gschwÿgen nachzethůn) die vor zÿten daselbs von drÿen spilerē geschåhen vñ sich zůgetragen, ernüweret, vñ ein spil daruß gemacht, das also vor iungen vñ alten, wÿbs vñ mans personē offentlich gespilt worden, vñ in allem spil, vm die zweÿ, nach mittag, als der personen einer den Tolchen in die lüfft geworffen, vñ sinen spruch angehept zů erzellen, da ist das grusam wåtter, mitt sampt dem schweren hagel dahar koḿen, das einer hie vß, der ander dȯrt vß geflohen, vnder die tåcher, vñ in die hůser geloffen. Das frilich der allmechtig Gott übel erzürnt, vñ ein groß mißfallen ab disem spil gehaben. Dan warlich Gott mitt sȯllichen gozlesterungē nütt laßt mitt im schimpfen.[70]

Vermutlich handelte es sich um die Aufführung eines Theaterstücks, in dem die Sage vom Blut von Willisau umgesetzt worden war.[71] Schon das Ereignis war durchdrungen von der Struktur der Wiederholung: Gewählt wurde das gleiche Datum, an dem angeblich »die alt histori« stattgefunden hatte. Das Nachspielen bedeutete deren »Erneuerung«, wie Wick dies formulierte. Schließlich wiederholte

---

[65] Vgl. WELLER, Wirri (1860); ADB 55, S. 385–387.

[66] Zum Exempelcharakter: SCHILLING, Bildpublizistik (1990), S. 87, der auf Erzählereinschübe hinweist, die das Typische herausstellen »und somit den speziellen Fall in ein allgemeiner gültiges lehrhaftes Exempel umwandeln.« Schilling verweist auch auf den Predigerton gegen Ende des Blattes. Für eine in Details abweichende Darstellung vgl. eine Beschreibung des Heiligen Bluts, die Cysat offenbar zugeschickt wurde: Caysat, Kollektaneen: Luzern, ZHB: Ms. 97, fol. 120ʳ–128ᵛ.

[67] Sequenz in ZBZ, Ms. F 13: 1) »Ein warhaffte Histori die sich in der Marck zůgetragen, wie der Tüfel einē Wirt hinwåg mit lÿb vñ seel getragen«, fol. 129ʳ & 130ᵛ; 2) das Flugblatt PAS II 2/27; ehemals fol. 129ᵛ–130ʳ; 3) »ALIA History«, eine Teufelsgeschichte »zů Ham vnd in Sachsen an der Weser«, die etwa im Jahr 1380 geschehen sein soll, fol. 130ᵛ.

[68] Herkunftsort vor der Versetzung: ZBZ, Ms. F 24, pag. 458–459.

[69] Sinngemäße Paraphrase von 1. Joh 2,14–17.

[70] ZBZ, Ms. F 25, fol. 261ᵛ.

[71] Vgl. GOEDECKE, Grundriß (1886), S. 351 und S. 89.

sich aber auch Gottes Zorn, und zwar nicht erst im Schauspiel, sondern im Ernst der Gegenwart, in der Jetztzeit während der Aufführung. Er richtete sich gegen das Spiel, obgleich dessen Intention darin bestanden hatte, den Zuschauern die alte Geschichte als abschreckendes Beispiel vor Augen zu führen. Unausgesprochen spielte in Wicks Worten eine seit 1550 in Zürich zunehmende Theaterfeindlichkeit mit.[72] Der Vorfall hatte wie schon die alte Begebenheit zudem konfessionelle Implikationen. Schließlich handelte es sich um Geschehnisse im Herrschaftsgebiet des katholischen Luzern. Und mit Sicherheit hegte Wick eine tiefe Skepsis gegenüber dem Hauptbeweisstück für die Wahrhaftigkeit der Geschichte, dem Spieltisch mit den fünf himmlischen Blutstropfen, die als Anspielung auf die fünf Wunden Christi zu verstehen waren. Die Blutstropfen hatten etwas von Passionsblut, der Tisch den Charakter einer heiligen Reliquie und das Theaterstück einen Hauch von Passionsspiel – Grund genug, für protestantische Skepsis bei gleichzeitigem Konsens über die Verwerflichkeit des Frevels. Grund genug auch für Häme über die mißlungene Aufführung und das Gefühl der Bestätigung der eigenen konfessionellen Haltung. Die Zürcher konnten sich nicht zuletzt in ihrer Auffassung bestätigt fühlen, daß Wunderzeichen – im Unterschied zu Sakramenten – von Gott »nit verordnet« würden, um »das volck in ein besondere gmeinschafft eynzůschliessen«, wie Heinrich Bullinger es ausdrückte. Wunderzeichen erforderten keine »Ceremoni/ die zů halten oder die menschen zů versamlen eyngesetzt seye«.[73]

Die Wiederholung der Geschichte und des Gotteszorns bestimmte die Darstellung Wicks in Bild und Text. Der Anrede an den Leser stellte er ein Fragment des zweiten der beiden Straßburger Blätter voran.[74] Es handelte sich alleine um das Bild. Wick hat hier eine von relativ vielen Flugblattdoubletten »eingebaut«. Gerade das unterstreicht, wie die Wiederholung in der Darstellung dazu diente, den Wiederholungscharakter des Geschehens hervorzuheben. Es handelt sich um ein gezielt eingesetztes Gestaltungselement und nicht um ein Versehen, denn Wick mußte den Flugblattext der alten Geschichte, den er auf seine Anrede an den Leser folgen ließ, von Hand abschreiben, da er für die Wiederholung offenbar von vornherein nur ein Fragment des Einblattdruckes zur Verfügung hatte. Der Fall belegt, daß die Aufnahme von Doubletten keineswegs leichtfertig einem blinden Sammeleifer zugeschrieben werden sollte. Hier ist gerade nicht der Mangel an Fähigkeit zur Gestaltung, sondern ein klarer Gestaltungswille dafür verantwortlich. Die jeweiligen Kontexte sind völlig verschieden: Das vollständige Blatt steht unter den Dokumenten des Bullinger-Nachlasses weitgehend für sich. Das Fragment im 14. Buch hingegen ist einer Text-Bild-Sequenz so eingeordnet, daß es sowohl die alte Begebenheit als auch das Schauspiel visualisieren hilft.

---

[72] Dazu ausführlicher GKZ 2, S. 265 f.

[73] Vgl. BULLINGER, Hausbuch (1558), fol. 396a/b (46. Predigt).

[74] ZBZ, Ms. F 25, fol. 261ʳ. Heute versetztes Flugblattfragment: PAS II 13/15.

1.2.3. Wicks Leser

Der Leser ist das Pendant des Autors. Ohne ihn ist er nicht, was er ist. Wick wandte sich direkt an seine Leser. Wer aber waren sie?

Nur wenige lassen sich heute nachweisen. Erwähnt wurde bereits Gregor Mangolt, der ein frühes Buch der *Wickiana* zur Lektüre erhalten hatte. Ein ähnlicher Dankbrief stammt von Johann Rudolf Wellenberg, ab 1564 Mitglied des Großen Rats in Zürich.[75] In den letzten Bänden der *Wickiana* stößt man immer wieder auf Originalbriefe von der Hand des jüngeren Heinrich Thomann. Er gehörte offensichtlich nicht nur zu den Nachrichtenlieferanten, sondern auch zu den fleißigsten Lesern der »Wunderbücher«. In einem Brief von 1580 schrieb er:

> Günstiger Herr, min bit welinnd nit an mich zürnen das ich eüch stets mit den bůcheren bemůgen vnnd vnnrůwig machen. Dise bůcher oder theil han ich noch nüt gläsen von dem 71. Jar vnnd vonn dem 6. vnnd 77.t[en] Jar. Min bit wellind mir eins schiken.[76]

Schon in zwei früheren Briefen im selben Band bat Thomann um Wicks Bücher zur Lektüre.[77] 1581 wünschte er den Jahrgang 1579, 1583 das Buch zum Jahr 1572 »oder sonst eins« zu lesen.[78] Thomann studierte mehrere *Wickiana*-Bände, und es kann sein, daß er dadurch wichtige Anregungen für die Gestaltung seiner Abschrift von Bullingers Reformationschronik erhielt, die er 1605/6 eigenhändig anfertigte. Das könnte vor allem für die reiche Bebilderung zutreffen.[79] Johann Rudolf Stumpf, der Sohn des Schweizerchronisten, übermittelte im Jahr seiner Berufung zum Nachfolger Lavaters als Antistes der Zürcher Kirche (1586) zwei »fürnem̄ Historien« an Wick und bat gleichzeitig um einige *Wickiana*-Bände zur Lektüre.[80] Auch Matthias Bachofen, der noch zu Lebzeiten Wicks einiges aus dessen Büchern für sich kopierte, darf zu den Lesern gezählt werden.

---

[75] Schreiben vom 27. Januar 1574; ZBZ, Ms. F 23, pag. 446. Vgl. WEBER, Wunderzeichen und Winkeldrucker (1972), S. 18. Paraphrasiert bei SENN, Wick (1974), S. 75.

[76] ZBZ, Ms. F 29, fol. 212ʳ.

[77] Ibid., fol. 77ᵛ und fol. 129ᵛ.

[78] ZBZ, Ms. F 29a, fol. 179ʳ und Ms. F 31, fol. 52ʳ.

[79] ZBZ, Ms. B 316. Dazu BÄCHTOLD, Bilderbuch des Glaubens (1991).

[80] »Zwo fürnem̄ Historien vnd Geschichte, die ein, was sich zů deß Keÿsers Alberti zÿten der bÿ Königsfälden von sinem vetteren, Anno 1297. erstochen, mit einem Rüter der von Hurnussen geschediget, Im sin Roß zetodt bÿßen, zůgetragen. Die ander was zu Franckfurt am Meÿn In aller Mäß, mitt einem Zauberer vnd Tüffel schwerer geschēchen, der die Katze vnd Müs zůsamen gschworen, Jm Meÿen ertrenckt, vnnd was Im zů letst darob begegnet.« ZBZ, Ms. F 34, fol. 46ʳ–49ᵛ. Vgl. Usteris Katalog: St 294, S. 194, lit. b. Die Sage aus den Zeiten Albrechts I. (1298–1308) wurde von Bodmer in den Historischen Erzählungen aufgegriffen, mit Sicherheit auf anderer Quelle beruhend. Vgl. die Erzählung »Die Zeichen und Vorbedeutungen« in: BODMER, Historische Erzählungen (1769), S. 37–39.

1. Sammlung und Geschichtsschreibung

Was weitere betrifft, ist man auf mehr oder weniger plausible Annahmen angewiesen. In erster Linie dürften die Chorherren am Großmünster die *Wickiana* aus eigener Anschauung gekannt haben: Bullinger, Wolfgang Haller, Stucki, der Wicks Bücher in seiner Biographie Johannes Wolfs erwähnte,[81] Johann Jacob Fries, dessen Lektürenotizen aber erst aus der Zeit unmittelbar nach Wicks Tod stammen, nachdem die »Wunderbücher« der Stiftsbibliothek übergeben worden waren. Wicks Familienkreis zählte gewiß auch zu den frühen und regelmäßigen Lesern, besonders seine Schwiegersöhne, die Pfarrer Samuel Hochholzer und Felix Wyß. Bei einzelnen Personen, die »Historien« direkt in Wicks Aufzeichnungen hineinschrieben, darf man kaum auf eine umfangreichere Lektüre schließen. Aber sie haben gewiß einen Blick in die *Wickiana* geworfen, vielleicht das eine oder andere daraus gelesen. Die direkt nachweisbaren Leser stammen alle aus dem engsten Kreis der Zürcher Elite: Rat und Chorherrenstift, da, wo auch die wichtigsten Informanten Wicks herkamen. Bekannt waren die *Wunderbücher* und ihr Verfasser aber auch über die Grenzen Zürichs hinaus, wie Nachweise aus Bullingers Briefwechsel mit Egli in Chur belegen.[82] Wicks chronistische Tätigkeit war weder geheim, noch reines Privatvergnügen. Die *Wickiana* entstanden aus dem Anspruch eines Chronisten der Gegenwart, der seine Leser belehren wollte. Im Geschichtsverständnis, das die »Wunderbücher« widerspiegeln, konnte dies geschehen, ohne daß der Autor Wick selbst dabei allzu sehr in den Vordergrund trat. Nur in seltenen Fällen kam er hinter den Wunderhistorien hervor, die er in der Regel für sich selbst oder in Kombination miteinander sprechen ließ. Die wenigen Stellen, an denen Wick als Autor sprach und sich direkt an seine Leser wandte, haben wir in den vorangehenden Abschnitten untersucht. Sie sind Beleg genug, daß sich Wick als Chronist im Dienst einer moralischen Botschaft verstand, die für sich freilich keine Originalität beanspruchte, sondern mit dem Thema der Wunderzeichen unzertrennlich verknüpft war.

---

[81] Vgl. WEBER, Wunderzeichen und Winkeldrucker (1972), S. 18.
[82] Vgl. HBGr 3, S. 348, 358 f.

2. INFORMATIONSNETZ UND -AUSWAHL

Wick hat auf ein breites Spektrum an Quellen zurückgegriffen. Eine Aufzählung könnte bei den Chroniken anfangen, auf deren Inhalt er vor allem durch die Bestände der Bibliothek des Chorherrenstifts Zugriff hatte, teilweise aber auch durch Privatbibliotheken seiner Kollegen und Freunde. Lycosthenes' *Prodigiorum ac ostentorum chronicon* war nicht im Katalog der Stiftsbibliothek verzeichnet.[83] Wir wissen aber, daß Bullinger ein Exemplar besaß.[84] Auch Job Fincels *Wunderzeichen* benutzte Wick für vergleichende Rückblicke in die Geschichte der Wunderzeichen.[85] Weitere Geschichtswerke, handschriftliche und gedruckte, lassen sich nachweisen: Stumpfs Schweizerchronik,[86] Bullingers Reformationsgeschichte,[87] Edlibachs Chronik. Viele der Nachrichten, die Wick aufschrieb, wurden ihm mündlich mitgeteilt. Hinzu kommen die über 900 Flugschriften und Flugblätter, die er in seine Chronik einbaute.[88] Sie ließen sich relativ leicht nach ihren Druckorten aufschlüsseln, was jedoch wenig darüber sagt, wie Wick in den Besitz dieser Schriften kam. Nur in wenigen Einzelfällen lassen sich Vorbesitzer nachweisen oder Vermittler wie der Zürcher Drucker Froschauer, der einzelne Exemplare auf den Buchmessen kaufte, die er bereiste, und nach Zürich mitnahm.

Es geht in diesem Kapitel nicht darum, eine vollständige Auflistung zu erreichen oder alle Einzelberichte nach Quellen systematisch zu erschließen. Das läßt sich für 24 Bände mit einem Umfang von rund 13.000 Seiten kaum leisten. Es muß hier genügen, wenn wir aufzeigen können, auf welchem Informationsnetz Wicks Annalen aufbauen konnten. Bedenkt man, daß Wick kein Reisender war, der ständig

---

[83] Vgl. ZBZ, Ms. Car. XII 6–7.

[84] Lycosthenes übermittelte zugleich mit Rücksendung der Prodigiensammlung Bullingers (dazu oben I/2.2 und 2.3) ein frisch gedrucktes Exemplar seines Werkes. Vgl. Conrad Lycosthenes an Heinrich Bullinger, Basel, 3. Oktober 1557; StAZ, E II 375, 494 (»Mitto exemplar [...]«). Teiltranskription des Briefes mit der relevanten Passage bei MAUELSHAGEN, Nachlaßstücke Bullingers (2001), S. 85 f.

[85] Auch dieses Werk war nicht in der Stiftsbibliothek vorhanden. Vgl. ZBZ, Ms. Car. XII 6–7. Wer in Zürich ein Exemplar besaß, ist unbekannt.

[86] Siehe oben S. 48. Wahrscheinlich häufiger als Bildvorlage verwendet: vgl. PFISTER, Wetternachhersage (1999), S. 256 für einen Nachweis.

[87] Siehe oben S. 47.

[88] Statistiken zu den Flugblättern finden sich bei WEBER, Wunderzeichen und Winkeldrucker (1972), S. 22 f. (Anm. 46) und bei LATHER, Einblattdrucke (1979) sowie im Katalog von Stäheli, ZBZ, PAS II 26. Eine genauere Auflistung und Auswertung nach Druckorten, Druckern usw. ist einer vom Verfasser geplanten Publikation zur Überlieferungsgeschichte der *Wickiana* vorbehalten: MAUELSHAGEN, Überlieferung und Bestand (i. V.).

herumkam, und daß er auch keinen internationalen Briefwechsel aufbaute, so dürfte der Schlüssel zu seinen Informationen wiederum in lokalen Vermittlern und ihren jeweiligen Netzwerken zu suchen sein. Dies sichtbar zu machen, trifft sich mit einem Anliegen, das ich in der Einleitung zu diesem Buch formuliert habe, nämlich die Revision des lange gepflegten Bildes, Wick sei ein Einzelgänger und Außenseiter in seinem lokalen Umfeld gewesen. Schon die Zürcher Aktivitäten auf dem Feld des Prodigienglaubens haben gezeigt, daß Wick mit seinem Sammlungsinteresse in Zürich alles andere als isoliert war (vgl. I/2). Wir werden im folgenden den gleichen Akteuren wiederbegegnen, diesmal als Informanten Wicks. Neue kommen hinzu. Um das lokale Nachrichtennetz darzustellen, das hinter Wicks Chronik stand, eignen sich Briefe als Quellen der *Wickiana* weit besser als Druckschriften.

Eine Anschlußfrage betrifft Wicks Umgang mit seinen Informationen. Im zweiten Teil dieses Kapitels werde ich auf die Frage der Auswahl eingehen, und zwar in einer Diskussion des Vorwurfs, Wick sei ein leichtgläubiger Autor gewesen. Das ist seit Johann Jacob Scheuchzer immer wieder behauptet worden, ohne daß dabei zeitgenössische Maßstäbe für Glaubwürdigkeit berücksichtigt worden wären.[89] Es wird darum gehen, diese Maßstäbe zu hinterfragen und Wicks Umgang mit seinen Quellen durch Vergleiche zu beleuchten.

2.1. Das lokale Nachrichtennetz

Untersuchen wir also Briefe als Informationsquellen für die *Wickiana*. Für die folgenden graphischen Darstellungen wurden nicht alle in den *Wickiana* enthaltenen Einzelinformationen erfaßt, die auf dem Austausch von Briefnachrichten beruhten. Vielmehr wurde aus einem Gesamtsample von 3.746 Texteinheiten eine Auswahl von 654 Texteinheiten aus allen 24 Bänden getroffen, bei denen Wick schon (fast ausnahmslos) in der Überschrift zu erkennen gibt, daß er auf Briefe zurückgriff.[90] Dieses Vorgehen schließt die Möglichkeit ein, daß ein und derselbe Brief mehreren aufgezeichneten Nachrichten in den *Wickiana* zugrunde liegt. Darum spreche ich hier und im weiteren nicht von »Briefen«, sondern eben von »(Text-)Einheiten«. Die Auswertung der Briefauswahl erfaßt folgende Daten: Absender, Absendeort und -datum, sowie den oder die Empfänger. Nicht immer sind alle Daten vorhanden oder ermittelbar. Das Grundproblem liegt auf der Hand: Briefwechsel des sechzehnten Jahrhunderts sind nie vollständig erhalten und erschlossen, so daß im Falle von

---

[89] Zu Scheuchzers Urteil siehe ZBZ, Ms. H 124, fol. 27ʳ, hier zitiert auf S. 241.

[90] Die Angaben zu den Texteinheiten beruhen hier und im folgenden auf einer Datenbank, die die Informationen des vom mir erstellten Gesamtregisters erfaßt. Eine Einheit entspricht dabei einer Überschrift zu einem Text oder einer Folge von Textabschnitten mit einem Haupttitel untergeordneten Zwischenüberschriften. Nahezu 1.000 Einheiten werden von den den *Wickiana* integrierten Druckschriften gebildet.

anonymisierten Briefkopien Wicks durch Vergleiche mit den Originalen Absender oder/und Empfänger ermittelt werden können. (Der Bullingerbriefwechsel bietet hier eine seltene Ausnahme.) Darum wird bei den folgenden Auswertungen, wenn die Verhältnisse in Prozentwerten ausgedrückt sind, nicht das gesamte Sample von 654 Briefen konstant gleich Hundert gesetzt, sondern die jeweilige Summe von Briefen mit den in Frage stehenden Daten.

Es ist sinnvoll, die Daten von den Zürcher Informanten Wicks her aufzuschlüsseln (Grafik 4). Sie finden sich fast ausschließlich auf der Empfängerseite, sieht man von den ebenfalls ausgewerteten Briefen ab, die von Zürich weggeschickt wurden. Bei 430 Einheiten (= 100 %) sind Empfänger angegeben oder lassen sich die Absender aus dem Zürcher Umfeld ermitteln. Alleine 324 Einheiten (75 %) davon waren an Chorherren gerichtet oder stammten von ihnen; 63 Einheiten (15 %) wurden vom Rat (offizielle Schreiben) oder aus dem Kreis der Ratsfamilien an Wick weitergegeben; 43 Einheiten (10 %) kommen von Zürcher Bürgerfamilien, die nicht im engeren Umfeld des Rates anzusiedeln sind. Die weitere Aufschlüsselung gliedert sich nach diesen Informationsquellen.

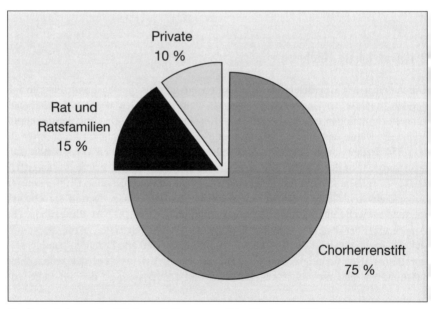

Grafik 4: Informanten Wicks nach Gruppen auf der Basis von 430 mit Absendern versehenen Einheiten

2. Informationsnetz und -auswahl

2.1.1. Chorherrenstift

Die Chorherren waren Wicks wichtigste Nachrichtenvermittler. Zu ihnen gehörten die Pfarrer des Großmünsters (Antistes, Archidiakone, Diakone, Verwalter des Stifts usw.), der Pfarrer »zu Predigern« und die Lehrer der *Schola Tigurina*. Insgesamt werden 16 Namen aus diesem Personenkreis genannt (Grafik 5), wobei die Großmünsterpfarrer eindeutig vor den Lehrern der Zürcher Hohen Schule rangieren (268 Einheiten = 83 % von 324).

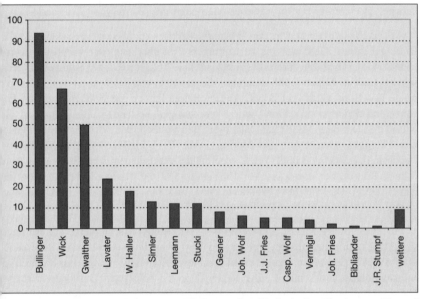

Grafik 5: Die wichtigsten Informanten Wicks aus dem Umkreis des Chorherrenstifts und der *Schola Tigurina*

1. Kirchenleitung – Bullinger steht mit 94 Einheiten (= 29 % bei 324 Einheiten = 100 %) an der Spitze. Sieht man von Wicks eigenem Briefwechsel ab, kommen die beiden Nachfolger Bullingers, Rudolf Gwalther und Ludwig Lavater, gleich an nächster Stelle. Gwalther wurde 1575 Antistes, Lavater 1585, noch zu Lebzeiten seines Vorgängers Gwalther, der wegen Krankheit um vorläufige Ablösung von seinen Geschäften bat. Sowohl Gwalther als auch Lavater waren Schwiegersöhne Bullingers. Die Trias der Antistites an der Spitze bringt zusammen etwas mehr als 50 % der Nachrichten auf, die aus dem Chorherrenstift an Wick gingen. Bei Lavater allerdings ist zu berücksichtigen, daß er nur ein Jahr Antistes war, ehe er starb. 1586 wurde Johann Rudolf Stumpf zum Nachfolger Lavaters gewählt. Er war der vierte Antistes zu Amtszeiten Wicks, kam aber bis zu dessen Ableben nicht mehr als bedeutender Nachrichtenvermittler zur Geltung.

Bis zu seinem Tod 1575 besaß Bullingers Briefwechsel herausragende Bedeutung für die *Wickiana*. Bis zu diesem Zeitpunkt machten seine Nachrichten 49 % (94 von 193) dessen aus, was aus dem Chorherrenstift an Wick weitergeleitet wurde, und 40 % (94 von 235) des Ganzen. Der Briefwechsel, der dahinterstand, ist beeindruckend (Grafik 6): Die Zahl der heute noch erhaltenen Briefe von und an Bullinger beträgt über 12.000. Das ist mehr als die Korrespondenzen von Luther, Zwingli, Calvin und Vadian zusammengenommen und etwa das Dreifache von Erasmus' Briefwechsel. Auch Melanchthon liegt darunter.[91] Bullinger korrespondierte mit ganz Europa, wie man am besten an Überblickskarten erkennen kann. Bullinger war vermutlich einer der bestinformierten Menschen des sechzehnten Jahrhunderts.

Am häufigsten werden in den *Wickiana* Briefe von Theodor Beza aus Genf an Bullinger zitiert. Genf war bis zu Bullingers Tod überhaupt der wichtigste Korrespondenzort – bedingt durch die Französischen Religionskriege. Seltener als Beza schrieb Calvin. Neben Genf stammten die meisten von Wick kopierten Bullinger-briefe aus Bern, Chur und Basel. Andere Briefe kamen aus Städten und von Personen, zu denen konfessionell gute Verbindungen bestanden: aus Augsburg und Nürnberg etwa oder aus Krakau, aus typischen Studienorten von Zürcher Studenten wie Tübingen, Heidelberg und Marburg. Aus Berg im Flachtal, das zur Zürcher Landschaft gehörte, erhielt Wick regelmäßig Nachrichten von Bullingers Sohn Johann Rudolf, der dort zwischen 1565 und 1582 die Pfarrstelle versah. Von ihm kamen einige Berichte über Wunderzeichen, und zwar in Text und Bild, die Wick häufig im Original in seine Bücher aufnahm.[92]

Für das Zürcher Nachrichtenwesen des sechzehnten Jahrhunderts war Bullinger vor allem darum bedeutsam, weil er den Wert schneller und aktueller Information über das Weltgeschehen erkannte und aus dieser Erkenntnis heraus ein regelrechtes Informationssystem schuf. Leider liegen über die bekannten Bullinger-Zeitungen überwiegend ältere Untersuchungen vor, die auf Quantifizierung des umfangreichen Materials und systematische Erschließung bestehender Botenverbindungen verzichten.[93] Bullinger, so scheint es, hat sich vor allem auf private Boten gestützt

---

[91] Für Vergleichszahlen: HBBW 1, S. 8. Zu Bullingers Briefwechsel folgende Literatur: SCHIESS, Briefwechsel Bullingers (1904); NIEHAUS, Bullinger-Briefsammlung (1944); BÄCHTOLD, Bullinger, Augsburg und Oberschwaben (1995).

[92] Nachweise in der Beschreibung der Einzelbände in MAUELSHAGEN, Überlieferung und Bestand (i. V.). Für ein Beispiel siehe SENN, Wickiana (1975), S. 204.

[93] Vor allem WEISZ, Bullinger Zeitungen (1933). Die neueste zusammenfassende Darstellung zur Zeitungsgeschichte Zürichs in: GKZ 2, S. 326–328, beruht fast ausschließlich auf den überholten Arbeiten von Leo Weisz: Vgl. WEISZ, Zürcher Zeitungen (1933), WEISZ, Geschichte des Nachrichtenverkehrs (1936) und zusammenfassend WEISZ, Nachrichtenverkehr (1954). Die Edition des Bullingerschen Briefwechsels verzichtet systematisch auf die Herausgabe der »neuen Zeitungen«, die darum auch bisher, anders als die Briefe, wenig erschlossen sind. Vgl. HENRICH, Bullinger's correspondence (2004) und HENRICH, Bullinger-Zeitungen (2004).

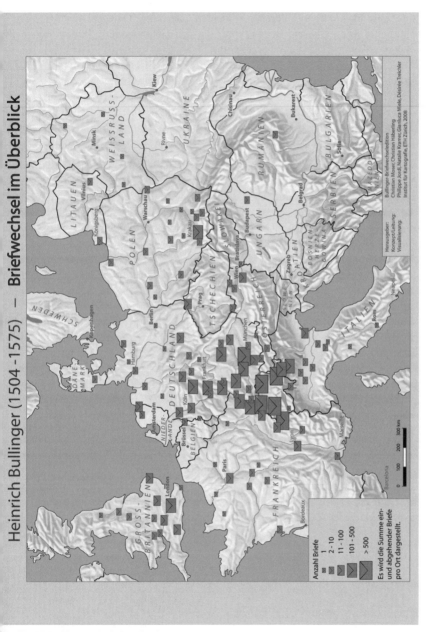

Grafik 6: Bullingers Briefwechsel

durchreisende Kaufleute, Zürcher Studenten und andere Gelegenheitsdiener. Diese Bild bietet jedenfalls sein Briefwechsel mit den Graubündnern, in dem regelmäßi, auch die Namen der Nachrichtenübermittler erwähnt werden.[94] Regelmäßig vor de Frankfurter Messen verlegte sich Bullinger aufs Briefeschreiben, um Christop Froschauer einen Stapel Briefe zur weiteren Verteilung mitgeben zu können. Di Messen waren auch Nachrichtenbörsen. Von dort brachte Froschauer wahrscheinlic viele der gedruckten »Neuen Zeitungen« mit, die vor allem als Einblattdrucke aus gingen und dann von Wick und anderen Zürchern gesammelt wurden.

Die Bullinger-Zeitungen waren handgeschriebene Nachrichtenbriefe. Teils ware sie den Brieftexten angeschlossen oder integriert, teils auf separaten Blättern notier Aber nicht nur die von Bullinger weggeschickten Schreiben werden heute dazuge rechnet, auch die Briefzeitungen, die er empfing und oft eigenhändig vervielfältigt oder vervielfältigen ließ, sei es, um die neuesten Nachrichten in Zürich zu verbrei ten, sei es, um sie von Zürich aus an befreundete Orte zu übermitteln.[95] Eine in de *Wickiana* erhaltene Nürnberger Flugschrift zeigt, wie bekannt Bullinger als Nach richtenkolporteur war.[96] Darin wurden zwei Nachrichtenbriefe wiedergegeben. In zweiten, der eine »zeytung auß Polen« mitteilte, wird Bullinger als Quelle genann Die Nachricht beginnt mit den Worten: »Was inn den vorigen tagen sich in Pole zugetragen hat / könt ich wol zu schreiben vnterlassen / sintemal jhr viel neher be dem D. Heinrico Bullingero seyd als ich ...«.[97] An einer anderen Stelle wird Bullin ger dann sogar zur Autorität bei der Beglaubigung einer Wundergeschichte: »Vbe diese vnd dergleichen Geschicht / sol sich billich yederman verwundern / die schie nicht zu glauben / wenn es D. Bullingerus nit selbst het geschrieben.« Die in de Druckschrift erschienenen Nachrichten hatte Wick schon handschriftlich im erste Buch seiner Chronik notiert.[98] Auch hier ist Bullinger unmittelbar als Quelle anzu sehen.

Eine nach den Einzelbänden der *Wickiana* aufgeschlüsselte Übersicht zum Ante der Briefe Bullingers, Gwalthers und Lavaters sowie von Wick selbst, vermitte Einblick in den Wandel der Nachrichtenlage, insbesondere nach Bullingers To (Grafik 7). Außerdem zeigt sich, daß Bullinger in den frühen Bänden nicht imme vertreten ist. Das liegt vermutlich an Wicks schwankendem chronistischem Enga gament in dieser Zeit.[99] Das Nachrichtenpotential der Bullinger-Zeitungen wär

[94] Vgl. HBGr 1–3, passim.

[95] Zu den von Bullinger gesammelten Zeitungen vgl. die umfangreichen Sammelbände: ZBZ Ms. A 43, A 44, A 65 und A 66; ferner StAZ, A 171, E II 441.

[96] Warhafftige newe Zeytung / von dem fortgang des Euangelij / vnd grewlichen wunderba lichen straffen der Papistischen Pfaffen / vnnd Widersacher Christi ..., Valentin Geißle Nürnberg o.J. (1559?). ZBZ, Ms. F 18, fol. 41ʳ–44ʳ. Der anonyme Briefverfasser zeichne mit den Initialen »F. L. D.«

[97] Ebd. fol. 43ʳ.

[98] ZBZ, Ms. F 12, fol. 193ᵛ–194ᵛ.

[99] Siehe dazu ausführlich später in Kapitel 3.2, S. 202 ff.

auch schon in den sechziger Jahren vorhanden gewesen. Daß Wick erst ab 1570/71 in beträchtlichem Maße und kontinuierlich darauf zugriff, ist Beleg für die Zäsur, welche die Krise Anfang der siebziger Jahre für seine Aufzeichnungen bedeutete. Bullinger wurde am stärksten für den Jahrgang 1572 als Nachrichtenlieferant beansprucht, was in der hitzigen Berichterstattung über die Hugenottenmorde in Frankreich begründet liegt.

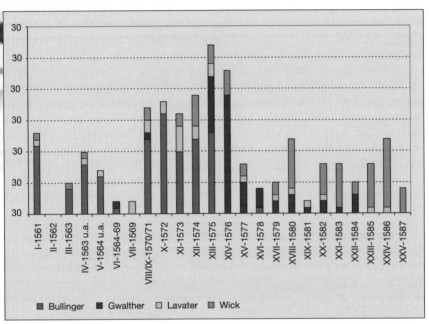

Grafik 7: Anteil der vier wichtigsten Korrespondenzen als Informationsquelle für Wick
(Zahl pro Wickiana-Band)

Rudolf Gwalther taucht bis 1575 nur mit zwei Briefen auf. Sein Anteil an Wicks Aufzeichnungen hat vorwiegend mit seiner Funktion als Antistes zu tun, die ihn zum Zentrum des von Bullinger aufgebauten Nachrichtensystems machte. Die ihm damit zugewachsenen Aufgaben scheint er zunächst erfüllt zu haben. Die insgesamt 19 Briefzeitungen, die Gwalther zum Jahrgang 1576 beisteuerte, sind der höchste Anteil eines einzelnen Nachrichtenvermittlers in einem *Wickiana*-Band, zumindest nach Maßgabe unserer Zählung. Danach sinkt Gwalthers Anteil rapide. Das hat wahrscheinlich persönliche Gründe: 1576 starb sein engster Freund, Josias Simler, ein Jahr später dann sein hoffnungsvoller Sohn Rudolf.[100] Ab Anfang der achtziger

[100] Zum Tode Rudolf Gwalthers jun. vgl. die in Basel gedruckte *EPISTOLA CONSOLATORIA*

183

Jahre tat seine zunehmende körperliche Schwäche ein Übriges. Gwalther war nicht mehr in der Lage, den enormen Briefwechsel Bullingers aufrecht zu erhalten. Das macht sich besonders daran bemerkbar, daß immer weniger Briefe aus Genf über Gwalther an Wick weitergeleitet wurden. Theodor Beza, einer der Hauptkorrespondenten der Bullingerzeit, kommt immer seltener vor.

Betrachtet man die Verteilung nach den einzelnen Bänden, dann erklärt sich der Anteil Lavaters wiederum anders als derjenige Bullingers und Gwalthers. Lavater wurde erst im Jahr vor seinem Tod zum Antistes gewählt und hatte darum keine Gelegenheit mehr, wieder einen umfangreicheren Briefwechsel, als sein Vorgänger zuletzt gepflegt hatte, aufzubauen. Lavaters Briefe als Quellen für Wick summieren sich deshalb über die Jahre, weil er von Anfang an ein regelmäßiger Nachrichtenvermittler war. Aufs Ganze gesehen, wird er durchschnittlich jedoch nicht mehr als einmal pro Band als Quelle genannt. Ebenfalls zur Kirchenleitung gehörte Wicks Vorgänger und Freund Wolfgang Haller, der ab 1557 die Position des Stiftsverwalters ausfüllte. Auch er war ein regelmäßiger Informant Wicks (18 Einheiten), besonders aus den Briefen seines Bruders Johannes Haller, der die Berner Kirche leitete und daher auch als regelmäßiger Korrespondent Bullingers begegnet.[101] Zum Umfeld der Kirche und nicht zur Schule gehörte noch der Pfarrer der Predigerkirche, Burkart Leemann (12 Einheiten), der 1593 als Nachfolger von Johann Rudolf Stumpf (nur eine Einheit) Antistes wurde.

Wie kompensierte Wick ab der zweiten Hälfte der siebziger Jahre den Ausfall der für lange Zeit wichtigsten Nachrichtenquelle, also Bullingers? Die Entwicklung seines eigenen Anteils läßt vermuten, daß er häufiger als zuvor selbst als Briefschreiber aktiv wurde. Richtet man den Blick auf seine Korrespondenten und die Absendeorte, so fällt sofort auf, daß er mit seinen eigenen Briefen den Ausfall der europäischen Verbindungen Bullingers nicht ersetzen konnte. Seine Briefpartner waren überwiegend Pfarrer und Prädikanten von Stadt und Land Zürich und von befreundeten Städten: Johann Rudolf Bullinger etwa schrieb ihm (nicht nur mittelbar durch seinen Vater); Josua Maler, seit 1571 Pfarrer in Bischofszell, ab 1582 in Winterthur; Johannes Bluntschli, Pfarrer in Ötenbach; Lucius Nier, Pfarrer in Davos; Matthias Bachofen, nacheinander Pfarrer in Männedorf, Steckborn, Glarus und Herisau, derselbe Bachofen, der Anfang der achtziger Jahre die *Wickiana* als chronistische Quelle nutzte;[102] außerdem Josua Vinsler, Pfarrer in Biel, der regelmäßig mit dem Namenszusatz »Tigurinus« unterzeichnete und damit seine Zürcher Herkunft anzeigte. Informanten, die Wick persönlich kannte, genossen das größte Vertrauen, sofern sie

---

in ZBZ, Ms. F 26, fol. 10^r–13^r, mit der anschließenden Übersetzung, fol. 14^r–17^r. – Kurt Jakob Rüetschi danke ich für Informationen zu Gwalthers Biographie und zur Entwicklung seines Briefwechsels.

[101] Zu diesem Briefwechsel: HENRICH, Briefschreiber (2007).

[102] Vgl. zu ihm DEJUNG, Zürcher Pfarrbuch (1953), S. 183, und SENN, Wick (1974), S. 83.

nicht ohnehin durch einen bedeutenden Namen als zuverlässig ausgewiesen waren. Dazu paßt, daß meist Zürcher Studenten aus den bevorzugten Studienorten der Zürcher Kirchleitung berichteten: aus Tübingen, Marburg oder Heidelberg – und nicht etwa die ortsansässigen Professoren. Nicht zum Kreis der Pfarrer, sondern zum Umfeld des Rates gehörte Heinrich Thomann, der eine Reihe von Briefen direkt an Wick richtete, aber auch er nicht von weither.

Eine gewisse Kompensation für den Verlust an Internationalität der Nachrichtenquellen stellen die anonymen Briefzeitungen dar, die Zürich in den achtziger Jahren immer regelmäßiger aus Nürnberg, Augsburg, Wien, Basel, Antwerpen oder Breslau erreichten. Der Form nach zu schließen, handelte es sich dabei vor allem um handgeschriebene Nachrichtensammlungen.

2. *Die Professoren der »Schola Tigurina«* (Grafik 8): Auf die Professoren der Hohen Schule entfallen insgesamt nur 56 Einheiten (13 % von 430 Briefen mit Empfängerangaben; 17 % der Einheiten aus dem Kreis der Chorherren). Josias Simler, der humanistisch gebildete Theologe und Historiker, war der wichtigste Nachrichtenvermittler unter den Lehrern der Hohen Schule. Er war Professor für Altes Testament. Bis zu seinem Tod 1576 gingen 13 Einheiten auf ihn zurück, deren Verteilung wie schon bei Bullinger auf den Einschnitt der siebziger Jahre hindeutet (elf Einheiten zwischen 1570 und 1576). Auf Wilhelm Stucki, der ebenfalls über die Heilige Schrift las, kommen zwölf Einheiten, spät einsetzend mit dem Jahrgang 1579. Auffallend ist hier die Ballung (7 Einheiten) im Jahr 1586 (Ms. F 34), was überraschenderweise nicht ereignisbedingt ist. Die Nachrichten und Daten der Briefe erweisen sich als weit gestreut. Wahrscheinlich war es eine kurze persönliche Nähe zwischen Wick und Stucki, die dazu führte.

Interessant an den fünf Briefen von Johann Jacob Fries sind zwei Auszüge von Schreiben des bekannten Dichters Johann Fischart aus Straßburg.[103] Wahrscheinlich war Fries ihm während der Studienjahre begegnet. Von Caspar Wolf, zusammen mit Georg Keller Nachfolger Gesners als Stadtarzt von Zürich und an der Schola mit der Aufgabe betraut, Physikvorlesungen zu halten, stammt eine merkwürdige, wie eine geschwollene Hand geformte Rübe.[104] Das Original, das er von dem bereits mit Gesner korrespondierenden Torgauer Arzt Johann Kentman erhalten hatte, befindet sich heute im botanischen Nachlaß Gesners.[105]

---

[103] ZBZ, Ms. F 25, fol. 311[rv] (vom 26. Dezember 1576) und Ms. F 26, fol. 1[r] (vom 16. Januar 1577). Die lateinische Bezeichnung des Absenders mit dem Zusatz »de Mentz« läßt auf die Identität mit dem Straßburger Poeten schließen. Ein weiterer Brief von Fries wird Ms. F 28, fol. 197[r] als Quelle genannt.

[104] »Diese růb, die da sicht als ein geschwulne hand, ist gfunden worden, vnder anderen růben vff dem akern zů Clischgen noch bÿ Torgauw in Mijßen vnd Herren Doctor Caspar Vůlphen zuogeschickt, von Herren Doctor Johanne Kemptman, phijsico.« ZBZ, Ms. F 21, fol. 138[rv].

[105] UB Erlangen, Ms. 2386, fol. 516[rv].

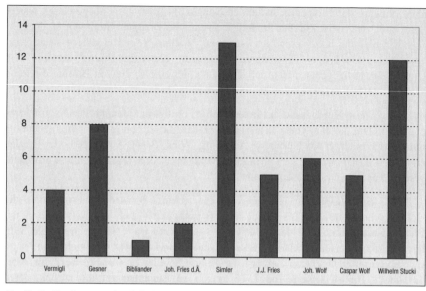

Grafik 8: Professoren der *Schola Tigurina* als Nachrichtenlieferanten Wicks

Johannes Fries und Theodor Bibliander leisteten kaum nennenswerte Beiträge. Sie starben noch in der frühen Entstehungsphase der *Wickiana* (1565 bzw. 1564). Weil das auch für Vermigli (gest. 1562) und Gesner (gest. 1565) gilt, verdient deren höherer Anteil um so mehr Beachtung. Die Zahl der Vermigli-Briefe erklärt sich praktisch ausschließlich durch seine Rolle als Gesandter zum Kolloquium von Poissy vom 9. September bis 14. Oktober 1561. Hierher gehören auch die Briefe von Vermiglis Famulus Julius Terentianus.[106] Vier der acht Briefe von Conrad Gesner sind im ersten Band vertreten, einer davon zum Nordlicht von 1560.[107] Weitere Nachrichten kamen von Wilhelm Gratarolus aus Basel und von Zacharias Ursinus aus Heidelberg. Der letzte Gesner-Brief – in einem späteren Band – hatte Theodor Zwinger aus Basel als Absender. Inhaltlich handelt es sich in der Mehrzahl um ganz gewöhnliche Briefnachrichten, nicht, wie man vermuten könnte, um Mitteilungen aus naturkundlichem Gebiet.

Aus Gesners Besitz stammen einige *Wickiana*-Flugblätter, die direkt oder indirekt an Wick gelangten. Mindestens in drei Fällen läßt sich Gesner als Vorbesitzer nachweisen. Beim ersten Blatt handelt es sich um die in Zürich gedruckte Darstellung

---

[106] Alle diese Briefe in ZBZ, Ms. F 12, zwischen 267^r–291^r eingeordnet.

[107] ZBZ, Ms. F 12, fol. 133^{rv}, fol. 197^r, fol. 252^v–253^r, fol. 292^r; ferner Ms. F 15, fol. 344^v– 345^r, fol. 454^v; Ms. F 16, fol. 103^v–104^r; »De horrendo falinore Basileae comisso, anno 1565. Ex litteris D: Zuinggeri, ad D: Gessnerum«; ZBZ, Ms. F 16, 186^{rv}.

einer Himmelserscheinung über Glarus am 22. Juli 1547, an deren Drucklegung Gesners Chirurgenkollege Jacob Rueff wesentlichen Anteil hatte.[108] Der zweite Einblattdruck stellt die Geschichte eines Streits über eine Wolfshaut dar und gelangte zuerst an Bullinger und dann mit dessen Nachlaßstücken an Wick.[109] Ein drittes Blatt über Bruder Klaus enthält mehrere Randnotizen Gesners.[110] Er scheint eine ganze Reihe von Flugblättern gesammelt zu haben und könnte damit neben Bullinger Vorbild für Wicks Sammlung gewesen sein. Ein Flugblatt über eine ungewöhnliche Kornähre befindet sich heute noch in Gesners botanischem Nachlaß.[111] Möglicherweise stammen auch die in den *Wickiana* erhaltenen illustrierten Einblattdrucke zum Nordlicht von 1560 von Gesner, der in seiner *Historia et interpretatio prodigii* nachweislich darauf zurückgriff.[112] Auch in anderen Werken finden sich Hinweise, daß Gesner der Flugblattpublizistik Aufmerksamkeit schenkte. Für seine *Historia animalium* etwa verwendete er Flugblätter als Bildvorlagen.[113]

---

[108] ZBZ, PAS II 1/31; ursprünglich: F 12, fol. 127^v–128^r. Vgl. HARMS (Hg.), Flugblätter VI (2005), Nr. 37, S. 76, WEBER, Wunderzeichen und Winkeldrucker (1972), S. 59–61 und VISCHER, Bibliographie (1991), S. 83 (Nr. A 55). Neuesten Forschungsergebnissen zufolge handelt sich um ein ohne Titel und Text in Zürich gedrucktes Flugblatt (nicht, wie bisher angenommen, ein Fragment), dessen Drucklegung sich der Initiative des Zürcher Stadtchirurgen Jacob Rueff verdankt. Vgl. KELLER (Hg.), Ruf (2006), S. 108, 163 und 243, vor allem aber ausführlich SCHÖBI, Kommunikationsfunktionen (2007), S. 469–482, der auch die Dokumente, den Entstehungskontext beleuchten, wiedergibt und eine überzeugende Interpretation bietet. Auf dem in den *Wickiana* erhaltenen Blatt wurden die handschriftlichen Bemerkungen (neben dem linken Bergzug:»Mittag«, über dem rechten: »Mittnacht«) bisher noch nicht zugeschrieben. Das ermöglicht ein Schriftvergleich mit verschiedenen Handschriften aus dem Nachlaß Conrad Gesners. Die Einschätzung des Verf., daß es sich um Gesners Schrift handelt, wird von Urs Leu, dem besten Kenner der Handschrift Gesners, geteilt. Vgl. LEU, Gessner's Library (2008), S. 176, Nr. 246.

[109] Ein wunderbarliche selzame geschicht/ so geschehen ist in dem Appenzeller land/ dardurch ein grosser Rechtshandel entstanden/ vnd ist die vrthel noch nit außgesprochen/ wie jhr hernach hören werden, (Straßburg) 1550; ZBZ, PAS II 12/77; ursprünglich: Ms. F 24, pag. 542–543. Auf der Rückseite in schwarzer Tinte die Adresse: »Cuonr. Gesnero Medico Tigvrino.« Offenbar wurde Gesner das Blatt von einem unbekannten Absender zugeschickt. Zur Einordnung in den Bullinger-Nachlaß: MAUELSHAGEN, Nachlaßstücke Bullingers (2001), S. 115 (Nr. 77).

[110] Dazu ausführlicher S. 213 f. und Abb. F12.

[111] Botanischer Nachlaß von Conrad Gesner, UB Erlangen: Codex 2, Blatt 486 und 487. Wiedergegeben in HEINRICH ZOLLER, Historia Plantarum (1987), Bd. 2, S. 117. Siehe auch weiter unten S. 197.

[112] Es handelt sich um die Drucke: ZBZ, PAS II 1/14; PAS II 1/16; PAS II 1/17 und PAS II 12/62. Vgl. GESNER, Historia et interpretatio prodigii (1561), passim, bes. den Hinweis auf eine »charta impressa«: fol. B vij^r. Dazu GUTWALD, Prodigium (2002), S. 241 ff.

[113] Vgl. WEBER, Richtigkeit (1986), passim.

2.1.2. Aus dem Umkreis des Rates

Wick erhielt eine Vielzahl von Informationen und Dokumenten aus dem Umkreis Zürcher Ratsfamilien. Es waren oft Dokumente offiziellen Charakters, Abschriften von Mandaten oder anderen offiziellen Verlautbarungen, wie zum Beispiel der Text des Widerrufs, den Joder Studer 1572 von der Kanzel des Großmünsters herab nachsprechen mußte.[114] Persönliche Mitteilungen aus dem Kreis der Ratsfamilien finden sich hingegen selten. In diese Sparte gehört Heinrich Thomann, der in Wicks Todesjahr (1588) Amtmann in Stein am Rhein wurde und in den späten Jahren ein regelmäßiger Informant wurde. Thomann wurde erst 1594 Kleinrat, aber der Vater, Heinrich Thomann d. Ä., war schon zu Lebzeiten Wicks einer der wichtigsten und diplomatisch geschicktesten Ratsherren Zürichs, dessen Bruder, Caspar, Bürgermeister.[115] Einzelne Schreiben stammen auch von Heinrich Lochmann und Bürgermeister Cham. Die Zahl der Einheiten namentlich genannter Personen aus dem Ratsumkreis bleibt jedoch gering (13). Regelmäßige Lieferanten von Nachrichten fehlen, sieht man von Thomann ab.

Öffnet man den Blick über Briefe als Quellengrundlage hinaus, findet man immerhin noch die eine oder andere mündliche Mitteilung von Johannes Keller, einem späteren Bürgermeister.[116] Wenn nicht direkt, so kamen sie Wick durch Georg Keller zu, der als Stadtarzt Nachfolger Gesners geworden war. Georg und Johannes Keller traten mehrfach auf Gesandtschaften für ihre Zürcher Heimatstadt in Aktion. Von Georg stammt ein Diarium der eidgenössischen Gesandtschaftsreise zur Beglückwünschung des frisch gekrönten Heinrichs III. 1575 in Paris.[117] Außerdem ein ausführlicher Bericht über die Hirsebreifahrt nach Straßburg im Jahre 1576, den Wick feierlich in seine Bücher aufnahm.[118]

---

[114] Siehe dazu oben S. 145 f.

[115] Vgl. für beide Thomanns STAATSARCHIV ZÜRICH (Hg.), Ratslisten (1962), bes. S. 356 und S. 350 (Ratslisten von 1588). Für Biographisches HBLS 6, S. 729. – Von Thomann stammt: »Gsellenschiessen der drÿen Stetten Zürich Costentz vnd Lindow sampt der Statt zů S. Gallen angefangenn vff xviij Maij vnd vollendt vff xxiij desselben monats im 1527 Jar.« ZBZ, Ms. F 31, fol. 161ʳ–178ʳ;.

[116] Vgl. ZBZ, Ms. F 23, S. 54 und F 34, fol. 215ᵛ–216ʳ. Außerdem ein Bericht über den Brand des Klosters Einsiedeln am 24. April 1577. Ms. F 26, fol. 24ʳ.

[117] ZBZ, Ms. F 24, S. 223–250 (deutsch) und S. 251–266 (lateinisch). Für einen Abdruck der lat. Fassung siehe: Zwei Gesandtschaften (1864), S. 149–174.

[118] Vgl. die »Warhaffte vnd Eigentliche Beschrÿbung der glücklichen Schiffart: wie die selbig eins tags von Zürich gen Straßburg von Etlichen Herren vnnd Burgeren vollbracht mitt der hilff Gottes. Vnd Schanckt der hochglert Herr Doctor Jörg Keller diß Schrijben dem Ehrwirdtgen Wolgelerten Herren Johansen Jacob Wicken zů einem Straßburger kram, der selbs darbÿ vnnd Darmitt gewåsen, ouch alle ding gehört vnnd Besaihen 1576.«, in: ZBZ, Ms. F 25, fol. 145ᵛ–150ʳ. Vgl. BAECHTOLD, Das glückhafte Schiff (1880), S. 116 f. Ich komme in Kapitel IV/4 auf die Hirsebreifahrt zurück. Georg Keller wird auch als Quelle für den tödlichen Faustschlag eines Solothurners und für ein Unwetter während einer Hochzeitsfeier in Solothurn genannt: vgl. Ms. F 21, fol. 153ᵛ und Ms. F 33, fol. 275ʳ.

2.2. Auswahl oder: Was ist glaubwürdig?

Wie ging Wick mit den Nachrichten um, die ihn in Zürich auf dem einen oder anderen Weg erreichten? Es ist oft behauptet worden, er habe alles unkritisch gesammelt und in seine Annalen aufgenommen, sei abergläubisch und leichtgläubig gewesen. Ricarda Huch etwa schilderte Wick mit Hilfe eines alten Topos als »Kind seiner Zeit«, einer »abergläubischen und wilden Zeit«. Die verlockende Vorstellung von einem Mann, »der beschaulich sinnend, mit halb humoristischem Lächeln, das abenteuerliche Gebaren seiner Mitmenschen betrachtet und ihre Thorheiten und Widersprüche niederschreibt«, verwarf sie.[119] Nichts erlaube, das von Wick anzunehmen, und damit hatte Ricarda Huch ganz recht: Von der Satire eines Sebastian Brant oder der Ironie eines Erasmus von Rotterdam ist ihm nichts anzumerken: Da werden keine Narrenkappen verteilt und keine beißend ironischen Lobeshymnen auf menschliche Torheiten gesungen. Wick war dafür nicht der Autor, war an keiner Stelle Autor in solchem Sinne. An *Wickiana*-Dokumenten, die mit den Mitteln der Ironie, der Satire, des Spotts oder der Parodie arbeiteten, fehlt es jedoch keineswegs.

In der Regel lassen es die Autoren der älteren Literatur, einmal bei Urteilen wie »leichtgläubig«, »abergläubisch« usw. angekommen, auch damit bewenden. Es sind letzte Urteile. Max Weber schrieb in »Wissenschaft als Beruf« einmal: »Ich erbiete mich, an den Werken unserer Historiker den Nachweis zu führen, daß, wo immer der Mann der Wissenschaft mit seinem eigenen Werturteil kommt, das volle Verstehen der Tatsachen aufhört.«[120] So verhält es sich auch hier, nur daß es nicht das subjektive Werturteil Johann Jacob Scheuchzers oder Ricarda Huchs war, wenn sie Wick als »leichtgläubig« bezeichneten. Vermutlich hätte Weber die Einschätzung geteilt, daß es vielmehr auf festverankerten, durch den Wissensdiskurs der Aufklärung geprägten Überzeugungen beruhte. Freilich kommt ohne Historisierung auch hier das »Verstehen der Tatsachen« schnell an ein Ende.

Die Konsequenzen lassen sich an einer drastischen Variante solcher Wertungen verdeutlichen: Eugen Holländer bemerkte in seinem Buch über *Wunder, Wundergeburt und Wundergestalt* in dem Abschnitt über Fastenwunder mit Bezug auf das sechzehnte Jahrhundert in einem Nebensatz, daß sich die damalige Zeit »durch eine unerhörte Dummgläubigkeit auszeichnete«.[121] Solche Verdikte müßten unmittelbar auf den Autor zurückfallen, handelte es sich bloß um subjektive Werturteile im Sinne Webers. Es ließe sich zeigen, daß sich die Darstellungsweise Holländers und sein Begriff von Kulturgeschichte daran zu erkennen geben, welchen Fragen er sich

---

[119] HUCH, Wicksche Sammlung (1895), S. 3.
[120] WEBER, Wissenschaft als Beruf (1991), S. 260.
[121] HOLLÄNDER, Wunder (1922), S. 212.

von vornherein verschloß. Er unternahm nicht den geringsten Versuch, die Maßstäbe für Glaubwürdigkeit zu historisieren und die Wundergeschichten im Kontext zeitgenössischer Glaubensvorstellungen, geschweige denn im Kontext einer konfessionellen Kultur zu sehen. Unter den Prämissen einer Forschung nach dem Volks(aber)glauben der Vergangenheit behandelte er Wunderglaube als kulturelles Phänomen *sui generis* und damit völlig isoliert von alltäglichen und politischen Kontexten. Kulturgeschichte verkümmerte so zur Kuriositätengeschichte – und erscheint darum heute selbst als Kuriosität.

Die Alternative ist, ein differenziertes Modell davon zu entwickeln, was, wann, wo und warum geglaubt wurde, welcher Typus von Nachricht und aufgrund welcher Merkmale er für wahr gehalten wurde. Es handelt sich um die Frage der Glaubwürdigkeit. Auch Glaubwürdigkeit unterliegt dem Wandel der Zeiten. Die Maßstäbe für das, was als glaubwürdig gilt, zu erforschen und aus den komplexen sozialen und kommunikativen Zusammenhängen zu begreifen, aus denen sie sich entwickelt haben, gehört zu den Aufgaben einer Geschichte des Wunderglaubens. Die Ausgangslage ist dabei durchaus paradox, denn zum Wunder gehört, daß es nur seiner Unwahrscheinlichkeit wegen als solches geglaubt wird. Darum wehrt sich religiös motivierte Wunderdeutung ja auch gegen eine rein naturwissenschaftliche Erklärung.

Die systematische Untersuchung zeitgenössischer Glaubwürdigkeitsmaßstäbe ist eine Aufgabe, die den gegenwärtigen Rahmen sprengen würde. Ebensowenig ist es möglich, das Problem der Glaubwürdigkeit an einer kompletten Durchsicht der *Wickiana* zu diskutieren. Als strategische Alternative bieten sich Einzelstudien an, in denen ich gezielt jene Beispiele aus den *Wickiana* aufgreife, die bisher in der Forschungsliteratur als Belege für Wicks Leichtgläubigkeit angeführt wurden. An solchen Beispielen lassen sich die Maßstäbe verschiedener Autoren, die über Wick geschrieben haben, mit dem konfrontieren, was wir als Wicks eigene Einstellung rekonstruieren zu können glauben.

2.2.1. Ein »Boheimisch Märlein«?

Im neunten Buch zum Jahr 1571 bemerkt Wick: »Zů Prag in Behem, in der Nüwen Statt ist ein gesicht gesåhen, ganz grewelich, daruon vil grett wordē, das hab ich für ein fabel gehept. Nun aber ist es trukt worden, vñ wird har von eren warhafften lüthen für gwüß geschriben, das ichs nun mer auch glauben můß.«[122] Stellen, an

---

[122] ZBZ, Ms. F 19, fol. 276ʳ. – Vergleichbares bietet die Chronik Georg Kölderers in Augsburg. Auch bei ihm geht es um eine Geschichte aus dem magischen Prag, diesmal aus dem Jahr 1590. Auf dem Flugblatt: Warhafftige Newe Zeytung/ Von einer grossen vnnd zuuor weil die Welt steht nit erhörter Wunderthat ... (Bartholomäus Käppeler, Augsburg 1590) merkte Kölderer an: »NOTA. Ginstiger Leser dieweil dise Geschicht Schrifftlich vnd Jetzt Jm Truckh Auskhommen hab Jch es gleich auch hierJnn einverleibt, vnangesehen vill Leüth

denen Wick seine eigene Ansicht über die Qualität einer Nachricht erkennen läßt, sind selten und darum wertvoll. Zumeist bleibt es bei Indizien: Randbemerkungen, Querverweisen, Unterstreichungen, einem »NOTA« am Rande, Hinweise, die vermuten lassen, daß er eine Nachricht für zuverlässig hielt, zumindest stellenweise. Oft fehlt es jedoch an jeder Andeutung für seine Einschätzung, vor allem bei den Druckschriften. Oder darf man selbstverständlich annehmen, daß ein Chronist, der aktuelle Nachrichten sammelte, nur das auswählte, was er selbst glaubte? Wenn nicht, was garantiert dann, daß die *Wickiana* nicht eine Vielzahl solcher Fälle enthalten: Nachrichten, die der Chronist im Druck gesammelt oder niedergeschrieben hat, obwohl er Zweifel an ihrer Glaubwürdigkeit hegte?

Ricarda Huch bemerkte zu der *Wickiana*-Stelle über das »Gesicht in Prag«: Sei eine Nachricht »gar zu wunderbar«, tauchten auch Wick einmal Zweifel auf. »Für gewöhnlich notiert er die erstaunlichsten Dinge, ohne daß es ihm in den Sinn kommt, sie für Fabeln zu halten.« Da die Äußerung von Skepsis ein seltener Fall bleibt, geht Huch davon aus, daß Wick an die Geschichten glaubte, die er sammelte. »Leichtgläubigkeit und Urteilslosigkeit« erscheinen daher als seine Eigenschaften.[123] Die Autoren, die nach Ricarda Huch über die *Wickiana* schrieben, widersprachen dieser Einschätzung nicht, sondern teilten sie fast ausnahmslos. Aber steckt nicht ein Schluß *e silentio* dahinter? Und bezieht dieser Schluß nicht erst durch moderne Vorstellungen von Autorschaft seine Plausibilität?

Zu Wicks Sinneswandel im oben zitierten Beispiel merkte Ricarda Huch an: »Dieselbe unbedingte Ehrfurcht vor Gedrucktem findet man auch jetzt noch bei ungebildeten Menschen.«[124] Die Bemerkung steht in einer Abfolge von Vergleichen, die Huch zwischen ihrer eigenen Zeit, allem voran mit der Boulevardpresse, und Wicks »Zeitalter« zieht. Sie staunt über die »Erweiterung des Wissens« seit dem sechzehnten Jahrhundert, räumt allerdings ein, daß sie nur in einem »beschränkten Kreise von Menschen« wirksam gewesen sei. In der »Bildung der großen Masse« hingegen, »welche den Einfluß fortgeschrittener Erkenntnis nicht so gründlich genießen konnte, könnte man auch heute wohl noch manchen vernehmlichen Nachklang der Anschauungsweise jener längst verflossenen Zeit erlauschen«.[125] Der Fortschrittsbegriff erklärt hier die Differenz zwischen Gebildeten und Gesellschaftsmasse in modernen Massengesellschaften, bleibt aber eine Antwort schuldig auf die Frage, wie Wick als gebildeter Mensch seiner Zeit an Wunder glauben konnte.

---

solches für ein Boheimisch Märlein gehallten. Befilche also der Zeit ein tochter der Warheit, vnd manigklich zu Vrthailen haimb. Wann es also, so ist es ein sonderliches Wunder. Vale.« – Vgl. STRAUSS, Woodcut 1550–1600 (1975), Nr. 489. Zur Umkehrung des Topos von der *veritas filia temporis* vgl. SCHILLING, Bildpublizistik (1990), S. 119 Anm. 18. Zu den Flugblättern in Kölderers Sammlung wie überhaupt zu dessen Chronik vgl. die Studie von MAUER, Georg Kölderer (2001).

[123] HUCH, Wicksche Sammlung (1895), S. 3.
[124] Ibid., S. 25, Anm. 8.
[125] Ibid., S. 2 f.

Schauen wir genauer hin. Wick hatte den Bericht über das »Gesicht von Prag« aus einem Brief an Bullinger kopiert (siehe im Anhang Dok. 6). Im neunten Buch der *Wickiana* ist er vor der Notiz plaziert, in der Wick seine Zweifel an der Geschichte äußerte, was angesichts seiner Technik, bei der fortlaufenden Niederschrift der Bände auf Lücke zu arbeiten, nicht zwingend bedeutet, daß er ihn auch zeitlich vorher abschrieb, wenngleich dies die wahrscheinlichere Variante bleibt. Wicks Sinneswandel war nicht alleine durch den Druck der Nachricht motiviert. Wichtig waren ihm, daß sie von »eren warhafften lüthen für gwüß geschriben« worden war. Das bezieht sich vermutlich auf den Brief an Bullinger. Der Text nennt eine ganze Reihe von Beglaubigungsmitteln: Er beruft sich auf viele, allerdings nicht namentlich genannte, angeblich glaubwürdige Bürger von Prag, die das Geschehen auch vor dem Stadthauptmann und einigen Ratsherren öffentlich bezeugt hätten. Die Tatsache, daß sich etliche dieser Bürger sterbenskrank niederlegten, dient ebenso der Beglaubigung des Wunderbaren wie bestimmte Qualitäten des »Gesichts«: Der Reiterzug durch die Prager Neustadt sei stumm gewesen, niemand habe gesprochen, »welches nütt müglich wer, wen es lüth gewåsen werind«; der dem Reiterzug angeschlossene Wagen hatte keine Räder, sondern schwebte in der Luft; darauf folgten acht sehr große Männer ohne Kopf usw.

Mit dem Hinweis auf den Druck der Meldung bezog sich Wick vermutlich auf das Flugblatt *Ein gar Grausam vnd Schröckhlich gesicht/ das zu Nächtlicher weil/ inn der Kron Behem Hauptst*[adt] *Prag/ gesehen ist worden ...*, das 1571 in Ulm bei Johann Anthon Ulhardt erschienen war.[126] Später nahm er einen weiteren Einblattdruck mit derselben Geschichte auf, diesmal in Prag selbst gedruckt bei Georg Schwarz.[127] Schwarz druckte die Nachricht mindestens zweimal und dürfte die Vorlage für das Ulmer Blatt geliefert haben.[128] Die Texte der Flugblätter weichen jeweils kaum voneinander und von der Briefzeitung, die Bullinger erhalten hatte, ab. Die Übereinstimmung könnte ein weiteres Kriterium gewesen sein, die Nachricht für glaubwürdig zu halten, nachdem sie gedruckt war.

---

[126] ZBZ, PAS II 8/13; ursprünglich: F 19, fol. 301ᵛ–302ʳ. Abgedruckt bei FEHR, Massenkunst (1924), Abb. 60; HARMS (Hg.), Flugblätter VII (1997), Nr. 17; STRAUSS, Woodcut 1550–1600 (1975), Nr. 1089; vgl. auch HELLMANN, Meteorologie (1921), S. 69.

[127] Ein gar grausam vnd Erschrecklich Gesicht/ welches gesehen ist worden in der Hauptstat Prag/ in der Kron Böhem/ den xxix. Höwmonat zuo Nachts vmb Eylff vhr/ vnd hat gewäret biß ein vhr in der nacht/ ist von vilen Burgern der Statt Prag gesehen worden (Georg Schwarz, Prag 1571). ZBZ, PAS II 21/3; ursprünglich: Ms. F 32, fol. 32ᵛ–33ʳ. Gedruckt und kommentiert bei HARMS (Hg.), Flugblätter VII (1997), Nr. 18.

[128] Ein gar grausam vnd schrecklich gesicht/ das zu nächtlicher weil/ in der Kron Behem Haubtstat Prag/ gesehen worden dieß M. D. LXXI. Jar; GNM Nürnberg, 26814/1283. Abgebildet bei STRAUSS, Woodcut 1550–1600 (1975), Nr. 968. Ein weiterer Nachdruck als Flugschrift: Ein gar grausam vnd erschröcklich Gesichte/ das in der Kron Behem Hauptstadt Prag/ gesehen ist worden. Mit vermeldung/ wie das Gewitter zu Nürnberg hat schaden gethan. Geschehen in diesem M. D. LXXI. Jar. [...] Aus dem Exemplar/ so zu Prag ausgangen/ nachgedruckt (Nürnberg? 1571); StB Berlin, Flugschr. 1571, 6.

2. Informationsnetz und -auswahl

In der Regel setzte Wick auf seine Netzwerke und damit auf Personen, die er kannte und als Nachrichtenlieferanten einschätzen konnte. Wo er seine Informationsquelle namentlich benannte, spielte diese Einschätzung hinein. Im Falle der Prager Geschichte wurden die Korrespondenten zwar anonymisiert, jedoch als Ehrenleute und damit als glaubwürdig gekennzeichnet. Was die Autorität des Gedruckten angeht, paßt ein blindes Vertrauen in dessen Zuverlässigkeit kaum ins Bild. Auch in Wicks Umfeld ging man vorsichtig damit um. Johann Jacob Fries etwa scheint den gedruckten Nachrichten so grundlegend mißtraut zu haben, daß er sich bei seinen Kopien von »neuen Zeitungen«, die er nach Wicks Tod aus den *Wickiana* anfertigte, nicht ein einziges Mal auf eine Druckschrift stützte. Auch Johannes Haller bevorzugte die handschriftlichen Berichte in den *Wickiana* als Quellen für seine Chronik.[129] Sollte sich Wick von diesen Zeitgenossen wirklich durch eine extreme Leichtgläubigkeit gegenüber Gedrucktem unterschieden haben? Es sind wohl eher spezifische Gründe, die ihn veranlaßten, dem Druck einer Nachricht solchen Zeugniswert beizumessen: an erster Stelle die Bestätigung einer Nachricht durch eine weitere; dann aber auch die Tatsache, daß das Flugblatt einen Druckvermerk enthielt. Dies bedeutete fast sicher, daß es die Zensur erfolgreich passiert und dadurch in gewissem Maße obrigkeitlichen Segen erhalten hatte; überdies verwies das Ulmer Flugblatt auf den Prager Erstdruck.

2.2.2. Die Klassifikation des Übernatürlichen

Michael Schilling führt es auf die Endzeiterwartung zurück, »daß selbst gebildete Männer wie Wik kaum einmal Zweifel an den umlaufenden Wunderzeichenberichten äußerten.« Man habe mit »entsprechend auslegbaren Vorzeichen« geradezu gerechnet.

> Die handschriftlichen Notizen zu den einzelnen Begebenheiten zeigen, daß Wik den Meldungen nicht nur uneingeschränkt vertraute, sondern sie vielfach sogar noch bekräftigt. So ergänzt er seine eigenhändige Übersetzung des italienischen Flugblatts *IL VERO RITRATTO D'VN STVPENDO ET MARAVIGLIOSO MOSTRO*, Venedig: Nicolo Nelli 1569, das von einem auf Zypern geborenen Schwein mit Menschenkopf berichtet, um die bestätigende Bemerkung: *Uff diss monstrum ist Cyprus vom türggen erobert und yngenommen.* Auf das Blatt »Seltzame vnd zuvor vnerhörte Wunderzaichen«, Augsburg: Valentin Schönigk 1580 [...], das von Birnbäumen berichtet, deren Früchte neue Blüten ausgetrieben hätten, notiert Wik weitere vergleichbare Fälle, die ihm von verschiedener Seite zugetragen worden seien.[130]

[129] Zu Fries und Haller als Rezipienten der *Wickiana* siehe Kapitel IV/1.2.

[130] SCHILLING, Bildpublizistik (1990), S. 116. Schilling entnimmt das erste Beispiel SENN, Wickiana (1975), S. 182 f., für das zweite verweist er auf seine Bibliographie illustrierter Flugblätter.

Ob eine Erwartung des nahen Weltendes tatsächlich zu den tragenden Sammlungsmotiven Wicks zu rechnen ist, habe ich an anderer Stelle diskutiert.[131] Seine Notiz zum Zypern-Monstrum spricht für eine ganz andere Erwartung, die nicht vom eschatologischen Schema her geprägt wurde, sondern vom Muster ortsbezogener historischer Indikation solcher Vorzeichen. Nur so konnte er darauf kommen anzunehmen, die spätere Einnahme Zyperns durch die Türken sei das vorausbedeutete Ereignis. Das Beispiel gehört in eine Reihe mit Bemerkungen, die im christlichen Kontext antiken Deutungsmustern folgen und gewiß nicht für, sondern eher gegen die These sprechen, die Endzeiterwartung habe darin nach Selbstbestätigung gesucht. Schilling ist natürlich soweit zuzustimmen, als es sich hier um eine Bekräftigung des Glaubens an die Realität des Monstrums handelt. Aber warum muß man für das, was ohnehin geglaubt wird, noch nach Bestätigung suchen? Schon intuitiv spricht mehr dafür, daß die Suche nach Bestätigung ein Zeichen von Skepsis ist. Wo Wick keine bestätigenden Zeugnisse hinzufügte, sollte man nicht ohne weiteres annehmen, daß er einer Wundernachricht bedingungslos Glauben schenkte, nur weil er sie in seine Bücher aufnahm. Das Offenlassen der Glaubwürdigkeitsfrage war mit dem dokumentarischen Charakter der *Wickiana* vereinbar und sogar strukturell in der Offenheit der Folgen aus dem jeweiligen Gegenwartsstandpunkt angelegt.

Das zweite Beispiel, das Schilling für seine These anführt, spricht erst recht für das Gegenteil schrankenlosen Vertrauens in die Glaubwürdigkeit der Nachrichten. Das Augsburger Flugblatt von Valentin Schönigk (Abb. F3) berichtet von zwei Birnbäumen, die nach normaler Frühlingsblüte im Juli 1580 erneut in Blüte standen. Die Blüten, heißt es, seien »durch den Butzen«, also durch die Frucht herausgetreten. Es handelt sich hier mit Sicherheit nicht um eine jener Erscheinungen, die in der Literatur gerne als bloße Phantasieprodukte abgetan werden. Die Pflanzenteratologie kennt das Phänomen, das sich aufgrund der Angaben des Blattes genauer als medianflorale Prolifikation bestimmen läßt.[132] Die Birnenblüten wuchsen zentral aus dem Inneren der Frucht. Die Ursachen für solche und ähnliche Erscheinungen sind nach wie vor nicht völlig geklärt. Die gegenwärtige Botanik vermutet ein Zusammenspiel von Erbanlagen (Genen) und Umwelteinflüssen, ohne viel Genaueres sagen zu können.

Von solchen oder ähnlichen natürlichen Erklärungen ist in dem Flugblatt nichts zu finden. Vielmehr geht der unbekannte Verfasser des gedruckten Textes davon aus, daß es sich um ein »übernatürlich ding« handelt. Von dieser Voraussetzung her wird das Phänomen klassifiziert, schon mit der ersten Zeile, in der es heißt, Gott habe

---

[131] Siehe Kapitel I/3. Kritisch zu Schilling: BAUER, Krise der Reformation (2002), S. 194 (Anm. 8).

[132] Vgl. hier und für die folgenden Ausführungen zur Pflanzenteratologie den Kommentar zu PAS II 17/12 von Ulla Britta Kuechen: HARMS (Hg.), Flugblätter VII (1997), Nr. 133. KUECHEN, Botanische illustrierte Flugblätter (2002), S. 297–300.

zwey unerhörte vnd seltzame Zaichen an dem Erdtgewechs sehen lassen / in einerley Materien«. Auf das »einerley Materien« kommt es an. Gemeint ist die Zuordnung zum Erdreich und spezieller zum Reich der Erdpflanzen (im Unterschied zu den Wasserpflanzen). Dahinter steht die Vierelementenlehre, wie sie wissenschaftliche Abhandlungen und ikonographische Programme lange Zeit prägte. Aber auch die Klassifikation der »übernatürlichen« Erscheinungen konnte den Einteilungen der Naturwissenschaft folgen, und zwar darum, weil das Übernatürliche negativ auf das Natürliche bezogen blieb. Das Übernatürliche spannte innerhalb der Einteilungen der Natur in Gattungen und Arten eine Differenz auf, durch die zwar die Einteilung des Normalmöglichen transzendiert wurde, jedoch ohne daß die übergeordneten Einteilungen als bloße Klassifikationsschemata davon tangiert wurden. Am Beispiel erläutert: Zwar widersprach die Prolifikation der Birnen der natürlichen Reihenfolge von Blüte und Frucht, beides jedoch, das Normale und das Außergewöhnliche, ließ sich ohne Widerspruch als Erscheinung an Birnbäumen klassifizieren, die zu den Erdgewächsen gerechnet werden. Nach diesem Muster konnten einige der Verfasser von Prodigienwerken wie Kaspar Goltwurm bei der Einteilung des Übernatürlichen auf die gewohnten Klassifikationsschemata zeitgenössischer oder älterer gelehrter Werke zurückgreifen. Durch den Gegensatz von »natürlich« und »übernatürlich« verdoppelte sich das Schema auf übergeordneter Ebene, während eine Klassifikation, die auch das Außergewöhnliche zur Natur rechnete, das System an verschiedenen untergeordneten Stellen ausdifferenzierte. Die Methode blieb gleich.[133]

Das Flugblatt von Valentin Schönigk bringt zwei gleiche teratologische Fälle zusammen. Schon darin liegt implizit eine Klassifikation. Der erste Fall wurde in Oberradach bei Dinkelsbühl lokalisiert und auf Anfang Juli datiert. »Das ander zaichen gleicher gattung«, heißt es dann im Text, wurde in Friedberg zuerst am 20. Juli 1580 wahrgenommen. Spätestens hier wird die Klassifikation explizit: Mit der »gattung« ist die am Anfang des Flugblattextes erwähnte Zuordnung der Zeichen zu »einerley Materien« gemeint: zu den Erdgewächsen. Es folgt das Aufgebot der Zeugen und der Beglaubigungsmittel: Was den Friedberger Birnbaum betraf, fiel am schwersten ins Gewicht, daß dieser im Garten des Stadtschreibers Balthasar Yelin stand. Das Bild stellt ihn oder eine standesgemäße Person links in bürgerlicher Tracht dar, eine der durchwachsenen Birnen in seiner Linken haltend. Rechts neben ihm steht ein Bauer, der im Text nicht erwähnt wird, aber dem Parallelfall in Oberradach zugeordnet werden darf. So jedenfalls läßt sich die Illustration lesen, die beide räumlich und zeitlich getrennten Casus im Bildraum nebeneinanderstellt und damit anschaulich das vollzieht, was der *ratio classificandi* beider Fälle unter »einerley Materien« völlig gemäß ist. Die beiden Fälle beglaubigen sich dadurch gegenseitig.

---

[133] Vgl. die Ausführungen zu Bacon und Scheuchzer, S. 243 ff.

Wick seinerseits fand dann diese außergewöhnlichen Erscheinungen noch einmal in drei gleichen Fällen bestätigt, die er aus der Zürcher Umgebung zu Ohren, einer davon sogar zu Gesicht bekam, und zwar auf dieselbe übliche Weise, die auch im Augsburger Flugblatt und in unzähligen ähnlichen Zeugnissen geschildert wird, nämlich indem man die durchwachsenen Früchte und Überreste der sommerlichen Birnenblüte verschickte und so für Verbreitung und durch die Multiplikation von Augenzeugen für weitere Beglaubigung des »Wunders« sorgte. Das Augsburger Flugblatt von Schönigk verbindet die Schilderung dieses Vorgangs mit dem Hinweis auf das Bild: Am 1. Juli 1580 sei von dem Baum in Oberradach eine Birne, später dann weitere »abgebrochen/ vnnd allher gehn Augspurg zu einem wunder geschickt worden/ welche gestalt vnd formirt gewesen/ wie dise Figur außweyst«. Das Bild übernimmt hier sowohl die anschauliche als auch die beglaubigende Funktion der verschickten Naturalien. Daß es diese korrekt wiedergibt, kann das Medium freilich nicht unter Beweis stellen, und darum ist es in diesem Punkt grundsätzlich auf das Vertrauen der Rezipienten angewiesen.

Weiter heißt es, daß auch die Birnen des Friedberger Baums »von glaubwirdigen personen auff den 20. tag July diß 80. Jars/ vnd insonderheit von gemeltem Herrn Stattschreyber etliche abgebrochen/ dieselbigen nachmalen in Augspurg vnserm vil gelibten Vatterland/ etlichen fürnemen Herrn vnnd Personen gewysen vnd gezaigt worden«. Der Drucker knüpft seine Rechtfertigung für den Druck der Nachricht unmittelbar an die Schilderung dieser Verbreitungsweise an und stützt sich dabei auf den Willen des Allmächtigen: »Dieweyl dann solches Erdt oder Byrngewechs ein vngewonheit/ vnd gleich übernatürlich ding ist/ welches vns Gott nit one sondere bedeutung (Deus enim & natura, nihil faciunt frustra) jme doch allein am besten bekandt/ für die augen stelt/ hab ich sollche Gewechs auch an tag geben wöllen.« Diese Begründung, die von der Öffentlichkeit der Zeichen Gottes ausging, gehörte zum Standardrepertoire bei der Rechtfertigung des Drucks von Wundernachrichten.[134]

Wick nun, um auf Schillings Punkt zurückzukommen, hat folgende Begebenheiten auf dem Rand des Blattes notiert und durch Abzeichnung der ihm übermittelten Beweisstücke ergänzt:

> M. Sixt Vogel, der pfister zeigt mir an, wie im sin sun, den er bim Landschrÿber zů Bremgarten hatt anzeigt das vor Bremgarten, ein ȯpfelbaum, vm̄ sant Verenae tag ganz wÿss von blůst xin als wen es in mitt Meyen xin were. Man hatt auch in disen Septem[b:] vil kriese vn̄ biren blůst gefunden. Es sol auch gl[y]cher gstalt ein ȯpfel baum zů kůßnacht gesăhen worden sin, der auch in all macht blůt. J.Jacob Stapf[er] schikt mir am 18. Sep: zwo bÿrē, die er zů Affolterē in sinē gůt abgewunnē, die vf dem Bütschgi heruß nüws laub herfůr bracht, wie anoch dise figur anzeigt.[135]

---

[134] Dazu ausführlich MAUELSHAGEN, Verbreitung (2000), passim.

[135] Der Text der Notiz auf dem Flugblatt läßt sich nur dann vollständig entziffern, wenn man die Fragmente der Notiz in ZBZ, Ms. F 29, fol. 115ʳ hinzunimmt.

Der Verweis auf die Zeichnungen dient hier dem gleichen Zweck wie der Bildverweis im Flugblatt: Das Bild veranschaulicht, was in Worten beschrieben wird. Aber
in seiner illustrierenden Funktion geht es nicht auf, sondern die Anschauung erhöht
die Glaubwürdigkeit des Außergewöhnlichen, sofern nämlich das Bild an die Stelle
der Naturalien tritt, deren Abbild es zu sein beansprucht. Das Bild leistet dies als
Konservator: Es hält das Vergangene fest und verlängert dessen Präsenz in die
Gegenwart des späteren Leser/Betrachters von Wicks Chronik – ganz im Dienst der
Erinnerung an solche Memorabilia.

Die Zeichnungen, die Wick vielleicht selbst anfertigte, eher aber von anderer
Hand stammen, sind eindeutig dem Flugblattbild beigeordnet. Man kann von »mor-
phologischen Detailzeichnungen« sprechen.[136] Bruno Weber charakterisiert dieselbe
Illustrationstechnik mit dem Begriff »Nebenbild«. Zuerst habe Leonardo da Vinci
ad naturam Pflanzen mit Nebenfiguren gezeichnet.[137] Nebenbilder schuf auch Hans
Weiditz, der die Illustrationen für die *Herbarvm vivæ eicones ad nature imitationem*
des Humanisten Otto Brunfels beisteuerte, lateinisch in drei Teilen 1530, 1531/32
und 1536 in Straßburg erschienen. Das Werk steht am Beginn der neuzeitlichen
Botanik.[138] Die Methodik des Nebenbildes hat spätestens um die Mitte des sechzehnten Jahrhunderts auch schon ins Flugblatt Eingang gefunden. Im Nachlaß Conrad Gesners befindet sich das Exemplar eines Einblattdruckes, von dem es in den
Wickiana ein weiteres Exemplar gibt, das sich durch den Vergleich mit dem Gesner-
Exemplar jedoch als Fragment herausstellt: *Ein wunderbare doch fröliche gestalt
vnd gewechs/ eines halmen ...*, 1541 gedruckt bei Heinrich Vogtherr in Straßburg
(Abb. A10).[139] Das Blatt bildet einen großen Getreidehalm und einen Kohlkopf ab
mit der ungewöhnlichen Zahl von 15 Ähren, gefunden bei Malsch (heute im Rhein-
Neckar-Kreis). In Gesners Exemplar ist der Abbildung der Ähre eine geschnittene
Detaildarstellung beigefügt, die bei dem Exemplar aus den *Wickiana* fehlt, zu Wicks
Zeiten aber möglicherweise noch vorhanden war.

Wicks Nebenbilder zu dem Augsburger Flugblatt setzen nicht zwingend die
Kenntnis des botanischen Nachlasses von Conrad Gesner voraus.[140] Aber es liegt
natürlich nahe, hier das unmittelbare Vorbild zu vermuten, vor allem dann, wenn
man Gesners eigenhändigen Nebenbilder zu Pier Andrea Matthiolis *Commentarii in
libros sex Pedacii Dioscoridis de medica materia*, Venedig 1558, vor Augen hat

---

[36] Vgl. den Kommentar zu HARMS (Hg.), Flugblätter VII (1997), Nr. 133.
[37] WEBER, Richtigkeit (1986), S. 134 Anm. 75.
[38] Ibid., S. 132 Anm. 41.
[39] Botanischer Nachlaß von Conrad Gesner, UB Erlangen: Codex 2, Blatt 486 und 487. Wiedergegeben in HEINRICH ZOLLER, Historia Plantarum (1987), Bd. 2, S. 117. Das Wicki-
ana-Exemplar: ZBZ, PAS II 1/11; ursprünglich: Ms. F 13, fol. 56ᵛ–57ʳ. Vgl. FEHR, Massenkunst (1924), S. 92 & Abb. 27; RITTER, Répertoire bibliographique (1960), S. 510
Nr. 3453.
[40] Vgl. erneut den Kommentar zu HARMS (Hg.), Flugblätter VII (1997), Nr. 133.

(Abb. F4). Wicks Nebenbilder wären dann ein weiteres Beispiel für den Einflu
Conrad Gesners auf bestimmte Teile seiner Chronik, die im Bereich der Botani
oder der Tierkunde liegen. Wie im Fall der Wunderähre wird bei Wick die Techni
des Nebenbildes Teil eines komplexen Systems von Glaubwürdigkeitsbeziehunge
zwischen verschiedenen Nachrichten über außergewöhnliche Phänomene.

Die Glaubwürdigkeitsmuster, denen Wick folgte, historisch untersuchen, heiß
nicht, daß man sie teilen muß. Historisierung schließt Distanz ein – das versteht sic
wohl. Es sollte allerdings an den genannten Beispielen deutlich geworden sein, da
der Vorwurf der Leichtgläubigkeit gerade in den hier diskutierten Fällen unbegrün
det ist, wenn man Glaubwürdigkeit historisiert und Wicks Maßstäbe für skeptisch
Prüfung und schließliche Überzeugung rekonstruiert. Wie schon oben betont, sin
gerade die Stellen, an denen er Evidenz für ein Wunderzeichen sammelte, Indi
dafür, daß er nicht überall, wo er es unterließ, blind an die Wahrhaftigkeit eine
Wundernachricht glaubte. Eine solche Annahme verbietet sich schon aus methodi
schen Prinzipien. Sie ist überdies unplausibel durch die Art, wie Wick aus de
Aktualität heraus mit der Zeit arbeitete und Nachrichten aufzeichnete, bevor kla
war, ob sie »wahr« waren oder was sie bedeuteten.

3. REDAKTION UND AUTORSCHAFT

Wir haben gesehen, daß Wick mit einem großen Informationsnetzwerk verbunden war, aus dem er Nachrichten auswählte, und daß er bei der Auswahl durchaus in der Lage war, kritisch mit den Neuigkeiten umzugehen, die er erfuhr. Gleichwohl ist die Einschätzung der *Wickiana* seit dem achtzehnten Jahrhundert vom Bild des wahllosen und leichtgläubigen Sammlers Wick geprägt. So schrieb etwa der Genealoge Eßlinger in einer biographischen Notiz über Wick: »Er war ein Mann, der gern arbeitete, die Geschichten ungemein liebte, u[nd] alles zusammenschriebe u[nd] sammelte, was in seinen Tagen vorfiel, Großes u[nd] Kleines aber war ihm gleich.«[141] Ähnliche Urteile sind später wiederholt worden. Als erster hat Bruno Weber diese Oberfläche durchdrungen und eine andere Sicht eröffnet. Weber ordnete die Flugblätter der *Wickiana* nach Themen, Druckorten sowie Druckjahren und stellte fest, »daß eine Häufung erst in den 1550er Jahren einsetzt; von da an liegt der Jahresdurchschnitt bei 5–6 Blättern mit Ausnahme der Kulmination in den 1570er Jahren, wo durchschnittlich 12 Blätter im Jahr Eingang finden.« Den »Auswahlcharakter« im Bereich der Einblattdrucke stellte Weber deutlich heraus: »Die Durchschnittszahlen lassen erkennen, daß Wik keineswegs planlos zusammentrieb, vielmehr aus einem gewiß reicheren und sowohl in Zürich selbst zum Verkauf gelangten wie auf dem Weg der Korrespondenz eingebrachten Angebot« auswählte.[142]

Leistungen wie Nachrichtenauswahl, Arrangement und Präsentation des Materials treten freilich zumeist hinter ihrem Ergebnis zurück und drohen zu verschwinden, wenn ein Verfasser sie nicht selbst betont und seinen Lesern erläutert. Obwohl dies auch für die *Wickiana* gilt, sind in diesem Falle doch die gestalterischen Elemente unübersehbar. Nichtsdestotrotz sind sie bisher praktisch unbeachtet geblieben. Dafür gibt es verschiedene Gründe: etwa die schon genannten grundsätzlichen Bedenken gegenüber den kritischen Fähigkeiten eines Prodigienautors, die letztlich aus der Aberglaubenskritik der Aufklärung herrühren, oder ein gewandeltes Bild von Autorschaft und Geschichtsschreibung. Bei den *Wickiana* kommt hinzu, daß die ursprüngliche Ordnung durch verschiedene Eingriffe fraglich ist. Insbesondere die Herauslösung der Einblattdrucke Ende des neunzehnten Jahrhunderts und in den 1920er Jahren hat ein Bild der Fragmentierung hinterlassen, das als solches oft nicht mehr reflektiert wird. Es ist mühsam, die gestörte Ordnung zu rekonstruieren und

---

[141] ZBZ, Ms. E 47b, S. 598 f.

[142] WEBER, Wunderzeichen und Winkeldrucker (1972), S. 23. Eine Einteilung der Flugblätter nach Sachgruppen in Anm. 54, S. 24–26, eine Aufstellung nach Jahreszahlen in Anm. 46, S. 22 f., die Verteilung der Druckorte in Anm. 106, S. 37 f.

aus dieser Rekonstruktion ein anschauliches Bild vormaliger Zusammenhänge zu entwerfen. Will man Wicks Arbeitsweise verstehen, so erfordert dies das Studium unzähliger kodikologischer Details, die man nur aus dem kontinuierlichen Umgang mit dem Bestand der *Wickiana* und der Kenntnis seiner Überlieferungsgeschichte gewinnen kann. Die Details dieser Arbeit lassen sich kaum vermitteln, ohne die Geduld des Lesers übermäßig zu strapazieren.[143] Die Ergebnisse aber bieten Einblick in die handwerkliche Seite solcher Leistungen wie Sammeln, Aufschreiben, Illustrieren und Kleben, die zum gestalterischen Grundarsenal des Chronisten Wick gehörten. Was darin sichtbar wird, ist die spezifische Materialität – sowohl der Chronikbände selbst, als auch des zu einem größeren Teil gedruckten Quellenmaterials, das Wick integrierte. Es ist aber zugleich mehr als das: Meine These ist nämlich, daß Wicks Zurückhaltung mit eigenen verbalen Erklärungen und Stellungnahmen seinen Gestaltungswillen nur verbirgt. Tatsächlich gelang es ihm, in der Anordnung des Materials häufig auf höchst suggestive Weise zu Aussagen zu kommen oder, besser gesagt, seine Leser zu solchen Aussagen zu ermutigen.

3.1. Sequenzielle Arrangements

Schon Wicks Darstellung des Bullenhandels von 1572 hat gezeigt, daß er alleine mit dem Briefwechsel zwischen Egli und Bullinger vermutlich ein Vielfaches an handschriftlichen Dokumenten zur Verfügung hatte – ein Vielfaches dessen, was er schließlich übernahm. Wick schrieb keineswegs alles ab oder ließ abschreiben, was er vorfand. Er wählte unter den mündlichen und schriftlichen Nachrichten gezielt aus und entschied mit der Auswahl, was er für »chronikwürdig« erachtete und was nicht. Auch im Falle der Bartholomäusnacht läßt sich das im Vergleich mit der noch vorhandenen Überlieferung aus Briefwechseln nachweisen. Es handelt sich um Briefzeitungen, die vor allem aus Genf und aus dem hugenottischen Frankreich an Heinrich Bullinger geschickt worden waren.[144] Hier wie auch sonst erweist sich Wick als äußerst zuverlässiger Kopist – eine Qualität, die in der bisherigen Diskussion unzureichend gewürdigt wurde. Dabei lag ihm fern, alle ausgewählten Vorlagen vollständig zu kopieren. Zumeist übernahm er nur den ihn interessierenden Ausschnitt. Manchmal kommt dies in Titeln zu einzelnen »Historien« auch zum Ausdruck: »Ettliche vßzüg vß den brieffen J. Balthasar Kriegen ...«, heißt es etwa an einer Stelle im 6. Buch.[145] Gelegentlich erlaubte er sich geringe Abweichungen vom

---

[143] Sie wurden daher für eine eigene Arbeit aufgespart: MAUELSHAGEN, Überlieferung und Bestand (i. V.) .

[144] ZBZ, Ms. A 44. Nur einer von fünf Bänden mit Bullinger-Zeitungen in der ZBZ, außerdem: Ms. A 43, 65, 66, 84. Zu Wicks Darstellung der Pariser Ereignisse 1572 und der anschließenden Hugenottenmorde: SENN, Wick (1974), S. 88–111, der allerdings die Dokumentvorlagen nicht vollständig erschlossen hat.

[145] ZBZ, Ms. F 17, fol. 279ᵛ.

3. Redaktion und Autorschaft

genauen Wortlaut seiner Vorlagen, tat damit aber nichts Ungewöhnliches für einen Kompilator seiner Zeit. Zur Auswahl gehörte auch die Redaktion der Texte.

Trotz solcher Eingriffe war Wick ein treuer Zeuge des Schriftlichen, ein Textredakteur mit Sinn für das Dokumentarische. Dieser Sinn erweist sich an seinem Umgang mit den Zeugnissen aus Bullingers Nachlaß. Der Sohn des verstorbenen Antistes hatte ihm »die portenta et ostenta, mines lieben Herrē vnsers såligen, wie er si mir bÿ sinē låben gåben hatt«,[146] zugeschickt. Was Wick hier an Drucken und handschriftlichen Aufzeichnungen zugekommen war, nahm er geschlossen in sein 13. Buch auf und beließ es möglicherweise sogar in der Ordnung, in der er es erhalten hatte.[147] Daß auf diese Weise eine Reihe Duplikate von Flugblättern und Flugschriften in die »Wunderbücher« hineingerieten, nahm er in Kauf. Die Präsentation einer geschlossenen Serie von Dokumenten, die Bullinger als Sammler von Nachrichten über Wunderzeichen ausweist, war vorrangig. Wicks Präsentationsform verlieh den Stücken aus dem Bullinger-Nachlaß den pietätvollen Charakter einer eigenständigen Sammlung.[148]

Ein dokumentarischer Charakter kommt auch den Folgen mehrerer Nachrichten und Dokumente zu einem bestimmten Ereignis zu. Nicht immer, aber häufig stellte Wick Texte derart ereignisbezogen zusammen, auch wenn sie über den Zeitraum des jeweiligen Jahrgangs zeitlich erheblich hinausgingen. Auf diese Weise entstanden Serien oder Sequenzen mehr oder weniger eng thematisch verbundener Stücke, etwa eine Serie von Wettermeldungen aus dem eidgenössischen Raum oder von Nachrichten über Monstergeburten.

Mit dem Stichwort *Sequenz* ist auch schon das Arrangement des von Wick gesammelten Materials angesprochen. Neben der Einteilung in Jahrgänge, deren Rahmen gelegentlich ins Vorjahr, niemals jedoch in das darauffolgende Jahr überschritten wurde, und einer in etwa chronologischen Anordnung innerhalb der Bände handelt es sich um das wichtigste Merkmal der Arbeitsweise Wicks. Durch Dokumentsequenzen entstand auch zwischen den Dokumenten verschiedenen Typs, zwischen Handschriften und Drucken ein thematisches Band. Hier bestätigt sich häufig, was Ricarda Huch einst mit scharfem Spürsinn vermutet hat, nämlich »daß man bei eingehendem Studium gewiß Beobachtungen über den Zusammenhang zwischen geschriebenen und gedruckten Nachrichten würde machen können«.[149]

---

[146] Brief von Johann Rudolf Bullinger an Johann Jakob Wick, Berg, 27. Dezember 1575; im Anhang Dok. 1.

[147] ZBZ, Ms. F 24, pag. 387–542. Vgl. dazu I/2.2 und 2.3.

[148] Es ist darum nicht ganz richtig, die Stücke aus dem Bullinger-Nachlaß zu den Quellen Wicks zu rechnen: SENN, Wick (1974), S. 50. Zur Aufnahme der Stücke knapp WEBER, Wunderzeichen und Winkeldrucker (1972), S. 18.

[149] HUCH, Wicksche Sammlung (1895), S. 1.

Das einzige Ordnungskriterium, das mit dem Gattungsbegriff »Chronik« zwingend verbunden ist, besteht in der chronologischen Ordnung. Für die konkreten Probleme der Gestaltung, die sich aus der Form des Buches und der Materialität der darin verarbeiteten Quellen ergeben, reicht dieses Ordnungskriterium nicht aus. Es war durchaus zeitüblich, daß Druckschriften in Chroniken oder Chroniksammlungen integriert wurden, aber Wick fällt mit einer Zahl von gut 900 Druckschriften zweifellos aus dem üblichen Rahmen. Die konkreten Gestaltungstechniken wurden niemals thematisiert. Das gilt auch für die Bildausstattung. Wenn man von »Illustration« spricht, sagt dies noch nichts über die konkrete Art der Bildgestaltung aus. Die im sechzehnten Jahrhundert am häufigsten zu belegende Technik der Textverarbeitung ist freilich die *Loci*-Methode. Will man tiefer in die Gestaltung der *Wickiana* eindringen, verlieren sich solche Anknüpfungspunkte. Man ist gezwungen, deskriptive Begriffe zu wählen, die sich nicht mehr ohne weiteres historisch verankern lassen. Sie konzentrieren sich darauf, einerseits die Bewältigung der Gestaltungsprobleme, also die Leistungen des Chronisten, andererseits das Resultat, die Gestaltung selbst, die Ordnungsqualität des Ganzen zu beschreiben.

Unter diesen Prämissen lassen sich Wicks Leistungen bei der Komposition der Einzelbände vorläufig so charakterisieren: Auf die Auswahl der Vorlagen folgte die Redaktion der Texte, die er eigenhändig abschrieb oder abschreiben ließ. Schon während der Abschrift mußte er natürlich die Anordnung der einzelnen Dokumente und den Raum für Illustrationen im Auge haben. Die Einzelstücke ordnete er chronologisch in teils umfangreicheren, teils knappen und weniger dichten thematischen Sequenzen an. Wicks Autorschaft erhält schon durch diese Arbeiten ihr charakteristisches Gepräge. Als Textautor im engeren Sinne trat er nur da hervor, wo er Nachrichten, z. B. mündliche Mitteilungen, selbständig formulierte, also nicht nur kopierte, oder wenn er Kommentare an den Rand setzte und sich gelegentlich direkt an seine Leser richtete.

3.2. Wandlung – Überarbeitung – Stilfindung

Bei der Frage, wie sich die Arbeitsweise in der Gestaltung der Bände widerspiegelt, muß berücksichtigt werden, daß Wicks »Wunderbücher« eine Wandlung durchmachten. Die ersten Jahrgänge bis 1570 sind in Umfang und Aufmachung weit weniger gleichmäßig gestaltet als später. Die Gewichtung zwischen Druck und Handschrift schwankt beträchtlich. Das zweite Buch (Ms. F 13) etwa besteht nahezu ausschließlich aus Druckschriften, Flugschriften und Flugblättern, die zwischen 1530 und 1560 gedruckt wurden. Ebenso das siebte Buch (Ms. F 18). Die Regel »ein Buch gleich ein Jahrgang« gilt bis 1570 noch nicht. Erst danach ging Wick zur annalistischen Abfolge über.

3. Redaktion und Autorschaft

Es liegt nahe, diesen Wandel mit einschneidenden Ereignissen in Verbindung zu bringen, die Anfang der siebziger Jahre zusammentreffen. Die Subsistenzkrise des Jahres 1571 – nicht nur in Zürich, sondern europaweit – ist hier zu nennen, zumal sie bis 1575 anhielt.[150] Armut und Bettel waren Nachwirkungen dieser Krise und prägten das Bild der Gesellschaft, stellten soziale Anforderungen, mit denen Kirchenleitung und Rat der Stadt Zürich ständig konfrontiert wurden.[151] Eine wachsende Zahl von Hexenprozessen und -verbrennungen gehörte ebenfalls zu den Folgeerscheinungen, wenn auch in Zürich längst nicht so ausgeprägt wie in Genf, was ein Zeichen dafür ist, daß es in Zürich besser gelang, die sozialen Konflikte, die mit Verarmung und Hunger drohten, aufzufangen. Zürich war hier allerdings auch gegenüber dem ständig von Savojen bedrohten und viel näher am französischen Kriegsgeschehen gelegenen Genf im Vorteil.[152]

Im Jahr 1572 spitzten sich die Ereignisse dramatisch zu. Die Zeit schien immer dichter zu werden: das Tauziehen um Johann von Planta, der Blitzeinschlag im Glockenturm des Zürcher Großmünsters betrafen die Zürcher Belange unmittelbar. Als metaphysische Bestätigung ihrer Haltung mögen die Reformierten den Tod des Papstes, Puis V., empfunden haben, dem am 13. Mai Ugo Buoncompagni als Gregor XIII. nachfolgte, eben jener Papst, der zehn Jahre später den alten Kalender reformieren und damit Öl ins Feuer konfessioneller Polemik gießen sollte, was 1572 freilich noch nicht absehbar war. Mit der Bartholomäusnacht vom 24. August 1572 schienen sich manche Rätsel zu lösen, die den Reformierten durch vorangehende Prodigien aufgegeben worden waren. Am Ende dieses denkwürdigen Jahres schließlich erschien ein ungewöhnlicher Stern am Himmel. Die meisten wollten in ihm einen Kometen erkennen. Die größten unter den Astronomen, allen voran Tycho Brahe, sahen etwas anderes und trauten ihren Augen kaum: Was dort im Bild Cassiopeia ungewöhnlich hell schimmerte, war ein neuer Stern, und dies zu denken hieß im sechzehnten Jahrhundert anzunehmen, was man für unmöglich gehalten hatte. In der Publizistik herrschte freilich die Einschätzung des Phänomens als Komet vor, wobei man sich seines außergewöhnlichen Charakters bewußt war. Einige Flugschriften schwelgten in Gedichten auf den Tod Gaspard de Colignys poetisch in der Vorstellung, bei dem Stern handele es sich um eine Metempsychose des Admirals, der in der Bartholomäusnacht ermordet worden war.[153] Dafür gab es ein prominentes antikes Vorbild: Die Erscheinung eines Kometen im Jahr 44 v. Chr., die

---

[150] Vgl. dazu ABEL, Massenarmut (1974), S. 70–98, und BEHRINGER, Krise (2003).

[151] Vgl. HERKENRATH, Teuerung (1975) und BÄCHTOLD, Hunger (1999).

[152] Vgl. in diesem Kontext Behringers These eines Zusammenhangs zwischen Hexenverfolgung und klimatisch bedingten Subsistenzkrisen: BEHRINGER, Weather (1995); BEHRINGER, Climatic change (1999); erneut in BEHRINGER, Kulturgeschichte des Klimas (2007), S. 173–179. Ähnlich PFISTER, Climatic extremes (2007). Zu den Hexenverbrennungen in Zürich und Genf vgl. die Zahlen in den entsprechenden Kapiteln des Buches von RUEB, Hexenbrände (1995).

[153] ZBZ, Ms. F 22, pag. 51–98 und 99–113.

zum Aufstieg der Seele des ermordeten Julius Caesar in den Götterhimmel stilisiert worden war.

Der Einschnitt der frühen siebziger Jahre ist in den *Wickiana* sichtbar, schon ganz äußerlich: Ab 1570 umfaßte jedes Buch den Zeitraum eines Kalenderjahres. 1572 dann wurde auch das Format größer und repräsentativer. Nach der Logik von Sünde, göttlicher Warnung und Strafe ist es nahliegend, einen Zusammenhang zwischen den erwähnten Krisen und dem seit Anfang der siebziger Jahre veränderten äußerlichen Erscheinungsbild der *Wickiana* herzustellen. Mindestens im reformierten Selbstverständnis war die Not bedrückend nahe gerückt. Sie sensibilisierte die Wahrnehmung der Zeitläufte nach bekannten metaphysischen Mustern und steigerte damit auch die Bedeutung des Wunderblicks.

Darüber hinaus gibt es deutliche Indizien, daß Wick das während der ersten zehn Jahre zusammengetragene Material einer Überarbeitung unterzog. Schon Bruno Weber hat bemerkt, daß die Federzeichnungen »in den ersten Bänden oft reihenweise nachträglich eingeklebt« wurden.[154] Weitere Beobachtungen kommen hinzu: Im vierten und neunten Buch (Ms. F 15 und Ms. F 19) finden sich vereinzelt Stücke, die ein von Wick erst gegen Ende der siebziger Jahre regelmäßig eingesetzter, bisher nicht identifizierter Gehilfe schrieb.[155] Auch dies dürfte ein Merkmal der Überarbeitung der frühen Bände sein. Sie erfolgte wahrscheinlich 1577. Das Titelblatt zum ersten Buch mit der vom Bibliothekar Johann Jacob Fries nach Wicks Tod geänderten Jahreszahl ist das entscheidende Indiz für diese Datierung (Abb. A1).

Wick scheint sich nicht von Anfang an über den Titel im Klaren gewesen zu sein, den er seinen Aufzeichnungen geben sollte.[156] Am Titelblatt zum dritten Buch lassen sich unterschiedliche Entwicklungsstufen ablesen: Der älteste Titel stammt aus dem Jahr der Aufzeichnungen selbst: »Ein kurze beschrÿbung, was sich in disem LXII Jar verloffen, vnd zůgetragen hatt«. In kräftigerer Tinte ergänzte Wick später: »insonders mitt Frankrÿch«; darüber, ebenfalls später, fügte er die neue Titelvariante hinzu: »Das dritt bůch, der Nüwen Zÿtungen mitt sampt anderen Historien«, so daß sich die alte Bezeichnung nun wie eine Ergänzung las. Auch die Bücherzählung könnte eine spätere Idee sein.

Die Titel der Einzelbände sagen bis 1573 sehr wenig über ihren Inhalt aus. Die Bezeichnung »Wunderbücher« taucht zum ersten Mal auf dem Titelblatt zum zweiten Band auf, wurde aber vermutlich ebenfalls später hinzugefügt. Auf jeden Fall

---

[154] WEBER, Wunderzeichen und Winkeldrucker (1972), S. 22 (Anm. 40).

[155] Vgl. die Rubrik *Schreiber* in der Beschreibung der Einzelbände bei MAUELSHAGEN, Überlieferung und Bestand (i. V.). Die Stücke von der Hand des Schreibers A in Ms. F 15 und Ms. F 19 wurden auf anderem Papier festgehalten, als man es sonst in diesen frühen Bänden findet.

[156] Zum folgenden vgl. die Rubrik *Titel* in der Beschreibung der Einzelbände bei MAUELSHAGEN, Überlieferung und Bestand (i. V.).

bleibt sie in den Quartbänden singulär. Unspezifisch ist sonst nur von »neuen Zeitungen« und »allerlei Historien« die Rede, gelegentlich ergänzt durch die Angabe des Zeitraums. Das Titelblatt zum zehnten Buch fehlt. Es könnte das erste mit der Formulierung gewesen sein, die Wick ab dem nächsten Jahrgang (1573) durchgehend wählte, wenn auch in leichten Variationen und gelegentlich mit genaueren Angaben zu inhaltlichen Besonderheiten wie Bullingers Nachlaß im 13. Buch. Zwar wurde auch das Titelblatt zum elften Buch bei einer Überarbeitung repräsentativer gestaltet. Aber die graphisch weniger anspruchsvolle ältere Fassung enthält, von unbedeutenden Abweichungen abgesehen, bereits dieselbe Formulierung. Von da an ist außer von »neuen Zeitungen« konstant von »Zeichen und Wundern« die Rede. Der Zeitpunkt (1573) stützt die These, daß Anfang der siebziger Jahre eine Zäsur erkennbar wird, die mit den genannten Ereignissen zu tun hatte. Wick konnte spätestens jetzt sein Thema klar benennen und durchhalten.

Folgt man alleine den Titelvarianten, kann man sogar auf den Gedanken kommen, Wick habe überhaupt erst Anfang der siebziger Jahre zum Wunderthema gefunden. Aber schon die frühen Bücher, besonders das erste, lassen einen Fokus der Aufmerksamkeit auf Prodigien erkennen. Wicks Wechsel ins Chorherrenstift 1557 und die in dieser Zeit in und um Zürich entstehenden Druckschriften über Wunderzeichen waren mit Sicherheit von Anfang an prägend. Gleichwohl ist das Profil der Bücher in den ersten zehn Jahren schwankend. Auch sammelte Wick seine Dokumente mit wechselnder Motivation und bemühte sich mal mehr, mal weniger um ein ausgewogenes und aussagekräftiges Arrangement. Er mußte seinen Stil erst finden.

3.3. Die Arbeit mit der Zeit

Die Medienrevolution des sechzehnten Jahrhunderts erweiterte den Wahrnehmungshorizont der Geschichtsschreibung. Die Beschleunigung des Briefverkehrs erleichterte den Informationsaustausch über Vergangenheit und Gegenwart.[157] Erst so wurde eine Zeitgeschichtsschreibung möglich, die mehr war als eine das Zeitgeschehen in Einzelfakten sedimentierende chronologische Aufzählung. Wick mochte zwar häufig nichts anderes tun als genau dies. An Wicks Darstellung des Bullenhandels von 1572 ließ sich aber schon nachvollziehen, wie schnell der Prozeß der Historisierung unter Voraussetzung einer günstigen Informationslage fortschritt – »Historisierung« im Sinne der Verarbeitung von Geschehen in der Erzählform der Vergangenheit. In den geographischen Dimensionen, in denen Wick dieses Projekt anging, war er auf schnellen Informationsaustausch angewiesen, wenn seine gestalterische Leistung als Zeithistoriker nicht permanent von der Zeit überrollt werden

---

[157] Vor allem BEHRINGER, Merkur (2003) hat mit Recht gefordert, die Erfindung der Post neben die der Druckerpresse zu stellen.

sollte. Natürlich stand Wick, wenn er gestaltete, ständig vor dem Problem der Offenheit der Zukunft. Auch das zeigte bereits die Darstellung des Bullenhandels, genauer gesagt: ein Nachtrag Wicks über Plantas Gestammel auf dem Weg zum Schafott, dem er erst durch die Ereignisse der Bartholomäusnacht rückwirkend höhere Bedeutung beimaß.[158]

Beschleunigung des Informationsaustauschs war ein Faktor, der auch die Umarbeitung der Gegenwart in Vergangenheit beschleunigte. Es gab Techniken, mit denen der Chronist diesem Druck gegenüber gleichsam Zeit gewinnen konnte. Das skriptographische Medium Chronik konnte in gewissem Maße für die Offenheit der Zukunft selbst offengehalten werden. Damit ist nicht nur die »fortdauernde Unabgeschlossenheit der *Wickiana*«[159] als allgemeines Merkmal zeitgeschichtlicher Annalistik angesprochen; vielmehr geht es um ganz konkrete Techniken des Aufschubs. Eine dieser Techniken wäre die Speicherung von Informationen auf einem Zwischendatenträger, im Falle des skriptographischen Mediums also etwa die Anlage von Notizbüchern, deren Inhalt erst am Ende eines jeden Jahres in die gewünschte Buchform gebracht wird.

Entsprechende Vorarbeiten sind im Falle Wicks nicht erhalten geblieben. Sie könnten natürlich verloren gegangen oder sogar von ihm selbst nach der Fertigstellung der Jahrgangsbände vernichtet worden sein. Dagegen spricht jedoch, daß für das Jahr 1588, Wicks Todesjahr, weder ein Band, noch Vorarbeiten dafür vorhanden sind. Die sporadischen Notizen, die Wick auf den letzten Seiten des Tagebuchs von Wolfgang Wyß (gest. 1552), des Vaters eines Schwiegersohnes, hinterließ,[160] können kaum als Vorarbeit gewertet werden, höchstens als Gedächtnisstütze, wenn sie überhaupt mit Wicks »Wunderbüchern« im Zusammenhang stehen.[161] Wick, so scheint es, hat auf die Anlage umfangreicher Konvolute von Dokumenten und Aufzeichnungen als Vorarbeit zu den Einzelbänden verzichtet. Seine »Wunderbücher« entstanden als »work in progress«, dessen Einzelteilen, den Büchern, mit dem Jahresende ein Abschlußtermin gesetzt war. Das läßt sich durch viele Indizien belegen. Zu ihnen gehört zum Beispiel unausgefüllter Raum für Illustrationen.[162] Ähnlich arbeitete später auch Johannes Haller.[163]

---

[158] Vgl. oben S. 124f.

[159] So treffend GUTWALD, Prodigium (2002), S. 260.

[160] StAZ, G I 72, fol. 90ff.

[161] Sie enthalten fast ausschließlich Listen mit Namen von Verstorbenen. Als Fortsetzung oder gar als letzter Band und Abschluß der *Wickiana*, wie SENN, Wick (1974), S. 53, meinte, können sie auf keinen Fall gelten. Dem widerspricht schon die »fortdauernde Unabgeschlossenheit der *Wickiana*«. Von ihrer Anlage her, war ein Ende im Sinne eines inhaltlichen Abschlusses gar nicht vorgesehen. Einige Einzelstücke von Wicks Hand in ZBZ, Ms. Z I 346 kommen ebenfalls nicht als Vorarbeiten in Betracht.

[162] Vgl. etwa den Freiraum in der handschriftlichen Aufzeichnung des Berichts über die Sonnenerscheinung vom 2./3. Januar 1572 über Chur oder in ZBZ, Ms. F 29, fol. 165^r. Im Anhang Dok. 8.

[163] Siehe S. 231ff.

3. Redaktion und Autorschaft

Das Flugblatt *Seltzame vnd zuuor vnerhörte Wunderzaichen ...*, gedruckt in Augsburg 1580 (Abb. F3), bietet weitere Einblicke in Wicks Arbeit. Es befand sich vor der Versetzung im 18. Buch (Ms. F 29).[164] Der *terminus post* für den Druck des Blattes ist der im Text genannte 1. Juli 1580. Wick wird den Druck kaum vor August in Händen gehalten haben. Auf dem Rand notierte er übereinstimmende Nachrichten anderer Provenienz. Die letzte trägt das Datum des 18. September. Als Wick seine Randnotizen hinzufügte, war das Blatt bereits auf zwei gegenüberliegenden Seiten des 18. Buches festgeleimt: Wicks Bemerkungen und die Federzeichnung einer Birne oben links gingen über den Rand des Flugblattes hinaus auf die darunter befindlichen Blätter. Bevor er die Notizen anbrachte, war also der Einblattdruck bereits aufgeleimt. Das bedeutet, daß Wick spätestens im September, wahrscheinlich jedoch schon früher, mit der Zusammenstellung dieses Jahrgangsbandes begonnen hatte.[165]

Wicks Methode progressiver Informationsverarbeitung im Sinne der Gestaltung durch Arrangement einer thematischen Sequenz, durch Illustration mit Zeichnungen und andere Verfahren kennt mindestens zwei Techniken, der unberechenbaren Offenheit der Zukunft mit Flexibilität zu begegnen: Zum einen das Arbeiten auf Lücke, zum anderen die Umgestaltung durch Überkleben bereits gemachter Aufzeichnungen. Die erste Technik wird an einigen wenigen frei gelassenen Seiten oder unausgefüllten Rahmen für Illustrationen sichtbar, entzieht sich aber weitgehend der Anschauung des fertigen Produkts, das man heute vor Augen hat. Besser sind Veränderungen durch die Klebetechnik nachvollziehbar, vor allem seitdem durch die Versetzung der Einblattdrucke im Jahr 1925 einige überklebte handschriftliche Aufzeichnungen aufgedeckt wurden, die Wick zunächst seinen Büchern zugedacht hatte, dann aber verwarf.[166]

Vorbildlich für die Klebetechnik könnte die Erstellung von Bibliothekskatalogen gewesen sein. Nach der Reformation schuf Conrad Pellikan dafür in Zürich den

---

[164] ZBZ, PAS II 17/12, zuvor in: Ms. F 29, fol. 114ᵛ–115ʳ.

[165] Der Band Ms. F 29 war aber zu diesem Zeitpunkt mit Sicherheit noch nicht gebunden: Die zweite, von Hand gezeichnete Birne links geht über den Bundsteg hinweg und ist so, wie sie sich heute präsentiert, vor der Bindung aufgetragen worden.

[166] Eine genaue Übersicht des Aufgedeckten werde ich in der von mir geplanten Publikation zur Überlieferungsgeschichte der *Wickiana* geben. Zwei Beispiele an dieser Stelle: ZBZ, Ms. F 21, fol. 127ᵛ: Hier war das Flugblatt PAS II 9/4 angebracht. Die Versetzung hat Text freigelegt. Oben auf der Seite befindet sich der bei Wick übliche Jahreseintrag, in diesem Falle »1572«, darunter die Schlußzeilen der NOTA, die auch auf fol. 127ʳ zu lesen ist. Wick hatte sie ursprünglich auf fol. 127ᵛ plaziert, nach der Umgestaltung dann aber – in gedrungener Schrift – noch auf fol. 127ʳ ergänzt, um das vorangehende Stück zu beenden. Auf der ehemals überklebten Seite befindet sich außerdem eine Überschrift, die ein Schreiben Erzherzog Ferdinands von Österreich ankündigt, heute im selben Band fol. 220ʳ–221ᵛ. Wick scheint das ursprüngliche Arrangement hier also grundsätzlich verändert zu haben; zweites Beispiel: Ms. F 31, fol. 5ᵛ–6ʳ: Hier hat Wick ein sogar schon illustriertes Stück nachträglich mit einem Einblattdruck überklebt.

Prototyp und die Methode. Die Buchtitel wurden auf Quart- oder Foliobögen notiert, die später zerschnitten und dann nach verschiedenen Kriterien neu geordnet und in Reinschrift übertragen werden konnten. Die Katalogisierung, besonders die Vergabe von Signaturen, mußte außerdem für die ständige Erweiterung der Bibliothek offengehalten werden, eine Anforderung, die sich erst mit dem Buchdruck in verschärfter Form stellte.[167] Wie Wicks Chornik sind auch die von Pellikan und seinen Nachfolgern geschaffenen Kataloge durch fortdauernde Unabgeschlossenheit charakterisiert. Die Problemlage, Spielräume für die Verarbeitung des noch Unvorhersehbaren zu lassen, ist durchaus mit Wicks zeithistorischer Chronistik vergleichbar. Durch seine engen Verbindungen zu Wolfgang Haller, Nachfolger Pellikans und Vorgänger von Johann Jacob Fries, war Wick gewiß mit einigen Techniken der Informationsverarbeitung eines offenen skriptographischen Systems vertraut. Jedenfalls hatte er im Chorherrenstift mehr als genug Gelegenheit, sich mit solchen Techniken vertraut zu machen.

3.4. Ohne Worte

Durch seuqenzielle Anordnung können Dokumente zum Sprechen gebracht werden, ohne daß der Autor Worte verlieren müßte. Sinn wird hier durch bloße Kontextualisierung gestiftet. Jedenfalls muß man mit dieser Möglichkeit rechnen. Das hermeneutische Problem besteht freilich darin, daß sich die Rezeptionsvoraussetzungen heute von denen im Zürich der zweiten Hälfte des sechzehnten Jahrhunderts grundlegend unterscheiden. Ein Autor, der sich ständig über seine Absichten äußert, hat mehr Aussichten als Wick, auch über größere Zeiträume hinweg verstanden zu werden. Daß Wick dies nicht getan hat, ist einer der Gründe dafür, daß in seinen Büchern schon seit mindestens dreihundert Jahren wenig Zusammenhang und kaum Ordnung entdeckt wurde. Die folgenden Interpretationsbeispiele zu Sequenzen, die ohne Worte zu Aussagen kommen, bewegen sich in einem Bereich des Plausiblen. Natürlich kann ich weder Wicks Absichten noch den Blick seiner Leser mit Exaktheit rekonstruieren, zumal dieser Blick so wenig auf einen Nenner zu bringen ist wie bei »modernen« Lesern. Schon deshalb ist die Gefahr der Überinterpretation unvermeidlich. Heuristisch ist es für einmal jedoch vorzuziehen, wenn man eher zuviel als zu wenig Sinn unterstellt.

Die erste Beispielsequenz wird durch eine Folge von acht Dokumenten, davon sieben Druckschriften, gebildet und befindet sich im 4. Buch (Ms. F 15). Am Anfang steht ein Exemplar des *Hosen Teuffels* von Andreas Musculus, eine der längsten Flugschriften in den *Wickiana* (Abb. F5).[168] Über dem Titel fügte Wick eine Bemer-

---

[167] Hierzu und zu den Katalogisierungsmethoden grundlegend: ZEDELMAIER, *Bibliotheca universalis* (1992).

ung ein, die seine mit Musculus geteilte Abneigung gegen die Pluderhosen be-
:eugt: »Wen Tütschland nie gsündet hett, dan alleÿn mitt der üppigen vñ mûtt-
villiger bkleidung, so hetts tusigfaltig die straff gotts wol verdienet.« Die Druck-
;chrift weist weitere Lesespuren Wicks auf, Unterstreichungen und einige wenige
:ürzere Randbemerkungen von seiner Hand, die vor allem Passagen betreffen, an
lenen Musculus betont, daß Prediger alleine zu schwach seien, dem Hosenteufel zu
vehren, daß es dazu vielmehr der weltlichen Obrigkeit bedürfe.[169] Diese Unter-
treichungen sind gerade im Zürcher Kontext aussagekräftig, wo Interventionen
lurch die Kirchenleitung beim Rat in moralischen Dingen politisch institutionalisiert
varen.

Im *Hosen Teufel* wird verbal alles geboten, was zur Schärfung eines moralisie-
*enden Blicks nötig ist, um das anschließende Arrangement zu verstehen. Es schlie-
ßen sich zwei satirische Landsknecht-Flugblätter von Hans Weygel aus Nürnberg an
Abb. F6 und F7).[170] Eine Federzeichnung stellt den Zweikampf zwischen einem
Schweizer Söldner und einem deutschen Landsknecht dar, wobei der überlegene
Schweizer seinen Gegner niedersticht (Abb. F8).[171] Der Landsknecht versinkt wie
auf den satirisch überzogenen Holzschnitten der Flugblätter in seinen geschlitzten
Pluderhosen und ist durch seine Kleidung offensichtlich behindert. Es folgt ein
lrittes Landsknechtsblatt von Weygel (Abb. F9).[172] Die Sequenz wird keineswegs
unterbrochen, wenn nun ein Einblattdruck über ein mißgestaltetes Kalb folgt
Abb. F10).[173] Wick notierte neben dem Titel dieses Blattes: »ploderhosen, Tüfels-
hosen«. Tatsächlich entbehrt die Analogie zwischen der Pluderhosenmode und der
Gestalt des Kalbs nicht einer gewissen visuellen Plausibilität, auf die hier gesetzt

---

[168] Vom Hosen Teuffel. [...] Gedruckt zu Franckfurt an der Oder/ durch Johan. Eichorn/
ANNO M.D.LVI. – Verfasser: Andreas Musculus, 4°, 38 S. ZBZ, Ms. F 15, fol. 36ʳ–55ʳ. –
Neu gedruckt in Teufelbücher, Bd. 4, Nr. 1. Titelblatt des *Wickiana*-Exemplars und Text-
ausschnitte bei SENN, Wickiana (1975), S. 117–120.

[169] Vgl. Ms. F 15, fol. 51ᵛ und 52ʳᵛ.

[170] Dises Bilds Erklerung. Martin Weygel, Augsburg, um 1560. 56 Knittelverse und 40 lat.
Distichen. ZBZ, PAS II 4/2; ursprünglich: Ms. F 15, fol. 56ʳ–57ʳ. – Vgl. ZBZ, Ms. F 35a,
S. 251 Nr. 28, und Weller, Annalen, S. 153. Abgebildet bei STRAUSS, Woodcut 1550–1600
(1975), Nr. 1148. Und: Ich bin ein edler Reütter werdt ... [Initium], Martin Weygel, Augs-
burg, um 1560; ZBZ, PAS II 4/3; ursprünglich: Ms. F 15, fol. 58ᵛ–59ʳ. Abgebildet bei FEHR,
Massenkunst (1924), S. 115 & Abb. 75, und STRAUSS, Woodcut 1550–1600 (1975),
Nr. 1145.

[171] ZBZ, Ms. F 15, fol. 60ʳ. Abbildung mit Erläuterung bei SENN, Wickiana (1975), S. 94.

[172] MEin Hertz freüdt sich allzeyt so sehr ... [Initium], Martin Weygel, Augsburg, um 1560.
ZBZ, PAS II 4/4; ursprünglich: Ms. F 15, fol. 60ᵛ–61ʳ. Abgebildet bei STRAUSS, Woodcut
1550–1600 (1975), Nr. 1146.

[173] Jn disem Tausent fünffhundert zwey vnnd sechtzigsten Jar/ Sonnabend aller Heyligen/ ist
vnder dem Edlen wolgebornen Graffen vnd Herrn/ Sigismundo dem elteren von Kirchburg/
sc. zuo Varnroda/ dise seltzame Wundergeburt von einer Kuow kommen. Frankfurt a. M.
1563. ZBZ, PAS II 4/5; ursprünglich: Ms. F 15, fol. 62ᵛ–63ʳ. Abgebildet bei SONDEREGGER,
Missgeburten (1927), Abb. 60, dazu S. 96 f.

wird. Die Sequenz wird fortgesetzt mit zwei Flugschriften, dem fiktiven Klagelied eines deutschen Landsknechts über die Pluderhosen[174] und dem Bericht über eine menschliche »Erschrockenliche Geburt« in Werningsleben bei Erfurt (Abb. A11).[175]

Mir scheint die ganze Sequenz auf diese letzte Druckschrift zuzulaufen. Der Text stammte von dem Prediger des betreffenden Ortes, Johann Gölitz, und deutete die außergewöhnliche Gestalt des Kindes allegorisch als göttliche Drohgebärde gegen die hoffärtige Mode. Die Analogie zwischen Mißgestalt und Kleidung gehörte zum Standardrepertoire teratologischer Flugschriften und Flugblätter und diente der Sozialkritik am Leitfaden theologischer Sündentopoi.[176] Im siebzehnten Jahrhundert dann übernahmen die satirischen *Alamoda*-Blätter in erheblichem Maße sozialkritische Funktion gegenüber der herrschenden Mode.[177]

Die beiden Mißgeburten von 1563 an Mensch und Tier dürften der Ausgangspunkt für Wicks Überlegungen zum Arrangement der Sequenz gewesen sein. Da waren jedenfalls die aktuellen Ereignisse. Von dort aus betrieb er Ursachenforschung und fand die in der Flugschrift von Gölitz nahegelegte Erklärung bestätigt. Die Ursache für Gottes Zorn war die aktuelle »Hoffart« in der Mode. Die Sequenz macht das augenfällig, indem sie der chronologischen Ordnung folgt. Sie beginnt mit einer Abhandlung: Die Druckschrift vom Hosenteufel dürfte Wick schon früher bekannt gewesen sein. Die anschließenden Flugblätter sind ganz auf Visualität angelegt. Vor allem mit der Schrift von Musculus »im Rücken« sind sie auch ohne die kurzen Verse verständlich, die auf den Blättern deutlich hinter den bunten Landsknechtfiguren zurücktreten. Mit Sicherheit hat sich Wick gezielt um dieses Material bemüht. Die Aussage war klar, ohne daß Wick sie ausformulieren mußte. Der Sinn wurde nicht expliziert, sondern demonstriert. Wick ließ die Dokumente für sich und in ihrem Zusammenspiel sprechen. Das Ergebnis war eine Konkretion dessen, was

---

[174] Ein new Klaglied/ eins allten Teütschen Kriegsknecht/ wider die gräwliche vnd vnerhörte Pluderhosen/ Gezottet hüt/ vnd gesaltzet Stifel. Zu singen in des Bentzenawers thon. o. O & o. J. 8°, 13 S. Titelholzschnitte: zwei »modisch« gekleidete Figuren. ZBZ, Ms. F 15 fol. 64ʳ–70ʳ.

[175] Ain Erschrockenliche Geburt/ vnd Augenscheinlich Wunderzaychen deß Allmechtigen Gottes/ so sich auff den iiij. tag des Christmonds, dises 1563. Jars/ inn der nacht, inn dem Dorffe Weringschleben/ Jn eines Erbarn/ Hochweisen Raths/ der alten löblichen Statt Erfurdts gebiete/ zuogetragen hat. Beschriben zuo einer gemainen kurtzen Buoßpredigt Durch den Würdigen/ Eern Johan. Gölitzschen/ des orts Christlichen Seelsorger ... – Flugschrift, Hans Zimmermann, Augsburg [1563], 4°, 6 S.; Titelholzschnitt: Darstellung der Mißgeburt. Titelblatt und Text des Gedichts bei SENN, Wickiana, S. 121–123. Der Text ist identisch mit dem auf dem Flugblatt von Thiebolt Berger, Straßburg 1564, PAS II 12/63 (abgebildet bei STRAUSS, Woodcut 1550–1600 (1975), Nr. 111). Andere Fassung: PAS II 5/2 und PAS II 12/67 (abgebildet bei STRAUSS, Woodcut 1550–1600 (1975), Nr. 916).

[176] Vgl. EWINKEL, De monstris (1995), S. 69–77, hier auch S. 72 f. zur Mißgeburt von Werningsleben 1563.

[177] Zu den deutschen Alamoda-Flugblättern vgl. LÜTTENBERG, Alamoda-Flugblätter (2003) mit weiteren Literaturhinweisen in den Anmerkungen.

3. Redaktion und Autorschaft

:h früher als *retrospektive Referenz* bezeichnet habe:[178] eine Verknüpfung zwischen iefekter Natur (Wunderzeichen) und defekter Sozialordnung (Sünde) unter Wieder- ıerstellung der kausalen Zeitordnung: erst die Sünde, dann das Zeichen.

Die zweite Beispielsequenz kehrt diese Chronologie um und veranschaulicht da- ıit eine andere Strategie. Es handelt sich um drei aufeinanderfolgende Einblatt- lrucke gegen Ende des 14. Buches (Ms. F 25): Das erste Blatt stellt Martin Luther lar (Abb. F11),[179] das zweite Bruder Klaus (Abb. F12),[180] das dritte Jan Hus.[181] Im eformatorischen Verständnishorizont ist die Verbindung zwischen Luther und Hus ınmittelbar einleuchtend. Bruder Klaus war in den Augen der reformierten Schwei- er ein Symbol eidgenössischer Identität. Gleichzeitig läßt sich die Tendenz beob- ıchten, dieses und andere Symbole in der konfessionellen Auseinandersetzung für lie eigene Partei zu instrumentalisieren. Einer Einordnung des Einsiedlers von Sar- ıen in die Vorgeschichte der Reformation stand also nichts im Wege. Wichtiger als ınhaltliche Bezüge war in diesem Fall aber wahrscheinlich die in die Augen sprin- ;ende Ähnlichkeit zwischen der Ikonographie des Luther- und der des Bruder- <laus-Drucks:[182] Beide zentralen Figuren sind kniend und betend dargestellt; jeweils »ben rechts im Bild befinden sich wolkenumrahmte Himmelsöffnungen mit visio- ıären Erscheinungen; und beide Szenen sind in freier Natur. Das Felsentor, die

---

[78] Siehe oben S. 36.

[79] Ware Contrafactur Herrn Martin Luthers / wie er zuo Wurms auff dem Reichstag gewesen / vnd was er Gebettet habe. o. O. & o. J. (um 1550/60). PAS II 24/15; ursprünglich: ZBZ, Ms. F 25, fol. 306ᵛ–307ʳ. Vgl. HARMS (Hg.), Flugblätter VII (1997), Nr. 55. Hier die Herkunfts- angabe »F 25, 321«. Das Blatt wurde 1910 versetzt, also schon vor der großen Versetzungs- aktion von 1925. Die Zugehörigkeit zu den *Wickiana* scheint zeitweilig verloren gegangen zu sein: In der Liste der aus dem 14. Buch versetzten Blätter und im Katalog von Marlies Stäheli (ZBZ, PAS II 26) fehlt das Blatt. Bruno Weber hat es dem Bestand wieder zuge- ordnet. Der ursprüngliche Herkunftsort ließ sich aufgrund eigener Rekonstruktionsarbeiten genau ermitteln: Die Angaben im Katalog von Usteri (Ms. St 294, pag. 67, lit. a), bei Weller (Ms. F 35a, S. 160 Nr. 73), auf einer Versetzungskarte, die sich heute mit dem Druck in einem Passepartout befindet, sowie schließlich in einem durchschossenen Exemplar des Katalogs zur Zwingli-Ausstelllung von 1919 (ZBZ, Arch. Z 501 b) stimmen überein. Dort heißt es am Ende auf einem losen Blatt mit der Überschrift: »Briefe und Einblattdrucke« (Schreibmaschine) unter »Einblattdrucke aus Graph. Sammlung nur zum Teil mit urspr. Standort«: »Luther betend. Ms F 25. fol. 307«.

[80] EJgentliche gestalt Bruoder Clausen Einsidels in Schweitz von Vnderwalde / sampt dem gesicht / das er am Himmel einmal bey nacht gesehen. (Hans Moser, Augsburg, um 1550/60). ZBZ, PAS II 13/19; ursprünglich: Ms. F 25, fol. 307ᵛ–308ʳ. Weiteres Exemplar: ZBZ, PAS II 2/3; andere Fassung: ZBZ, PAS II 8/16 (abweichender Drucksatz). DURRER, Bruder Klaus (1917 und 1921), Bd. 2, S. 649; FEHR, Massenkunst (1924), S. 89 & Taf. 10. HARMS (Hg.), Flugblätter VI (2005), Nr. 97.

[81] Johannes Huß. (Michael Moser?), Augsburg, um 1550/60. ZBZ, PAS II 13/20; ursprüng- lich: Ms. F 25, fol. 308ᵛ–309ʳ. HARMS (Hg.), Flugblätter VII (1997), Nr. 53.

[82] Wolfgang Harms vermutete mit Recht, daß das Luther-Blatt für Wick »ins Umfeld der Ikonographie seiner Exemplare von Blättern mit dem betenden Bruder Klaus von Flüe ge- hört haben« dürfte. Ibid., Nr. 55.

Bücher und das Kreuz links im Bild des Bruder-Klaus-Blattes spielen auf die verbreiteten Stiche und Holzschnitte nach Dürer an, die Hieronymus in der Höhl darstellen.[183] Diese Bildelemente werden hier zu Bestandteilen der Einsiedler-Iko nographie verallgemeinert.

Die sequenzielle Verbindung verdichtet sich durch die Aussagen der Flugblatttexte Der Titel des Luther-Blattes stellt die Beziehung des folgenden Gebetstextes, de von der Forschung zeitweilig als Quelle für Luthers Lied *Ein feste Burg* angesehen wurde, zu den Ereignissen des Wormser Reichstags von 1521 her.[184] Luther er scheint als Prophet des göttlichen Wortes. Das dritte Blatt in der Folge zeigt Hus i der vergleichbaren Situation während des Konzils von Konstanz, schildert sein Hinrichtung nach der Chronik Ulrichs von Richental[185] und stilisiert ihn zum Pro pheten für den Reformator Luther: Hus habe kurz vor seiner Verbrennung als Ketze gesprochen: »Heute bratet jr ein Ganß vber 100. Jar wirt ein Schwann komen/ de werdet jr nit braten können.« Damit hätte er auf seinen Namen angespielt, der au Böhmisch »Gans« bedeute. Mit dem Schwan hätte er »des Luthers zůkunfft ver kündet«. Der Kreis schließt sich damit. Das Bruder-Klaus-Blatt in der Mitte de Dreiersequenz fügt sich dem Kontext der Reformationsprophetie ein, indem es ein gegen das Papsttum gerichtete Deutung der Bruderklausvision aus vorreformatori scher Zeit abdruckt.

Geht man nur vom Inhalt der Flugblätter aus, scheint das Ziel der sequenzielle Anordnung klar zu sein: eine Art protestantische Hagiographie. Skeptisch mach daß ein Zürcher Archidiakon hier so unumwunden dieser Fortsetzung lutherische Prophezeiungspolitik gefolgt sein soll, zumal mit Bruder Klaus eine schweizerisch Symbolfigur par excellence darin einbezogen wurde. Wahrscheinlich ist das Flug blatt zur Bruderklausvision der Schlüssel zu einem differenzierteren Verständnis de Arrangements der drei Flugblätter. Es enthält nämlich aufschlußreiche Randnotize von der Hand Conrad Gesners, der offensichtlich Vorbesitzer des Bruder-Klaus Blattes war.[186] Da Gesner bereits 1565 an der Pest verstorben war, muß Wick da Blatt entweder bereits in den sechziger Jahren von Gesner selbst oder später aus der Nachlaß des Naturforschers erhalten haben.

Es gibt in den *Wickiana* zwei weitere Exemplare des Bruder-Klaus-Flugblattes Gesners Exemplar an dieser Stelle ist jedoch nicht mehr austauschbar, wenn ma unterstellt, daß die Anmerkungen von Gesners Hand für Wicks Arrangement rele

---

[183] Dürers Holzschnitt von 1512. Vgl. FALK (Hg.), German Engravings (1954–1996), Bd. VII S. 185 mit Angaben zur Literatur. Für zwei Nachschnitte von Georg Scharfenberg und au einem Einblattdruck von Hans Glaser (Sanctus Hieronymus Strydonensis Theologus. Nürn berg o.J.), beide um 1560, vgl. STRAUSS, Woodcut 1550–1600 (1975), Nr. 898 und 339.
[184] Vgl. den Kommentar von Harms mit Belegen: HARMS (Hg.), Flugblätter VII (1997), Nr. 55
[185] Vgl. den Kommentar zu dem Hus-Blatt bei: Ibid., Nr. 53.
[186] Verzeichnet bei LEU, Gessner's Library (2008), S. 113, Nr. 131.

ant sind. Eine Notiz am Kopf des Blattes verweist auf den 9. Band der *Bücher des 'hrnwirdigen Herrn Martin Luthers*, 1557 gedruckt in Wittenberg bei Hans Luft,[187] nd darin auf den Neuabdruck von Luthers Ausgabe und Erläuterung des Brief-echsels von Bovillus und Horius über die Vision des Bruder Klaus von 1528.)amit ist die Textvorlage identifiziert, und wahrscheinlich läßt sich von daher auch er Zeitpunkt für den Einblattdruck ungefähr auf 1557 festlegen.[188] Gesners An-erkungen am rechten Rand formulieren kurze lateinische Merkstichworte, die sich uf den Inhalt der allegorischen Auslegung der Vision beziehen und den Unter-reichungen zuordnen lassen. Unten links notierte Gesner etwas, das nicht im Text eht:»Disen gesicht hatt er [Nikolaus von Flüe] inn sin Zell malen lassen.« Hier, zu anft, in der Zelle des verstorbenen Bruder Klaus hatte Charles de Bouelles (ge-annt Bovillus) auf einer Reise durch Deutschland, Italien und Spanien das Bild der 'ision gesehen. Nach Frankreich zurückgekehrt, wurde er Priester in St. Quentin nd Noyon. Der Korrespondent, Nikolaus Horius, von dem die auf dem Flugblatt edruckte Deutung der Vision stammte, war hingegen nie Bischof von Reims ge-/esen, wie es auf dem Blatt aufgrund der Angaben Luthers fälschlicherweise heißt, ondern Munizipalbeamter. Horius war ein Freund des Humanisten Robert Gaguin, sovillus ein Schüler von Faber Stapulensis.[189] »Die Voraussetzung von Horius' rklärung der Bruderklausenvision bildet die in jenen kirchlich gesinnten Humani-tenkreisen alter Schule allgemeine Entrüstung über das verweltlichte Papsttum des usgehenden fünfzehnten und beginnenden sechszehnten Jahrhunderts«, schreibt obert Durrer. Auch das gespannte Verhältnis zwischen Frankreich und Rom zu eiten Alexanders VI. sei für den antipäpstlichen Ton mit verantwortlich. Die Deu-ung auf einen Papst sei durch Bovills Beschreibung des Ranftbildes bereits vor-/eggenommen.[190] Dort befindet sich keine päpstliche Tiara, sondern eine einfache :rone auf dem visionären Königshaupt.

Der Briefwechsel zwischen Bovillus und Horius erschien zuerst lateinisch im Jahr 510. Luther kannte ihn bereits, als er Anfang 1528 von Paulus Speratus aus Kö-igsberg darauf aufmerksam gemacht wurde. Nun aber schenkte er der Sache mehr ufmerksamkeit. Jetzt sei ihm der Anblick der Vision zu Herzen gegangen, »denn :h bin durch streiche witzig worden, den sachen nach zu dencken«, hieß es im edruckten Antwortschreiben an die Königsberger Freunde. Luther übersetzte die riefe und ließ sie mit einem Bild der Bruderklausvision drucken, das oben rechts uf dem Flugblatt wieder auftaucht. Luther verfaßte auch eine eigene allegorische)eutung dazu.[191] Wenn der Einblattdruck alleine die Auslegung von Nikolaus

---

[87] Die Notiz auf PAS II 13/19 oben: »Hec uisio habet etiam in operibus Luthero, Tomo 9. Libro q. papam. pag: 268ᵛ (sup[er] eodem explicatione[m] Lutheri pag. ᵃ 270.v.« Vgl. Lu-ther, Bücher, fol. 268ᵛ und fol. 270ᵛ.

[88] Ein sicherer *terminus ante quem* ergibt sich durch Gesners Todesjahr 1565.

[89] Zu den Angaben vgl. DURRER, Bruder Klaus (1917 und 1921), Bd. 1, S. 569 f.

[90] Ibid., S. 571.

Horius abdruckt, so ist die Demonstrationsabsicht klar: Wie auf dem Hus-Blatt ge es um vorreformatorische Reformationsprophetie, die sich nicht sofort als luther sche Antichristpolemik gegen das Papsttum zu erkennen geben will.

Gesners Randbemerkungen wirken nun aber gerade in dieser Hinsicht entlarven Freilich teilte Gesner wie die reformierten Zürcher das lutherische Bild vom Paps tum als Inkarnation des Antichristen, was direkt durch das Wort »Antichristus bestätigt wird, das Gesner unter seinen Bemerkungen am rechten Rand notierte. O er sich bewußt war, daß die Tiara nicht dem Ranftbild entsprach, als er auf diese hinwies, läßt sich nicht sagen. Und doch könnte trotz grundsätzlicher Übereinstim mungen in der Haltung gegenüber dem Papsttum die Sequenz von Wick auch a Hinweis auf lutherische Flugblattpropaganda gedacht sein, zumal das Luther-Blatt vielleicht aufgrund des Hinweises von Gesner – an den Anfang rückte. Im Jahr 157 war das Verhältnis zwischen Zürich und der lutherischen Orthodoxie durch di gerade ein Jahr zuvor polemisch beendete Auseinandersetzung mit Jakob Andrea getrübt.[192] Auch das Verhältnis zu Luther selbst war in den letzten Jahren vor desse Tod alles andere als gut gewesen. Freilich lassen sich die Flugblätter nicht ohn weiteres dem orthodoxen Luthertum zuordnen, und die Einbeziehung der Brude klausvision in vorreformatorische Weissagungen der Reformation könnten in Züric auch jenseits aktueller Differenzen zu Luther und Luthertum willkommen gewese sein. Jenseits strittiger Fragen wie dem Abendmahl darf man nach wie vo einem Grundkonsens ausgehen.

So ließe sich auch eine Antwort darauf finden, warum Wick die mehr als zeh vielleicht sogar zwanzig Jahre älteren Drucke ausgerechnet in den Jahrgang 157 aufnahm – genau dreißig Jahre nach Luthers Tod. Im darauffolgenden Jahr, 157 jährte sich die Reformation zum sechzigsten Male. Auch dies war Grund zur Erin nerung. Am Ende des 14. Buches folgt noch eine zweite Sequenz von Einblattdru ken. Eingeleitet wird sie mit einem weiteren Gedenkblatt für Luther, das ikon graphisch dem Hus-Blatt aus der ersten Sequenz sehr ähnlich ist und wegen de Schwans zu Luthers Füßen sogar noch besser zur angeblichen Weissagung von Ja Hus gepaßt hätte.[193] Der Text erzählt das Leben Luthers bis zu seinem Tod, le dabei aber auf den Anfang der Reformation einen starken Akzent. Die Tetzel-Ge schichte wird ausführlich geschildert. Gerade darum dürfte Wick das Blatt den be den folgenden Drucken vorangestellt haben. Der mnemonische Akt öffnet den h storischen Verständnishorizont. Es folgt ein Aufruf des Trierer Erzbischofs Jakob II von Eltz zum Erwerb des anläßlich des Heiligen Jahres 1575 in seiner Diözes

---

[191] Die Schrift Luthers von 1528 abgedruckt in WA 28, S. 125–136, mit Literaturangaben, un bei ibid., Bd. 2, S. 643–648. Außerdem in LUTHER, Der Neundte Teil (1557), an der vo Gesner angegebenen Stelle.

[192] Vgl. oben S. 132 f.

[193] Abconterfaytung D. Martin Luthers. Augsburg, um 1550/60. ZBZ, PAS II 13/24; ursprüng lich: Ms. F 25, fol. 320ʳ–321ʳ. HARMS (Hg.), Flugblätter VII (1997), Nr. 54.

3. Redaktion und Autorschaft

verkündeten Jubelablasses. Der Druck stammte aus dem gerade laufenden Jahr 1576.[194] Ebenso die anschließende Parodie darauf.[195] Beide Texte sind in lateinischer Sprache verfaßt.

Was hier im Kontext aktueller Ablaßpraxis der Altgläubigen mit der Erinnerung an Luther und die Ereignisse von 1517 wohl bewußt gemacht werden sollte, ist die Gegenwart der Vergangenheit. Noch 1576, dreißig Jahre nach Luthers Tod, war das Thema, das die Gemüter der Reformatoren erhitzt hatte, ebenso aktuell wie 1517. Der Ernst dieser Sicht wird mit dem dritten Blatt der Sequenz – dem parodierenden Imitat des katholischen Ablaßaufrufs – in Spott aufgelöst. Man ist aufgefordert, herzlich zu lachen. Aber es ist ein gelehrtes, der lateinischen Sprache kundiges Lachen. Die Sprachbarriere richtet eine Rezeptionsbarriere auf, über die hier nicht wie an vielen anderen Stellen durch Beigabe einer Übersetzung eine Brücke gebaut wird. Der Laie wird ausgeschlossen, mit der Einschränkung auf den gelehrten Rezipienten zugleich Mißverständnissen angesichts der Aufnahme eines katholischen Ablaßblattes in Wicks Chronik vorgebeugt. Von zwei Seiten her wird für hinreichende Kommentierung gesorgt, ganz ohne daß der Chronist hier seine Feder sprechen lassen müßte: durch das Luther-Blatt und durch die Parodie. Das Arrangement spricht für sich selbst. Es wäre verfehlt, hier von Suggestion zu sprechen, weil Suggestion immer auch persuasiv wirken will. In dieser Sequenz von Blättern aber wird es Wick kaum darum gegangen sein, Überzeugung zu bewirken, wo sie nicht schon vorhanden war. Die Leser seiner Bücher waren schon überzeugt vom evangelischen Glauben, und unter dieser Voraussetzung liegen alle Karten offen auf dem Tisch, ohne ein Wort des Autors der *Wickiana*.

---

[194] IACOBVS DEI GRATIA SANCTAE TREVERENSIS ECCLESIAE ARCHIEPISCOPVS, SACRI ROMANI IMPERII, PER GALLIAM, ET REGNVM ARELATENSE ARCHICANCELLARIVS, AC PRINCEPS ELECTOR &c. OMNIBVS ET SINGVLIS suæ Diœcesis animarum Pastoribus salutem in Domino sempiternam. (Trier?) 1576. ZBZ, PAS II 13/25; ursprünglich: Ms. F 25, fol. 321ᵛ–322r. Ibid., Nr. 74.

[195] DEI GRATIA EPISCOPI SANCTAE DEI ECCLESIAE IN SACRO ROMANO IMPERIO, ALIISQVE TERRARVM LOCIS DISPERSAE, OMNIBVS ET SINGVLIS FIDEI CVRAEQVE SVAE COMMISSIS, SALVTEM IN DOMINO sempiterram. (o.O.) 1576. ZBZ, PAS II 13/26; ursprünglich: Ms. F 25, fol. 322ᵛ–323r. Ibid., Nr. 75.

TEIL IV:

DIE ERFINDUNG DES VOLKSGLAUBENS:

EINE ANEIGNUNGSGESCHICHTE

Die ersten drei Teile dieses Buches zeigten Wick in seinem Zürcher Umfeld. Wir haben das Chorherrenstift als einen Ort lebendiger Aufmerksamkeit auf die Zeichen und Wunder Gottes kennengelernt, als Nachrichtenbörse und als Ort, an dem Prodigien politisch gedeutet und publizistisch eingesetzt wurden. Hier wurde intensiv Geschichtsforschung betrieben und in Geschichtsschreibung umgesetzt. Es ist erstaunlich, wie breit das Spektrum der Historiographie in der zweiten Hälfte des sechzehnten Jahrhunderts war. Nach Stumpfs Schweizerchronik, die unter Beteiligung Bullingers, Vadians und Gesners zustande gekommen und noch in den 1540er Jahren erschienen war, folgten Großwerke wie Bullingers Reformationsgeschichte, seine Tigurinerchronik; wichtige Arbeiten zur Schweizergeschichte von Josias Simler entstanden im Zusammenhang eines größeren Unternehmens des Glarner Historikers Aegidius Tschudi; und dazu kommen die naturhistorischen Werke Conrad Gesners.[1] Im Grunde sollte man auch Bullingers Apokalypsepredigten als historiographisches Meisterwerk betrachten und in diese Reihe einordnen. Bullinger war überhaupt die Überfigur der Zürcher Geschichtsschreibung im sechzehnten Jahrhundert.

Wick scheint im weiten Spektrum historiographischer Aktivitäten am Platz Zürich eine bestimmte Aufgabe erfüllt zu haben. Auch seine »Wunderbücher« waren eine Form der Geschichtsschreibung, davon geprägt, daß die Historien, die er aufzeichnete, aus der Aktualität jüngsten Geschehens und seiner Kolportation durch die frühneuzeitlichen Nachrichtennetze Europas noch nicht recht ins Vergangene sedimentiert waren. Dies als eine frühe Form der Zeitgeschichtsschreibung zu begreifen,[2] mag mit Blick auf den im sechzehnten Jahrhundert beschleunigten Umlauf aktueller Nachrichten plausibel erscheinen, kehrt aber die historiographiegeschichtlichen Verhältnisse in anachronistischer Weise um: Wick überführte neue Medien in ein altes, was ihm eine gewisse Kreativität bei der Gestaltung seiner »Wunderbücher« abforderte. Einmal darauf aufmerksam geworden, erkennt man seine Leistungen bei der Auswahl aus einer größeren Informationsmasse und bei der Anordnung seines Materials in intermediale Text-Bild-Sequenzen. So originell dies war, mußte Wick für sein Tun doch kein neues chronistisches Genre erfinden. Der Begriff der *historia* wurde in der humanistischen Tradition weit genug verstanden, um jederzeit mit aktuellem Geschehen ausgefüllt werden zu können. Das Label »Zeitgeschichte«

---

[1] Ich verzichte hier auf Angaben zu bereits früher zitierten Werken und beschränke mich auf die bisher nicht genannten Arbeiten Simlers: SIMLER, Vallesiae descriptio (1574) und SIMLER, De republica Helvetiorum (1576). Dazu MAISSEN, Republik (2006), S. 60–70, insbes. S. 67 zur einheitsstiftenden Funktion der publizierten Schweizer-Historiographie der Phase, der auch Simlers Arbeiten noch zuzurechnen sind.

[2] Vgl. etwa SENN, Wick (1974), der schon im Titel von »Zeitgeschichte« spricht.

ist insofern irreführend. Es antwortet auf einen modernen Erwartungshorizont, in dem die Vorstellung von Geschichte fest mit dem Zeitmodus der Vergangenheit verknüpft ist. Bei aller Beschleunigung des Nachrichtenaustauschs durch Druckerpresse und Taxispost läßt sich aber gerade im Fall einer Prodigienchronik nicht behaupten, daß im sechzehnten Jahrhundert ein Prozeß beschleunigter Historisierung im Sinne einer Überführung des Gerade-noch-Gegenwärtigen in die Erzählform des »Es war ...« zu beobachten wäre. Denn die im ersten Teil dieses Buches erläuterte Semantik der Wunderzeichen bedingte geradezu die Vergegenwärtigung, sowohl des Vergangenen (der Sünden als Ursachen für Gottes Zorn) als auch der möglichen Folgen. Wunderzeichen hatten eine offene Zukunft, der Wick mit der Offenheit der von ihm gewählten Darstellungsform an vielen Stellen Tribut zollte. Diese Offenheit hat ihren Teil zum Eindruck von Unordnung beigetragen, den die *Wickiana* vor allem in den Augen moderner Leser hinterlassen haben.

Die *Wickiana* als eine Form der Geschichtsschreibung zu verstehen, bietet einen Schlüssel zu ihrem Gesamtverständnis. Zum einen erfordert dies nämlich, daß man Einblick in die eigenwillige zeitliche Logik der Wunderzeichen gewinnt. Ihre dreifache Referenz (aktuell, retrospektiv, prospektiv; vgl. I/1) erklärt die verwirrende thematische Breite der Aufzeichnungen Wicks, die eben darin bestand, nicht nur prodigiöse Erscheinungen zu notieren, sondern auch Exempel für Sünden (retrospektiv: Ursachen für Gottes Zorn) und Katastrophen wie Krieg, Hunger und Epidemien (prospektiv: Gottesstrafen) in seine Chronik aufzunehmen. Es läßt sich kaum bestreiten, daß ein solches System eine Inflation der in Frage kommenden und auch tatsächlich gebotenen Stoffülle erzeugte, weil es in dem Sinne totalisierend war, daß es alle Dimensionen des Zeitkontinuums erfaßte und potentiell alles Geschehen »einfing«. Mit anderen Worten: In der Semantik der Wunderzeichen konnte alles Geschehen Bedeutung erhalten.

Zum anderen erfordert ein angemessenes Verständnis der Wunderchronistik Wicks Einsicht in die Informationslogistik, ohne die sein Werk nicht entstanden wäre. Vor allem dieser Gesichtspunkt erzwingt auf der Grundlage dessen, was in den ersten drei Teilen dieses Buches dargestellt wurde, eine gründliche Revision des in der Forschung vorherrschenden Bildes von Wick als eigenwilligem Kautz, der mit seinem Fäbel für »Zeichen und Wunder« im Zürich der Bullingerzeit isoliert dastand und in seinem Umfeld allenfalls ein paar wohlwollende, aber distanzierte Förderer fand. Daß dieses Bild entstehen konnte, liegt, wie im vorliegenden vierten Teil gezeigt werden soll, in der Aneignungsgeschichte der *Wickiana* begründet. Ab einem bestimmten Punkt dieser Geschichte wurden sie als Quelle für Volks(aber)glauben im sechzehnten Jahrhundert gelesen. Dies wurde entscheidend für eine isolierte Betrachtung, die Wick und die *Wickiana* nun nicht mehr ins gelehrte Umfeld des Chorherrenstifts und der Zürcher Hohen Schule einzuordnen bereit war. Vermeintlich vom Volksglauben geprägte Kollektaneen paßten nicht mehr ins Ensemble gelehrter Geschichtswerke und in Vorstellungen vom gelehrten Diskurs. Natürlich war eine solche Betrachtungsweise zutiefst ideologisch geprägt. In ihrer kompromißlosen Form wurde sie im Aufklärungsjahrhundert geboren, aus der Aberglaubenskritik, die sich zugleich als Religionskritik verstand. Transformiert und romantisiert lebte sie aber im neunzehnten Jahrhundert weiter, wurde von der Volkskunde als Disziplin fortgeführt und wirkte durch die Mentalitätsgeschichte und Historische Anthropologie in die Geschichtswissenschaft des zwanzigsten Jahrhunderts hinein.

Die neue Sichtweise war aber nicht alleine das Werk einer ideologischen Umrüstung, sondern geichzeitig kamen neue, gewandelte Vorstellungen von Geschichte und Geschichtsschreibung ins Spiel. Die mit ihnen verknüpften Zugangsweisen zum Werk Wicks bilden den roten Faden durch die in diesem vierten Teil dargestellte Aneignungsgeschichte. An den historiographischen und historiographiegeschichtlichen Kontexten läßt sich der Perspektivenwechsel im Verständnis der *Wickiana* anschaulich nachzeichnen.

1. Die *Wickiana* nach Wick

Wick starb am 14. August 1588. Nur zwei Wochen später, am 28. August 1588, erließ der Zürcher Rat eine Verfügung über den Verbleib der 24-bändigen Chronik (siehe im Anhang Dok. 4). Die Bände sollten von der Bibliothek des Großmünsterstifts in Verwahrung genommen werden. Die Überlieferungsgeschichte der *Wickiana* ist damit von Anfang an mit der Geschichte »öffentlicher« Bibliotheken verknüpft. Wenn man das sagt, kann man auf die Anführungszeichen nicht verzichten: Die Stiftsbibliothek war keine öffentliche Bibliothek im heutigen Sinne, auch wenn sie gelegentlich als »bibliotheca publica« bezeichnet wurde. Das läßt sich schon am Benutzungsreglement ablesen, das Conrad Pellikan etwa 1543 niederschrieb.[3] Uneingeschränkt konnten lediglich die Chorherren auf die Bestände zugreifen, ein Kreis von Auserwählten, der die Schlüsselgewalt innehatte und berechtigt war, anderen Personen den Zugang zu ermöglichen. Schlüssel konnten auch, mit Kenntnis des Bibliothekars, vom Propst des Stifts an weitere Personen vergeben werden. Das geschah mit Sicherheit nur in Ausnahmefällen.

Was man über die Nutzung der Bibliothek durch Professoren oder Studenten in Erfahrung bringen kann, deutet auf einen ruhigen Ort hin. Gerade deshalb, so ist immer wieder betont worden, erschien den Ratsherren die Stiftsbibliothek als Depot für die *Wickiana* geeignet. Aber warum überhaupt eine solche Entscheidung? Der Vorgang ist einzigartig, zumindest im Zürich des sechzehnten Jahrhunderts. Zwar sind die Privatbibliotheken verschiedener Zürcher Reformatoren und Gelehrter in den Besitz der »Carolinischen« Bibliothek gekommen; prominentestes Beispiel dafür ist die Bibliothek Zwinglis, die 1532, dem testamentarischen Wunsch des Reformators gemäß, für den Betrag von 200 Pfund den Erben abgekauft und vom Stift übernommen wurde, was dann entscheidenden Anstoß für die Neugründung der Stiftsbibliothek gab.[4] Im Falle der *Wickiana* handelte es sich jedoch nicht um eine Privatbibliothek, und die Bände wurden weder durch Kauf noch durch Schenkung erworben.

---

[3] Für eine Transkription des Reglements mit Erläuterungen siehe GERMANN, Stiftsbibliothek (1994), S. 202–205. Das Original befindet sich als Spiegelblatt im Vorderdeckel von Pellikans Katalog: ZBZ, Ms. Car. XII 4.

[4] Zu Zwinglis Privatbibliothek und ihrem Verkauf an die Stiftsbibliothek: KÖHLER, Zwinglis Bibliothek (1921); außerdem kurz SCHINDLER, Zwinglis Randbemerkungen (1988), S. 478; zum Vorgang und seiner Bedeutung für die Neugründung der Stiftsbibliothek ausführlich GERMANN, Stiftsbibliothek (1994), S. 109, 111, 166–168, mit weiteren Hinweisen zur Literatur. Den heute in der Zentralbibliothek noch erhaltenen Bestand hat ALIVERTI, Zwinglis Bibliothek (1993), erschlossen.

1. Die ›Wickiana‹ nach Wick

Was den eher ungewöhnlichen Akt, durch den die *Wickiana* in die Bibliothek des Großmünsterstifts gezwungen wurden, angeht, ist eine gestrichene Zeile in einem Lobgedicht beredt, das Johann Jacob Fries für sein *Stammbuch Gelehrter Weyser Personen der Kirchen und Regiment* auf Wick dichtete.

> [...]
> Auß groß erbermd gegen menklich
> Fragtest noch der sach innigklich /
> Hievon manches bůch geschriben voll

Dann der gestrichene Vers:

> Dem gstiffte hast auch verlassen wol

Das traf auf Bullingers Tigurinerchronik und seine Reformationsgeschichte, nicht jedoch auf die *Wickiana* zu. Niemand wußte das besser als Fries. Daher der Sinneswandel:

> Der Wunderen vil: mans läsen sol /
> Vnd btrachten wol die vrtheil Gotts
> Ergangen über fromm vnd stoltz.[5]

Warum verfügte der Rat die Versetzung der *Wickiana* in die Stiftsbibliothek? Der Erlaß vom 28. August 1588 betont, in Wicks »Chronikbüchern« seien etliche »Sachen« »verzeichnet«, die besser geheim zu halten als öffentlich bekannt zu machen wären, und darum sollten diese Bücher nicht in jedermanns Hände kommen. Welche »Sachen« waren da gemeint?

Die Literatur gibt darauf eine einstimmige Antwort: Der Rat dachte an die »Scheußlichkeiten und Grausamkeiten«,[6] konkret: die »detaillierten Berichte über Mordtaten oder Hexenverbrennungen, die Beobachtung von grauenerregenden Himmelszeichen oder Mißgeburten«.[7] Die *Wickiana* seien unter Verschluß genommen worden, »damit die darin enthaltenen Anstößigkeiten kein Aufsehen erregten«.[8] Aber ist diese Deutung richtig? Worauf kann sie sich stützen, außer auf Plausibilitäten, die zum *common sense* der Nachaufklärung gehören? Oder sollte sich das Weltbild der Ratsherren tatsächlich von dem ihres Zeitgenossen Wick so gravierend unterschieden haben, daß sie für unzeitgemäß erachteten, was er als »Zeichen der Zeit« erkannt zu haben glaubte, die Wunder des Allmächtigen – Zeichen seiner göttlichen Gnade, Zeugnisse auch für das sünd- und frevelhafte Leben der Menschen? Solche »Sachen« wären wohl kaum »geheim« zu nennen gewesen. Die Wun-

---

5 ZBZ, Ms. J 262, fol. 104^{r-v}.
6 Vgl. GERMANN, Stiftsbibliothek (1994), S. 213, der hier auch von »Ignoranz« und »Aberglaube« spricht und in düsteren Farben ein fragwürdiges Bild vom Niedergang des Zürcher Geisteslebens in der zweiten Hälfte des sechzehnten Jahrhunderts zeichnet.
7 Vgl. SENN, Wick (1974), S. 76.
8 So wieder GERMANN, Stiftsbibliothek (1994), S. 214.

derzeichen, erst recht die Hinrichtungen hatten per se öffentlichen Charakter, und in ihrer Verbreitung vor allem durch gedruckte Nachrichtenmedien hatten sie längst öffentliche Wirkung entfaltet, ehe Wick sie in seine Bücher aufnahm. Auch die Illustrationen boten nichts anderes, als was das Publikum öffentlicher Hinrichtungsrituale zu sehen bekam und zu sehen gewöhnt war. Selbst Extremfälle wie die bildliche Darstellung zerstückelter Leichen in unverblümter blutverschmierter Nacktheit gehörten zum Standardrepertoire der Druckgraphik, vor allem auf illustrierten Flugblättern.[9] Wicks ikonographisches Programm weicht von diesen Vorbildern kaum ab. Dabei erreichten die Druckschriften natürlich eine viel größere Öffentlichkeit als die *Wickiana*. Der Hebel wäre bei ihnen mit Sicherheit an der falschen Stelle angesetzt gewesen, hätte der Rat nun plötzlich etwas an der Öffentlichkeit von Grausamkeiten ändern wollen.

Barbara Mahlmann-Bauer hat den Ratserlaß mit einer »Ambivalenz in Wicks Wunderzeichenberichten« zu erklären versucht. Einerseits würden die Wunderzeichen und Unglücksfälle in katholischen Gebieten als Zeichen gedeutet, daß Gott auf seiten der Reformation Partei ergreife, andererseits seien bei Wicks Schweizer Informanten wegen der Fülle von Prodigien auch in Zürich und in reformierten Gebieten Zweifel spürbar, ob der Allmächtige mit dem Verlauf der Reformation zufrieden gewesen sei. Vermutlich habe es der Rat darum nach dem Tode Wicks für besser gehalten, »die Sammlung vor der Öffentlichkeit zurückzuhalten«.[10] Das bringt den Faktor Nähe und damit eine direkte Betroffenheit Zürcher Belange ins Spiel. Nicht die Wunderzeichen überhaupt mit ihrer vermeintlich Schrecken erregenden Wirkung, sondern ihre Bedeutung für Zürich und die Reformierten sollten danach den Ausschlag gegeben haben.

Die Bände den Erben zu überlassen, das war die Alternative, vor die sich der Rat gestellt sah, und nicht etwa, die *Wickiana* »einer weiteren Öffentlichkeit zugänglich zu machen«.[11] Dafür fehlte es an einer in die Bibliotheken strömenden Bürgerschaft. Dafür fehlte es Ende des sechzehnten Jahrhunderts in Zürich an einer in diesem Sinne öffentlichen Bibliothek. Erst rund vierzig Jahre später (1629) wurde die Bürgerbibliothek (die spätere Stadtbibliothek) gegründet[12] – zu spät für die *Wickiana*. Faktisch blieb freilich auch diese »öffentliche« Bibliothek lange Zeit ein Ort für

---

[9] Siehe die Illustration zu dem Stück »Von einem grusamen mord, das sich zuo Wÿl im Land zů Wirtenberg zůgetragen«; ZBZ, Ms. F 12, fol. 185ʳ. Vgl. dazu die Flugblätter ZBZ, PAS II 10/12, siehe HARMS (Hg.), Flugblätter VII (1997), Nr. 40; PAS II 12/26, PAS II 12/76, siehe HARMS (Hg.), Flugblätter VII (1997), Nr. 39.

[10] Vgl. BAUER, Krise der Reformation (2002), S. 20.

[11] SENN, Wick (1974), S. 76.

[12] Dazu GERMANN, Arte et Marte (1981); VÖGELIN, Wasserkirche (1848), S. 49–60, hier S. 40–43 zur Gründung; ESCHER, Stadtbibliothek Zürich (1922/1923), Bd. 1, S. 3; MATHYS, 1629 Stadtbibliothek – Zentralbibliothek 1979 (1979), S. 28–30; außerdem der Gründungsaufruf von Hans Heinrich Ulrich: *Bibliotheca Nova Tigurinorum* (in Auszügen ebd. abgedruckt).

wenige, vor allem für Herren aus der bürgerlichen Oberschicht, die eine umfassende Schulausbildung genossen und meist auch ein Universitätsstudium absolviert hatten. Hätte der Rat Wicks Chronik nicht in die Stiftsbibliothek verfügt, dann wäre möglich gewesen, daß sie irgendwann zu einer Quelle des Geredes geworden oder schließlich sogar in den Besitz politischer oder konfessioneller Feinde der Stadt Zürich gekommen wäre. Man wird daher ganz allgemein sagen könne, daß der Rat die Aneignung der *Wickiana* lenken wollte. So liest sich die Reformulierung des Ratserlasses bei Johann Jacob Fries: Es gehe darum, »allerley weytlouffigk[eit] Zumeyden«; die Bücher sollten »nit alßo yedermann zůleßen« gegeben werden (siehe im Anhang Dok. 5).

Wicks Informationsnetz war mit Angehörigen der Zürcher Ratsfamilien verknüpft.[13] Was den Ratserlaß betrifft, dürfte vor allem zum Tragen kommen, daß Wicks Bücher einige Anweisungen an die Zürcher Gesandten auf den eidgenössischen Tagsatzungen enthalten. Die offensichtliche Besorgnis der Ratsherren um die Zukunft der Wickschen Chronik und ihre schnelle Reaktion nach dem Tod des Chronisten dürfte in erster Linie mit solchen Dokumenten in Verbindung zu bringen sein, die das politische Leben und Überleben sowie den Rat selbst unmittelbar betrafen, weniger mit der Vielzahl der Wundernachrichten und ihrer möglichen Bedeutung als Krisensymptome der Reformation und gewiß nicht mit der Darstellung von Hinrichtungen, Mord und Totschlag.

Ausschlaggebend für den Ratsbeschluß war letztlich wohl eine Steuerung und Monopolisierung von Geschichtsschreibung. Eine Geschichtspolitik, die genau zwischen öffentlicher und »geheimer« Geschichtsschreibung unterschied, wobei die Grenzlinie zwischen Handschrift und Druck verlief, hat in Zürich Tradition. Stumpfs große gedruckte Schweizerchronik wurde vom Zürcher Rat in offiziellen Gesandtschaften an die Dreizehn eidgenössischen Orte übergeben. Bullingers Reformationschronik hingegen blieb unveröffentlicht, was der Intention des Verfassers auch voll entsprach. Sie war ein Medium konfessioneller Identität und enthielt zuviel Sprengstoff. Das Chorherrenstift war auch in diesem Fall der geeignete Aufbewahrungsort, den Bullinger allerdings (anders als Wick) noch selbst bestimmt hatte. Hier waren wie im Rat die einflußreichsten und angesehensten Familien der Stadt zu hause.[14] Nicht zufällig wurden Wicks »Wunderbücher« in eben jenes Milieu zurückversetzt, aus dem sie hervorgegangen waren. Johannes Haller, der in den Rat aufgestiegene Sohn eines Nachfolgers Wicks, nutzte Anfang des siebzehnten Jahrhunderts die *Wickiana* für eine Fortsetzung der *Tigurinerchronik* Bullingers, worauf ich im zweiten Teil dieses Kapitels (1.2.) eingehen werde. Er verkörpert das Zusammenspiel von Rat und Kirchenleitung in Sachen Geschichtsschreibung.

---

[13] Dazu S. 188.

[14] Das zeigt ein Vergleich der Ratslisten mit den Übersichten zur Besetzung des Chorherrenstifts. Siehe die Zürcher Ratslisten und – für die Besetzung des Chorherrenstifts – die Handschriftenbände ZBZ, Ms. E 14 (Dürsteler) und H 96 (Scheuchzer).

1.1. Loci historici: Johann Jacob Fries

Johann Jacob Fries, der Bibliothekar des Großmünsterstifts, nahm die »Wunderbü
cher« von den Erben Wicks entgegen und verzeichnete sie im Katalog der Biblio
thek des Großmünsterstifts.[15] Mit ihm beginnt auch schon die Geschichte der Aneig
nung der *Wickiana*. Fries wurde am 2. April 1546 in Zürich geboren. Sein Vater wa
der Humanist Johannes Fries, der es zu größerer Bekanntheit brachte als der Sohn
Dieser besuchte zunächst 1563 die Genfer Hohe Schule und setzte sein Studium i
Frankreich und Deutschland fort. Nach der Rückkehr heiratete er im Juni 157
Regula Haller, die Tochter des Stiftsverwalters und Bibliothekars Wolfgang Haller

Diese Verbindung ist typisch dafür, wie die Gelehrten am Zürcher *Carolinum* in
sechzehnten Jahrhundert auch familiäre Netze knüpften. Johann Jacob Fries stan
auf solche Weise nicht nur mit seinem unmittelbaren Vorgänger, sondern auch mi
dem ersten Bibliothekar nach der Neuordnung des Großmünsterstifts, Conrad Pellikan, in enger familiärer Bindung. Pellikan, Bibliothekar von 1532 bis um 1550
war nämlich mit einer Schwester von Johannes Fries verheiratet, also ein Onkel vo
Johann Jacob. Auf der Lehrerebene war er eine Art geistiger »Großvater«, insofer
nämlich Pellikans Katalogisierung der Bibliothek am Zürcher *Carolinum* und ihr
Einteilung in einundzwanzig Disziplinen das wohl wichtigste Vorbild für Conra
Gesners *Bibliotheca Universalis* war.[16] Gesner selbst nahm dann Einfluß auf di
Entwicklung des jungen Fries.

Verfolgen wir den Lebensweg bis zum Ende weiter: 1573 wurde Fries Professo
für Dialektik und Rhetorik.[17] In dieser Funktion trat er Jakob Amman zur Seite. I
Jahr 1576 endlich wählte man ihn zum Professor der Heiligen Schrift. Im selbe
Jahr oder allenfalls kurz darauf löste er auch seinen Schwiegervater Wolfgang Halle
in der Funktion des Bibliothekars ab, die er bis 1595 behielt, allerdings mit eine
gewissen Unterbrechung, wie sich später zeigen wird. Das Porträt von Theodo
Meyer (Abb. A12) stellt Fries im Alter von 53 Jahren mit Stundenglas und einem
aufgeschlagenen Buch dar, das die Aufschrift trägt: »BIBLIOTH[ECA]«. Dami
wird auf die Bearbeitung von Gesners *Bibliotheca universalis*, die Fries besorgte
angespielt. Fries starb am 10. Dezember 1611 an der Pest – wie Conrad Gesne
knapp fünfzig Jahre vor ihm.

---

[15] ZBZ, Ms. Car XII 5., fol. 191 (ohne Datum); vgl. die Abschrift von Salomon Heß aus dem
Jahre 1817: ZBZ, Ms. G 333, S. VIf.

[16] LEU, Gesner als Theologe (1990), S. 206f.; GERMANN, Stiftsbibliothek (1994). Pellikan als
Vorbild nicht erkannt bei ZEDELMAIER, *Bibliotheca universalis* (1992).

[17] Gewählt am 15. Dezember 1573. Vgl. dazu den Eintrag bei Haller: ZBZ, Ms. D 271, zu
Dezember 1573.

1. Die ›Wickiana‹ nach Wick

In den Jahren seiner Tätigkeit als Lehrer an der *Schola Tigurina* und als Bibliothekar des Stifts verfaßte Fries eine Reihe von Werken. Es ist nicht viel Gedrucktes darunter. Außer der schon erwähnten Überarbeitung von Gesners großem bibliographischen Standardwerk, außer der 1583 erschienenen *Bibliotheca instituta*, muß man zunächst ein ähnliches Werk nennen, die *Bibliotheca Philosophorum* von 1592,[18] in der Fries eine chronologisch geordnete Biobibliographie klassisch-antiker Philosophen und christlicher Kirchengelehrter (von den Aposteln bis zu den Scholastikern) vorlegte. Sie sollte Bibliothekaren, Philosophen, Theologen, überhaupt Gelehrten zum Nutzen dienen. Das Werk gehört zu den Anfängen moderner Geschichtsschreibung der Philosophie. 1593 wurden zwei aus den Kirchenvätern kompilierte Reden von Fries gedruckt, *Orationes duae*, die erste über die Pflichten der Kirchendiener, die zweite über ihre Eintracht.[19] Ein letztes gedrucktes Werk erschien 1599, eine genealogisch-historische Schrift mit dem Titel *Vom Geschlecht der Brunen*.[20] Besondere Beachtung wurde darin dem berüchtigten ehemaligen Zürcher Bürgermeister Rudolf Brun und den Ereignissen um die Zürcher Mordnacht (1350) geschenkt. Die Wappen des Geschlechts wurden erklärt, einzelne Personen epigrammatisch besungen. Diese Schrift vermittelt einen Eindruck davon, wie das von Fries geplante, aber Fragment gebliebene *Stammbuch Gelehrter/ Weyser/ Personen der Kirchen vnd Regiment Vorstehenderen* ausgesehen haben könnte, wäre es jemals zum Abschluß gekommen. Zu mehr als dem Druck dreier Probeblätter kam es jedoch nicht.[21]

Zu den Fragment gebliebenen Projekten von Fries gehört schließlich eine Sammlung von »Neuen Zeitungen«, die er aus den *Wickiana* abschrieb. Natürlich fragt man sich, was, so kurz nach Wicks Tod, der Zweck einer solchen Sammlung gewesen sein könnte. Fries hatte Wick persönlich gekannt, aus der gemeinsamen langjährigen Tätigkeit am Großmünster, vermutlich aber schon von Kindsbeinen auf. Die oben zitierten Verse, die er im Stammbuch-Fragment auf ihn dichtete, deuten Charakterzüge an, die Fries aus eigener Erinnerung beschrieb. Wolfgang Haller, der Schwiegervater von Fries, war ein Studienkollege Wicks gewesen und dessen Vorgänger als zweiter Archidiakon am Großmünster. Haller hatte auch den einen und anderen Beitrag zu Wicks Chronik geliefert. Fries selbst ebenfalls.[22] Man kann also davon ausgehen, daß Fries nicht erst seit Ablieferung der Bände von ihrer Existenz wußte. Daß er jedoch viel mehr als das wußte, erscheint zweifelhaft, wenn man sieht, wie sehr er bei seinem »Projekt« den Umfang der zu erwartenden Ausbeute

---

[18] FRIES, Bibliotheca philosophorum (1592).

[19] FRIES, Orationes duae (1593).

[20] FRIES, Vom Geschlecht der Brunen (1599).

[21] ZBZ, Ms. J 262.

[22] Von Fries stammt eine Geschichte in ZBZ, Ms. F 23, pag. 29 und 35, ein Parallelfall zum Mord einer Mutter an ihrem Kind (bei Wick pag. 29), der sich 1606 in Zürich ereignete. Daraus ergibt sich etwa der Zeitpunkt der Aufzeichnung. Vermutlich hat Fries aus dem aktuellen Anlaß nach einem Parallelfall in den *Wickiana* gesucht.

unterschätzt zu haben scheint. Zunächst kopierte er selbst einzelnes, dann organi sierte er die Arbeit jedoch neu und bezog weitere Personen ein, um sie bewältige zu können.

Mit fortschreitender Lektüre fiel Fries auf, daß man bei Wick auch zu frühere Jahren in späteren Bänden noch Material finden konnte. Stammten alle Abschrifte zum Jahr 1561 noch aus dem ersten Buch der *Wickiana*, so kann man schon an Ende des Registers zum Jahr 1562 zwei Nachträge aus dem 3. Buch finden. Di dritte Serie von Abschriften organisierte er dann anders, was auch darauf zurück zuführen sein dürfte, daß die Bücher vier bis sieben, vor allem aber Buch sechs de *Wickiana*, zeitlich noch disparater waren. Deshalb legte Fries nun ein Register an das gleich mehrere Jahre versammelte, und zwar von 1563 bis 1569, also den gan zen Zeitraum der Bücher vier bis sieben umfaßte.[23] Die letzte Serie von Abschrifte bezieht sich dann wieder auf einen einzelnen Band, genauer gesagt: auf Buch neu zum Jahr 1570. Das entspricht dem Umstand, daß Wick erst von diesem Band an z einer streng annalistischen Chronologie überging.

Fries ordnete seine Abschriften zeitgemäß nach einer von ihm selbst entwickelte Systematik von *loci communes*. Folgende Notiz steht auf einem der ersten Blätte seines Kopienbandes:

Loci Historici seu Diuisio rerum in Ephimeridibus consignatarū.
  I. Was sich zůgetragen hatt in dem gefrÿten Regiment der Eydgnoschafft.
      A. Zů Zurich / das da ist die Hauptstatt
          a. In Geistlichen Sachen
          b. In weltlichen Sachen
      B. In anderē Stetten welche sich dem Papst zů Rom entschlagen hannd.
          a. In Geistli[ichen]
          b. In Weltlichen [Sachen]
      C. In den Orten die der kilchen zů Rom noch anhangend
          a. In Geistli[chen]
          b. In Weltlichen [Sachen]
      D. Was gmeinklich von allen ghandl[et] wirt
          a. Gei[stlichen]
          b. Welt[lichen] [Sachen]
  II. Was sich im Rÿch zůgetragen vnder der Regierūg des keysers vnnd der tutsche fursten
          a. in Geistl[ichen]
          b. in Weltlichen [Sachen].[24]

Das Schema folgt der Augustinischen Einteilung in geistliches und weltliches Reich die sich im Nebeneinander von profaner und Kirchengeschichte widerspiegelte, hie allerdings nur auf die Eidgenossenschaft und das Reich bezogen wurde. Liest ma diese geographische Einschränkung als Ausdruck einer Erwartungshaltung, s

---

[23] ZBZ, Ms. H 40, das Register S. 150–159.
[24] Ibid., 8. Blatt einschließlich Titelblatt.

scheint die spätere geographische Erweiterung ein Ergebnis der Lektüre gewesen zu ein. Seine Abschriftenlisten erweiterte Fries um Frankreich, Spanien, England, Türkei, Ungarn und Böhmen, Polen, das Moskowiterreich, Dänemark und Schweden.

Die *loci*-Methode war ein verbreitetes und ganz formal-funktionalistisches Lektüreverfahren in der Frühen Neuzeit. Das Gelesene wurde unter bestimmte »Titel« gebracht, neu geordnet und dadurch verfügbar für ein eigenes Ordnungsschema oder den freien Zugriff unter sich wandelnden Zwecken. *Loci* ließen sich als Zitatensammlung anlegen – zum Zweck der freien Rede oder als Grundlage für eine eigene Schrift. In jedem Falle handelt es sich um ein Instrument der Textverarbeitung. Bei Fries verhält es sich noch komplizierter: Er mußte außerdem die Arbeit seiner Kopisten koordinieren. Die *Loci* kamen dabei erst ins Spiel, wenn das Material schon zusammengetragen war. Wenn aber der auswählende Leser nicht alle Texte selber abschrieb, mußte er seine Schreibkräfte zuerst an die richtige Stelle lenken.

Dazu dienten die von Fries erwähnten *ephemerides*. Was verstand Fries darunter? Der Wortsinn entspricht dem lateinischen *diarium*. In der Geschichte des Buchwesens kennt man »Ephemeriden« sowie synonyme oder ähnliche Bezeichnungen für periodisch erscheinende Schriften, seit dem siebzehnten Jahrhundert vor allem für Kalender und Zeitschriften. Dabei läßt sich vom genauen Wortsinn nicht auf die Frequenz des Erscheinens zurückschließen. Es muß also nicht der Tagesrhythmus sein. Im fünfzehnten und sechzehnten Jahrhundert erschienen astronomische und nautische Jahrbücher unter der Bezeichnung »Ephemeriden«.[25] Die vorausberechneten Konstellationen der Gestirne im Jahreskreislauf dienten u. a. der Navigation. Bis heute kennt man in der Physik die Ephemeridenrechnung. Eine Ephemeride steht dabei allgemein für das Zeitintervall der Berechnung, das auch hier nicht ein Tag sein muß, sondern jeweils auf die Dynamik des entsprechenden Himmelskörpers abgestimmt wird und daher auch größer oder kleiner sein kann. Die Beobachtung eines Objekts unseres Sonnensystems und die Berechnung seiner (wechselnden) Positionen setzt dabei natürlich ein Koordinatensystem voraus, das nach wie vor mit Hilfe der uralten Vorstellung der Himmelskugel erzeugt wird, deren Mittelpunkt mit dem Ursprung der Koordinaten zusammenfällt (das kann z.B. der Erdmittelpunkt oder der Sonnenmittelpunkt sein). Die Ephemeriden von Planeten, Planetoiden oder Kometen dienen hauptsächlich dazu, das Objekt am Himmel aufzufinden. Es handelt sich also um ein Findmittel.

Periodisch erscheinende Schriften waren bei Fries gewiß nicht gemeint. »Ephemeriden« waren hier vielmehr die tabellarischen Listen, in denen Fries die Stücke notierte, die aus den *Wickiana* abgeschrieben werden sollten. Ihr Zeitintervall entsprach einem Jahr, obwohl Fries diese Ordnung nicht streng durchhielt, da auch

---

[25] Vgl. E. Sührig, Art. Ephemeriden, in: LGB (1987) 2, S. 471 f. Sührig spricht hier von einer »Gattung«, die mit den Hofberichten Alexanders des Großen beginnt. Vgl. dazu J. Rüpke, Art. Ephemeris, in: Der neue Pauly, Bd. 3, Sp. 1076.

Wicks Annalen in den frühen Bänden nicht immer streng der Jahreseinteilung folg
ten, Fries aber Band für Band durchgesehen und danach seine Listen angelegt ha
Diese Ephemeriden dienten gewissermaßen der Navigation, nämlich der richtige
Steuerung seiner Helfer zu den *Wickiana*-Stücken, die sie abschreiben sollten. Daz
freilich bedurfte es eines Koordinatensystems. Fries schuf es, indem er dafür sorgte
daß die von ihm durchgesehenen Bände eine Foliierung oder mindestens eine Nu
merierung der Einzelstücke erhielten. Auch knappe sachliche Bezeichnungen, di
den Titeln in den *Wickiana* nahekamen, dienten der Koordination der Arbeit. Di
loci historici strukturierten die tabellarischen Listen und die spätere Ablage de
Abschriften. Sie dienten der Neuordnung, nicht der »Naviagtion«, nicht als Find
mittel, denn sie korrespondierten ja mit keiner Einteilung innerhalb der Wicksche
Bücher.

Warum aber überhaupt Neuordnung? Oder sollte hier erst Ordnung in etwas ge
bracht werden, das, schon in den Augen der Zeitgenossen, keine eigene Ordnun
besaß? Ist es denn nicht merkwürdig, daß eine Chronik, kaum daß sie den erbleich
ten Händen ihres Urhebers entglitten war, dazu herausforderte, sie zum Material fü
eine andere Chronik zu machen?

Über Ziel und Zweck der Arbeiten von Fries fehlen klare Äußerungen. Sie blie
ben außerdem in einem Stadium stecken, das nicht eindeutig erkennen läßt, wo si
hinführen sollten. Aber wenigstens an einer Stelle im Manuskript liest man daz
Aufschlußreiches: »Es ist druß zmachen ein Chronologia/ Latin vnd kurz die summ
aller dingen. Also vß den großen des M[eister] Heinrichen bucheren.«[26] Der zweit
Satz relativiert den ersten: Dieser nämlich klingt nach der Endfassung einer Chroni
in lateinischer Sprache, die summarisch die wichtigsten »Neuen Zeitungen« de
Sammlungszeitraums zusammenfaßte. Der zweite Satz relativiert dies insofern, a
das »also« (im Sinne von »so, ebenso«) am Anfang deutlich macht, daß man es hie
immer noch mit der Beschreibung eines Zwischenstadiums im Prozeß der Verar
beitung des Quellenmaterials zu tun hat, das offensichtlich nicht auf die *Wickian*
alleine beschränkt bleiben sollte. Mit »Meister Heinrich« ist zweifellos Bullinge
gemeint und mit seinen großen Büchern vermutlich die Tiguriner- und die Refor
mationschronik. Wenn das zutrifft, darf man Mangel an Ordnung als Motiv für di
Erstellung einer neuen Chronik ausschließen. Daß Fries den Ratserlaß vom 28
August 1588, den er bestens kannte, als Auftrag verstanden haben könnte, »ei
formliche Chronic zůuerfassen« und aus den Büchern Wicks »ein ordenliche zůsam
men begrÿffung« zu machen, erscheint unter diesen Voraussetzungen ebenfalls un
wahrscheinlich, zumal der Rat ja nicht verfügte, daß dies nun zwingend geschehe
müsse.

---

[26] ZBZ, Ms. H 40, fol. 6.

1. Die ›Wickiana‹ nach Wick

Bei aller nötigen Vorsicht wird man aus den zitierten Sätzen den Plan für eine Chronik in lateinischer Sprache herauslesen dürfen. Das bedeutete, daß die überwiegend deutsch verfaßten Abschriften ins Lateinische übertragen werden mußten. Vielleicht war ein Druck des Werks ins Auge gefaßt. Die dafür vorgesehene Sprache schränkte den Kreis möglicher Leser eines solchen Produkts ein. Natürlich hätte sich das Gesamtkonzept im Laufe der Arbeiten auch noch einmal ändern können. Zumindest anfangs jedoch scheint Fries die Abfassung einer Chronik vorgeschwebt zu haben, die nach Ländern geordnet war.

Schaut man sich an, was Fries kopierte und, mehr noch, kopieren ließ, so zeigt sich, daß keine einzige Druckschrift darunter war. Er vertraute wohl darum nur den handschriftlichen Briefwechseln, weil ihm deren Schreiber häufig bekannt waren. Andererseits fragt sich, wie eine Chronik, die sich aus »Neuen Zeitungen« speisen sollte, auf die gedruckten Nachrichtenmedien völlig verzichten konnte? Deren Relevanz, vor allem die der Flugblätter, war unübersehbar. Die Überlegung, daß Wicks Kombination von Handschrift und Druck in Zürich, wenn nicht überhaupt ein Novum darstellte (allemal, was den Umfang betrifft), liefert keine ganz zufriedenstellende Antwort. Es mag sein, daß schon die Zeitgenossen Mühe hatten, eine tiefergehende Ordnung in Wicks Chronik zu erkennen, und es mag sein, daß sie Wicks Umgang mit den Druckschriften und besonders seine Kombinationen handschriftlicher Stücke mit ihnen nicht durchschauten.

In der Mehrzahl beziehen sich die Abschriften bei Fries auf die Schweizergeschichte. Das Verhältnis zwischen *Helvetica* und anderen Texten entspricht etwa dem Verhältnis in den frühen *Wickiana*-Bänden, die Fries für seine *Loci*-Sammlung auswerten konnte. Fries wandelte die Titel meist in einer Weise ab, daß man darin eine Objektivierung erkennen kann. Das läßt sich noch deutlicher an den wenigen Fällen ablesen, in denen Fries lediglich knappe Paraphrasen bot. Was bei Wick etwa als Aussage eines Briefschreibers erscheint, steht plötzlich als Tatsache da. Ähnliches läßt sich später auch bei Haller beobachten. Fries wählte in der weit überwiegenden Mehrzahl Dokumente offiziellen Charakters aus. Sein thematisches Interesse lag nicht bei den Zeichen und Wundern Gottes. Einzelne Kopien aus diesem Gebiet verbieten den voreiligen Schluß, die Auswahl spiegle in diesem Punkt einen kritischeren Umgang mit den vorliegenden Nachrichten wider. Der Blick war einfach anders ausgerichtet. Die Systematik, die chronologische Ordnung nach Ländern und nach den »zwei Reichen«, verband Religions- und Politikgeschichte. Das überschnitt sich, – deckte sich aber nicht mit Wicks Interessen.

1.2. Johannes Hallers Tigurinerchronik

Niemand griff für die eigene Geschichtsschreibung stärker auf die *Wickiana* zurück als der Ingenieur und Ratsherr Johannes Haller.[27] Nur Fries' unabgeschlossene Arbeit kommt dem nahe. Bei Haller hat man indes das beinahe fertige Produkt vor Augen. Seine in neun schweren Foliobänden angelegte Chronik betrifft den Zeitraum 1532 bis 1619 und weist sich selbst als Fortsetzung von Bullingers Geschichte *Von den Tigurineren vnd der Statt Zürich* aus.[28] Sie entsprach damit ausdrücklich der 1573 ausgesprochenen Hoffnung des ehemaligen Zürcher Antistes, daß seine Arbeit Nacheiferer finden möge. Hallers Chronik war wie ihr Vorbild durchgehend in deutscher Sprache verfaßt und entstand in den Jahren 1612 bis 1620.[29] Im siebzehnten und achtzehnten Jahrhundert genoß sie weit höheres Ansehen als Wicks Bücher. Johann Heinrich Hottinger erwähnte Haller und seine Chronik im Appendix zu seiner Schrift über die Zürcher Hohe Schule, obwohl Haller weder als Professor am *Carolinum* noch als Prediger am Großmünster tätig gewesen war.[30] Diese Würdigung Hallers steht in auffallendem Gegensatz zu der Tatsache, daß Wick in Hottingers Schrift mit keinem Wort erwähnt wurde. Liest man die Einträge zu Wolfgang und Johann Jacob Haller, kann man den Eindruck gewinnen, den zweiten Archidiakon Wick habe es in der Geschichte des Großmünsters gar nicht gegeben. Johann Jacob Haller, der Vater des Chronisten Johannes, war 1596 zweiter Archidiakon geworden, acht Jahre nach Wicks Tod. Gleichwohl bezeichnete Hottinger Johann Jacob Haller als *successor* seines Vaters Wolfgang, dessen unmittelbarer Nachfolger eigentlich Wick gewesen war.[31]

---

[27] Haller, geb. 1573, wurde 1612 Zwölfer zum Kämbli. Er starb am 14. November 1621. Die Daten über Hallers Leben sind spärlich. Für jeweils kurze biographische Artikel siehe: LEU, Schweizerisches Lexicon (1747–1795), Bd. 9, S. 452; HBLS 4, S. 62; außerdem in den biographischen Handschriften ZBZ, Ms. E 55, pag. 46 und Ms. E 18a, fol. 322[r].

[28] ZBZ, Ms. A 26–33. Der erste Band (Ms. A 25) ist verschollen, der Text allerdings in zwei Abschriften (Ms. B 266/267 und Ms. J 15/16) erhalten. Kopien oder größere Teilkopien von Hallers Chronik befinden sich in: Ms. B 266–271; Ms. J 15–20; Ms. Car. XV 12 (Buch 28–34, Kap.9); Ms. Car. XV 18–19 (Buch 28–67); Ms. Z I 319 (zu den Jahren 1563–80); Ms. Z I 640–641 (z. T. gekürzt und andere Einteilung, außerdem fortgesetzt bis 1650); Ms. Z I 164–166 (angelegt zw. 1765 und 1769). Johann Martin Usteri hat Buch 51–55 abgeschrieben: siehe Ms. U 15.

[29] Vgl. dazu Ms. A 26, fol. 306[r] (»vollendett vf den Montag den 13 Juni 1613«); Ms. A 27 (Titelblatt: »vollendet den 11. Jenner Anno 1615 Jar«); Ms. A 28, fol. 470[v] (»vollendet vf wienacht 1612«); Ms. A 29, darin mehrere Angaben: fol. 103[r] (Buch LI: 1615), fol. 177[r] (Buch LII: 1614), fol. 204[r] (Buch LIII: 1616), fol. 288[r] (Buch LIV: 1616), fol. 377[v] (Buch LV: »geendet an S: Gallen tag 1616«), fol. 460[r] (Buch LVI: 1617); Ms. A 30, fol. 324[v] (»vollendt Johan Baptista 1614«); Ms. A 31 (Titelblatt: »vollendet vf Verene [=1. September] 1614«); Ms. A 32 (Titelblatt: »1615«); A 33 (Buch LXVI: »1615«; Buch LXVII: »angefangen 31 Mey 1617«). – Für den fehlenden ersten Band ist natürlich auch kein Abschlußdatum erhalten. – Haller hat außerdem eine Abschrift von Bullingers Tiguriner-Chronik und seiner Reformationsgeschichte angefertigt. Vgl. ZBZ, Ms. A 18–20 und Ms. A 21–24. Vermerke zur Fertigstellung der Kopien: Ms. A 20, fol. 859[v] (»... 20 august 1611«).

[30] HOTTINGER, Schola Tigurina (1664), S. 118: »Iacobi Filius, Tigurinus, Ordinis Politici, sed Historiarum diligens collector. Annales de rebus Tigurinis Bullingeri aliquot tomis continuavit, qui in Bibliotheca nostra extant.«

[31] Ibid.: »Patris in Archidiaconatu successor ab an. Chr. 1596 ad 1624«.

1. Die ›Wickiana‹ nach Wick

Noch weit bis ins achtzehnte Jahrhundert bezog man sich, was die chronistische Überlieferung anging, lieber auf Johannes Haller als auf Wick. Scheuchzer wird ein Beispiel dafür bieten.[32] Es sind aus diesem Zeitraum weit mehr Kopien einzelner Passagen aus Hallers Geschichtswerk erhalten als aus Wicks »Wunderbüchern«.[33] Dabei hatte sich Haller für den Zeitraum zwischen 1560 und 1587 nahezu ausschließlich auf die *Wickiana* gestützt. Wer seine Aufzeichnungen abschrieb, kopierte auch indirekt aus der Vorlage.[34] In Hallers Rezeption zeigt sich – wie schon an den Arbeiten von Fries – ein Aspekt, der im neunzehnten und zwanzigsten Jahrhundert häufig vergessen wurde, nämlich daß die *Wickiana* außer Wundergeschichten, Verbrechen und Strafen, Hexen- und Teufelsdarstellungen (die in Wahrheit gar nicht so häufig sind) außerdem reichlich Material für die politische Geschichte Europas boten.

Der Hochschätzung, die Hallers Chronik offenbar in früheren Zeiten genoß, steht die Tatsache gegenüber, daß ihr von der neueren Geschichtswissenschaft so gut wie keine Aufmerksamkeit geschenkt wurde. Es fehlt selbst an einführenden Arbeiten, ganz zu schweigen von einer systematischen Untersuchung der Quellen und der Darstellungsweise Hallers, seinem Geschichtsverständnis und seinen Vorstellungen davon, wie Bullingers Arbeit fortzusetzen war. Seit dem neunzehnten Jahrhundert kennt man Haller nur noch als Miturheber der großen Nordostschweizer Militärkarte von Konrad Gyger aus dem Jahr 1620, die als »einmaliges Denkmal der Kartenkunst« gefeiert wird, weil sie in ziemlich genauen Maßverhältnissen erstmals ein äußerst zuverlässiges und detailliertes Bild des Zürcher Staatsgebiets bot.[35] Die Begleitschrift zur Karte stammt von dem ebenso buchstäblich wie im übertragenen Sinne federführenden Johannes Haller, der 1619 zum »Ingenieur und Feldbaumeister« der Stadt Zürich erwählt worden war. Sie ist als »Hallersches Defensional« bekannt und gilt als Vorläufer des Eidgenössischen Defensionalwerks von 1668.[36] Haller schilderte darin seine Vorgehensweise, die in erster Linie darin bestanden

---

[32] Zahlreiche Beispiele dafür im Kapitel 2. Lesen und Schreiben im Buch der Naturgeschichte (Johann Jacob Scheuchzer).

[33] Vgl. Ms. A 90 Nr. 14, 26–38, 32, 34, 36/37, 44; Ms. A 124 b, Nr. 1; Ms. L 525, Nr. 5 (Badenfahrt unter BM Diethelm Röist, S. 330–335).

[34] Im folgenden können Hallers Abschriften nur exemplarisch besprochen werden. Durchgehende Hinweise auf die Übereinstimmung mit Wick finden sich im *Wickiana*-Katalog von Usteri für die von ihm verzeichneten Bücher Ms. F 23–29 & 30–34; vgl. ZBZ, Ms. St 294, passim. In dem von mir angefertigten Register sind diese Hinweise aufgenommen.

[35] Vgl. GKZ 2, S. 351 f. Ausführlicher zu Gygers Kartenwerk und Hallers Anteil daran: WOLF, Vermessungen in der Schweiz (1879) S. 29–35; GRAF, Karte (1893); PETER, Beitrag (1907), S. 19 ff.

[36] Vgl. GRAF, Karte (1893), S. 5. Das Original der Schrift befindet sich im StAZ, B III 301. Kopien in ZBZ, Ms. B 243, J 83 und MMG 116, Nr. 1. – In diesem Zusammenhang gehört auch Hallers Schrift: »Rathschlag und Bedenken der Loosung gegen meiner lieb eidtgnossen von Bern«; ZBZ, Ms. J 255, Nr. 3; ebenso ein Kopienband Hallers betr. Graubünden und Zürich; Ms. A 36.

hatte, daß er das Land selbst in »Augenschyn« nahm.[37] Vielleicht genoß er darum später das Vertrauen Scheuchzers, von dem ja ebenfalls grundlegende Leistungen auf kartographischem Gebiet stammen und der sowohl Hallers Schrift als auch die Karte Gygers kannte.

Die Hallersche Chronik verdient nicht nur wegen der umfangreichen *Wickiana*-Rezeption Aufmerksamkeit. Vielmehr drängt sich der Vergleich mit Wick auch unter gattungsgeschichtlichen Gesichtspunkten auf, weil Hallers Werk, im Gegensatz zu dem Wicks, der Charakter einer Chronik nie streitig gemacht wurde. Dabei wurde er dem Anspruch, viele Bücher in eines zusammenzufassen, so wenig gerecht wie Wick, was nur bestätigt, daß die komprimierte Form in den Augen des siebzehnten und der folgenden Jahrhunderte nie ernsthaft ein Kriterium war, Chronik von Sammlung zu unterscheiden. Außerdem läßt sich ausschließen, daß Hallers Entscheidung, sich an die Arbeit des Geschichtsschreibers zu wagen, etwas mit dem Ratserlaß von 1588 zu tun gehabt haben könnte. Gerade was die Vielzahl der Bücher und ihren Umfang betraf, scheint Haller Wick eher zum Vorbild genommen als den Plan einer Reduktion verfolgt zu haben. Wicks Berichte hat er denn auch zumeist in voller Länge übernommen und durch kleinere Veränderungen des Textes eher ausgedehnt als gekürzt. Ebenfalls auf Wicks Vorbild dürfte die reiche Bebilderung zurückgehen, zumindest was Teile des Bildprogramms anging. Die Himmelserscheinungen sowie die Illustrationen zu Unglücksfällen, Verbrechen und Hinrichtungen sind meist ebenso »wörtliche« Zitate wie die dazugehörigen Texte. In den späteren Teilen des Werkes, in denen sich der Chronist nicht mehr auf Wick stützen konnte, blieb er dem Stil der Bebilderung weitgehend treu. Da Bullingers *Tiguriner* und seine Reformationschronik überhaupt keine Illustrationen enthielten, war dieser Darstellungsstil vermutlich durch das andere wichtige Vorbild inspiriert, eben die *Wickiana*. Vielleicht stammen sogar einige der farbigen Illustrationen von derselben Hand eines oder mehrerer der Zeichner, die schon für Wick tätig gewesen waren.

Hallers Bildprogramm geht freilich über diese partielle Übereinstimmung hinaus. Es unterscheidet sich von demjenigen Wicks durch die systematische Einarbeitung gedruckter Porträts und ebenfalls gedruckter oder gezeichneter Stadtansichten. »Systematisch« soll heißen: daß Haller Ereignisse wie das Todesdatum wichtiger, besonders Zürcher Persönlichkeiten zum Anlaß nahm, ein Konterfei zu bieten und einige Bemerkungen zum Lebenslauf damit zu verknüpfen. Diese regelmäßige Form der Personenmemoria fehlt bei Wick. Eine noch größere Unabhängigkeit von seinem Vorbild zeigen die doppelseitigen Städtezeichnungen, die allerdings vielfach in Umrißfragmenten steckenblieben. Vor allem die Zahl der französischen Städte ist auffallend groß. Diese »Tour de France« folgte den Schauplätzen von Krieg und Frieden in Frankreich, kam also einer »Tour des Guerres de Religion« gleich. Außerdem wurden einige repräsentative Bauten wie Schloß Fontainebleau dem Auge

---

[37] Vgl. hierzu die bei Graf, Karte (1893), S. 12 f. zitierten Passagen.

dargeboten.[38] Freilich gab es auch für diese Bildausstattung Vorbilder in der Chronistik, bei Sebastian Münster etwa oder Johannes Stumpf. Dahinter steckte aber zweifellos ebenso Hallers Ingenieurberuf.

Die Vielzahl der Druckschriften in den *Wickiana* führte schon bei den Zeitgenossen zu Unsicherheiten bei einer Entscheidung über die Gattungsfrage. Auch Haller integrierte Drucke, wenn auch in weit geringerer Zahl, etwa Mandate der Zürcher Obrigkeit, vereinzelt einmal einen Einblattdruck. Wick scheint hier eine ausschlaggebende Wirkung hinterlassen zu haben. Zwar findet sich das Nebeneinander von Handschrift und Druck auch in Zürcher Sammelhandschriften des sechzehnten Jahrhunderts, aber eben nicht in einer Wick vergleichbaren organisierten Darstellungsform.

Dem Eindruck größerer innerer Ordnung kommt Hallers zweistufige Einteilung in Bücher und Kapitel entgegen, die dem Beispiel Bullingers folgt. Wick hielt sich ja nur an die Bucheinteilung und verzichtete auf weitere formal gliedernde Überschriften, obwohl er in längeren Dokumentsequenzen deutlich zwischen über- und untergeordneten Titeln unterschied. Hallers Methode ebnete solche Differenzierungen eher wieder ein, indem sie sich an ein streng formales Gliederungsschema hielt. Viele Zwischenüberschriften, die bei Wick gliedernd wirkten, fielen in den Abschriften Hallers einfach weg. Was für ihn das Kriterium für Anfang und Ende eines Buches darstellte, läßt sich schwer sagen. Zwar folgte er der chronologischen Ordnung, aber die Rechnung »ein Buch gleich ein Jahr« ging in diesem Falle nicht auf. Mal war es ein Jahr, mal waren es mehrere, aber unterschiedlich viele Jahre, die in ein Buch zusammengefaßt wurden. Auch der Umfang variiert. Leider blieben die Blätter, die Haller für »Summen« der Einzelbücher nach deren Titelblättern jeweils freigelassen hatte, leer. Hallers Chronik zeigt hier wie an anderen Stellen, daß sie nie ganz abgeschlossen wurde. Vermutlich wären die Zusammenfassungen der Bücher so ausgefallen wie die Kapitelüberschriften, nämlich als summarische Aufzählung des behandelten Stoffes ohne Erläuterung übergreifender Zusammenhänge.

Vergleicht man Hallers Abschriften mit seinen Vorlagen in den *Wickiana*, so fällt auf, daß er vor allem die Überschriften änderte oder ganz wegließ. Dem Münsterturmbrand von 1572 widmet er im 38. Buch ein eigenes, das 18. Kapitel mit dem Titel: »Wie die Stral in den Münster thurn zů Zürich gschlagen vnd wie dasselbig fhüwr glöschen mit der Hilff vnd Gnad Gottes, was fürnǎmlich darbÿ vergangen, was ouch Ettlich darvon gredt vnd wie sÿ gstraafft worden.«[39] Hier wurden die Begebenheiten summarisch zusammengefaßt, die bei Wick durch Zwischenüberschriften gegliedert waren. Haller scheint die Dokumente bei Wick so gelesen zu haben, daß ihm der Gnadenaspekt am wichtigsten erschien, weshalb er ihn schon im

---

[38] ZBZ, Ms. A 26, fol. 9^v–10^r.
[39] ZBZ, Ms. A 26, fol. 70^r–74^v.

Titel betonte. Das entsprach der Intention Bullingers, das entsprach auch der Intention Wicks, der die Sequenz von Dokumenten zum Ereignis darum auch mit Bullingers »verbriefter« Deutung einleitete. Haller hatte diese Botschaft verstanden und begann ebenfalls mit Bullingers Bericht, ließ aber nicht mehr erkennen, daß es sich um einen Brief handelte. Zwar setzte er – zum wiederholten Male in seiner Chronik – Bullingers Porträt hinzu; aber hier bezog es sich nicht auf den Urheber des Textes, sondern auf die Stelle darin, an der Bullinger berichtete, er habe, nachdem am Donnerstag die Überreste vom Kampf gegen das Feuer und einige Schäden beseitigt worden waren, am Freitag schon wieder gepredigt. Bei Haller lautet die Stelle wörtlich wie in Bullingers Brief, nur formuliert er im Erzählstil, »das M. Heinrich Bullinger am Fryttag widerum gepredigett hatt«.[40] Hier wie so häufig ändert Haller also die Ich-Form der *Wickiana*-Dokumente ab und objektiviert damit die Ereignisberichte. Bullingers Schreiben mit seinen frischen Eindrücken vom Geschehen und seiner apologetischen Zielsetzung in der Außenwirkung wird damit zum Text des Geschichtsschreibers, der feststellt, wie es war. Der für Wick typische Dokumentcharakter ist damit völlig getilgt. In diesem Vorgang verliert der Text mit seinem Autor zugleich dessen *auctoritas*. Auch die ursprüngliche Wirkrichtung geht mit Absender und Adressat (einem »Freund«) verloren, ebenso die nur aus der zeitlichen Nähe zum Geschehen verständliche Absicht, dem Gerede vorzubeugen oder mindestens entgegenzuwirken. Die entsprechende Stelle aus Bullingers Brief läßt Haller einfach weg. Im Abstand von gut vierzig Jahren zum berichteten Geschehen hatte dieser Aspekt offenbar seine Relevanz eingebüßt.

Wer die Zusammenhänge der Textentstehung bei Haller und Wick nicht kennt, kann aus Hallers Schweigen über das wörtliche Zitieren leicht den oberflächlichen Gesamteindruck gewinnen, daß er modernen Ansprüchen an Autorschaft eher gerecht werde als Wick, der lediglich Fremdes zusammengetragen habe. Tatsächlich aber war Hallers Leistung als Textautor kaum größer als diejenige Wicks. Er schrieb fast überall ab, nur zeigte er nicht, daß er es tat. Seine Leistungen liegen denn auch eher in der Auswahl und teilweise in der neuen Anordnung des Materials. Wie bei Fries wäre es allerdings verfehlt, daraus zu schließen, daß schon die Zeitgenossen in den *Wickiana* lediglich eine ungeordnete und daher der Neuordnung bedürftige Materialsammlung erblickten. Eine Fortsetzung von Bullingers *Tigurinerchronik* zwang von vornherein zur Auswahl unter den Nachrichten, die Wick aus ganz Europa gesammelt hatte. Allerdings verfuhr Haller nicht besonders streng, wie man schon an den Titelblättern erkennt. Stets erweitern sich die Nachrichten ins Gesamteidgenössische, zumeist aber überschreiten sie auch noch dessen Grenzen, vor allem nach Frankreich hin. Das ständige Gefühl der »Türkengefahr« schlug sich ebenfalls in vielen Passagen nieder. Wie schon für Bullinger erwies es sich als wenig sinnvoll, die Zürcher oder Schweizergeschichte von solchen Zusammenhängen zu entflech-

---

[40] Ibid., fol. 71ᵛ.

ten. Das macht es auch nahezu unmöglich, den Auswahlcharakter vom Titel des Ganzen her zu bestimmen. Eine allzu enge Auslegung führt in die Irre. Man muß aufs einzelne sehen.

Im Falle des Münsterturmbrands war der Bezug zur Zürcher Geschichte evident. Haller übernahm außer Bullingers Brief alle auch bei Wick unmittelbar darauf folgenden Dokumente, und zwar in gleicher Reihenfolge. Die Liste der Herren, die sich bei den Löscharbeiten besonders bewährt hatten, stattete Haller mit den Wappenschildern der Geschlechter repräsentativ aus, wobei er hier wie an anderen Stellen später nicht mehr dazu kam, die verwendeten Vordrucke auch wirklich farbig mit den Einzelwappen auszugestalten. Es folgen die Schmachreden: die Episode um Joder Studer und der Fall des in Kiburg hingerichteten Spötters aus Kloten. Mit den Kosten für den Wiederaufbau der zerstörten Turmspitze schließt die Darstellung. Es fehlen das Gedicht und die inschriftartigen lateinischen Erinnerungszeilen, die zu Hallers Wappentafel noch gut gepaßt hätten. Grundsätzliche Unterschiede zu Wick zeigen sich aber darin, daß Haller die vergleichende Aufzählung zeitgleicher und ähnlicher früherer Fälle wegläßt, die im zehnten Buch der *Wickiana* in der Sequenz zu dem aktuellen Zürcher Ereignis angesiedelt wurde.[41] Diese Dimension des Vergleichs prodigiöser Naturereignisse, sowohl mit aktuellem als auch vergangenem Geschehen, fehlt Haller vollständig. Er verfaßte eben keine »Wunderbücher«, obwohl seine Chronik voll ist von den Wundergeschichten, die Wick zusammengetragen hatte. Er teilte das Weltbild, und als Sohn eines Archidiakons am Großmünster hegte er wohl auch keinen Zweifel daran, daß sich Gott in ungewöhnlichen Himmelserscheinungen und »Mißgeburten« offenbarte. Aber die vergleichende Methode des Prodigienchronisten lag außerhalb des Horizonts seiner Geschichtsschreibung. So tritt das einzelne Ereignis bei Haller viel schärfer in den Vordergrund, weil es seinen exemplarischen Charakter weitgehend einbüßt. Mit einer kritischeren, gewissermaßen »aufgeklärteren« Haltung oder gar mit einer Aufwertung der Individualität historischen Geschehens im Sinne des Historismus hat dies freilich nichts zu tun. Eher fehlt Haller eine Dimension, mit der Wick ebenso durch sein Theologiestudium wie durch die Arbeitsweisen der Naturhistoriker (Gesner) und Prodigienchronisten (Lavater, Lycosthenes) vertraut war.

Haller folgte zumeist der Reihenfolge der Texte seiner Vorlage. Gelegentlich jedoch arrangierte er größere Zusammenhänge neu. So stellte er dem Bericht über die Churer Sonnenerscheinung vom 2. und 3. Januar 1572 ein Kapitel zu den Bündner Unruhen um den Herrn von »Rhäziüns«, Johann von Planta, voran und präsentierte darin, chronologisch korrekt, die päpstliche Bulle und die Breven aus den vorangehenden Jahren.[42] In Text und Bild folgte er der in Zürich gedruckten Flug-

---

[41] Vgl. ZBZ, Ms. F 21, fol. 145^v, 148^r, 149^r & 150^r. Dazu oben S. 142.

[42] Bei Haller im 38. Buch »Das vierdt Capitel. Von dem vflouff in den pündten wägen des Heren von Rezünz vnnd was zwüschend diser Handlung zů Chur am Himmel gsähen

schrift über das »Sonnenmirakel«. Hallers Neuordnung stellt den bei Wick gebrochenen Kontext zwischen diesem und dem »Bullenhandel« wieder her und schwenkt damit wieder auf die Linie der offiziellen Wunderzeichenpolitik Eglis, Campells und Bullingers ein. Damit kollidiert freilich, daß bei Haller die beiden Randbemerkungen, die Wick 1574 und 1576 der Überschrift hinzusetzte und das »Wunderzeichen« nachträglich zu einem sicheren Vorboten der Churer Feuersbrünste dieser Jahre erklärten, in die Kapitelüberschrift eingeflossen sind: »Eigendtliche bschrybung des sölzamen wunder werks vnd Verenderung der Sonnen zů Chur in Pündten gesähen daruf in nochvolgenden Jaren die schädliche Brunst Ervolgett ist«. Hallers Vorstellung von den Zeitläuten stimmten mit denen Wicks grundsätzlich überein. Daß Gott Zeichen und Wunder tat, war ihm völlig selbstverständlich. Aber ein Wunderzeichenchronist war er nicht. So entgingen ihm hier die Nuancen und damit auch der Widerspruch, den es bedeutete, das Sonnenzeichen dem Vorgang des Bullenhandels zu integrieren und es gleichzeitig als Vorzeichen für die Churer Feuersbrünste zu betrachten.

1.3. Indirekte Aneignung

Haller wurde nicht nur durch Bulllingers *Tigurinerchronik* inspiriert. Er übernahm auch Gestaltungselemente aus Wicks Büchern. Wicks Chronik lag im Trend der Zeit, setzte aber auch Trends. Die »Wunderbücher« hatten schon in den letzten Lebensjahren ihres Verfassers intensive Leser. Johann Rudolf Stumpf, Heinrich Thomann und Matthias Bachofen sind nachweisbar, früher bereits Gregor Mangold und Rudolf Wellenberg. Bachofen war zugleich der erste, der seine *Wickiana*-Lektüre für eigene historische Aufzeichnungen nutzte. In den ersten Jahrzehnten nach Wicks Tod dann griffen Johann Jacob Fries und Johannes Haller für ihre umfangreichen Arbeiten systematisch auf die *Wickiana* zurück, wie wir gerade gesehen haben. Die Texte konnten sie weitgehend wörtlich übernehmen, die Kontexte verschoben sich mal mehr, mal weniger stark, je nach thematischer Ausrichtung, wobei zu berücksichtigen ist, daß die von Fries geplante Chronik im Vorbereitungsstadium steckenblieb. Als Vorbild wirkten die *Wickiana*-Bände auch für die Bebilderung von Chroniken. Das zeigt sich nicht nur bei Haller, sondern noch deutlicher in Thomanns Abschrift von Bullingers *Reformationsgeschichte*, die – ganz anders als Bullingers Original – den Text mit einer bunten und anschaulichen Bildervielfalt ausstattete,[43] was wahrscheinlich von Thomanns intensiver *Wickiana*-Lektüre her-

---

worden.«; Ms. A 26, fol. 15^r–19^v. Die Vorlagen in den *Wickiana* Ms. F 21, fol. 99^r–103^v & 108^{r-v}. Was die Anordnung betrifft, gelten freilich die Vorbehalte, die sich aus der Überlieferungsgeschichte des 10. Buchs ergeben. Vgl. dazu meine noch unpublizierte Überlieferungsgeschichte: MAUELSHAGEN, Überlieferung und Bestand (i. V.).

[43] Vgl. BÄCHTOLD, Bilderbuch des Glaubens (1991).

rührte. Insofern handelt es sich um mehr als eine Abschrift, nämlich um eine Be-arbeitung. Wenn man Wicks »Wunderbücher« als späten Ausläufer der Schweizer Bilderchroniken ansehen möchte, so kommt man kaum daran vorbei, auch Brenn-walds Bullinger-Bearbeitung und Hallers Chronik so einzuordnen.

Nach und gewissermaßen auch durch Haller erlitt die *Wickiana*-Rezeption im siebzehnten Jahrhundert einen Bruch. In Quellenangaben bezogen sich viele Auto-ren des siebzehnten und achtzehnten Jahrhunderts für die Jahre 1560 bis 1587 auf ihn, nicht auf Wick, selbst dann, wenn sie die *Wickiana* kannten und sich der Abhängigkeit Hallers von dieser Quelle bewußt sein konnten. Daß der Orientalist und Kirchenhistoriker Johann Heinrich Hottinger die *Wickiana* für seine *Historia ecclesiastica* nutzte, dafür sprechen einige Dokumente, die er Wicks Büchern ent-nahm und sich heute im *Thesaurus Hottingerianus* befinden.[44] Zugleich ist dieser Eingriff in die Originalbände beredtes Zeugnis für Hottingers Geringschätzung. Noch deutlicher kommt sie im völligen Verschweigen Wicks im biobibliographi-schen Anhang zu seinem Buch über die *Schola Tigurina* zum Ausdruck. Dabei stand Hottinger auch Mitte des siebzehnten Jahrhunderts Wicks Weltbild noch nicht so fern wie etwa Scheuchzer im achtzehnten. In die Kirchengeschichte und in seine kurze Zürcherchronik nahm er auch »Wunderzeichen« auf.[45]

Ob Johann Heinrich Rahn in der zweiten Hälfte des Jahrhunderts Wicks Bücher kannte, läßt sich an seiner Chronik nicht feststellen. Auch er bezog sich für die Jahre 1560 bis 1587 auf Haller oder andere Quellen, nie direkt auf Wick. Man kann also von einer bewußten und einer unbewußten indirekten Rezeption sprechen. Auch Rahns Historiographie verzichtete keineswegs auf Wunderzeichen. Ihr ominöser Charakter blieb in seinen kürzeren Formulierungen potentiell gegenwärtig, schon durch ihre selbstverständliche Integration in das Ganze der Zeitläufe, das zwischen politischer und Naturgeschichte noch nicht strikt unterschied. Dennoch verschoben sich die Akzente, wie man wiederum am Beispiel der ungewöhnlichen Sonnener-scheinung vom 2. und 3. Januar 1572 in Chur beobachten kann. Rahn stützte sich hier nicht auf Haller, sondern auf Lauterbachs und Beuthers Fortsetzung der Chronik von Sleidan.[46] Da er sonst mehrfach auf Haller verwies, dürfte ihm dessen Version bekannt gewesen sein. Er entschied sich an dieser Stelle also dezidiert für eine andere Grundlage. Die Bedeutung des Zeichens überließ er nun wieder der Offenheit der Geschichte, gewissermaßen der vergangenen Zukunft. Wick glaubte, sie in den Feuersbrünsten der Jahre 1574 und 1576 ausgemacht zu haben. Haller teilte diese Deutung, integrierte das Ereignis aber gleichzeitig seiner Darstellung des Bullen-handels. Bei Rahn nun ist von den Feuersbrünsten keine Rede mehr. Der Zusam-menhang mit dem sog. »Bullenhandel«, dessen Schilderung er unmittelbar voran-

---

[44] Vgl. hierzu dann MAUELSHAGEN, Überlieferung und Bestand (i. V.) .
[45] HOTTINGER, Historia ecclesiastica (1651–1667), passim.
[46] Vgl. die Marginalie: ZBZ, Ms. B 76b, pag. 474.

gehen ließ, bleibt dagegen erhalten, wenn auch nicht durch verbale Explikation. Er wird außerdem dadurch aufgelockert, daß das genaue Datum für die Himmelsbeobachtung fehlt. Die zufällige Koinzidenz der Ereignisse verflüchtigt sich damit im Vagen, ebenso der Kausalnexus zwischen Naturgeschehen und politischem Ereignis. Rahn behält also den universalhistorischen Standpunkt bei, dies aber offensichtlich mit Vorbehalten, was die Einordnung der Wunderzeichen anging. Völlig abgelöst vom politischen Kontext der Händel um den Herrn von Planta wird die Churer Sonnenerscheinung später bei Scheuchzer wieder auftauchen, dann aber im naturhistorischen Kontext.

2. LESEN UND SCHREIBEN IM BUCH DER NATURGESCHICHTE (JOHANN JACOB SCHEUCHZER)

Vom achtzehnten Jahrhundert an gehörte Leichtgläubigkeit zu den Charaktereigenschaften, die Wick in den Augen seiner gelehrten Leser zukamen. Das Urteil verdankt sich aufklärerischer Aberglaubenskritik. Johann Jacob Scheuchzer, mit dem die Geschichtsschreibung Zürchs die Aufklärungsepoche einläutet, bietet dafür das erste Zeugnis. In seiner Rudiment gebliebenen *Historia Helvetiae*[47] liest man über die *Wickiana*:»Collectanea Historica, speciatim Helvetica, in vielen Tomis in fo[lio] &. 4o. finden sich in der Bibliotheca Carolina, es zeiget sich auch daraus, daß der Author, weilen er allzu leichtglöubig gewesen, oftmahls die größeren Betrügereyen zusamen gesamlet.«[48] Die Wirkung auf die Epoche blieb nicht aus. Der Vermerk, den Bodmer und Breitinger in ihrer auf Scheuchzers Vorbild beruhenden *Bibliotheca Scriptorum Historiae Helvetiae Universalis* hinterlassen haben, lautet ganz ähnlich: Der Autor habe die »Rhapsodias« geliebt.[49] Gleichwohl nutzte Scheuchzer die *Wickiana* als historische Quelle, und wir werden in diesem Kapitel sehen, wie er dabei mit seiner grundlegenden Skepsis diesem Geschichtswerk gegenüber umging.

Die Spuren der bisher unbekannt gebliebenen Aneignung durch einen der wichtigsten europäischen Gelehrten des frühen achtzehnten Jahrhunderts beginnen mit einem Register, das Scheuchzer 1716 anfertigte.[50] Vor diesem Zeitpunkt scheint er noch nicht mit Wicks Chronikbüchern bekannt gewesen zu sein. In seinen *Beschreibungen der Natur-Geschichten des Schweizerlands*, die zwischen 1705 und 1707 als Wochenschrift erschienen, findet man jedenfalls kein Indiz dafür. Lediglich

---

[47] Vgl. STEIGER, Nachlass Scheuchzer (1933), S. 26 (Hs. 41).

[48] ZBZ, Ms. H 124, fol. 27ʳ.

[49] Vgl. ZBZ, Ms. S 289, fol. 36ʳ: »Joannis Jacobi Wickii Archidiac[oni] Collectaneorum Historicorum Speciatim Helveticorum plurimi Tomi in folio, et 4ᵗᵒ. extant in Bibliotheca Carolina, é quibus subinde patet. amasse Authorem nimiam sæpe credulitate Rapsodias.« Der Eintrag in den bibliographischen Notizen, größtenteils zur Schweizergeschichte, von Johann Conrad Füssli stimmt damit überein: »429. Joannis Jacob. Wikii Archid. Collectaneorum historicorum speciatim helveticorum plurimi Tomi. in fol. et quarto. Extant in Bibl. Carolina. amavit autor nimia: saepe credulitate Rapsodias.« Vgl. Ms. B 205, fol. 36ᵛ. Bodmers und Breitingers Biobibliographie hat Gottlieb Emanuel von Haller zu den Vorbildern für seine *Bibliothek der Schweizer-Geschichte* gerechnet. Bei ihm fehlt allerdings ein ähnliches Urteil über Wick. Vermutlich hat er die *Wickiana* nie gesehen.

[50] Vgl. WEBER, Wunderzeichen und Winkeldrucker (1972), S. 20; SENN, Wick (1974), S. 86. – Die Datierung auf 1716 folgt den Angaben auf den beiden nahezu identischen Kopien von 1721 (vgl. Anm. 53).

auf Hallers Chronik wird häufiger verwiesen.[51] Das Original des erwähnten *Wicki-ana*-Registers gilt heute als verschollen. Wir wissen davon durch Scheuchzers Autobibliographie von 1723, in der es unter der Bezeichnung *Index specialis in Collectaneorum Wickianorum Tomos, quae asservantur in Bibliotheca Carolina* auftaucht.[52] Erhalten sind zwei Abschriften, die jedoch nicht als vollständig, sondern lediglich als Auszug von Helvetica gelten.[53] Aber wahrscheinlich hatte Scheuchzer schon selbst nur die Schweizersachen verzeichnet.[54] Auf jeden Fall kann man Scheuchzers Register nur als Vorarbeit ansehen, als ersten Schritt einer Aneignung, die rasch Niederschlag in zwei gedruckten Werken fand: in der *Bibliotheca Scriptorum Historiae Naturali*, die 1716 erschien und noch im Titel als *Historiae Naturalis Helvetiae Prodromus* angekündigt wurde, sowie in der *Natur-Historie des Schweitzerlandes* selbst, deren erster Band ebenfalls 1716 gedruckt wurde (die beiden nächsten und letzten Bände dieses nicht abgeschlossenen Großprojekts folgten 1717 und 1718).

Scheuchzers Beschäftigung mit den *Wickiana* beschränkte sich nicht auf Ereignisse von naturgeschichtlichem Interesse. Spätestens seit dem zweiten Villmergerkrieg von 1712 und den gescheiterten Bestrebungen zu einer Verfassungsreform von 1713, in denen Scheuchzer auf seiten der Reformer eine führende Rolle gespielt hatte, begann er mit Arbeiten zur politischen Geschichte der Schweiz.[55] Seine Aufmerksamkeit war also zum Zeitpunkt seiner Auswahl von *Wickiana*-Stücken breiter als nur auf Naturgeschichtliches angelegt. Indes blieben alle wesentlichen historischen Arbeiten Scheuchzers unveröffentlicht, insbesondere die umfangreiche *Histo-*

---

[51] Den bei Scheuchzer wohl frühesten Hinweis auf Wick bietet eine Teilkopie des Katalogs der Stiftsbibliothek von Johann Jakob Hottinger, die erst nach 1710 entstanden sein kann. ZBZ, Ms. H 140, Nr. 2. Dazu STEIGER, Nachlass Scheuchzer (1933), S. 23, Nr. 16.

[52] SCHEUCHZER, Relatio (1723), S. 632; vgl. STEIGER, Nachlass Scheuchzer (1933), S. 10 f. (Druck Nr. 89).

[53] ZBZ, Ms. L 10, Nr. 8, und L 851, Nr. 3, beide Exemplare im Nachlaß des Scheuchzer-Schülers Johann Jakob Leu. Dazu STEIGER, Nachlass Scheuchzer (1933), S. 23 (Ms Nr. 17): »Sach-, Orts- u. Autorenregister (in *einem* Alphabet) zu der sog. Wick'schen Sammlung. Deutsch.« Die Unterscheidung dreier Register ist ein wenig mißverständlich. Gemeint ist eine alphabetisch durchgehende Liste, die sowohl Sachen als auch Orte und Autoren umfaßt. Steiger weiter: »Nur in 2 Auszügen des schweiz. Materials durch J. J. Leu vorhanden, die auf 2 leicht verschied. Redaktionen Sch's zurückgehen. Diese verschollen.« Die Abweichungen sind so minimal, daß sie eher auf Fehler bei der Abschrift zurückzuführen sein dürften als auf zwei verschiedene Vorlagen. Auch die These, die Abschriften seien lediglich Auszüge, erscheint nicht zwingend. Vgl. dazu im Haupttext.

[54] Sowohl die Bezeichnung als *Index specialis* als auch eine Bemerkung bei HALLER, Bibliothek der Schweizer-Geschichte (1785–1788), Bd. 4, S. 523, sprechen dafür.

[55] Zu den Reformbestrebungen von 1713 und Scheuchzers Rolle darin: KEMPE, Wissenschaft, Theologie, Aufklärung (2003); KEMPE, Collegia (2002), S. 249–292. Zu Scheuchzers »historischer Wende« vgl. FURRER, Ausstellung Scheuchzer (1973), S. 380, und FURRER Polyhistorie (1965), S. 389. Eine Übersicht über die historischen Arbeiten Scheuchzers gibt STEIGER, Nachlass Scheuchzer (1933), S. 25–27.

2. Lesen und Schreiben im Buch der Naturgeschichte

ia Helvetiae. Er griff darin nicht mehr in bedeutendem Maße auf die *Wickiana* zurück, jedenfalls nicht explizit.[56] In der *Natur-Historie des Schweitzerlandes* war dies anders. Scheuchzer als Leser der *Wickiana* führt uns somit in den Zusammenhang der Naturgeschichtsschreibung des achtzehnten Jahrhunderts.

2.1. Naturgeschichte als Speicher der Erfahrung

Scheuchzer wurde nach seinem Tod als Schweizer Plinius bezeichnet. Schon Conrad Gesner war postum mit demselben »Ehrentitel« versehen worden. Naturgeschichte hat lange Tradition in Zürich.[57] Kein Wunder, daß Bacons Induktionismus und seine Aufwertung der *historia* für die Naturforschung hier zustimmend aufgenommen wurden. Johann Jacob Wagner veröffentlichte 1680 die erste Naturgeschichte der Schweiz. In der *Dedicatio* seiner *Historia naturalis Helvetiae curiosa* berief er sich auf den Verfasser des *Novum organum*.[58] Auch Scheuchzer tat dies später häufig. Bacon hatte am aristotelisch geprägten Episteme-Verständnis festgehalten. Ziel wahrer Erkenntnis blieb somit auch für ihn die Einsicht in das Wesen der Dinge: »Bacon ...] ist von der Möglichkeit ›intellektuellen‹ Wissens wie auch von seiner Funktion, die Irrwege der Erfahrung abzukürzen, fest überzeugt, und seine neue Methode zielt einzig dahin, solche *scientia* solider zu begründen, als es bisher der Fall war. Sein Gegensatz zum Aristotelismus reduziert sich dann darauf, daß an die Stelle der voreiligen ›antizipatorischen‹ Axiomenbildung, der *advolatio ad generalissima*, eine geduldig und planmäßig veranstaltete *inductio* tritt, die ihre gesicherte Erfahrungsgrundlage stützt.«[59] Was aus Bacons Sicht einer revolutionären Erneuerung bedurfte, war nicht das Ziel sondern das Werkzeug (*organon*) der Erkenntnis.

Die entscheidende Aufwertung der Naturgeschichte lag darin, daß die Naturwissenschaft auf die Fertigstellung der historischen Arbeit warten mußte, »die die große und mühevolle Aufgabe der Zeit ist«.[60] Mit einem entwicklungsgeschichtlichen Naturverständnis hatte dies noch nichts zu tun.[61] Zeit kam hier nur als Dauer ins Spiel,

---

[56] Die *Historia Helvetiae* (ZBZ, Ms. H 105–133; dazu STEIGER, Nachlass Scheuchzer (1933), S. 26, Ms. Nr. 41) füllt 23 Handschriftenbände. Die Zürcher Zensurbehörde untersagte den geplanten Druck einer gekürzten Fassung. Zu den Schwierigkeiten Scheuchzers im Umgang mit dieser Behörde kurz FURRER, Ausstellung Scheuchzer (1973), S. 380, und FISCHER, Scheuchzer (1973), S. 98. In den Bänden der *Historia Helvetiae*, die den Zeitraum der *Wickiana*-Zeugnisse betreffen, wird Wick nicht als Quelle genannt. Vgl. Ms. H 123 (ca. 1546–84) und Ms. H 124 (ca. 1584–1618). Ausdrücklich erwähnt wird Wick nur in der oben zitierten, knappen biographischen Aufzeichnung: Ms. H 124, fol. 27^r.

[57] Zu Gesners Naturgeschichtsschreibung: FRIEDRICH, Naturgeschichte (1995).

[58] WAGNER, Historia naturalis (1680), Dedicatio, fol. 2^v.

[59] SEIFERT, Cognitio historica (1976), S. 118 f.

[60] Ibid., S. 120.

[61] Zur Ablösung der alten Naturgeschichte durch ein entwicklungsgeschichtliches Naturverständnis vgl. LEPENIES, Ende der Naturgeschichte (1976).

die der Prozeß der Akkumulation und Systematisierung von Erfahrung in Anspruc⟩ nahm, bis das Wissen reif für die Erkenntnis der Prinzipien wurde. Bis dahin dient die Naturgeschichte als Speicher der Empirie. In ihr wurde die Erfahrung des Men⟩ schengeschlechts aufbewahrt und klassifiziert. Sie war vor allem ein Weg, Ordnun⟩ in das ständig wachsende Material zu bringen. Diese Ordnung wurde wie eh und j⟩ mit den vertrauten Mitteln der Subsumption unter naturhistorische *loci* geschaffer⟩ Naturgeschichte also als Topik organisiert. Die Aufgabe der Naturgeschichte be⟩ stand zunächst im Sammeln der Erfahrung. Überhaupt wurde das Sammeln mit de⟩ Bedeutung der Naturgeschichte für die Naturerkenntnis aufgewertet. Anfang de⟩ achtzehnten Jahrhunderts zeigte sich dies besonders eindrücklich an Gestalten wi⟩ dem Engländer Hans Sloane (1660–1753), dessen Sammeltätigkeit aus heutige⟩ Sicht fast groteske Ausmaße annahm. Das 1759 eröffnete *British Museum* verdank⟩ ihm und seiner Sammlung den Anfang. Scheuchzer stand im Briefwechsel mit Sloa⟩ ne, wie er überhaupt intensive Verbindungen nach England pflegte, nicht zuletzt m⟩ Newton.[62]

Es lohnt sich, Scheuchzers Arbeitsweise als Naturhistoriker näher zu beleuchte⟩ und sie als ein Ganzes aus komplementären Forschungsaufgaben, Techniken de⟩ Materialbeschaffung und -bewältigung, gesellschaftlichen Stellungen und individu⟩ ellen Fähigkeiten verständlich zu machen. Dieses funktionale Gefüge bildete ge⟩ wissermaßen die Logistik der Empirie für den Naturhistoriker Scheuchzer. Sein⟩ *Wickiana*-Rezeption mit ihrer Dynamik charakteristischer Arbeitsschritte bis zu⟩ Auswahl von wenigem für das gedruckte Werk, die *Natur-Historie des Schweizer landes*, läßt sich nur so angemessen nachvollziehen. Ich gehe im folgenden von de⟩ Begriffen des Sammelns und der Erfahrung und davon aus, daß zwischen Eigen- (E⟩ und Fremderfahrung (F) ein wichtiger Unterschied bestand, der sich unmittelbar au⟩ den Umgang mit historischen Zeugnissen und Autoritäten der Vergangenheit aus⟩ wirkte. In der Naturgeschichte als Reservoir der Erfahrungen vieler Generationen⟩ wenn nicht des ganzen »Menschengeschlechts«, mußten beide Erfahrungsweise⟩ irgendwie miteinander in Einklang gebracht werden.

Das Sammeln eigener Erfahrungen (E) versuchte dem selbstbewußten Anspruc⟩ gerecht zu werden, sich selbst von einer Sache zu überzeugen. Die Selbstvergewis⟩ serung in der Autopsie rangierte methodisch vor den Zeugnissen fremder Erfahrung⟩ Eigene Erfahrungen sammelte der Naturhistoriker vor allem auf dem Weg der Be⟩ obachtung und des Experiments. In diesem Zusammenhang gehören Scheuchzer⟩ Alpenreisen, das Sammeln von Naturalien und seine berufliche Stellung als »Stadt⟩ physikus«. Auch die Naturalienkabinette boten die Möglichkeit zur Autopsie. Kom⟩ plementär zu den Verfahren des Sammelns von Erfahrungen verhielten sich be⟩ stimmte Formen der Verschriftlichung, in denen die Beobachtungen festgehalte⟩

---

[62] SIEMER, Geselligkeit und Methode (2004), S. 43–47. KEMPE, Wissenschaft, Theologie⟩ Aufklärung (2003), S. 73 ff.

2. Lesen und Schreiben im Buch der Naturgeschichte

wurden: Reise- und Versuchsbeschreibungen, Verzeichnisse von Naturalien und, nicht zu vergessen, die oft eigenhändig angefertigten Zeichnungen. Diese Texte und Bilder dienten weitgehend als Vorstudien zur weiteren Verarbeitung in Form von wissenschaftlichen Abhandlungen. Allerdings zeigt sich an der Hochkonjunktur, die der Druck von Naturalienregistern und besonders von Reisebeschreibungen hatte, erneut die Aufwertung der Empirie durch das Baconsche Programm.[63] In Scheuchzer – seinen beruflichen Stellungen und seinen Fähigkeiten – verdichtete sich die Logistik der Empirie: Er war sein eigener, Briefe schreibender Sekretär. Schon sein Vorgänger Johann Jacob Wagner war Kurator der Bürgerbibliothek und des Naturalienkabinetts gewesen. Scheuchzer übernahm diese Positionen ebenfalls.[64] Er sammelte selbst Naturalien, zeichnete und verzeichnete sie.

Die Funktion der schriftlichen Fixierung ging keineswegs in der Mnemotechnik auf. Angesichts der Bedeutung des schriftlichen Austauschs in der gelehrten Öffentlichkeit des Aufklärungszeitalters brachte sie vor allem den Vorteil einer entscheidend gesteigerten Mobilität mit sich. Naturalienkabinette oder Bibliotheken waren und sind nun einmal ortsgebunden und lassen sich als Ganze allenfalls durch zeitweilige Auflösung ihrer Ordnung von einem Ort an einen anderen transportieren. Wort und Bild auf Papier als Medien des Informationsaustauschs erreichten im Vergleich dazu eine geradezu schwindelerregende Schnelligkeit. Sie boten einen Makrokosmos im Mikrokosmos wie die Bibliotheken und Museen selbst, die in ihnen verzeichnet wurden.[65] Die funktionale Koinzidenz kommt terminologisch in Bezeichnungen wie *Bibliotheca* und *Museum* zum Ausdruck. Sie wurden für die schriftlichen Verzeichnisse wie für den Ort der Sammlungen (von Büchern oder Naturalien) verwendet.

Das Sammeln der Erfahrungen anderer (F) war im Gegensatz zur eigenen Erfahrung von vornherein auf Medien angewiesen. Da waren zum einen die Medien des wissenschaftlichen Austauschs, deren Spektrum sich im achtzehnten Jahrhundert von dem zu Gesners Zeiten kaum unterschied. An vorderster Stelle stand der Brief. Scheuchzers Briefwechsel umfaßte alle wichtigen Namen unter den europäischen Gelehrten seiner Zeit, von Bernoulli über Leibniz zu Vallisneri.[66] Auch gedruckte Bibliographien und gelehrte Abhandlungen waren unter die Medien der Empirie zu rechnen. Seit Ende des siebzehnten Jahrhunderts kamen Periodika der wissenschaft-

---

[63] Scheuchzers Reisebeschreibungen gehören hierher. Vgl. SCHEUCHZER, Itinera alpina (1708). Ebenso das illustrierte Verzeichnis seiner Sammlung fossiler Pflanzen, *Herbarium diluvianum*, das als eines der ersten seiner Art gilt. Dazu FISCHER, Scheuchzer (1973), S. 58–62, und FURRER, Ausstellung Scheuchzer (1973), S. 379.

[64] Vgl. STEIGER, Nachlass Scheuchzer (1933), S. 102 f.; Scheuchzer fertigte auch ein Inventar der Naturalien in der Kunstkammer der Wasserkirche an. Gedruckt bei RÜTSCHE, Kunstkammer (1997), S. 407–424.

[65] Vgl. GROTE (Hg.), Macrocosmos in Microcosmo (1994).

[66] Übersicht der Korrespondenten bei STEIGER, Nachlass Scheuchzer (1933), S. 49–73.

lichen Akademien hinzu wie die *Philosophical Transactions* der *Royal Society*. Di signifikanten Unterschiede zum sechzehnten Jahrhundert beschränken sich im üb rigen auf Aspekte wie Beschleunigung, Ausbau und Institutionalisierung der Pos verbindungen.

Neu ist das Maß, in dem Scheuchzer auf bis dahin kaum genutzte historisch Quellen zurückgriff. Vergleicht man Scheuchzer mit seinem Vorgänger Wagner, s läßt sich das große Plus, das er diesem gegenüber an Zeugnissen aufzubieten ve mochte, mindestens ebenso sehr damit erklären, daß er auf eine weit größere Zah schriftlicher Quellen zugriff, wie damit, daß er mehr Reisen in die schweizerisch Gebirgswelt unternahm. Im Rückgriff auf die schriftliche Überlieferung beschränkt er sich keineswegs nur auf die gelehrten Abhandlungen der naturhistorischen Tra dition. Er wertete auch die Chronistik der Vergangenheit aus und fand auf dies Weise neue Fallbeispiele oder stöberte neue Zeugnisse zu bereits bekannten Fälle auf.

Für eine gewisse Kompatibilität der alten Texte – in aller Skepsis, mit der di Aufklärung von Anfang an der chronistischen Überlieferung begegnete – war ein gewisse Kontinuität des *historia*-Verständnisses verantwortlich. Nach wie vor konn te *historia* ein Geschichtswerk im Ganzen oder die Schilderung einer einzelne Begebenheit in anekdotischer Form bedeuten. »Beschreibung« wurde häufig syn onym verwendet. Dabei konnte eine wissenschaftliche Versuchsbeschreibung ebe so eine *historia* sein wie eine Reisebeschreibung. *Historia* umfaßte alles von de großen Historie bis zu den »Histörchen«. Es mußte nicht einmal alles davon fü wahr gehalten werden. In diesen Spielräumen bewegte sich auch die Verwendun von Fallgeschichten im Kontext naturhistorischer Werke. Gerade Scheuchzer biete Beispiele, in denen er solche Geschichten aufgriff, die er mindestens für zweifelha und unwahrscheinlich hielt, oft mit der Absicht, durch ihre öffentliche Mitteilun seine Leser zu Widerspruch oder Bestätigung durch weitere Zeugnisse oder ähnlich Fälle anzuregen. Das bedeutete nicht nur Aufklärung des Publikums, sondern ebens Aufklärung mit Hilfe des Publikums.[67] Scheuchzer nutzte beispielsweise in de *Beschreibungen der Naturgeschichten des Schweizerlands* die narrative Seite de *historia* als Verständigungsbasis zwischen Autor und Leser. Die Naturgeschicht sprach weitgehend noch eine allgemein verständliche Sprache, während sich di »eigentliche« Wissenschaft im Zuge ihrer Mathematisierung und Spezialisierung, i der auch Scheuchzer das Maß für Wissen sah, der allgemeinen Verständlichke zunehmend entzog.

---

[67] Hierher gehört vor allem der gezielte Aufruf in Scheuchzers »Einladungsbrief«. Dazu auc KÜSTER (Hg.), Garten (1997), S. 14–31 (mit Abdruck), und KEMPE, Von »lechzenden Flam men« (2000), S. 165 ff.

2. Lesen und Schreiben im Buch der Naturgeschichte

Die Sprache der Naturhistorie bedingte demgegenüber auch ihre grundsätzliche Offenheit für die Geschichten der Vergangenheit. Was die intensive Nutzung der schriftlichen Überlieferung betrifft, darf man sich nicht von Scheuchzers Polemik gegen eine bloße Buchwissenschaft täuschen lassen, auf die man immer wieder stößt. Typisch dafür ist folgende Stelle aus der *Beschreibung der Natur-Geschichten des Schweizerlands*:

> Einmahl müssen wir/ nach dem wir so vil 100. Jahr unter der Tyrannischen Regierung der Schul-Lehrern gestanden/ und theils noch stehen/ unsere Augen aufthun/ und die Natur kennen lehrnen nicht auß den Schriften dises oder jenes Groß Hansen/ sondern auß der Natur selbs/ welche aller Ohrten ganz leßliche Buchstaben zeiget.[68]

Die Forderung, nicht aus den Büchern der Menschen, sondern direkt im Buch der Natur zu lesen, gehörte zum wissenschaftlichen Standard und insofern auch zum guten Ton der Zeit. Aber in diesem Topos steckte höchstens die halbe Wahrheit, wie schon Elisabeth Eisenstein betont hat.[69] Vorsichtiger und angemessener ist es, ihn als Ausdruck einer Hierarchie der Zeugnisse in der naturwissenschaftlichen Beweisführung zu verstehen. Will man Scheuchzers Arbeitsweise als Naturhistoriker jedoch voll erfassen, muß man die Oberfläche solcher Äußerungen durchdringen. In ihnen ging es ganz offensichtlich um ein Bekenntnis zu den progressiven Werten, die von den jungen wissenschaftlichen Akademien Europas hochgehalten wurden, nicht darum, eine adäquate Beschreibung aller Prinzipien zu geben, die das Denken des Naturforschers leiteten. Das war auch nicht nötig. Noch in aller Polemik gegen eine bloße Buchwissenschaft war selbstverständlich, daß ein Großteil der Beispiele und Auffassungen, die man übernahm oder mit denen man sich auseinandersetzte, aus Büchern stammte.

Der bedeutende Rang, den Scheuchzer der schriftlichen Überlieferung beimaß, spiegelt sich in seiner bibliographischen Tätigkeit. Die *Bibliotheca Scriptorum historiae naturalis* reihte sich mühelos in die Zürcher Tradition grundlegender bibliographischer Leistungen seit Conrad Gesners *Bibliotheca universalis* ein. Noch in *Zedlers Universal-Lexicon*, um 1740, wurde der Leser des Artikels zum Stichwort »Natur-Geschichte« am Ende einer langen Literaturliste auf Scheuchzers Bibliographie verwiesen.[70] In seiner Vorrede an den Leser kam die Rolle der Bücher denn auch für einmal ausdrücklich zur Sprache. Der Vorrang eigener Experimente, der Autopsie und der Reisen für den Naturhistoriker wurde zwar nicht angetastet, gleichwohl die Unverzichtbarkeit der literarischen Überlieferung unterstrichen, mochte sie auch noch so unbedeutend, abwegig oder sogar fabelhaft erscheinen: »Sunt in Studio Naturae quam maxime, & inprimis, necessaria Experimenta, αὐτ-

---

[68] SCHEUCHZER, Naturgeschichten (1706–1708), Bd. 2, S. 48.

[69] EISENSTEIN, Druckerpresse (1997), S. 170–187, bes. S. 171 f.

[70] Zedler, Bd. 23 (1740), Sp. 1085: »Die übrigen Scribenten, die die natürliche Historie erläutert haben, können in des Herrn Scheuchzers Bibliotheca Scriptorum Historiae naturalis nachgesehen werden«.

οψία, Itinera; sed & subsidia Libraria, labores aliorum, utut parvi, abjecti, fabulosas non excipio narrationes, quae correctionem & merentur & postulant.«[71] Hier schon zeigt sich eine Tendenz, die in der Vorurteilstheorie der Aufklärung begrifflich scharfe Konturen bekommen sollte: Sich alleine auf das eigene Urteil zu verlassen, konnte ebensogut vom »Vorurteil gegen das Urteil der anderen« in den Irrtum führen wie das umgekehrte Verhalten, das sich auf das Nachbeten der Tradition beschränkte.[72] Die Arbeiten der anderen waren als Korrektiv unverzichtbar. Scheuchzer betonte aber nicht zufällig gerade den umgekehrten Effekt, den der Vergleich mit anderen Autoren, vor allem denen der Vergangenheit, haben konnte, nämlich die nachträgliche Korrektur ihrer Auffassungen. Darin lag eine Apologie mit doppelter Zielrichtung: einerseits gegenüber der sonst stets proklamierten Verachtung der Bücher, andererseits gegenüber dem Vorwurf, Scheuchzer habe die Literatur für seine *Bibliotheca* unkritisch ausgewählt. Daß Scheuchzer mit vollem Bewußtsein auch solche *scriptores* aufnahm, deren Historien aus seiner eigenen Sicht eher ins Reich der Fabel gehörten, weist auf eine weitere Aufgabe der naturhistorischen Materialschau hin, nämlich Wahr und Falsch voneinander zu unterscheiden.[73] Dazu bedurfte es des Vergleichs und folglich der kritischen Sichtung des ganzen Materials einschließlich der »Fabeln«.

So läßt sich wohl verstehen, daß Scheuchzer auch illustrierte Flugblätter des sechzehnten Jahrhunderts mitverzeichnete, obwohl hier häufig nicht einmal die *scriptores* namentlich bekannt waren. Die Einblattdrucke stammten fast ausnahmslos aus den *Wickiana*.[74] Scheuchzers *Bibliotheca* steht damit am Anfang der bibliographischen Erfassung der *Wickiana*-Flugblätter, die erst 140 Jahre später von Emil Weller – dann aber unter völlig anderen »Vorzeichen« – systematisch durchgeführt wurde. Scheuchzer war sich wohl kaum bewußt, daß schon Gesner für seine wissenschaftlichen Arbeiten gelegentlich auf Flugblätter zurückgegriffen hatte, besonders auf die Illustrationen.[75] Es dürften auch aus Scheuchzers Sicht die großen und meist kolorierten Bilder gewesen sein, die den eigentümlichen Quellenwert des Flugblatts im Vergleich zu den häufig eher dürftig illustrierten wissenschaftlichen Abhandlungen ausmachten. Aber schauen wir genauer hin.

---

[71] SCHEUCHZER, Bibliotheca scriptorum historiæ naturali (1716), *Praefatio ad Lectorem*.

[72] Zur Vorurteilstheorie der Aufklärung vgl. SCHNEIDERS, Aufklärung und Vorurteilskritik (1983).

[73] Vgl. SCHEUCHZER, Natur-Historie (1716–1718), Bd. 1, S. 2 (Vorrede).

[74] Die Titel der Flugblätter werden in der *Bibliotheca* zumeist unter den *Anonyma* in der Appendix zu den Regionalbibliographien aufgeführt. Vgl. SCHEUCHZER, Bibliotheca scriptorum historiæ naturali (1716), S. 15f., 66–81, 86, 115f., 136–139, 144 (mit Angabe der Quelle: »Wick. Tom. VII & XIII« bzw. »Ib. T. IX.«), 153, 171, 191, 198, 212; vereinzelt auch unter den Namen der wenigen bekannten Verfasser. Für einige Einzelnachweise vgl. die Anmerkungen bei WEBER, Wunderzeichen und Winkeldrucker (1972), S. 59, 69, 77, 79, 83, 87, 89, 93, 103, 107, 115, 119, 121, 127, 131, 135; bei HARMS (Hg.), Flugblätter VII (1997), zu Nr. 27, 129, 139.

[75] Für Beispiele zu Gesner als Besitzer von Flugblättern siehe in diesem Buch S. 186f., 213.

2.2. Die kritische Lektüre der »Historien«

Im Vergleich zwischen der *Bibliotheca* und der *Natur-Historie des Schweizerlandes* zeigt sich der Unterschied zwischen einer bloß bibliographischen Aufnahme des Materials und seiner Nutzung für die naturgeschichtliche Darstellung. In der *Natur-Historie* sucht man vergeblich auch nur einen einzigen Fall, in dem sich Scheuchzer unmittelbar oder gar alleine auf die Flugblatt-Überlieferung der *Wickiana* gestützt hätte. Als er den Abschnitt »Von Feurigen Pfeilen/ Spiessen/ Brünnenden Balken/ und ganzen Heerzügen« verfaßte, mochte er das Arsenal von Himmelserscheinungen in den Einblattdrucken aus Wicks »Wunderbüchern« vor dem inneren Auge gehabt haben, vielleicht auch die Illustrationen in Hallers Tigurinerchronik. Zugleich aber wird gerade hier, wo das Anschauungsmaterial der Wunderzeichenflugblätter des sechzehnten Jahrhunderts zum Greifen nahe scheint, ganz deutlich, vor welchen »Historien« Scheuchzers Naturgeschichte ihre Grenze zog.

Kaum zufällig begann der Verfasser eben diesen Abschnitt mit einer langen Einleitung von grundsätzlichem Charakter. »Es ist die Lufft- und Dunst-Kugel ein Theatrum allerhand gemeyner und seltsamer Natur-Wunderen.«[76] Etwas weiter heißt es dann:

[D]ie blosse Verwunderung ist eine Gebärmutter allerhand anderer idearum: es verwunderet sich der Unwissende nicht über diß/ daß ein jeder seinen besonderen Regenbogen und also auch seine besondere Luftgeschicht sihet/ weil er es nicht weißt: und der Gelehrte verwunderet sich auch nicht/ weilen er die natürliche Ursachen und Kräffte verstehet: jener aber wurde sich wol verwunderen/ wann er mit seinen Augen auf einmal viel Millionen Regenbögen (so wirklich in der Lufft sind) wurde sehen: und das/ was er sihet/ weißt er gar meisterlich zu multiplicieren/ und zu metamorphosieren; Aus dem Schweiff des Cometen machet er eine Ruthen; aus hellen Streimen oder Streiffen/ Spieß/ Lanzen; aus denen Farben der Wolken ganze Heerzeug/ so gegen einander zu Felde stehen: aus dem Donner/ oder anderem Lufftgedöne/ Schüsse aus Canonen oder Mörseren.[77]

Scheuchzer begann die anschließende Fallgeschichte in der jüngsten Vergangenheit, mit zwei »Luftgeschichten« aus dem Jahr 1716. Bei der zweiten handelte es sich um das in ganz Europa wahrgenommene Nordlicht vom 17. März 1716, zu dessen Erklärung er eine Abhandlung Christian Wolfs in voller Länge zitierte: *Gedanken über das ungewöhnliche Phoenomenon, welches den 17. Martii 1716 des Abends nach 7. Uhren zu Halle und an vielen anderen Orthen in und ausserhalb Deutschland gesehen worden/ Wie er* [Wolf] *sie den 24. Martii in einer Lectione*

---

[76] SCHEUCHZER, Natur-Historie (1716–1718), Bd. 3, S. 46. Auf die Theater-Metapher und den Begriff »Naturwunder« wird später noch einzugehen sein.

[77] Ibid., S. 47 f.

publica auf der Universität zu Halle eröffnet, Halle 1716.[78] Gleich mit der ersten Frage, ob die Erscheinung etwas Besonderes sei, »oder ob es nicht vielmehr bereits vor diesem an anderen Orthen sich sehen lassen und von sorgfältigen Observatoribus angemerket worden«,[79] begann Wolf eine Erörterung, die zum Ziel hatte, dem Ereignis alles Wunderbare zu nehmen, um den Weg zu einer natürlichen Erklärung freizumachen. Im zweiten Abschnitt wurde die Erscheinung klassifiziert, im dritten wurden die Ursachen erörtert, im vierten wurde schließlich die Frage nach der Bedeutung solcher Phänomene beantwortet. Wolfs Nachweis gleicher Erscheinungen an anderen Orten und zu anderen Zeiten bestand darin, schrittweise die Übereinstimmung verschiedener Beschreibungen unterschiedlicher Qualität nachzuweisen. Er fing bei den Beschreibungen des gegenwärtigen Ereignisses an, die wissenschaftlichen Standards genügten. Maßstab, das zu entscheiden, waren die Namen der Verfasser. Beschreibungen früherer Vergleichsereignisse, die ebenso wie diese auf die Sprache des »unerfahrnen Pöbels«[80] verzichteten, wurden im zweiten Schritt herangezogen. Auf dieser Basis ließen sich schließlich auch die Berichte einordnen, die das Vokabular der Volksphantasie verwendeten. Leibniz hatte in den *Miscellanea Berolinensia* Beispiele dafür aufgeführt.[81] Wolf griff einen dieser Berichte zu einer Nordlichterscheinung von 1629 heraus, um sie mit Gassendi zu vergleichen, den er zuvor als zuverlässigen Zeugen dieses Ereignisses genannt hatte. Es sei »die Rede gegangen«, gab Wolf den Bericht wieder, »als wenn in der Lufft ganze Armeen wären gesehen worden/ die auf einander losgegangen wären. Nun wissen Sie« – damit waren die Hörer der *Lectio*, die der gedruckte Text wiedergab, direkt angesprochen –, »daß/ da Gassendus unser gegenwärtiges Phoenomenon [von 1629] observiret/ das Gerüchte in Frankreich war/ als wenn sich ganze Kriegesheere hätten sehen lassen/ die auf einander Feuer gegeben. Und in Nieder-Sachsen wil der gemeine Pöbel auch dieses mal [1716] dergleichen erblicket haben/ als die Wolken sich für das Phoenomenon gezogen.« Die Conclusio lag auf der Hand:

> Dannenhero wenn wir bey den Historicis finden/ daß sich Armeen oder geharnischte Männer/ feurige Säbeln/ Ruthen/ und dergleichen im Himmel sehen lassen; so können wir es mit gutem Grunde von unserem Phoenomenon annemmen. Man lieset noch weiter in angezogenem Orthe/ daß A. 1672. bey Cracau um den Anfang des neuen Jahres mitten in der Nacht der Himmel ganz helle gewesen/ als wenn es Tag werden wolte: welches abermals ohne einiges Bedenken von unserem Phoenomeno anzunemmen ist. Und so könnte ich noch mehreres anführen/ wenn es nöthig wäre. Allein uns begnüget/ daß wir gesehen/ es seyn so wol richtige Observationes von unserem Phoenomeno vorhanden/ als auch andere/ da der Aberglaube einige Umstände mit darzu erdichtet. Und das sey genug von der ersten Frage.[82]

---

[78] Ibid., S. 50–77. Vgl. WOLF, Himmels-Begebenheit (1981) mit einer Vorrede und einem neuen Anhang, der die von Wolf genannten Beschreibungen des Nordlichts von 1716 enthält.

[79] WOLF, Himmels-Begebenheit (1981), S. 51.

[80] Vgl. WOLF, Lufft-Erscheinung (1981), S. 108.

[81] LEIBNIZ, Annotatio (1716).

[82] SCHEUCHZER, Natur-Historie (1716–1718), Bd. 3, S. 57.

2. Lesen und Schreiben im Buch der Naturgeschichte

Wolfs Antwort auf die erste Frage verfolgte zwei miteinander verbundene Ziele: Zum einen ging es um die Auflösung der vermeintlichen Einzigartigkeit des Phänomens, was sich ausdrücklich gegen die Deutung als »Wunder-Zeichen« richtete. Die Beteuerung, eine Erscheinung sei so noch nie zuvor gesehen worden, hatte im Jahrhundert Wicks in der Tat zur Rhetorik der Schlagzeilen in den Nachrichtenmedien gehört. Im Grunde objektivierten die Nachrichtenmacher damit nur den Eindruck subjektiver Lebenserfahrung von Beobachtern, die in den meisten Fällen zum ersten und einzigen Mal in ihrem Leben z. B. einen Kometen oder ein Nordlicht sahen. Vereinzelt kann man hier noch Überresten der Autorität des Alters als Gedächtnismaßstab für den Bestand kollektiver Erfahrung begegnen, wie sie für mündliche Kulturen typisch ist. Dem Schluß von der Einzigartigkeit subjektiven Erlebens auf die Einzigartigkeit des Phänomens stand allerdings das klassifikatorische Interesse entgegen – und dies nicht erst im achtzehnten Jahrhundert. Was sich nicht klassifizieren ließ, ließ sich auch nicht vergleichen. Wissenschaftliche Vergleiche mußten schon darum das Individualgedächtnis zugunsten der Autorität schriftlicher Überlieferung diskreditieren. Auch dieser Vorgang ließ sich freilich schon an den Prodigienchroniken des sechzehnten Jahrhunderts beobachten.[83]

Die Diplomatie kennt seit dem neunzehnten Jahrhundert den Begriff »Sprachregelung«. Tatsächlich ging es auch Wolf um eine Art Sprachregelung naturwissenschaftlicher Beschreibung. Die Naturwissenschaft der Frühaufklärung kämpfte damit um das Deskriptionsmonopol einer Elite von Gelehrten – vor allem gegen die Stimme des Volkes. Zugleich offenbaren sich die Maßstäbe für den wissenschaftlichen Austausch und die Zuverlässigkeit der dazu verwendeten Schriftmedien, denen – in allem Lobgesang auf Experiment und Autopsie – letztlich eben doch größere Bedeutung zukam als die Aufklärer gerne behaupteten. Der Erfahrungsaustausch mit dem Mittel der Schrift überragte die sehr begrenzte eigene Erfahrung. Wissenschaftler sollten, damit dieser Austausch gelingen konnte, dieselbe Sprache sprechen. Der Erfahrungsaustausch rief nach Standardisierung. Das war auch in Gelehrtenbriefwechseln des sechzehnten Jahrhunderts schon nicht anders, nur verschoben sich in der Aufklärung die Standards mit merklicher Beschleunigung. Diese Verschiebung läßt sich an ihrer Kongruenz und Inkongruenz zeigen. Orts- und Zeitangaben, Farben, Größe, Himmelsrichtungen usw. bildeten Anknüpfungspunkte für eine Übersetzung der Wunderzeichenberichte früherer Zeiten in die naturwissenschaftliche Sprache des Aufklärungszeitalters. Der Zweck, mit Hilfe dieser Beschreibungskategorien Vergleiche anzustellen, um Vorhersagen über die Zukunft zu machen, konnte aber ebensowenig gelten gelassen werden wie die Einschätzung eines Phänomens als Wunder oder seine Beschreibung mit Hilfe sinnlicher Analogien aus der Vorstellungswelt des »Volkes«. Wolf erkannte wohl, daß auch eine Beschreibung mit Hilfe geometrischer Formen auf Analogiebildung beruhte, sah

---

[83] Siehe dazu vor allem III/2.2.2, S. 193 ff.

diese aber dadurch gerechtfertigt, daß sie dem Phänomen angemessen erschien. Die Begründung dafür lag im Gelingen einer naturwissenschaftlichen Erklärung des Phänomens selbst.

Zuletzt erörterte Wolf die Frage nach der (Vor-)Bedeutung des Phänomens. Seine Antwort lautete: Es besaß keine, weder seiner »Natur nach«, also weder durch eine kausale Verknüpfung mit entsprechenden natürlichen Folgen wie etwa Wetterveränderungen, noch in einem übernatürlichen Sinne. Da es kein natürliches Zeichen sei, »so müßte es ein willkürliches sein/ das GOtt zu einem Vorbotten eines zukönfftigen Unglücks bestimmet«, leitete Wolf die Widerlegung der zweiten Ansicht ein. »Wenn man aber willkührlich ein Zeichen macht; so muß jemand seyn/ der die Deutung erkläret; sonst weiß man nicht/ was er mit seinem Zeichen haben wil.« Die Vieldeutigkeit der »Wunderzeichen« ließ den Zeichencharakter selbst fragwürdig erscheinen. Dieses Argument zielte freilich an der Lösung vorbei, welche die Theologen des sechzehnten Jahrhunderts für dasselbe Problem gefunden hatten, mämlich die Reduktion komplexer Bedeutungen auf ein abstraktes Modell: Wunderzeichen als Ankündigung für Strafe und damit als frühzeitige Warnung, die Gelegenheit zur Umkehr gab. Die Bibelstellen, mit denen diese allgemeine Bedeutung belegt werden konnte, waren Legion. Sie führte stets zu einer eindeutig bestimmbaren praktischen Konsequenz, die auch ohne besondere Anlässe, ja selbst dann immer richtig blieb, wenn die Zeichen vom Teufel kamen: Die eigenen Sünden zu bereuen und Buße zu tun, war immer richtig. Der Reduktionismus dieser theologischen Wunderzeichendeutung war immun gegen die Vieldeutigkeit, die den Zeichen *in concreto* anhaftete. Wolfs Ausführungen konnten diesen Punkt nicht treffen. »Hätte nun GOtt solche Dinge/ die aus natürlichen Ursachen entstehen/ zu besonderen Zeichen setzen wollen/ die uns dieses oder jenes vorher bedeuten solten; so wurde er zuerst darüber eine Erklärung haben machen müssen/ gleichwie wir es von dem Regenbogen finden«, den Gott zu einem Zeichen seiner Gnade erklärt hätte.

Gerade mit diesem Schritt, mit dem sich Wolf auf den theologischen Diskurs einließ, stieß seine Argumentation an eine noch unüberwindliche Grenze. In dem Augenblick, in dem er die Bibel in die Hand nahm, machte er seine Ansicht über die Bedeutung ungewöhnlicher Naturphänomene abhängig von der Auslegung des Gotteswortes, also zu einer philologischen Frage, statt zu einer der Naturwissenschaften. Die einzig radikale Lösung des Problems der Zeichen Gottes, wie Wolf es stellte, hätte darin bestanden, die Autorität der Bibel als Gotteswort selbst anzuzweifeln. Dann hätte Wolf argumentieren können, daß es keinen einzigen Fall willkürlicher Festlegung der Bedeutung eines Zeichens durch Gott selbst gebe, weil die Bibel ein von Menschenhand geschriebenes Buch ist und nichts als das, eben ohne jede Offenbarungswahrheit, ganz entzaubert.

Abgesehen von der Crux seiner abschließenden Erörterung hatte Wolf aber genau jene Konsequenz formuliert, die im Begriffskonstrukt »Naturwunder« liegt: die Auflösung der Semiotik des Wunderbaren. Die Implikationen dieses Schrittes reichten tief. Mit ihnen bekam die Epoche dann aus Anlaß des Erdbebens von Lissabon ihre Schwierigkeiten. Wenn natürliches Geschehen nichts bedeutete, wie konnte es dann noch Sinn machen? Vor der Konsequenz, daß die zerstörerische Gewalt des Naturgeschehens am Ende vielleicht sinnlos war, schreckten auch die meisten Aufklärer noch zurück. Sie erschraken vor sich selbst. Die Arbeit an der Kompensation dieses Sinnverlustes wurde nie abgeschlossen und läßt sich vielleicht auch nicht abschließen. Bis in die Gegenwart hinein fällt sie – mit Variationen – immer wieder in alte Muster und Alternativen zurück.

Scheuchzer wagte so wenig wie Wolf einen grundlegenden Zweifel an der Offenbarungswahrheit des Gotteswortes. Mehr noch: In der *Physica sacra* wurde die Vereinbarkeit von Naturwissenschaft und Offenbarung Programm. Darum mußte Scheuchzer »zweierlei Wunder« annehmen: nicht nur das physikotheologische »Wunder der sich in den Naturgesetzen offenbarenden Gottheit«, sondern auch »das Wunder des diese Gesetzmäßigkeit ausser Kraft setzenden, persönlich eingreifenden Gottes. [...] Diese Zweiwunderlehre birgt eine logische Inkompatibilität des Gottesbegriffs in sich, sie hat aber den Vorteil, dass sich keine Kluft zwischen Offenbarungswahrheiten und Naturgesetzen auftut.«[84] Scheuchzer teilte die radikal mechanistische Position eines Leibniz nicht. Gleichwohl verzichtete er da, wo es nicht um naturwissenschaftliche Bibelexegese ging, auf den zweiten Wunderbegriff, dessen Geltung auf den engen Bereich der Offenbarungswahrheit des Gotteswortes eingeschränkt blieb.

Aber zurück zu den »Luftgeschichten« in der *Natur-Historie des Schweitzerlandes*: Mit Wolfs Abhandlung war das Vorbild zur rechten Lektüre der »Historien« gegeben, auf die Scheuchzers brillantes Arrangement des ganzen Abschnitts abzielte. Zunächst kehrte er, wie gesagt, die chronologische Reihenfolge um. Das Buch der Naturgeschichte wurde rückwärts gelesen wie bei Wolf. Die Absicht war klar: Der Vergleich der »Historien« mit Beobachtungen der Gegenwart – nicht nur, was die Erscheinungen, sondern auch, was die Reaktionen des »gemeinen Volkes« und seine Interpretationen des Gesehenen belangte – sollte ermöglichen, wenigstens in Einzelfällen auch durch die Sprache des Aberglaubens hindurch das dahinter verborgene Phänomen aufzudecken und es in die Naturgeschichte am dafür vorgesehenen Ort einzuordnen. Durch diese hermeneutische Vorarbeit ließ sich das Buch der Naturgeschichte umschreiben, ließen sich die Texte und Bilder aus den Quellen der Vergangenheit entsprechend verarbeiten. Die wichtigste methodische Voraussetzung dafür war die Unterscheidung zweier Klassen von Beobachtern, die es in dieser Form zwei Jahrhunderte früher nicht gegeben hatte: das abergläubische Volk einerseits und die aufgeklärten Gelehrten andererseits.

---

[84] So MICHEL, Buch der Natur (2001), S. 178 f.; vgl. ausführlich MICHEL, Batrachotheologia (1996), S. 137–140.

Auf Wolfs Abhandlung und eine Ergänzung Scheuchzers aus dem Brief eines seiner englischen Korrespondenten mit Beobachtungen zum selben Nordlicht folgten dann unmittelbar zwei »Geschichten« aus den *Wickiana*:

A. 1564. d. 28. Oct. Abend zwischen 5. und 6. Uhren sahen Leuthe/ welche von Embrach auf Zürich reiseten bey hellem Himmel brennende Spiesse/ welche bald sich gekrümmet wie Schlangen/ hernach weiß worden/ und verschwunden. Wick. ad. h. a. A. 1571. d. 2. und 3. Mart. ware zu Schaffhausen und im Flaachthal/ Abends zwischen 8. und 9. Uhren/ der Himmel gegen Mittnacht wie brünnend anzusehen/ weiß und roth gestreimt. Ob den Streimen sahe man Regenbogen-Farben in einer schwarzlechten Wolken. Wick. ad. h. a. Zu Genff und in Burgund sahe man auch einen feurigen Himmel mit zweyen feurigen Säulen. Beza Lit. ad Bulling. d. 8. Mart.[85]

Auch das anschließende Briefzitat mit der Beobachtung einer Himmelserscheinung vom 28. September 1575 entnahm Scheuchzer den *Wickiana*, obwohl er als Quelle nur den Brief selbst angab. Darin war von streitenden Heeren, von Kreuzen und anderen Zeichen am Himmel die Rede. Die Bewegungen der Erscheinungen wurden zugleich mit den wichtigsten zur Verfügung stehenden Mitteln exakter Beschreibung, vor allem durch Angabe der Himmelsrichtungen und mit Hilfe der Sternzeichen im Hintergrund des Geschehens, erfaßt. Das verlieh der Schilderung die nötige Glaubwürdigkeit, um das Ereignis von 1575 unter die Fallgeschichten aufnehmen zu können, obwohl die Erscheinungen selbst mit Hilfe der von Scheuchzer und Wolf abgelehnten Analogien beschrieben wurden.

Scheuchzer hat auch im Falle eines Briefes von Johann Pontisella[86] an Ludwig Lavater vom 31. Januar 1573, den er im Abschnitt »Von denen Erdbidmen« zitierte, auf die Quellenangabe verzichtet.[87] Die Entscheidung, lediglich Absender und Adressat zitierter Schreiben, nicht aber Wicks Bücher zu nennen, wird im Druckmanuskript zum ersten Teil der *Natur-Historie des Schweitzerlandes* sichtbar. Scheuchzer gab in dem Abschnitt »Von denen Berg-Fällen« einen langen Bericht über die Verwüstung von Corberier und Yvorne im Jahre 1584 wieder. Der Brief stammte aus der Feder von Johann Rudolf Bullinger, »des grossen Reformatoris Bullingeri Sohn«, wie Scheuchzer einleitend betonte.[88] Es folgten das Datum und der Adressat des Briefes, mehr nicht. Im Druckmanuskript der *Stoicheiographia, orographia, oreographia Helvetica* findet sich am rechten Rand noch der Hinweis: »conf. Wick L. XXII.« Damit war die Quelle genannt: Buch 22 (Jahrgang 1584) der

---

[85] SCHEUCHZER, Natur-Historie (1716–1718), Bd. 3, S. 78, vgl. auch im Anhang Dok. 7.

[86] Pontisella war Rektor der Churer Lateinschule, später Stadtrat von Chur. Vgl. HBLS 5, S. 466.

[87] SCHEUCHZER, Natur-Historie (1716–1718), Bd. 3, S. 84. *Wickiana*-Vorlage: ZBZ, Ms. F 22, pag. 617.

[88] Ibid., Bd. 1, S. 128. In Scheuchzers *Wickiana*-Register findet sich das Ereignis unter dem Stichwort »Bergfall«, Unterpunkt: »zů Corbiere vnnd Yvorne. L. XXII«. Vgl. ZBZ, Ms. L 10 und Ms. L 851.

Wickiana.[89] Aber die Angabe wurde durchgestrichen.[90] Im Druck fehlte sie. Scheuchzer wollte offenbar eine allzu häufige Bezugnahme auf die *Wickiana* vermeiden.

Die meisten der Naturgeschichten, für die sich Scheuchzer auf die *Wickiana* bezog, verloren durch die Neukontextualisierung und eine knappe Formulierung ihren ominösen oder ihren Wundercharakter. Der »Zauber« wurde also durch die Systematik und die Reduktion des Textkorpus auf ein deskriptives Minimum gebrochen, wobei die hermeneutische Vorarbeit für die phänomenologische Einordnung im fertigen Text keine Spuren mehr hinterließ. Der Abschnitt »Von Feurigen Pfeilen/ Spiessen/ Brünnenden Balken/ und ganzen Heerzügen« bietet in dieser Hinsicht die Ausnahme, weil in den darin genannten Fällen aus der älteren Chronistik vom naturwissenschaftlichen Standpunkt des beginnenden achtzehnten Jahrhunderts aus eine Gemengelage zwischen Beschreibung und Deutung vorlag, die es erst zu entwirren galt. In dieser Hinsicht waren Berichte über Lawinen und Bergfälle vergleichsweise unproblematisch.[91] Dasselbe gilt von Gewitterereignissen oder Halos.[92] Zu diesen Phänomenen konnte Scheuchzer ohne besondere Erläuterungen Beispiele aus den *Wickiana* anführen. Im Fall der beiden umgekehrt aufeinander stehenden Regenbögen genügte ihm eine knappe Bemerkung:

A. 1524. d. 2. Maij. und 1571. d. 8. Apr. sahe man zu Zürich zwey umgekehrte Regenbögen. Wick. MSC. Ich zweifle nicht/ es seyen diß Stücker von Halonibus gewesen; dahin auch müssen gezogen werden die meisten seltsamen Regenbogen-Geschichten.[93]

Von den sechzehn Naturgeschichten, für die sich Scheuchzer explizit auf Wicks Bücher bezog oder Briefdokumente daraus zitierte (siehe im Anhang Dok. 7), finden sich alleine zwölf unter den »Luft-Geschichten«. Darin spiegelt sich die große Zahl der Himmelserscheinungen wider, die in den *Wickiana* besonders breiten Raum unter den Wunderzeichen einnehmen. Zumeist sind sie dort mit Illustrationen ver-

---

[89] Vgl. ZBZ, Ms. F 32, fol. 84ᵛ–86ʳ. Befindet sich unter den nach Ms. F 32a versetzten Blättern.

[90] Vgl. ZBZ, Ms. S 570, fol. 131ʳ. Zum Druckmanuskript: STEIGER, Nachlass Scheuchzer (1933), S. 33 Nr. 103. Die Seiten mit der Abschrift aus den *Wickiana* unterscheiden sich im Format von den übrigen Manuskript. Wahrscheinlich ist der Textauszug separat entstanden und erst später eingefügt und durch Streichungen zum Druck vorbereitet worden.

[91] Vgl. SCHEUCHZER, Natur-Historie (1716–1718), Bd. 1, S. 136: »Von denen Berg-Fällen« zum Jahr 1582 (mit der Angabe »WICK MSC. L. XXI. ex relat. Lucii Nier Pastoris zu Davos«) und S. 145 »Von denen Schnee-Lauwinen« unter dem Jahr 1583 (mit der Angabe »Wick MSC. L. XXI. ex Lucii Nier Past. Davos. Relat.«). Beide Berichte aus chronikalischen Aufzeichnungen des Pfarrers von Davos, Lucius Nier (vermutlich Autograph), die Wick in das 21. Buch aufnahm: ZBZ, Ms. F 31, fol. 158ᵛ und fol. 160ʳ.

[92] Vgl. ibid., Bd. 3, S. 25: »Von feurigen Lufft-Geschichten« zu 1573 (»Wick. MSC.«) und zu 1575 S. 27 (»Wick. ad h. a.«). Die zweite Geschichte nach ZBZ, Ms. F 24, pag. 269.

[93] Ibid., Bd. 3, S. 89. Die Begebenheit von 1571 nach ZBZ, Ms. F 19, fol. 226ʳ. Vgl. SENN, Wickiana (1975), S. 190. Zu den Regenbögen bei Wick siehe oben, S. 46f.

sehen, also leicht auffindbar. Scheuchzer traf gerade hier, wo Wicks eigener Blick und der seiner Berichterstatter am stärksten darauf ausgerichtet war, ein Gotteszeichen zu erkennen, auf einen großen Fundus ungewöhnlicher *Meteorologica*.[94] In seinem *Wickiana*-Index notierte er unter »Stral« und »Prodigia«, aber auch unter anderen Stichworten erheblich mehr Ereignisse, als er schließlich in die *Natur-Historie des Schweitzerlandes* übernahm. Was er darin präsentierte, stützte sich durchweg auf solche Berichte in den *Wickiana*, die mit Sicherheit oder sehr wahrscheinlich Augenzeugenberichte waren. Autopsie als Maßstab für Glaubwürdigkeit rangierte also nach wie vor an oberster Stelle. Das kommt deutlich in Scheuchzers Einleitung zu dem langen Briefbericht von Johann Rudolf Bullinger zur Zerstörung der Dörfer Corberier und Yvorne zum Ausdruck, wenn es dort heißt, dieser werde »desto begieriger gelesen« werden, »weilen der Scribent den Augenschein selbs von dieser traurigen Begegnuß eingenommen«.[95] Wo ein Bericht Augenzeugenschaft nicht ausdrücklich erkennen ließ, achtete Scheuchzer offensichtlich auf eine mindestens grobe geographische Übereinstimmung zwischen dem Ort des Ereignisses und dem Herkunftsort eines Berichtes, so im Falle zweier Berichte des Pfarrers von Davos, Lucius Nier.[96] Für die Region um Berg und das Flaachtal bis nach Schaffhausen hinauf zitierte er zweimal wiederum Johann Rudolf Bullinger, der bis 1582 Pfarrer in Berg gewesen war und 1574 bis 1577 auch Flaach versehen hatte.[97] Für die Beobachtung eines *coelum ardens* 1571 in Genf berief sich Scheuchzer auf einen Brief Bezas an Heinrich Bullinger, der eigenhändig für Wick einen Auszug daraus kopiert hatte.[98] Mit diesen Namen fällt ein weiteres Auswahlkriterium auf: Nach Möglichkeit bezog sich Scheuchzer auf Berichte von Personen, deren Autorität er vertraute. Dabei ließ er sich im Falle von Johann Rudolf Bullinger offensichtlich vom guten Namen des Vaters beeindrucken. Für nur fünf Begebenheiten ließ Scheuchzer es alleine bei Wicks Namen bewenden. Dabei handelt es sich ausnahmslos um Beobachtungen aus der Stadt Zürich oder ihrer unmittelbaren Umgebung.

---

[94] Scheuchzer hat im ersten Band seiner lateinisch verfaßten *Meteorologia Helvetica* noch einmal die *Wickiana* ausgewertet und in seine Chronik auffälliger meteorologischer Erscheinungen von 709 bis 1699 gegenüber der *Natur-Historie* von 1718 vereinzelt Neues daraus aufgenommen. Vgl. ZBZ, Ms. Z VIII 1, S. 85–106 passim. Zu dieser Arbeit vgl. STEIGER, Nachlass Scheuchzer (1933), S. 34 (Ms. Nr. 106).

[95] SCHEUCHZER, Natur-Historie (1716–1718), Bd. 1, S. 128 f.

[96] Vgl. Anm. 91.

[97] Vgl. DEJUNG, Zürcher Pfarrbuch (1953), S. 230, und SENN, Wickiana (1975), S. 204.

[98] Autograph Bullinger in ZBZ, Ms. F 19, fol. 221ᵛ. Vgl. SCHEUCHZER, Natur-Historie (1716–1718), Bd. 3, S. 78, der als Quelle zwar auch bei diesem Briefzitat nicht auf Wick verweist, aber mit Sicherheit auf die *Wickiana* zugriff und nicht auf das Original. Unmittelbar vorher verweist er auf Wick für eine Begebenheit, die in Ms. F 19 unmittelbar vor dem Beza-Schreiben steht und damit einen phänomenalen Zusammenhang bildet, den Scheuchzer ebenfalls beläßt.

2.3. Grenzen der Kritik oder das Veto der Quellen

Man wird Scheuchzer nicht vorwerfen können, daß er seinem Urteil über Wicks mangelnde Zuverlässigkeit untreu geworden wäre. Wenn er dennoch aus den *Wicki-ana* zitierte, so hielt er sich dabei an seine kritischen Maßstäbe. Die geringe Wertchätzung Wicks erweist sich auch im Vergleich mit der übrigen Chronistik, die Scheuchzer für seine Zwecke auswertete. Aegidius Tschudi oder Johannes Stumpf genossen offensichtlich größeren Kredit als Wick, ebenso Johannes Haller. Aber gerade an Haller zeigt sich eine erste Grenze der Quellenkritik Scheuchzers. Die durchgehende Abhängigkeit Hallers von Wick für die Jahre 1560 bis 1587 scheint er nicht durchschaut zu haben. Bei Doppelüberlieferung bezog er sich alleine auf Haller – mit einer Ausnahme, in der Wick zugleich als Quelle genannt wurde. In diesem Fall wurde außerdem nicht nur der Text der Vorlagen, sondern ausnahmsweise auch Bildmaterial verarbeitet. Es handelt sich um das Churer »Sonnenmirakel« vom 2./3. Januar 1572.

Vergleicht man den Text im 10. Buch der *Wickiana* und die Varianten bei Haller mit Scheuchzers Formulierung der Beobachtungen, so zeigen sich signifikante Merkmale der Textverarbeitung (siehe im Anhang Dok. 8). Scheuchzer ließ die ominöse Rahmengeschichte mit den gleichzeitigen Verhandlungen über die Angelegenheit Planta in Chur völlig fallen. Mit dem Phänomen hatte sie für ihn nichts zu tun, während sie im Bericht – bei Haller verstärkt durch das vorangestellte Kapitel – als unverzichtbarer Umstand erschien. Scheuchzers »Rahmengeschichte« war von ganz anderer Art und diente der Erläuterung, welche Phänomene für ihn unter den Titel »Ungewohnte Farben des Gestirns« gehörten. Der Leser erfuhr darin kurz, daß es um Farbphänomene ging, die sich Scheuchzer mit meteorologisch bedingten Veränderungen in der atmosphärischen Lichtbrechung erklärte. Freilich war diese Erläuterung viel zu allgemein, um den Erklärungsbedarf zu decken, den man hat, wenn man die Komplexität der in Campells Flugschrift geschilderten Veränderungen an der Sonne ernst nimmt. Anders als Scheuchzer fiel es den Beobachtern in Chur 1572 offensichtlich schwer, der Erscheinung etwas Vergleichbares an die Seite zu stellen oder auch nur, sich auf eine Version zu einigen. Umständlichkeit war das Ergebnis dieser Unsicherheit gewesen. Alle *circumstances*, die nach rhetorischer Lehre zu einer korrekten Beschreibung gehörten, wurden so detailliert wie möglich aufgeschlüsselt. Nichts durfte verloren gehen, weil alles bedeutsam sein konnte. Und alles konnte bedeutsam sein, weil man nicht wußte, was es bedeutete.

Scheuchzers Schilderung der Umstände beschränkte sich dagegen auf ein Minimum: Der Ratsherr Andreas Tscharner wird genannt, aber sein Fußweg durch Chur und sein subjektives Erleben kümmerten Scheuchzer so wenig wie seine anfangs gehegte Befürchtung, beginnende Erblindung sei vielleicht die Ursache für den Ein-

257

druck von Sonnenblässe. Aus den namentlich genannten Mitbeobachtern und dere gesellschaftlichen Stellungen werden bei Scheuchzer schlicht »andere ehrliche ve ständige Burger von Chur«. Ansonsten genügen ihm Datum und Ort, um sich ir weiteren ganz auf das Phänomen zu konzentrieren. Hier wird seine Darstellun ausführlicher und bedient sich z. T. sogar der bildhaften Vergleiche aus der Vorlage Die vielen Unklarheiten in der Beschreibung der einzelnen Sonnenveränderunge löst Scheuchzer erstmals beim Übergang zur zweiten »Figur« damit, daß er sich vo der Textvorlage löst und das Bild selbst beschreibt, wenn er von einem »spitzige Winkel« spricht (Abb. A13). Bei den drei nächsten Abbildungen ist die Textnäh wieder größer, ehe sie ganz aufgegeben wird. Es gleicht schließlich Alexander Lösung des Rätsels vom Gordischen Knoten, wenn Scheuchzer der Beschreibun das Wort abschneidet und die letzten drei Bilder für sich sprechen läßt. Man habe heißt es da, »folgende Gestalten gesehen Lit. F. G. H.« Offenbar fand Scheuchze den Bericht in beiden Varianten bei Wick und Haller so unklar, daß er ihn nich wörtlich zitieren wollte. Die Übertragung in eigene Worte stellte ebenfalls nur ein begrenzt lösbare Aufgabe dar. Die von Haller übernommenen Abbildungen au Campells Flugschrift erschienen als Rettung, wo Wolfsche Übersetzungskunst ve sagte.

Freilich stellt sich die Frage, warum Scheuchzer die Sonnenbeobachtung von 2. und 3. Januar 1572 in Chur überhaupt aufgriff. Seine Einordnung des Phänomen vermag kaum zu überzeugen. Heute mag man spekulieren, daß es sich vielleicht un eine meteorologisch begünstigte Beobachtung von Sonnenflecken mit dem bloße Auge gehandelt haben könnte, wofür die hohe Sonnenaktivität des Jahres 157 spricht, die auch für das häufigere Auftreten von Polarlichtern in der Stratosphär verantwortlich ist.[99] Entsprechende Beobachtungen sind für Europa und für di Schweiz im fraglichen Jahr belegt. Auch in den *Wickiana* finden sich dazu passend Schilderungen. Freilich läßt sich nicht annähernd mit Gewißheit sagen, daß di Bürger von Chur Sonnenflecken beobachteten. Die Entstehung von Text und Bil Monate nach der Erscheinung stellt die Zuverlässigkeit der Beschreibung grundsätz lich in Frage. Außerdem dürfte die Gemengelage zwischen meteorologischen un astronomischen Phänomenen im Text kaum zu entwirren sein. Der zeitgenössisch Blick war natürlich nicht auf die Entdeckung von Sonnenflecken ausgerichtet. Di *macula solis* gehörten noch nicht zum allgemeinen Erfahrungshorizont, wenn sie da je taten – 1572 aber noch nicht einmal zum Horizont der »Naturwissenschaften«. E dauerte noch knapp vier Jahrzehnte, bis der Friese Johann Fabricius seine Sonne beobachtungen vom Dezember 1610 erstmals unter dem richtungsweisenden Tite *De maculis in sole* veröffentlichte.[100] Seitdem tauchten die Sonnenflecken in de wissenschaftlichen Literatur des siebzehnten Jahrhunderts auf.[101]

---

[99] Vgl. WOLF, Handbuch der Astronomie (1973), Bd. 2, S. 415–418 (522).

[100] FABRICIUS, De maculis in sole (1611). Ihm gebührt vermutlich das Erstentdeckungsrech vor dem Jesuitenpater Christoph Scheiner und Galileo Galilei. Dazu die Untersuchung vo FRIEDLI, Frabricius (1985). In Zedler, Bd. 38, Sp. 770–772, wird Fabri nicht erwähnt.

Auch Scheuchzer kannte das Phänomen.[102] Zu seiner Zeit war aber weder der Zusammenhang zwischen dem Auftreten von Nordlichtern und Sonnenflecken noch die Periodizität der Sonnenfleckenzyklen bekannt. Scheuchzer ging lediglich von einer Umlaufzeit der Flecken von 27 Tagen und zwölf Stunden um die Sonne aus. Das paßte nicht zur schnellen Abfolge der Erscheinungen, die Anfang 1572 in Chur an der Sonne beobachtet worden waren. Etwas anderes als eine Subsumption unter die *Meteorologica* könnte eben darum für Scheuchzer nicht in Frage gekommen sein. Wie dem auch sei: Ganz gleich, ob es sich um Sonnenflecken handelte oder nicht, wird der Ort mit dem Verlegenheitstitel »Ungewohnte Farben des Gestirns« der Qualität der Beobachtung kaum gerecht. Die Bleichheit der Sonne, die beobachteten Striemen und die unterschiedlichen Figuren, die auch in Scheuchzers reduzierter Textfassung beschrieben werden, passen phänomenologisch nicht unter diesen Titel. Erst am Ende werden ebenso plötzlich wie überraschend Farben erwähnt, die »allezeit geblieben« seien, ohne daß vorher von ihnen die Rede gewesen wäre. Auf eine Wiedergabe der verwirrenden Textpassage, auf die sich diese Bemerkung bezieht, hatte Scheuchzer gerade zuvor zugunsten des Hinweises auf die farblosen Kupferstiche F bis H verzichtet.

Dieser Bruch im Text, verursacht durch einen weggefallenen Textbezug, der auch im Bildverweis nicht aufgefangen wird, zeigt deutlich, woran Scheuchzers Einordnung des Phänomens scheiterte: Sie scheiterte am Quellentext von 1572 als Medium einer Erfahrung, die sich nicht einfach in einen anderen Text übersetzen ließ, um ihn einem »aufgeklärten« Erfahrungshorizont anzupassen. Kurz: Sie scheiterte am Widerstand des Quellenmaterials. Die Erfahrung der Bürger von Chur hatte subjektiv nichts mit Sonnenflecken und höchstens peripher mit ungewöhnlichen Sonnenfarben zu tun. Was sie wahrnahmen und beschrieben war ein Wunderzeichen, und mit dieser völlig zufriedenstellenden Kategorisierung des Phänomens blieb für sie nichts weiter offen als die immer offene Frage nach der Zukunft. Der Text, vielmehr die beiden Varianten des Textes, und die Bilder, die Scheuchzer als Überrest dieser Erfahrung in den Chroniken Wicks und Hallers fand, boten zuviel Widerstand, um mit Wolfs hermeneutischer Reduktionsmethode eine befriedigende Übersetzung von ihnen herzustellen, die sich nahtlos dem Arsenal der Naturgeschichte auf dem Stand des frühen achtzehnten Jahrhunderts hätte einfügen lassen. Scheuchzer scheint sich der Problematik dieses Falles durchaus bewußt geworden zu sein. Seine Notlösung, ab einem bestimmten Punkt in der Beschreibung die Bilder alleine für sich sprechen zu lassen, deutet sein Bewußtsein über die Schwierigkeiten an. Aber es war eine Verlegenheitslösung, an der sich eine weitere Grenze der Scheuchzerschen Quellenkritik erweist, nämlich seine implizite Unterstellung, die Bilder seien brauchbarer als der Text.

---

[101] Vgl. WOLF, Handbuch der Astronomie (1973), Bd. 1, S. 565–568 (273).
[102] Vgl. etwa SCHEUCHZER, Natur-Wissenschafft (1711), S. 80.

Offenbar war Scheuchzer daran gelegen, die Beobachtung des Churer Sonnen
mirakels aufzubewahren. Sie erschien ihm irgendwie glaubwürdig, mindestens be
merkenswert. Im Rahmen des Gesamtprojekts, das »Buch der Naturgeschichte« z
ergänzen und neu zu ordnen, stellte sich ihm die Aufgabe, die Beschreibung de
Sonnenerscheinung von Chur so umzuschreiben, daß sie weiterhin im Gesamtbe
stand der Naturerfahrung des Menschengeschlechts aufbewahrt werden konnte
Auch im folgenden Fall indirekter Rezeption eines *Wickiana*-Flugblatts scheitert
dieses Unternehmen, diesmal aber nicht am Widerstand des Textes, sondern a
Scheuchzers Mißtrauen gegenüber dem Bild.

2.4. Das Rätsel der Kieselsteine

Im Jahr 1556 erschien bei Augustin Mellis in Straßburg ein Flugblatt, das über de
Fund dreier »wunderbarlicher« Kieselsteine in der Nähe von Winterthur berichtet
(Abb. F13).[103] Es handelt sich um eine jener Wundergeschichten, bei denen ei
»aufgeklärter« Betrachter spontan den Verdacht hat, daß es sich um Erfindung ode
Betrug handeln muß. So anders ging es den Zeitgenossen zunächst übrigens auc
nicht, wie man dem Bericht des Winterthurer Chronisten Ulrich Meyer entnehme
kann.[104] Meyer war selbst Augenzeuge. Er hatte die Steine, die am 12. Oktober vo
dem Kärrner Hans Custer in der Töß beim gleichnamigen Kloster gefunden worde
waren, in seinen Händen gehalten (siehe im Anhang Dok. 9). Meyer glaubte zu
nächst, die roten Zeichen, in denen er ein Österreicher Wappen, ein Andreaskreu
und ein Kreuz nebst Rute und Schwert erkannte, wären mit Rotstein gefärbt ge
wesen. Der Versuch, die Zeichen zu entfernen, blieb jedoch erfolglos, auch al
etliche Leute es mit heißem Wasser versuchten. Erst diese vergeblichen Experimen
te, die Steine als künstliches Machwerk zu entlarven, überzeugten Meyer davon, da
es sich um Wunderzeichen handeln könnte. Meyer berichtet allerdings, einige Leut
hätten nach wie vor gemeint, ein Landstreicher habe die Steine bemalt und in di
Töß gelegt. Am Fundort, fügt er hinzu, seien jedoch seit Jahren kaum Leute vor
beigekommen. Ein Täuschungsversuch war darum wenig plausibel, weil mit einen
Fund an dieser Stelle nicht zu rechnen gewesen war. Eine gewisse Skepsis blie
Meyer dennoch: Er wisse nicht, was es für ein Wunder sei. Man müsse abwarten
was Gott damit »bedeuten« wolle. In diesem Falle steckte mehr hinter der Äußerun
als die übliche Zurückhaltung gegenüber dem unergründlichen göttlichen Ratschluß
Es seien genug Zeichen vorhanden, aber keine Besserung, meinte Meyer. Von dahe

---

[103] [Wund]derbarliche ware Abcontrofactur dreyer [Kissel]steinen / die in einem wasser / Thö
genañt / nit weit von einem stelle [W]interthur fliessende / in Zürcher Biet im Schweizer
land ligende / gefunden worden sind (Augustin Mellis, gen. Fries, Straßburg 1556); ZBZ
PAS II 1/5; vor der Versetzung in Ms. F 12, fol. 33^v–34^r.

[104] Vgl. HBLS 5, S. 105 f.

onnte offen bleiben, ob es sich bei den seltsamen Steinen aus der Töß wirklich um ein Wunder handelte oder nicht.

Meyers Darstellung zufolge, händigte der Finder mit Namen Custer die Steine an den Schultheiß von Winterthur, Alban Gisler, aus. Mit diesem Akt wurde aus dem Fund eine Angelegenheit der Obrigkeit. Der weitere Ablauf fehlt bei Meyer, wird aber im Flugblatt von Mellis geschildert. Custer scheint demnach auf Eid befragt und die Sache von den Winterthurer Herren an die Oberherrschaft nach Zürich weitergeleitet worden zu sein. Dazu wurde der zuständige Landvogt von Kiburg, Andreas Schmid, eingeschaltet.[105] Das Schreiben Schmids an die Zürcher Obrigkeit ist wahrscheinlich nicht erhalten. Der Inhalt ist aber durch Scheuchzer überliefert. Demzufolge schilderte Schmid den Vorfall kurz und versah seine Beschreibung der Steine mit einer Zeichnung. Nimmt man die Berichte von Meyer und Schmid zum Maßstab, so bietet das Straßburger Flugblatt eine ziemlich zuverlässige Darstellung in Text und Bild. Lediglich beim Datum unterlief ein Fehler (»Montag nach Sant Gallen tag« statt davor).

Wick nahm das Flugblatt kommentarlos in den ersten Band seiner Chronikbücher auf und ordnete es einer Sequenz von Druckschriften mit Wundernachrichten ein. Was er von dem »Wunder« hielt, läßt sich nicht sagen, auch nicht, auf welchem Wege er an das Flugblatt gekommen war. Scheuchzer kannte es aus seiner *Wickiana*-Lektüre. Im handgeschriebenen Index ist es verzeichnet; ebenso in seiner *Bibliotheca Scriptorum Historiae Naturali*, wenn auch dort ohne Quellenangabe.[106] Ein Verweis auf die *Wickiana* findet sich später bei Gottlieb Emanuel von Haller, der den Einblattdruck in seine *Bibliographie zur Schweizergeschichte* aufnahm,[107] und zwar systematisch unter die Titel, die er zum »Mineralreich« aufführt.

Diese Einordnung liegt noch in der Kontinuität der gelehrten Rezeption des Funds in der Töß. Die Wunderkieselsteine tauchen in der Literatur schon lange vor Haller und Scheuchzer auf, zuerst, nahezu zeitgleich mit dem Fund selbst, in Lycosthenes' *Prodigiorum ac ostentorum chronicon* (Abb. A14). Wahrscheinlich benutzte Lycosthenes das Straßburger Flugblatt von Mellis als Vorlage. (Er folgt der selben fehlerhaften Datierung.) Lycosthenes deutet am Ende eine mögliche natürliche Erklärung für die merkwürdigen Zeichen auf den Steinen an: Die Zeichen seien »wie von Natur eingraviert« (*quasi a natura insculpta*) zu sehen gewesen.[108] Johann Jacob

---

[105] Die Grafschaft Kiburg war 1424 an Zürich übergegangen und sogleich als Landvogtei eingerichtet worden (größte Vogtei des Kantons); seit 1536 unterstand sie einem jeweils auf sechs Jahre gewählten Vogt mit Sitz auf dem Schloß Kiburg, der den Blutbann ausübte, während die niedere Gerichtsbarkeit in den Händen privater Gerichtsherren war. Vgl. HBLS 4, S. 483. – Zu Andreas Schmid vgl. ESCHER, Schmid (1902).

[106] Vgl. ZBZ, Ms. L 851, Nr. 8, fol. 142ᵛ (unter »Kiselstein«); SCHEUCHZER, Bibliotheca scriptorum historiæ naturali (1716), S. 115 f.

[107] HALLER, Bibliothek der Schweizer-Geschichte (1785–1788), Bd. 1, Nr. 1792: »im 2ten Band der Mssa *Wickiana* zu Zürich«.

Wagners *Historia naturalis Helvetiae curiosa* von 1680 konnte ihn daher nicht nu als Zeugen nennen, sondern in diesem Fall auch wörtlich zitieren.[109] Der Basle Humanist war ohnedies ein zitierfähiger naturhistorischer Autor, noch bis weit in di erste Hälfte des achtzehnten Jahrhunderts hinein. Der schon einmal erwähnte Artike »Natur-Geschichte« aus *Zedlers Universal-Lexicon* nennt ihn gleich als ersten unte den Autoren des sechzehnten Jahrhunderts, die Conrad Gesner »gefolget« seien.[1] Das mag zunächst befremden, läßt sich aber kaum von der Hand weisen, denkt ma an die persönlichen Verbindungen zwischen Gesner und Lycosthenes und den rege Austausch zwischen Zürich und Basel, der zur Entstehungsgeschichte des *Prodigio rum ac ostentorum chronicon* gehört.[111]

Auch systematisch konnten Prodigienchroniken zu den Werken der Naturge schichtsschreibung gerechnet werden. Das war bei Bacon so und noch nach ihn Der Zedler-Artikel teilt die Naturgeschichte ähnlich wie der Verfasser des *Novun organum* in »Historia naturae regularis« und »Historia naturae peccantis« ode »monstrorum« ein. Im *peccantis* klingt terminologisch noch das bekannte mora theologische Kausalmodell zur Erklärung des Abnormen durch.[112] Aldrovandi *Monstrorum Historia* wäre dieser Hälfte der Naturgeschichte zuzuordnen, Gesner *Historia animalium* weitgehend der anderen, um hier nur zwei Beispiele zu nennen Das achtzehnte Jahrhundert wich diese Trennung an verschiedenen Stellen auf un suchte nach den Regeln der Ausnahmen, um sie einem Systemdenken der Natur z integrieren, das sich gegen göttliche Willküreingriffe mehr und mehr abzuschließe begann.

Johann Jacob Wagner brachte die Episode von den Kieselsteinen aus der Töß i »Sectio VI. De Fossilibus«, und hier im »Articulus III.« mit der Überschrift »D lusu Naturae circa Lapides«. Will man begreifen, was die Steine für ihn mit Fos

---

[108] LYCOSTHENES, Prodigiorum ac ostentorum chronicon (1557), S. 658: »In Heluetia die Lun post D. Galli festum, non procul ab oppido Vuinterthur in Theso fluuio, [...] in quorur primo, crux Heluetia, gladius atque uirga, in reliquis autem duobus crux atque insigni Burgundiaca depicta ac quasi a natura insculpta uidebantur.« Ebenfalls auf dem Text de Flugblatts beruht eine handschriftliche Überlieferung des Steinfundes in Rechbergers Chro nik. Vgl. die Abschrift des verlorenen Originals: StdA Biel, CCXLIX.12, pag. 113 f. Für di freundliche Mitteilung des Textes danke ich Jaques Lefert (Schreiben an den Verf. v 26. Januar 2000).

[109] Vgl. WAGNER, Historia naturalis (1680), S. 331. Keine weiteren Quellen werden genann Keine weiteren Bemerkungen dazu auch im durchschossenen Handexemplar Wagners ZBZ, Ms. Z VIII 733, S. 331.

[110] Zedler, Bd. 23, Sp. 1067.

[111] Siehe oben I/2.3 zu Lycosthenes.

[112] Zedler, Bd. 23, Sp. 1065. Bacons Grundeinteilung ist dreigliedrig und schließt Menschen werk ein. Insgesamt unterscheidet er in der dem *Novum Organum* angehängten »Parascev ad historiam naturalem et experimentalem« 130 Unterabteilungen der Naturgeschichte. Vg BACON, Novum Organum (1858), S. 367 ff. Dazu SEIFERT, Cognitio historica (1976) S. 120.

ilien zu tun hatten, kommt man mit den Maßstäben der modernen Paläontologie
nicht weiter. Die übergreifende zeitgenössische Theorie zur Entstehung von Fossilen, der Wagner sich anschloß, wird in der untergeordneten Überschrift des »Articulus« angedeutet. Wagner war wie viele Naturforscher seiner Zeit davon überzeugt,
Fossilien seien Spiele der Natur (*lusus naturae*), das Ergebnis einer naturimmanen-
en *vis plastica*.[113] Eine »wunderwirckende Natur in der Erden selbs könne dergleichen Figuren bilden/ oder austrucken«, so referiert Scheuchzer diese Position in
seiner *Physica*, schon mit einem pejorativen Unterton.[114] Zunächst hatte er Wagners
Auffassungen geteilt, war dann aber durch die Arbeiten Woodwards zum Diluvia-
lismus bekehrt worden, den er bis ans Lebensende glühend verfocht.[115]

Der Diluvialtheorie zufolge waren die fossilen Tiere und Pflanzen Überreste der
biblischen Sintflut. Die große Erdüberschwemmung half, die schwer begreiflichen
Fossilienfunde von Fischen in den Schweizeralpen zu erklären. Sie wurden damit
ihrerseits zur Bestätigung für eine totale Überschwemmung, die wiederum selbstverständlich mit der in der Genesis beschriebenen Sintflut identifiziert wurde. Damit
bot sich ein ideales Feld für die Physikotheologie, deren überhaupt gewagtestes
Unternehmen vielleicht Scheuchzers *Physica Sacra* war.[116] Die enorme Bedeutung
der Fossilienfunde in den Bergen für die Naturwissenschaft trug in der Gelehrtenwelt ihren Teil zur europaweiten Alpenbegeisterung bei, die durch Albrecht von
Haller buchstäblich auf den Gipfel kam. Mit der Sintfluttheorie hatte für die
Schweiz gewissermaßen die naturhistorische Stunde geschlagen, deren Gunst
Scheuchzer zu nutzen verstand, um dem »Publikum« seine »Observationen« nicht
nur »zu der Ehre des Höchsten«, sondern auch »zum nuzen des Vatterlands« bekannt
zu machen.[117]

Für eine Reihe von Phänomenen entstand mit der Diluvialhypothese allerdings
ein neuer Erklärungsbedarf. Die Theorie von den *lusus naturae* hatte keine Unterschiede zwischen Tier- und anderen Figuren gemacht. Die Sintfluttheorie hingegen
vermochte nur noch die *figurae animalium et plantarum* zu erklären. Für ungewöhnliche Steinbildungen, die sich unmöglich als Tier- oder Pflanzenüberreste interpretieren ließen, brauchte Scheuchzer andere Theorien. In der *Natur-Historie des
Schweitzerlands* sucht man sie oft vergeblich, obwohl er sich dort bei der Schilde-

---

[113] Vgl. dazu BUFFETAUT, Paléontologie (1998), S. 21–26.
[114] SCHEUCHZER, Physica (1729), Bd. 2, S. 216 (Kapitel XXXI.) So noch 1729, II, S. 309. Vgl.
SCHEUCHZER, Natur-Wissenschafft (1711), S. 114 (Kapitel XXXI, 11).
[115] Zu Woodward und der Diluvialhypothese vgl. ausführlicher FISCHER, Scheuchzer (1973),
S. 48–71. Zu Scheuchzers Diluvianismus: KEMPE, Wissenschaft, Theologie, Aufklärung
(2003) und KEMPE, Sintfluttheorie (1996).
[116] SCHEUCHZER, Physica sacra (1731). Dazu STEIGER, Nachlass Scheuchzer (1933), S. 15 (Dr.
127), S. 16 (Dr. 132), S. 17 (Dr. 140); FISCHER, Scheuchzer (1973), S. 106–111. Zur Physikotheologie in Scheuchzers *Physica sacra* MICHEL, Batrachotheologia (1996).
[117] Vgl. SCHEUCHZER, Naturgeschichten (1706–1708), Bd. 1, S. 1.

rung der in den Schweizer Kantonen vorkommenden Gesteinsarten häufig auf da konzentrierte, »was sonderlich merkwürdig ist«,[118] also auf die Kuriositäten, be denen man eine Erklärung erwarten würde.

Hier integrierte Scheuchzer nun auch die ungewöhnlichen Töß-Kieselsteine. Sei ne Beschreibung war offenkundig das Ergebnis einer umfangreichen Recherch nach historischen Quellen. Er zitierte in Text und Bild die illustrierte Beschreibun aus der Feder von Andreas Schmid. Diese Überlieferung genoß mehr Vertrauen al Lycosthenes oder das Straßburger Flugblatt von Augustin Mellis (das Scheuchzer j ebenfalls bekannt war), denn Schmid hatte die Steine mit eigenen Augen geseher und der Obrigkeit angehört. Die Autopsie als entscheidendes Kriterium wird in eine handgeschriebenen Vorarbeit, *Mineralia Helvetiae* betitelt, deutlicher ausgesproche als im Druck der *Natur-Historie*: »Ich besitze die Zeichnung und Beschreibun; dieser Kieselsteine von der Hand des ehrwürdigen Herrn Andreas Schmid, zu diese Zeit Landvogt von Kyburg, der es mit eigenen Augen bezeugt hat.«[119]

Es scheint dem Vorrang des Auges zu entsprechen, wenn Scheuchzer zunächs auf die Abbildung verweist und betont, die »Figuren«, die er habe »vorstellen las sen«, beruhten auf der Zeichnung von Schmid, ehe er den Text der Beschreibun; zitiert. Schließlich bemerkt er noch, die Steine seien »in dem Archivo zu Winterthu aufbehalten worden«, dort aber nicht mehr vorhanden.[120] Offenbar hatte er versucht sich mit eigenen Augen zu vergewissern. Im Vergleich mit Wagner zeigt diese Vorgehen vor allem Scheuchzers Qualitäten bei der Suche nach historischen Do kumenten und seine kritische Einschätzung ihrer Zuverlässigkeit. Das Ergebnis de Quellenkritik sah dann so aus: Scheuchzer entschied sich, den Autopsiebericht vo Schmid zu zitieren, auf das gelehrte Werk von Lycosthenes lediglich zu verweisen das Straßburger Flugblatt aber ebenso wie Wagner, der sich allein auf Lycosthene: gestützt hatte, zu verschweigen. Obwohl Scheuchzer die Steine nicht mehr zu Ge sicht bekam, war er aufgrund schriftlicher Zeugnisse von ihrer Existenz, ja soga von der Möglichkeit einer zuverlässigen bildlichen Wiedergabe so fest überzeugt daß er den Fall in seine eigene Naturgeschichte der Schweiz aufnahm, obwohl e hier in Erklärungsnotstand geraten mußte.

Dies ist am Verzicht auf eine ausdrückliche Erklärung des Phänomens ablesbar Dieser Verzicht stand allerdings völlig im Einklang mit der Speicherfunktion de Naturhistorie. Es entsprach der Baconschen Vorstellung, dort vorläufig auf Erklä

---

[118] SCHEUCHZER, Natur-Historie (1716–1718), Bd. 3, S. 127.

[119] Scheuchzer, Mineralia Hevetiae; ZBZ, Ms. Z VIII 605a, fol. 66^r: »Possideo ego delineationem et descriptionem horum silicum manu Nob[ili] D[omi]n[i] Andres Schmidij, Kyburg hunc temporis praefecti, qui testis fuit αὐτόπτης.« – Zur Bestimmung der Entstehungszei zwischen 1711 und 1714 vgl. STEIGER, Nachlass Scheuchzer (1933), S. 32 (Ms. 95).

[120] SCHEUCHZER, Natur-Historie (1716–1718), Bd. 3, S. 128 (die gleiche Bemerkung lat. auch schon in ZBZ, Ms. Z VIII 605a, fol. 66^v).

rungen zu verzichten, wo sie fraglich waren. Das Schweigen bedeutete also eine Aufschiebung des Urteils und damit die Vermeidung jenes Kardinalfehlers, den die Vorurteilskritik als voreiliges Urteilen gebrandmarkt hatte. Wohin Scheuchzers naturwissenschaftliche Vermutung zielte, läßt sich vielleicht dennoch an der direkt anschließenden Beschreibung eines durchlöcherten Kieselsteins aus seiner eigenen Naturalienkammer erahnen. Die Ursache für diesen »Silex perforatus« wird auf eine ebenso evidente wie banale sprichwörtliche Formel gebracht: »Gutta cavat lapidem non vi, sed saepe cadendo.«[121] In sehr freier Übersetzung: »Steter Tropfen höhlt den Stein«. Man könnte die Abfolge der Fallbeispiele – vom komplizierten und ungelösten Beispiel zum einfachen – auch noch als versteckte cartesianische Reduktion komplexer Probleme auf klare und einfach Beispiele interpretieren. Die Botschaft wäre dann, daß der komplizierte Fall im Prinzip die gleichen Ursachen hat wie der einfache. Die Figuren auf den Kieselsteinen aus der Töß wären danach als Ergebnis einer natürlichen Einwirkung der Wasserkraft anzusehen. Diese Vermutung wird durch die Abbildungen bestärkt, die Scheuchzer von den 1556 gefundenen Steinen nach Schmids Vorlage bot. Die Kreuze, das Wappen, Schwert und Rute waren leicht schraffiert, die geraden Linien und eckigen Kanten abgemildert. Die Zeichen wirkten schwächer, aber darum auch realistischer und glaubwürdiger als die scharfkonturierten und rot kolorierten Symbole im Holzschnitt. Diese Abmilderung für das »aufgeklärte« Auge kam einer Erklärung des Phänomens mit Hilfe der Wasserkraft entgegen. Diese Ursache war freilich viel zu allgemein, um die Symbole nicht nur als Zufallsprodukte erscheinen zu lassen.

Das aber erscheint dem Wissenschaftsrationalismus unbefriedigend, besonders als Alternative zum Wunder. Noch Einsteins berühmte Antwort auf die Heisenbergsche Unschärferelation in der Quantentheorie, Gott würfle nicht, war ganz im Geiste des alten aristotelischen Grundsatzes, daß Gott und die Natur nichts umsonst tun. Glaubt man der Chaostheorie, so würfelt er dauernd. Mit der anthropomorphistischen Vorstellung eines *creator mundi* läßt sich das kaum noch vereinbaren. Gelehrte der Aufklärung begründeten mit eben dieser Vorstellung die Wahrheit ihrer Naturforschung: Die Annahme einer vernünftigen Weltkonstruktion war Garant für die Verständlichkeit der Natur, auch heuristisches Prinzip, mit dem schon feststand, daß die Suche nach Sinn und Ordnung des Kosmos nicht vergeblich war, zugleich Kampfmittel gegen die Irrationalität des vermeintlich Übernatürlichen und Wunderbaren. Es ist kein Zufall, daß der Zufall diese Theorie auch schon im achtzehnten Jahrhundert beunruhigte und Debatten auslöste, die erheblich dazu beitrugen, daß die Wahrscheinlichkeitsrechnung in den Wissenschaften schnell an Bedeutung gewann.

Was die Steine aus der Töß betrifft, so muß man weder den Zufall bemühen noch die Wahrscheinlichkeitsrechnung. Dem heutigen Blick will es einfach nicht gelingen, in ihnen überhaupt ein Naturphänomen zu erkennen. Und das liegt nicht etwa

---

[121] Ibid., nach Ovid, Epist. IV. 10,5.

an der Unzuverlässigkeit der »Zeugen« dieser Geschichte, sondern wird durch sie unterstützt, je mehr man die zeitgenössischen Beschreibungen ernst nimmt, mag man die mit ihnen kolportierten Deutungen auch nicht teilen. Daß Scheuchzer die Steine in seine *Naturhistorie des Schweitzerlandes* aufnahm, obwohl ihm eine Erklärung des Phänomens letztlich fehlte, ist nicht nur durch die Offenheit der nachbaconschen Naturgeschichte, sondern mindestens ebenso durch sein Vertrauen auf seinen kritischen Umgang mit den Quellen der Vergangenheit begründet. Diese historisch-kritische Arbeitsweise stand immer noch fast gleichberechtigt neben den naturwissenschaftlichen Methoden, die er anwandte. Naturgeschichte zu betreiben, das erforderte eben auch Suche nach historischen Dokumenten, Quellenkritik und -vergleich. Im Vergleich mit »aufgeklärten« Pauschalurteilen gegenüber Wundergeschichten als reinen Phantasieprodukten kann man dies Scheuchzer durchaus als Vorzug anrechnen. Aufklärerische Aberglaubenskritik hat lange eine Anwendung der historischen Quellenkritik auf solche Forschungsgegenstände verhindert, die man dem »Reich der Fabeln« zuwies, dessen Bestand sich im achtzehnten Jahrhundert schlagartig vermehrte. Der Historismus des neunzehnten Jahrhunderts hat sie bereitwillig aus der Geschichtswissenschaft verbannt und neuen geisteswissenschaftlichen Disziplinen wie der Volkskunde überlassen. Das kann man durchaus als Unterlassung kritischer Geschichtswissenschaft werten.

Die historisch-kritische Untersuchung selbst eines auf den ersten Blick so absurd anmutenden Falls der Wissenschaftsgeschichte, wie ihn die »Wundersteine« aus der Töß liefern, zwingt zum Verzicht auf Pauschalerklärungen und damit zur Suche nach einer alternativen Lösung der Fragen, die sich hier stellen. Es geht damit um die Auflösung der Verlegenheit, in der sich schon Scheuchzer befand: Den »glaubwürdigen« historischen Zeugnissen auf der einen steht das Fehlen einer naturwissenschaftlichen Erklärung auf der anderen Seite gegenüber. Ich meine, daß Historiker sich hier nicht auf konstruktivistische oder relativistische Gemeinplätze zurückziehen sollten. Sie helfen hier nicht weiter. Konkrete Lösungen sind gefragt.

Die Vermutung des Winterthurer Chronisten Ulrich Meyer, die Steine seien »gemalet« also künstlich gewesen, weist in die richtige Richtung. Die Lösung des Rätsels der Wundersteine dürfte in der Geschichte des nahegelegenen Dominikanerklosters liegen.[122] Die Wappenzeichen, die Meyer auf den Steinen identifizierte und benannte, lassen sich mühelos dem Frauenkloster zuordnen, dessen Wanddekorationen voller Wappensteine waren. Da waren die Stifterwappen unter den Fresken des Kreuzgangs, die Wappen auf der Deckplatte des Sarkophags der Prinzessin Elisabeth von Ungarn, der prominentesten Nonne in der Geschichte des Klosters; da waren schließlich steinerne Wappen in der Zimmerdekoration. Das Österreicherwappen etwa tauchte dort an den Friesen auf, wie sie Johann Conrad Werdmüller

---

[122] Für die entscheidende Anregung zu dieser »Lösung« danke ich dem Stadtarchivar von Winterthur, Alfred Bütikofer (Schreiben an den Verf. v. 9. Juli 1998).

1838 noch gezeichnet hat,[123] bevor die Klostergebäude nach und nach abgerissen wurden, zuletzt 1916 die Kirche. Wenn Meyers Angabe, daß es sich auf dem Wappenschild um ein Österreicherwappen handelte, korrekt ist, dann wurde die Abbildung im Flugblatt falsch koloriert, und auch Scheuchzers Darstellung kann nicht richtig sein. Im österreichischen Bindenschild steht ein weißer Balken im roten Feld, nicht umgekehrt. Das Andreaskreuz gehörte zum Klosterwappen, wie es sich auf den Deckenbalken des Konventgebäudes befand. Wenn Conrad Lycosthenes von »insignia Burgundiaca« sprach, so ist dies insofern nachvollziehbar, als das Andreaskreuz auch als burgundisches bezeichnet wird. Meyer und Lycosthenes dachten bei den Symbolen jedenfalls noch an das, was sie wirklich waren: heraldische Kunstprodukte. Im Bericht von Schmid fehlte diese Assoziation ebenso wie im Straßburger Flugblatt. Scheuchzer sprach vom Burgunderwappen, bezog sich dafür aber auf Lycosthenes und dachte vermutlich keinen Augenblick an das nahegelegene Kloster. Umgekehrt kamen ihm die Steine auch nicht in den Sinn, als er sich einige Jahre später mit dessen Geschichte befaßte.[124]

Wie aber kamen die Wappensteine aus dem Kloster in die Töß? Zwei Möglichkeiten bieten sich dafür an. Erstens: Laurentius Bosshart berichtet in seiner Chronik, Felix Schwend, der in den Reformationsjahren Landvogt von Kiburg war, habe 1525 im Zuge der Säkularisierung des Klosters »die götzen abthun vnd verbrennen« sowie »alles gemäld durchstreichen« lassen.[125] Diese Maßnahme betraf aber nur die Kirche. Die großen Fresken des Kreuzgangs etwa blieben verschont, bis sie Opfer der 1798 im Kloster eingelagerten französischen Truppen wurden. Zwar liegt die Vermutung nahe, daß 1525 mit den Bildern zugleich auch die Insignien der alten habsburgischen Herrschaft entfernt wurden, was freilich zugleich in einigen Räumlichkeiten unterlassen worden sein müßte, wie die Zeichnungen von Werdmüller belegen. Dieser Umstand spricht gegen ein gezieltes Vorgehen.

Wahrscheinlicher ist darum die zweite Möglichkeit: Als Heinrich Brennwald Anfang 1529 den ersten von Zürich eingesetzten Pfleger des Klosters ablöste, leitete er sogleich größere Umbauarbeiten ein. Bosshart beschreibt sie folgendermaßen:

> Der pfläger obgenannt buwet glich im selbs und sinen nachkomen ein dhuß oder herberg im ritter huß, brach die zellen ab uff dem grossen refental [Refektorium] und brucht das selb zů sinem buw. Er brach ouch ab vil buw, deren man nitt bedorfft und aber vil costet hettind, im tach zu behallten. Item deß sennen huß ward gar abgeschlissen, und macht man den armen lüthen und dem bettler vogt ein huß ze nechst bym thor. Er machet ouch ein hupsche korn schute, da die vil zellen gesin warend, ob dem räfental. Diß alles beschach im 1529 jar.[126]

---

[123] Die Zeichnung in dem Band Ludwig Schulthess / Johann Conrad Werdmüller, Ansichten vom Kloster Töß; ZBZ, PAS II 106.

[124] Vgl. ZBZ, Ms. H 93, fol. 357ʳ–361ʳ.

[125] Bosshart, Chronik (1905), S. 322. Die Passage auch bei Hafner, Kloster (1879), S. 10; Zur Chronik von Bosshart vgl. Hafner, Handschriften (1880), S. 7–12. Zur Aufhebung des Klosters vgl. Däniker-Gysin, Töß (1958), S. 66–70, und Sulzer, Bilder (1903), S. 51.

Die Steine der abgebrochenen Bauten wurden diesem Bericht zufolge für Neubauten wiederverwendet. Aber bei den Umbauarbeiten fiel zweifellos Bauschutt an, der wahrscheinlich in der nahe beim Kloster vorbeilaufenden Töß entsorgt wurde. Und in diesem Bauschutt befanden sich vermutlich auch die Wappensteine, die der Kärrner Hans Custer 1556 fand und für Wunderzeichen hielt. Das aber waren sie so wenig wie natürliche Phänomene oder »Naturwunder« in Scheuchzers Sinne. Allenfalls die abgerundete Form der Steine mag das Resultat von 27 Jahren Einwirkung der Wasserkraft gewesen sein. Die Wappenzeichen hingegen waren Handwerkskunst.

Es geht mir nicht darum, die Realität hinter den Deutungen der Zeitgenossen oder Scheuchzers aufzudecken, um zu demonstrieren, daß sie falsch waren. Die Herkunft der »Wundersteine« aus dem nahegelegenen Kloster, die doch sehr wahrscheinlich ist, löst vielmehr ein fundamentales hermeneutisches Problem, das sich zuerst gegenüber der Interpretation der Steine als Wunderzeichen stellt. Schon Scheuchzer konnte diese Erklärung nicht akzeptieren. Er löste das Problem, indem er die Steine als Naturphänomen einordnete. Dieser Lösungsweg steht heute nicht mehr offen. Die Interpretationsschwierigkeiten haben sich mit Scheuchzer daher nur verschoben. Die Wundersteine aus der Töß wurden irgendwann – stillschweigend und ohne weitere Begründung – aus dem Arsenal natürlicher Phänomene gestrichen und als »unmöglich« verworfen. Das gilt bis heute. Dieser Mechanismus des Ausschlusses läßt sich wissenschaftsgeschichtlich jedoch nicht verallgemeinern. Auf dem Gebiet der Tier- und Pflanzenteratologie zeichnet sich gegenwärtig der umgekehrte Trend ab, daß sich im Rückblick auf die Fallgeschichte des sechzehnten und siebzehnten Jahrhunderts mittlerweile weit mehr »realistische« Fälle ausmachen lassen als noch vor 50 oder 100 Jahren gelten gelassen wurden.[127]

Die vorgeschlagene »Lösung« des Problems der Wundersteine enthält natürlich eine Reihe von Annahmen, die plausibel, aber nicht bewiesen sind. Die Identifikation der Kiesel als Wappensteine aus dem nahegelegenen Kloster würde mühelos erklären, weshalb die Symbole rot gefärbt waren. Auch der Eindruck des Chronisten Ulrich Meyer, der sie »fin ussbscheidenlich«, also deutlich fand – ebenso deutlich, als wären sie von Künstlerhand gemacht –, wäre nachvollziehbar, ja, sogar zutreffend. Die Abmilderung der Deutlichkeit und der Verzicht auf Farbe in Scheuchzers Abbildung (Abb. A15) kommt unter diesen Voraussetzungen einer Veränderung der Tatsachen gleich. Sie war das Ergebnis eines immer wieder verlängerten »Irrtums«, der bei dem Finder Hans Custer begann und durch verschiedene Einordnungen – zuerst als Prodigium (Wick, Lycosthenes), dann als kurieses Naturphänomen

---

[126] BOSSHART, Chronik (1905), S. 324. Auch bei HAFNER, Kloster (1879), S. 11.
[127] Vgl. die vorzüglichen Kommentare von Ulla Britta Küchen in den Bänden I-IV, VI und VII der Serie der *Deutschen illustrierten Flugblätter des 16. und 17. Jahrhunderts* (hrsg. von Wolfgang Harms u. a.) zu den teratologischen Einblattdrucken.

(Wagner, Scheuchzer) – jeweils neue Implikationen mit sich brachte. Scheuchzer, einmal davon überzeugt, daß die Zeichen auf den Kieselsteinen eine natürliche Ursache hatten, mußte in den zeitgenössischen Illustrationen (bei Schmid und im Flugblatt) Übertreibungen erkennen, die er um der Wahrscheinlichkeit des Phänomens willen gewissermaßen wieder abziehen mußte. Das erschien ihm legitim. Damit aber kommt unter der Oberfläche einer ganz auf die Geschichtszeugnisse und die vermeintlichen Tatsachen beschränkten Darstellung des Falles in der *Natur-Historie des Schweitzerlandes* die Wirkung grundsätzlicher Ansichten von der Zuverlässigkeit der Zeugnisse und davon zur Geltung, was Scheuchzer in der Natur für möglich hielt. Am Beispiel der Töß-Kieselsteine offenbart sich also eine Diskrepanz zwischen den Ergebnissen der Quellenkritik des Naturhistorikers einerseits und den Auffassungen des Naturwissenschaftlers Scheuchzer andererseits. Überbrückt wird sie in einer Kompromißlösung, die in den Abbildungen visualisiert ist. Hält man diese wiederum mit dem Autopsie-Kriterium für die Zuverlässigkeit der Quellen zusammen, so ergibt das ein ziemlich paradoxes Ergebnis: Scheuchzer vertraute dem Augenzeugen Schmid, mißtraute aber dessen Augen. Hätte er statt dessen den Abbildungen mehr Zeugniswert zuerkannt, so wären ihm vielleicht Zweifel gekommen, ob es sich überhaupt um ein Naturphänomen handelte. Gerade in seiner Skepsis gegenüber der Zuverlässigkeit der zeitgenössischen Abbildungen zeigt sich somit die Grenze seiner Kritik.

Es gibt einen vergleichbaren Fall, der 1714 in Luzern bekannt wurde. Der hiesige Arzt und Ratsherr Karl Nikolaus Lang fügte ihn 1735 seiner *Historia Lapidum figuratorum* als späten Nachtrag hinzu.[128] Lang war gewissermaßen das katholische Pendant zu Scheuchzer und stand mit diesem zwischen 1700 und 1727 in brieflichem Austausch.[129] Der Begründer des naturhistorischen Museums in Luzern gehörte wie der Zürcher Polyhistor einer ganzen Reihe der wissenschaftlichen Akademien Europas an und vertrat standfest die alte *lusus naturae*-These, daher auch das Interesse gerade an solchen »Figuren«, die mit Sicherheit nicht Versteinerungen von Tieren oder Pflanzen waren (vgl. S. 263 f.). Bei dem Wunderstein, den Lang präsentierte, handelte es sich um einen Achat, auf dem die Kreuzigung Christi abgebildet war, ikonographisch korrekt mit Maria links und Johannes rechts vom Gekreuzigten (Abb. A16). Das Bild war angeblich auf natürliche Weise entstanden. Lang verstand es, diese Behauptung mit bewährten Methoden zu belegen, indem er die Eigenschaften des Achats geltend machte und ähnliche prüfende Experimente beschrieb, wie sie mit den Töß-Steinen unternommen worden waren. Die Aufzählung weiterer Fälle von Figurensteinen mit Bildern aus der Passionsgeschichte folgte ebenfalls bekannten Beweismustern und gipfelte in einer »Tabula generica Lapidum figuratorum imagines sacras repraesentantum«, in der die Beispiele klassifiziert wurden.

---

[128] LANG, Appendix (1735). Zu Lang vgl. HBLS 4, S. 599.
[129] Briefe von Lang an Scheuchzer in ZBZ, Ms. H 333 und H 339. Vgl. STEIGER, Nachlass Scheuchzer (1933), S. 48.

Auch Scheuchzer war der Achat mit der Kreuzigungsszene bekannt. Eine Radierung, die mit derjenigen bei Lang nahezu identisch ist, findet sich unter den *Icones pro Lexico mineralogico*, die den geplanten Druck von Scheuchzers *Lexicon mineralogicum* illustrieren sollten.[130] Dort ist der Stein unter den »ACHATAE anthropomorphoi« und damit wiederum in einer Reihe vergleichbarer Fälle verzeichnet.[131] Lang gegenüber, der von »imagines sacras« gesprochen hatte, wirkt die klassifikatorische Bezeichnung wie »säkularisiert«. Sie ist rein deskriptiv aufzufassen und impliziert weder Zugeständnisse an die Anhänger der *lusus naturae*-Theorie noch überhaupt die Annahme einer natürlichen Ursache. In einer Anmerkung sprach Scheuchzer vielmehr die Vermutung aus, daß es sich in all diesen Fällen um Kunstprodukte handelte.[132] In diesem Sinne meinte Gottlieb Emanuel von Haller noch fünfzig Jahre später zu dem Luzerner Achat, es habe »wohl Einbildung oder Kunst großen Antheil« daran gehabt.[133] Das hieß mit anderen Worten: Aberglaube oder Betrug oder beides.

Merkwürdig, daß Scheuchzer bei den Töß-Steinen nicht auf den gleichen Gedanken kam. Wegen solcher »Geschichten« warf ihm schon die nachfolgende Generation von Naturforschern Leichtgläubigkeit vor.[134] In dem hier ausführlich skizzierten Fall trifft dies jedoch nicht die Wurzel seines Irrtums. Die Kieselsteine tauchten in den Werken zur Naturgeschichte oder zur Mineralogie der Schweiz später ebensowenig mehr auf wie Langs Stein mit der Kreuzigung Christi.[135] Freilich verleiht gerade der Umstand, daß Scheuchzer der frühen Aufklärung angehörte und daher noch manches rezipierte, was Spätere unmittelbar ablehnten, ihm eine besondere Rolle in der Aneignungsgeschichte der *Wickiana*. Scheuchzer stand an einem Wen-

---

[130] ZBZ, Ms. Z VIII 19e, fol. 5ʳ. Scheuchzer notierte darauf: »ist von einem Lucernischen Goldschmied Grauer von einem Lutherischen Soldaten per 20 fl. erkauft worden.« Vgl. LANG, Appendix (1735), S. 4: »Eximius hic lapis a Domino VVilhelmo Krauer Cive Lucernensi, & tunc temporis ejusdem Reipublicae Monetario a quodam VVestphalo emptus fuit precio haud infelici, & nunc possidetur ab ipsius haeredibus.« – Zum geplanten Druck des *Lexicon mineralogicum* siehe STEIGER, Nachlass Scheuchzer (1933), S. 37 (zu Hs. 126).

[131] ZBZ, Ms. Z VIII 19, S. 23 (»Achat«, Nr. 22). Hier findet sich eine kurze lateinische Beschreibung des Steins mit Angaben über den Besitzer (wie in der deutschen Bildunterschrift zur Radierung). Leider hat Scheuchzer nicht vermerkt, woher er die Abbildung hatte.

[132] Ibid.: »Not. [...] De omnibus Achatibus ἀνθρωπόμορφοι id notandum, referendos s[ae]pe [?] plerosque, si non omnes quoad figuras ad artefacta, quandoquidem arte encaustica omnis generis figurae Achatae imprimi possunt.« – Den Hinweis auf diese Notiz verdanke ich Urs Leu.

[133] HALLER, Bibliothek der Schweizer-Geschichte (1785–1788), Bd. 1, Nr. 1825. Langs Schrift ist hier wie das Straßburger Flugblatt über die Wundersteine aus der Töß unter den Titeln zum »Mineralreich« aufgeführt.

[134] Ibid., S. 315 (zu Nr. 1052): Scheuchzer verdiene »wegen seiner Fehler und seiner Leichtgläubigkeit« Nachsicht, weil er der einzige sei, der »alle Theile der Naturgeschichte seines Vaterlands weitläufig und mit einigem Erfolg bearbeitet« habe.

[135] Vgl. etwa GRUNER, Naturgeschichte Helvetiens (1773), GRUNER, Mineralien (1774) und KENNGOTT, Minerale der Schweiz (1866).

depunkt der Kritik von der Prüfung im einzelnen zu generalisierter Ablehnung. Er verfügte über das Arsenal der Aberglaubenskritik, unterschied mit Wolf und anderen bereits zwischen Volksaberglauben und gelehrtem Wissen. Aber er war noch bemüht, die Diskrepanz, die zwischen diesen beiden Weisen des Wissens bestand zu überbrücken, nicht das eine schlicht zugunsten des anderen zu verwerfen. Scheuchzer war der letzte Naturforscher, der die *Wickiana* als Quelle der Naturhistorie nutzte, wenn auch bereits mit deutlich kritischer Distanz. Er markiert in ihrer Aneignungsgeschichte zugleich die Wende zu einer neuen Ansicht über die Entstehung der *Wickiana*: ihrer Geburt aus dem Volks(aber)glauben. In der Aberglaubenskritik der Aufklärung wurzelt eine bis in die jüngste Zeit nicht mehr hinterfragte, letztlich allein ideologisch begründete Repräsentanz, die in den »Wunderbüchern« Wicks nur noch die undifferenzierte Stimme des Volkes wahrnehmen wollte.

3. MÜNSTERTURMBRAND 1763:
TRANSFORMATION DES WUNDERBAREN

Wiederholt sich Geschichte? – Die Antwort auf diese Frage hängt vom Geschichtsverständnis und seinen »Erfahrungsmodi« ab. Die »Wiederholbarkeit von Ereignissen« kann die »Wiederkehr von Konstellationen« meinen oder eine »figurale oder
typologische Zuordnung von Ereignissen«.[136] Das Exempeldenken des sechzehnten
Jahrhunderts, das in früheren Kapiteln Thema war, beruhte vor allem auf dem zweiten Muster. Der Historismus des neunzehnten Jahrhunderts hat dazu mit seinem
emphatischen Begriff historischer Individualität – von Epochen, Ereignissen und
Personen – eine radikale Gegenposition formuliert, die sich gegen alles Exemplarische in der Geschichte zur Wehr setzte. Um die Mitte des achtzehnten Jahrhunderts
war diese Position theoretisch noch nicht erreicht. Insbesondere in der Gelegenheits-
geschichtsschreibung, die uns in diesem und im nächsten Kapitel beschäftigen wird,
ergibt sich ein anderes Bild.

Am 21. August 1763 zieht ein heftiges Gewitter über Zürich auf. Wie schon 1572
schlägt der Blitz in den Glockenturm des Großmünsters ein und löst ein Feuer aus.
In Zieglers *Monatlichen Nachrichten einicher Merkwürdigkeiten* vom August 1763
wird der Einschlag, der etwa um acht Uhr abends erfolgte, genau beschrieben und
mit einer »krachenden Zersprengung« verglichen. Der Glockenturm sei »zu oberst
an dem Helm angezündet« worden, genauer noch: am Schindeldach »unterhalb der
mit Kupfer überzogenen Helmstange«.[137] Die Löscharbeiten dauerten bis vier Uhr in
der Frühe. Sie werden genau beschrieben, auch die Hilfsmittel. Diesmal mußten
keine Menschenketten gebildet werden, um Wassereimer von Hand zu Hand bis an
die Unglücksstelle zu reichen. Wasserspritzen standen zur Verfügung. Gegen Ende
des Berichts wird betont, während des Feuers sei es die ganze Zeit über windstill
gewesen:

> [U]nd haben wir demnach Gott höchlich zu danken, der, wie er das Feuer gesendet
> anzuzünden, also auch demselben, in dem er zu der Arbeit seinen Segen gegeben, die
> Schranken gesezet hat, und den tapferen Bemühungen der Einheimischen und Frem-
> den, welche gleichsam ihr Leben gewaget haben, und ein ruhmreiches Andenken
> verdienen, es gelingen lassen, die Flammen zu löschen.[138]

---

[136] KOSELLECK, Vergangene Zukunft (1989), S. 132. Vgl. auch KOSELLECK, Zeitschichten
(2000), S. 21.
[137] OTT, Umständliche Beschreibung (1763), S. 90.
[138] Ibid., S. 92.

3. Münsterturmbrand 1763: Transformation des Wunderbaren

Ein ruhmreiches Andenken – genau darum geht es in dem anschließenden historischen Rückblick auf den Großmünsterturmbrand von 1572. Damals habe den jetzt abgebrannten Turm »das gleiche Schiksal« getroffen. In der Überleitung zur Rückschau heißt es weiter, »schäzbare Freunde« hätten veranlaßt, »die geschriebnen alten Urkunden nachzusehen, und theils die Umstände zu vergleichen«. Das Aufschlagen der alten Chroniken aus aktuellen Anlässen gehört zu den großen Konstanten der Rezeption von Geschichtsschreibung überhaupt. Schon die Antike bietet Beispiele dafür. Wick hatte nichts anderes getan, wenn er in den Annalen nach früheren Parallelereignissen zu aktuellen Wunderzeichen oder Unglücksfällen suchte. Auch die gedruckten Nachrichtenmedien seiner Zeit, Flugblatt und Flugschrift, bedienten sich dieses Verfahrens, und Vergleichbares läßt sich bis in die Gegenwart beobachten. Noch immer sucht man bei Katastrophen nach historisch Vergleichbarem.

3.1. »bey nahe ein gleiches«

Der anonyme Verfasser des Artikels in Zieglers *Monatlichen Nachrichten* war ein späterer Bürgermeister Zürichs, Johann Heinrich Ott. Das geht aus einem Vermerk hervor, den Johann Jacob Simler in einem seiner Sammelbände zur Kirchengeschichte auf einer handschriftlichen, vermutlich zeitgenössischen Kopie der *Wickiana-* und Haller-Dokumente zum Großmünsterbrand von 1572 notierte: »Diese Beschreibung ist den Monatl[ichen] Nachr[ichten] von Augsten 1763, S. 936 mit H[er]rn Zunftm[eiste]r Otten Reflexionen, da das gleiche Schicksal d[en] 21. Aug[ust] 1763 den gleichen Thurn betraf, einverleibet.«[139] Simler übernahm hier, wenn er vom »gleichen Schicksal« sprach, die Deutung, die das Ergebnis des historischen Vergleichs vorwegnahm. So hatte eben auch Ott seinen Beitrag begonnen: Im sechzehnten Jahrhundert sei »bey nahe ein gleiches begegnet« wie am 21. August 1763. Zu seiner »Bewunderung« habe er »sehr nahe die gleichen Umstände« gefunden, »die sich jez wieder erneuerten«.[140]

Was Ott über seine Quelle mitzuteilen hatte, faßte genau jenes Bild in Worte, das schon an anderer Stelle beschrieben wurde und seit dem achtzehnten Jahrhundert aus der *Wickiana*-Rezeption nicht mehr wegzudenken ist:

---

[39] ZBZ, Ms. S 126, Nr. 117. – Die Auflösung ist mit Sicherheit zuverlässig. Bei LEU, Schweitzerisches Lexicon (1747–1795), Suppl. Bd. 4, S. 414–417, heißt es in Otts Biographie, u. a. habe er, »jedoch ohne seinen Namen, verschiedene gelehrte Aufsätze in den Zieglerischen Sammlungen vermischter Schriften, so auch in dessen monatlichen Nachrichten« veröffentlicht (S. 414). Zum Erscheinungszeitpunkt dieses Supplementbandes zu Leus Lexikon war Ott Bürgermeister. Die ausführliche Biographie beruht vermutlich auf seinen eigenen Angaben oder ist sogar eine Autobiographie.
[40] OTT, Umständliche Beschreibung (1763), S. 93.

273

Herr Archidiacon Jacob Wik ware ein Mann, der gerne arbeitete, die Geschichte ungemein liebte, und alles zusammen schriebe und sammelte, was zu seinen Tage vorfiele; damit füllte er sehr viele Bände an, welche die Caroliner Bibliothek bewahrt Man sieht leicht, daß Herr Wik kein Historicus ware; Er ware, was dem Baumeister der Handlanger ist; Er häufte dem Historicus raue Materialien auf, und sonderte nicht Wahres und falsches, grosses und kleines ware ihm gleich; Er truge nur zu, Er bauet nicht; Er liesse dem Baumeister die Wahl über.[141]

Es ist erstaunlich, welche Wirkung einzelne dieser Formulierungen entfalten konnten, obwohl sie zuerst nur in einem anonymen Nachrichtenartikel erschienen, der schnell wieder in Vergessenheit geriet. Hier wurden Formeln geprägt, die Johann Eßlinger in einer 1777 begonnenen biographischen Handschrift unter dem Stichwort »Wick« fast wörtlich wiederholte[142] und in Variationen bei Hans Fehr und Matthias Senn nachklingen.[143]

Urteile wie die, Wick habe zwischen Wahrem und Falschem, Großem und Kleinem nicht zu unterscheiden gewußt, setzen selbstbewußt Maßstäbe voraus, die der Geschichtsschreibung so heute nicht mehr zur Verfügung stehen. Historiker haben gelernt zu relativieren, und nicht erst mit (De-)Konstruktivismus und neuer Kulturgeschichte heute, sondern schon durch das, was der Historismus als »historischen Sinn« bezeichnete. Wick vermochte nach seinen eigenen Maßstäben für Glaubwürdigkeit durchaus zwischen Wahr und Falsch zu trennen. Eine Entscheidung über Wichtig und Unwichtig ist per se relativ zum Interesse. Es macht daher auch keinen Sinn, von *dem* Quellenwert *der Wickiana* zu sprechen.[144] Dieser Wert geht völlig in der Relativität zur jeweiligen Perspektive historischer Betrachtung auf, und darum sagen allgemeine Werturteile stets mehr über den Betrachter als über seinen Gegenstand aus. Schon Ott wurde sich dieser Perspektivität in der Selbsterfahrung zweimaliger *Wickiana*-Lektüre – vor und nach dem Blitzschlag vom 21. August 1763 – bewußt:

---

[141] Ibid., S. 93.

[142] Vgl. ZBZ, Ms. E 47, 526ʳ. Esslinger verweist – ohne Auflösung des anonymen Verfassers – am Ende auf seine Quelle, den Ottschen Beitrag, wenn er über Wick schreibt: »Er war ein Mann, der gern arbeitete, die Geschichten ungemein liebte, u[nd] alles zusammenschrieb u[nd] sammelte, was in seinen tagen vorfiel, großes u[nd] kleines aber war ihm gleich Unter andrem hat man von ihm eine weitläuffige beschreibung von dem d[en] 7. Mej 157: durch einen Strahlstreich entzündeten Münsterthůrm, welche der beschreibung derjenigen entzündung, die Θ. 2. Augst. 1763. geschehen, angehängt ist in Monatl. Nachr. 1763. p. 93 sc.«

[143] Formulierungen wie »Wichtiges steht neben Belanglosem, Falsches neben Richtigem ...« dürften von daher inspiriert sein. So SENN, Wick, S. 83; vgl. auch S. 30, S. 113 und SENN, Wickiana, S. 13. Aus dem gerne arbeitenden Wick werden dort Charaktereigenschaften wie »unermüdlicher Fleiß« und »Sammelleidenschaft«. Schon FEHR, Massenkunst (1924) S. 5f., spricht von »Sammeleifer« und gebraucht ebenfalls Formulierungen, die zwischen Oppositionen oszillieren: »Ob gut, ob schlecht, ob wahr oder ob verfälscht, ob schlicht, ob dramatisch, ob alltäglich, ob höchst verwunderlich: Alles raffte er zusammen und speichert es in seiner Sammlung auf.«

[144] Vgl. SENN, Wick (1974), S. 114.

3. Münsterturmbrand 1763: Transformation des Wunderbaren

Daß aber auch kleine Umstände, niedrige Aeste der Geschichten oft wichtig, zum wenigsten lehrreich werden können, zeigt unser dermaliges Beispiel. Ich habe diese Geschichte auch schon gelesen, aber nicht mit dem Feuer, nicht mit der Aufmerksamkeit, mit deren ich sie jez wieder aufsuche; jez dünkte sie mir lehrreich. Jez, da das Beyspiel mir ans Herze drükte, da die heissen Bilder meinen Augen noch neu waren, gaben sie mir hundert Betrachtungen an die Hande, über die ich zuvor unachtsam weghüpfte. Die Vergleichung der damaligen und jezigen Zeiten, Gewohnheiten, Sitten u.s.f. hatte lange nicht den Reiz für mich, den sie jez hatte und haben mußte.[145]

An diese Einleitung schließt sich die Schilderung der Ereignisse vom Abend des . März 1572 an, nicht ohne den Hinweis, daß diese »Erzehlung« »aus einem Brief es grossen Bullingers genommen« sei, der dann auch wörtlich zitiert wird, »damit er Leser nicht glaube, ich schreibe Romanen«.[146] Noch immer war es die Autorität es Zwingli-Nachfolgers, die für Glaubwürdigkeit stand. Aber was kam Ott überaupt so unwahrscheinlich vor, daß er fürchten mußte, der Leser könnte die Schilerung für einen »Roman« halten, für eine erfundene, unwahre Geschichte also, wie nan sie im sechzehnten Jahrhundert paradigmatisch als Fabel bezeichnet hätte? – Nachdem er seine Quelle, also Wick, ins Zwielicht gerückt hatte, mußte sich Ott zur Zuverlässigkeit des Berichts äußern, auf den er sich stützte. Soviel scheint klar. Aber s steckte wohl noch mehr dahinter: Skepsis gegenüber der historischen Überliefe-ung gehörte zum guten Ton der Aufklärung. Vor diesem Hintergrund wurde die Verbalisierung von Skepsis Teil einer Überzeugungsstrategie: die Skepsis des Lesers ieß sich vielleicht überwinden, indem man sich selbst skeptisch und damit den Anforderungen des »Zeitalters der Kritik« (Kant) gewachsen zeigte. Hier wurde sie och von einer anderen Textstrategie flankiert, die es von vornherein darauf anlegte, lurch den Vergleich zwischen den Ereignissen von 1572 und 1763 eine wunderbare Übereinstimmung zu demonstrieren. Natürlich wollte Ott damit seine eigene Leserfahrung vermitteln, die er auf den Begriff »Bewunderung«, im Sinne von »Verwunderung« brachte.

Diese Strategie der historischen Erzählung läßt sich mit Hilfe der Terminologie Bodmer- und Breitingerscher Dichtungstheorie noch besser erläutern. Breitinger bie-et dafür die knapperen Formulierungen an. In seiner Schrift *Von dem Wunderbaren nd dem Wahrscheinlichen* bestimmte er das Wunderbare in der Poesie »als die usserste Staffel des Neuen«. Das Neue überschreite noch nicht die Grenze des Möglichen und Wahrscheinlichen, das Wunderbare hingegen lege den »Schein der Wahrheit und Möglichkeit ab«, es verkleide »die Wahrheit in eine gantz fremde aber lurchsichtige Maßke, sie den achtlosen Menschen desto beliebter und angenehmer u machen«.[147] Damit war der Zweck einer Poetik des Wunderbaren schon ange-leutet. Das Wunderbare diente als »bequemes Mittel, die Aufmercksamkeit der

---

[145] OTT, Umständliche Beschreibung (1763), S. 93.
[146] Ibid., S. 94.
[147] BREITINGER, Von dem Wunderbaren (1980), S. 136.

Menschen zu erhalten, und ihre Besserung zu befördern«,[148] also als Vehikel einer moralischen Botschaft. Wichtig dabei war, daß das Wunderbare nur scheinbar dem Wahrscheinlichen widersprach. Weder Breitinger noch Bodmer redeten einer Poetik des bloß Phantastischen das Wort: »falls das Wunderbare aller Wahrheit beraubet seyn würde, so wäre der gröbeste Lügner der beste Poet«. Eine offensichtliche Lüge aber würde gerade das Gegenteil der Aufmerksamkeit erreichen. Der Mensch werde nur durch das »gerühret, was er gläubt; darum muß ihm ein Poet nur solche Sachen vorlegen, die er glauben kan, welche zum wenigsten den Schein der Wahrheit haben«.[149] Das so verstandene Wunderbare war also nicht wirklich dem Wahrscheinlichen entgegengesetzt, sondern nichts anderes als »ein vermummtes Wahrscheinliches«, das nur als solches erkannt werden kann, wenn es im Lauf der poetischen Erzählung den Schein des Unwahrscheinlichen ablegt. Zur Beurteilung der Wahrscheinlichkeit sollte sich die Phantasie folgender Grundsätze bedienen:

> I. Was durch glaubwürdige Zeugen bestetigt wird, das kan man annehmen. II. Den Vorstellungen der Sinnen darf man trauen. III. Was bey einem grossen Haufen der Menschen Glauben gefunden hat, und eine Zeitlang von einem Geschlechte zu dem andern fortgepflanzet worden, das ist nicht zu verwerffen. IV. Was nach gewissen Graden eingeschränket ist, das kan vollkommener oder unvollkommener seyn. V. Was einmahl geschehen ist, das kan wieder geschehen.[150]

In Otts historischer Erzählung spielte Bullinger die Rolle des glaubwürdigen Zeugen (I); die Zuverlässigkeit der Tradition (III) wurde zwar in Zweifel gezogen, aber doch nur, um diese mit dem Kronzeugen Bullinger wieder auszuräumen; und aus der Wiederholung des Geschehens (V) wurde bei Ott das Wunderbare erst konstruiert, das die Aufmerksamkeit auf die Neuigkeit – nicht nur des aktuellen Ereignisses, sondern auch der Mitteilung aus der Vergangenheit – steigern und damit eine Übermittlung der moralischen Botschaft garantieren sollte. Das Staunen und das »Staunenmachen« diente in Verbindung mit dem traditionellen Mittel des moralischen Exempels dazu, die bewährten Tugenden der Vergangenheit in die Gegenwart zu transportieren. Bullingers Schilderung, die in apologetischer Absicht den Gewitterschaden an Münster und Mensch heruntergespielt hatte, ließ sich für diesen Zweck bestens einsetzen.

Aber gerade daraus ergeben sich wesentliche Unterschiede: Bullinger diente das Wunderbare im Schrecklichen dazu, Gottes Gnade mit der Zürcher Gemeinde hervorzuheben. Bei Ott wurde es ganz und gar literarisches Konstrukt. Von einer Warnung Gottes, gar von Strafe war nicht die Rede. Auch die Historie diente nur als Vehikel einer Tugendlehre. Sie stellte in diesem Fall den Stoff – das Exempel – bereit, das in die poetische Form des Wunderbaren gegossen wurde, wenn auch in einem prosaischen Nachrichtenbericht.

---

[148] Ibid., S. 137.
[149] Ibid.
[150] Ibid., S. 141 f.

3. Münsterturmbrand 1763: Transformation des Wunderbaren

Es mag gewagt erscheinen, zwischen Dichtungstheorie und Geschichtsschreibung (im weitesten Sinne historischer Erzählung) so weitgehende Parallelen zu ziehen. Beim Blick auf das Zürich der Mitte des achtzehnten Jahrhunderts drängen sie sich jedoch geradezu auf, weil Bodmer als Professor für Geschichte am *Carolinum* tätig war und seinerseits mit zunehmendem Alter die Grenzen zwischen Geschichtsschreibung und Literatur auflöste. Bodmer poetisierte die Geschichte, so vor allem in seinen jeweils kurzen *Historischen Erzählungen die Denkungsart und Sitten der Alten zu entdecken*, deren moralische Traditionspflege sich mit Otts Absichten deckte.[151] Ich komme in einem späteren Kapitel nochmals darauf zurück.

Ott stammte zwar nicht direkt aus der Bodmerschen »Schule«, aber seine Jugenddichtungen fanden mehr als nur Gnade vor den Augen des großen Ziehvaters der künstlerischen Elite Zürichs im achtzehnten Jahrhundert. Nur auf den ersten Blick wirkt es störend, daß zu den Lehrern des jungen Ott ausgerechnet der streitsüchtige Pfarrer von Veltheim, Hans Conrad Füssli, gehörte, der sich aber erst sehr viel später mit Breitinger und anderen anlegte. Ott dichtete in jungen Jahren ein glückliches Ende auf Richardsons *Clarissa* und verfaßte ein Drama über das Schicksal der Johanna Gray – Jugenddichtungen, die das Gefallen Bodmers fanden.[152] Er schlug dann freilich die seiner Herkunft aus dem Zürcher Patriziat gemäße politische Laufbahn ein. In den Jahren, in denen er auch den Beitrag über den Großmünsterbrand von 1572 verfaßte, widmete er sich historischen Studien. Ende der sechziger Jahre war er auf diplomatischer Mission in Österreich bei der Kaiserin Maria Theresia im Streit um die Dörfer Ramsen und Dörflingen für Zürich erfolgreich. Das bahnte seinen Aufstieg zum Bürgermeisteramt – und seine Aufnahme in den erlauchten Kreis der berühmten Zürcher durch Leonhard Meister.[153]

»Wie viel ähnliches hat diese Geschichte mit deren, so wir selbst angesehen haben?«, fragte Ott am Ende seines Beitrags in Zieglers Nachrichten und gab sogleich die Antwort mit der *Conclusio*, auf die sein Text konsequent zustrebte:

> Der gleiche Thurn, die gleiche Entzündung, die gleiche majestätisch niedersteigende Flamme, und, was ich nicht vergessen muß, die gleiche kluge, beherzte und willige Gegenwehr; nur die Manier änderte ab, der Muth war der gleiche: Er hatte sich von den Vättern auf die Söhne geerbt. Verdienen diese würdige Söhne nicht eben die Unvergessenheit, in welcher ihre Vorfahren von 1572 leben? Sie verdienen sie! Nur eins wünsche ich, und ich weiß, daß es diese redliche Männer mit mir wünschen, daß kein gleiches Unglük unsern Enkeln den traurigen Anlaaß darbiethe, ihre Namen wieder aufzusuchen, so wie ich jez ihrer Vorfahren aufsuchte.[154]

---

[51] BODMER, Historische Erzählungen (1769). Dazu DEBRUNNER, Alter (1996), S. 25–27. Mehr dazu in Kapitel IV/4, S. 288 ff.

[52] Vgl. den biographischen Artikel in: Hirsching, Historisch-literarisches Handbuch 6,2 (1804), in: DBA I, S. 358.

[53] MEISTER, Berühmte Zürcher (1782), S. 197–220.

[54] OTT, Umständliche Beschreibung (1763), S. 94.

Auf diesen Schluß folgte ein Textabdruck der Quellen zum Münsterturmbrand vc 1572, jedoch nicht aus den von Ott erwähnten *Wickiana*, sondern aus Hallers Chrc nik, also in jener Fassung, in der Bullingers Brief nicht mehr als solcher erkennbᵃ war. So unwahrscheinlich waren die Parallelen zwischen den Ereignissen offensich lich doch nicht, daß die Dokumentation des Artikels von Ott auf den Zeugniswe des Bullingerbriefes entsprechenden Wert gelegt hätte. Allerdings fehlte weder di Namensliste der Helden von 1572 noch die Episode Studer, zu der es 1763 eine Parallelfall gab.

Übrigens wurden die Helden von 1763 schnell vergessen. In den Jahren nach dᵉ Brand des Glockenturms standen in Zürich ganz andere Maßnahmen zur Diskussioᵑ die das Großmünster zeitweilig in seinen Fundamenten zu erschüttern drohten. Die se galten als zu schwach für den Plan des Architekten Gaetano Matteo Pisoni, a Stelle des romanischen Glockengeschosses und der alten Kupferhelme einen stᵉ nernen Aufbau im neogotischen Stil hochzuziehen. Die Sorge um den Einsturz dᵉ dadurch überlasteten Baus rief den Gedanken an einen vollständigen Abriß uᵑ Neuaufbau wach, der 1765 neben weiteren Plänen zur Diskussion stand, bis Breᵗ tinger durch das Gutachten eines unabhängigen Architekten die Zuverlässigkeit dᵉ Fundamente unter Beweis stellen ließ. Begleitend verfaßte er »einen beherzten Bᵉ richt für die Erhaltung des romanischen Münsters« und wurde zum gefeierten Rettᵉ des alten Kirchenbaus.[155] Es dauerte noch bis in die achtziger Jahre, ehe eine dauᵉ erhafte Lösung gefunden wurde.

3.2. Parallelen

Öffnet man im Zusammenhang des Münsterturmbrandes von 1763 den Blick übᵉ die *Wickiana*-Rezeption hinaus, finden sich weitere Parallelen neben dem Einschlᵃ in den gleichen Turm des Großmünsters, die im kulturhistorischen Rückblick Bᵉ achtung verdienen.

Joder Studer war 1572 wegen seiner »Schandreden« zum Münsterturmbrand voᵏ der Obrigkeit zur Verantwortung gezogen worden. Seine Worte mußte er vor verᵏ sammelter Gemeinde im Großmünster widerrufen. Auch 1763 gab es einen »Faᴵ Studer«. Der Schmachredner hieß Jakob Weerli, war dreißig Jahre alt und Wirt voᵏ Wäldi im Thurgau. Auf Schloß Frauenfeld wurde er am 30. Dezember 1763 deᵏ Landvogt Sigmund Spöndli vorgeführt, der ihn ins Verhör nahm. Weerli gestand, aᴵ der Amtsknecht von Embrach zu ihm gekommen sei und ihm die Geschichte voᵏ Großmünsterbrand erzählte, habe er aus altem Groll gegen die Zürcher Chorherreᵏ gesagt, diese seien »Donnersbuben« und ungerechte Leute, und wegen dieser ungeᵏ rechten und gottlosen Leute, von denen es viele in Zürich gebe, sei der Blitz in

---

[155] Vgl. GUTSCHER, Grossmünster (1983), S. 170, der die Pläne detailliert schildert.

Großmünster gefahren. Es hätte auch nichts geschadet, wäre die ganze Kirche vom Gewitter in den Boden gestampft worden. Auch gegen die Zürcher Obrigkeit richtete er seine Schelte: Es seien viele Ungerechte darunter, die den Thurgauern schon viel Geld abgenommen hätten. Auf die Frage, welche Ungerechtigkeiten ihm persönlich von der Zürcher Obrigkeit widerfahren wären, vermochte der eingeschüchterte Mann nichts vorzubringen, außer daß er nicht mehr sicher sei, ob er die Worte überhaupt gesagt hätte. Er sei berauscht gewesen und bitte um Gnade. Die anwesenden Gerichtsherren kamen daraufhin zu folgender »Conclusion«: »Daß der Jacob Weerli wegen seinen gewüßen- und pflichtwidrigen, sofort mit großer Boßheit ausgestoßenen worten, Gott und die hohe obrigkeit hier kniefällig um gnad und verzeihung bitten; seine unverschemten und boßhafte Reden als faul u[nd] falsch nit allein hier ofentlich zurücknehmen, sondern auch in der Kirchen zu Wäldi nach vollendetem gottesdienst vor gesamter versammlung widerrufen solle, wo durch den Canzleyen Substitution in Beysein des Landgerichtsdiener die urtheil ofentlich publiciert und der wiederruf vorgetragen werden solle. Nebst dem solle Er 200. fl. Buß erlegen und alle hierüber ergehende Kösten abtragen.«[156]

In Weerlis Zorn kam wieder das alte Kausalmodell zu Wort, das aus den Wirkungen auf analoge Ursachen zurückschloß, die Weerli dort lokalisierte, wo der Blitz nun einmal eingeschlagen hatte. So wurden aus den Chorherren »Donnersbuben«. Die Metaphorik war kein spontaner Geistesblitz polemischen Eifers, sondern Ausdruck immer noch fest verankerter Deutungsmuster. Sicher sprach Weerli nur aus, was auch viele andere dachten oder sogar sagten, nur nicht gerade im Beisein eines Denunzianten. Ursache dafür aber, daß er es aussprach, war seine Unzufriedenheit. Der Groll gegen die Chorherren rührte daher, daß die Zürcher Kirchenzentrale der evangelischen Gemeinde in Wäldi den eigenen Pfarrer verweigert hatte.[157] Wäldi lag in der unmittelbaren Nähe von Konstanz, also im Einflußbereich des katholischen Bischofs. Erst nach dem Toggenburgerkrieg (1712) und der Durchsetzung des neuen Landfriedens, der die völlige Gleichberechtigung der Konfessionen vorsah, bauten die Evangelischen in Wäldi eine eigene Kirche (1724), die aber – zur Enttäuschung der Gemeinde – von Lipperswil aus versehen wurde.[158] Wie im Fall Studers knapp 200 Jahre zuvor waren es also virulente Spannungen zwischen Stadt und Land Zürich, deren Verbalisierung die Zürcher Obrigkeit dazu veranlaßte, ein Exempel zu statuieren: Sozialdisziplinierung als Herrschaftspolitik. Die Strafe für Weerli war die gleiche wie 200 Jahre zuvor für Studer, nur die Lokalität für ihren Vollzug eine andere.

---

[156] Vgl. die übereinstimmenden Abschriften des Verhörprotokolls und des Entscheids in: ZBZ, Ms. J 269, Nr. 4; Ms. L 424 Nr. 1b. Dort am Ende der Vermerk: »Extrahiert aus den Originali, so Herr Landvogt und Rhatsherr Spöndli mir günstig übersandt.«

[157] Ibid.

[158] Zu diesen Entwicklungen vgl. knapp HBLS 6, S. 757 f. und HBLS 7, S. 347.

Auch in einigen Bußpredigten, die aus Anlaß des Ereignisses in den Zürcher Kirchen gehalten wurden, begegnet man vertrauten Deutungsmustern, die so gar nicht ins herrschende Bild vom Zeitalter der Aufklärung passen wollen.[159] Wiederum bei Ziegler erschien eine Schrift des 21jährigen Johann Heinrich Werdmüller und eine weitere mit dem sprechenden Titel *Die Stimme Gottes im Wetter*.[160] Der anonyme Verfasser polemisiert darin gegen eine natürliche Erklärung des Gewitters, wie sie für Johann Jacob Scheuchzer schon fünfzig Jahre zuvor völlig selbstverständlich gewesen war. Der Autor kannte zwar selbst die wissenschaftlichen Erklärungen, lehnte sie aber mit einem *causa prima*-Argument ab:

> Lasse einen wahnwizigen Thoren den Donner für eine blosse Wirkung der Natur halten, und elende Vernünfteler meinen, daß es bloß zufällig sey, daß sie der Donner nicht erschlagt, und der Hagel nicht tödet, oder die erschreklichen Bewegungen der Luft nicht alles in Verwirrung sezen: So müssen stolze Geister ihre Schwachheit verrathen. Erwege und bedenke, meine Seele! daß, obschon die Ungewitter von Dünsten entstehen, welche sich mit der Luft vereinigen, und das Feuer von schwefelichten Theilen herrühre, die sich in der Luft entzünden, GOtt es ist, von desse Einrichtung dise Ding abhangen; er hat den Blitz gemachet, er bereitet diese Pfeile, selbige stehen als seine Diener unter seiner Oberherrschaft und Befehl.[161]

Konsequent war die anschließende allegorische Deutung des Gesamtgeschehens, die den Donner als Stimme Gottes auslegte.

Die gleiche Argumentation gegen die Anhänger der Naturkausalität bot der populärste Zürcher Prediger dieser Zeit, Johann Caspar Ulrich, in einer umfangreichen Bußpredigt auf. Zwar wollte er den Blitzschlag »keineswegs für ein Wunder, oder für etwas übernatürliches ausgeben«, aber gegen alle Spötter hielt er am Glauben an einer »weisen Regierung Gottes« fest, wie sie von der Heiligen Schrift gelehrt werde und wie sie »die Vernunft mit Vernunft nicht laugnen« könne.[162] Zum Ausgangspunkt seiner Predigt wählte Ulrich Abrahams Fürbitte für Sodom (1. Mose 18.23–33), eben jene dramatische Stelle, an welcher dieser Urahne mit Gott um die Zahl der Gerechten feilscht, um derentwillen die Stadt noch Gnade finden könnte. Schon mit dieser Textwahl war klar, wie die Vergleiche laufen würden. Zürich kam in den Rang Sodoms. Entsprechend scharf ging Ulrich mit der Stadt ins Gericht. Zu gut sei es ihr in den vergangenen Jahren gegangen: »Zürich lebt in einem recht blühenden Zustand; der HErr schenkt ihm wolfeile Zeiten und gesegnete Jahrgänge; es genießt dabei einer vollkommnen Freyheit. Diese Freyheit macht seine Handlungen blühen; die Handlungen machen Stadt und Land fett. Nur Schade, daß ich hinzuthun muß: Zürich mißbraucht seine guten Tage.«

---

[159] Vgl. außer der im folgenden näher behandelten Schriften: MEISTER, Evangelische Vermahnung (1763).

[160] WERDMÜLLER, Wetter (1763) und ANONYMUS, Stimme Gottes (1763). Vgl. dazu den werbenden Hinweis des Verlegers am Ende bei OTT, Umständliche Beschreibung (1763), S. 99.

[161] ANONYMUS, Stimme Gottes (1763), [Bl. 3ʳ] (nicht paginiert oder foliiert).

[162] ULRICH, Buß-Predigt (1763), S. 17.

3. Münsterturmbrand 1763: Transformation des Wunderbaren

Anschließend wurde die Generation der Dreißig- und Vierzigjährigen ganz direkt für den Sittenverfall verantwortlich gemacht.[163] Die Anklage gipfelte in dem Ausruf: »Zürich, du machest dich zu den Gerichten GOttes reif!«[164] Ihre theologische Konsequenz wurde im nächsten Imperativ deklamiert: »Zürich, Zürich! thue Buß [...]!«[165] So lautete auch die Botschaft des Donnerwetters. Wie der anonyme Verfasser der zuvor erwähnten Druckschrift, wie bei Werdmüller und in etwas später gedruckten Dichtungen und Liedern[166] erkannte Ulrich darin die Stimme Gottes, die wie er selbst Buße predigte. Diese Übertragung der medialen Funktion eines Predigers auf ungewöhnliche Naturerscheinungen selbst hatte schon im sechzehnten Jahrhundert zum Standard der Druckschriften über Wunderzeichen gehört. Ulrich ging aber weiter als diese und auch weiter als die anderen zeitgleichen Predigten. Aus dem unartikulierten Donnergrollen des Wetters wollte er klare Worte herausgehört haben:

> Der Text dieser Göttlichen Predigt ware: Zürich, Zürich, Höre des HErrn Wort! Wirst du zur Religion nicht besser Sorg tragen, als du sint [Sic!] einigen Zeiten gethan; wirst du die Heiligkeit und Reinigkeit der gesunden Evangelischen Lehre nicht besser bewahren: So werde ich dir deine Tempel und deine Gottes-Häuser, deren du nicht mehr werth bist, zu Grund richten. Wirst du fortfahren, die Sabbathe zu entweihen, so werde ich dir das Roth deiner Feyer-Tagen ins Angesicht, und dich mit demselben zum Land hinauswerfen.[167]

Diese Deutung folgte der gleichen lokalsymbolischen Logik wie Weerlis Schmachreden: das Großmünster als zentrales Gotteshaus stand für die gesamte christliche Gemeinde Zürichs; ergo zielte ein Einschlag an diesem Ort auf den Zustand der Religion. Die wichtigste Funktion der Gotteshäuser bestand darin, Versammlungsort der Gläubigen zu sein, um Gottes Wort zu hören; ergo beklagte sich Gott über mangelnden Besuch, wenn er selbst den Versammlungsort zerstörte, und er drohte mit noch weiteren Zerstörungen, wenn sich der Zustand nicht änderte usw. Gerade Ulrich konnte sich freilich am wenigsten über mangelnden Besuch seiner Predigten im Fraumünster beklagen. Wie später Johann Caspar Lavater zog er zumeist mehr Hörer an, als die Kirche zu fassen vermochte, und das hatte damit zu tun, daß er hemmungsloser und bilderreicher sprach als andere. Auch apokalyptische Töne fehlten in Ulrichs Bußpredigt nicht. Wenn Zürich nur einen Warnschuß erhalten hatte, im übrigen aber verschont worden war, obwohl es doch das Schicksal Sodoms verdient gehabt hätte, so war dies dem »Erlöser Jesus Christus« zu verdanken, der ein noch besserer Fürsprecher war als Abraham.[168]

---

[163] Ibid., S. 9.
[164] Ibid., S. 10.
[165] Ibid., S. 11.
[166] Vgl. das Druckfragment in ZBZ, Ms. L 424, pag. 21–26, mit einem Choral zum Neujahrstag 1764, »Einer Kunst- und Tugend-liebenden Jugend in Zürich« gewidmet (am Ende, pag. 26).
[167] ULRICH, Buß-Predigt (1763), S. 19.
[168] Ibid., S. 21.

Das berühmte Erdbeben von Lissabon gehört zur Vorgeschichte solcher Töne und ihrer Resonanz beim Zürcher Publikum. Schon nach der großen Eruption des Jahres 1755 waren in einigen, auch protestantischen Städten Bußtage eingerichtet worden, die den Bußpredigern ein Forum gaben. Johann Caspar Ulrich hatte sich damals bereits hervorgetan.[169] In seiner Predigt von 1763 wies er ausdrücklich auf das frühere Ereignis hin,[170] das man in Zürich nicht nur als Medienereignis sondern auch unmittelbar erlebt hatte. Damals, am 1. November 1755, war der Pegel der Schweizer Seen dramatisch angestiegen. Am 9. Dezember war die Schweiz selbst durch ein Erdbeben erschüttert worden.[171] Von den anschließend gehaltenen Predigten gibt es eine gedruckte Sammlung, die 1756 erschien.[172] Das ikonographische Programm der Titelvignette mit der programmatischen Überschrift Röm. 2,9 »Trůbsal, und Angst, über aller Seelen der Menschen, die Böses thůn« führt in vier Ovalen mit Spruchbändern durch alle vier Elemente ein Arsenal von Katastrophen vor, das mit einschlägigen Bibelzitaten aus Joël und den Psalmen belegt wird, die in den Kontext der Endzeitprophezeiungen gehören. Oben ist unter dem Spruchband mit dem Vers aus dem zweiten Römerbrief die Vorhölle szenisch umgesetzt. Unten sieht man in der ganzen Breite Zürich auf einer Stadtvedute mit Blick von der Üetlibergseite, über den spitzen Helmen des Großmünsters aufgestaute Wolken. Darunter die Aufforderung: »Wer Ohren hat zu hören, der höre« (Mt 13,9).

Es ist weder möglich noch notwendig, hier alle Facetten der Predigten Ulrichs und anderer darzustellen. Die Parallelen zu den Deutungen, denen man in den *Wickiana* ständig begegnet, ist auffallend genug: die gleiche Metaphorik (das Donnerwetter als Bußpredigt), die gleichen biblischen Vergleiche (Sodom), das gleiche Schema moralischer Kausalität, das gleiche allegorische Deutungsverfahren; und auch die Argumentation gegen natürliche Erklärungen läßt sich in Drucken früherer Jahrhunderte nachweisen, die z. B. gegen die Astronomen den Zeichen- und Wundercharakter der längst berechenbaren Sonnen- und Mondfinsternisse mit dem Hinweis auf die alles in Gang setzende Schöpfungstat rechtfertigten. Ebenso auffallend wie die Übereinstimmungen mit dem Vergangenen sind die Unterschiede zum Gleichzeitigen: zur ausführlichen Berichterstattung in Zieglers *Monatlichen Nachrichten* und zu Otts historischem Rückblick auf das Parallelereignis von 1572, in dem – selbst da, wo Ott Bullinger wiedergibt und zitiert – die Worte »Gott« und »Gnade« fehlen. Das übrige Vokabular der Bußprediger lag Ott noch ferner. Wie aber läßt sich die Gleichzeitigkeit des Ungleichzeitigen deuten?

Die Fragestellung bedarf der hermeneutischen Kritik, denn sie formuliert ein Problem, das sich wohl nur dem historischen Rückblick stellt. Schon die Zuordnun-

---

[169] Dazu LÖFFLER, Lissabons Fall (1999), S. 498–500.
[170] ULRICH, Buß-Predigt (1763), S. 18.
[171] Vgl. Meyer v. Knonau MEYER VON KNONAU, Canton Zürich (1844/1846), Bd. 1, S. 169.
[172] ZBZ, 8.43.

gen »gleichzeitig« und »ungleichzeitig« sind teleologisch gedacht und implizieren Fortschritt. Abgesehen von der grundsätzlichen Fragwürdigkeit des Fortschrittskonzepts, müßten sich die Bußpredigten von 1763 eindeutig der theologischen Gegenaufklärung zuordnen lassen, während Ott als Vertreter der Aufklärung zu klassifizieren wäre, wenn diese Rechnung aufginge.

Das tut sie aber nicht. Johann Caspar Ulrich gilt zwar als der klassische Vertreter des Pietismus im Zürich der Mitte des achtzehnten Jahrhunderts, aber seine Persönlichkeit war zu vielschichtig, um sich alleine auf diesen Nenner bringen zu lassen, der ja auch nicht einfach »Gegenaufklärung« bedeutet. In jungen Jahren gehörte Ulrich zum Kreis um Bodmer und Breitinger, mit deren jüngeren Anhängern er sich erst später überwarf. »Und in der Helvetischen Gesellschaft, diesem nobelsten Club der Aufklärer in der Schweiz, schwelgte er in Freundschaft mit dem Basler Iselin und dem Luzerner Balthasar. [...] Müssten wir seine geistige Struktur fixieren, so müsste man sie als eine Stilmischung von (nie ganz überwundener) Orthodoxie, herrnhutischem Pietismus, Biblizismus, aber auch Wolffscher Aufklärung und zürcherischem Traditionalismus bezeichnen. Abermals ein Beleg dafür, wie sich in jener Zeit die ideologischen Grenzlinien in den Individuen oft verwischen.«[173] Auch gesellschaftlich sind die Grenzen nicht eindeutig. Mit seinem Einsatz für die Herrnhuter gegenüber dem Zürcher Kirchenregiment vertrat er ebenso eine Außenseiterposition wie mit seiner ausgesprochen aufgeklärten Sympathie für die Juden.[174] Dennoch stand er auch kirchenpolitisch keineswegs abseits: Ulrich verfaßte die erst nach seinem Tod gedruckte neue Zürcher Kirchenordnung (1769).

Die wohl einfachste Erklärung für die erstaunliche Kontinuität der Deutungsmuster in den Bußpredigten ist in einer Kontinuität der theologischen Tradition zu finden. In aller Variation verschiedener Richtungen, die man in theologischer Feinanalyse unterscheiden kann, wenn man etwa die Bußpredigten analysiert, die anläßlich des Erdbebens von Lissabon im deutschsprachigen Protestantismus gehalten wurden, begegnet man doch immer wieder den gleichen Topoi.[175] Dahinter standen die Tradition der Bibelexegese und natürlich die feste Substanz des kanonischen Textes der Heiligen Schrift selbst.

Jenseits dieses Fortbestandes theologischer Deutungsmuster und Topoi lassen sich aber auch signifikante Unterschiede aufzeigen, wenn man die Zürcher Buß-

---

[173] VOGELSANGER, Fraumünster (1994), S. 369 f.
[174] Ulrich verfaßte eine »Sammlung jüdischer Geschichten« mit klarer Zielrichtung gegen den Antisemitismus – »zu seiner Zeit einzigartig in Europa«, meint Vogelsanger. Ibid., S. 374.
[175] Die Forderung von LÖFFLER, Lissabons Fall (1999), S. 436, nach genauerer Textanalyse der Erdbebenpredigten und stärkerer Differenzierung gegenüber herrschenden Pauschalurteilen ist grundsätzlich berechtigt und aus theologischer Sicht verständlich. In seiner Beschränkung auf die Predigten zu Lissabon 1755 fehlt allerdings vollständig die zeitliche Tiefendimension. Die Frage nach signifikanten Veränderungen in der Predigtpraxis seit dem sechzehnten Jahrhundert wird nicht gestellt.

predigten von 1763 mit der Verarbeitung des Münsterturmbrandes von 1572 durch die Zürcher Theologen vergleicht. Bullinger und Wick vermieden, da es das eigene »Haus« traf, so gut sie konnten jedes öffentliche Eingeständnis, daß im Zürcher Gemeinwesen nach Gottes Ratschluß etwas nicht stimmte, während besonders Ulrich 1763 die Stimme zur Selbstanklage laut erhob und seine Bußpredigt drucken ließ. Gerade hinter dem Abmildern und Überspielen aber dürften sich der tiefere Ernst und die größere Peinlichkeit verbergen. Freilich sind die Dokumente nur begrenzt vergleichbar. Bullingers Brief war ganz auf die Außenwirkung in der Benachrichtigung von Freunden ausgerichtet. Nach innen war der Ton ein anderer, wie der moralisch-politische Druck auf den Zürcher Rat 1572 zeigte. Bußpredigten wurden wohl auch aus Anlaß des Blitzeinschlags im Großmünster 1572 gehalten, nur sind sie nicht in Schriften überliefert. Ihr Druck gar hätte wegen der zu erwartenden Verbreitung Bullingers Strategie der Banalisierung des Ereignisses ad absurdum geführt. Daß er unterblieb und daß am Tag nach dem Unglück für einmal sogar die Prediger in den Zürcher Pfarrkirchen schwiegen, macht im Vergleich mit 1763 einen Unterschied in der öffentlichen Verarbeitung des Ereignisses aus, der ebenso beachtlich sein dürfte wie die Kontinuität theologischer Deutungsmuster.

3.3. Natur und Moral

Auch die Bilder sprechen eine unterschiedliche Sprache, vergleicht man einen Kupferstich von Johann Rudolf Holzhalb (nach einer Zeichnung von Paul Usteri) zum Münsterturmbrand von 1763 (Abb. A17) mit der Darstellung des Brandes von 1572 im 10. Buch der *Wickiana* (Abb. F1). Bei Wick liegt der Fokus ganz auf der funktionierenden Gemeinschaft im Kampf gegen das Feuer. Man sieht das Großmünster von der Zürichbergseite her, ungefähr vom Antistiziat aus, Bullingers Wohnhaus. Es gibt nur Handelnde, überproportional groß, mit Leitern oder Wassereimern ausgerüstet. Die Ursache des Brandes, der Blitzschlag in den Glockenturm, wird nicht dargestellt wie sonst üblich in den »Stralgeschichten« der *Wickiana*.[176] Sie wird also – ebenso wie in dem Brief von Bullinger – so gut wie möglich verschwiegen oder überspielt. Ganz anders in dem Kupferstich von 1763: Der Zeichner wählte diesmal die Limmatseite des Großmünsters, obwohl der entzündete Glockenturm auf der Zürichbergseite liegt. Um den Brand dennoch voll in den Blick zu bekommen, entschied er sich für eine zum rechteckigen Grundriß des Kirchenbaus ungefähr diagonale Ansicht. Die dramatische Gesamtwirkung wird dadurch noch verstärkt. Entscheidend für diese Wirkung aber ist, daß der Blickpunkt des Betrachters weit unterhalb des Großmünsters liegt. Dadurch erscheint der Karlsturm, der das Bild dominiert, in die Länge gezogen. Hinter ihm verschwinden die Löscharbeiten. Man

---

[176] Vgl. etwa ZBZ, Ms. F 18, 159^r oder F 19, 243^{rv} (Text und Bild bei SENN, Wickiana (1975), S. 199 f.).

sieht nur ein paar Wasserstrahlen von den eingesetzten Spritzen. Die Aktiven auf dem Dach des Großmünsters sind so klein, daß man sie leicht übersehen kann. Eher kommen die Zuschauer im Bildvordergrund in den Blick.

Das Bild arbeitet mit dem Gegensatz von Klein und Groß: Klein, sogar leicht unterproportional klein sind die Menschen, groß ist das Großmünster. Groß ist auch der feurige Blitz, der rechts aus den Wolken auf den Glockenturm zuschießt. Diesmal also ist die Ursache für den Brand dargestellt. Die Schriftrolle unter dem Bild bringt die Darstellung auf den Begriff: »MAESTOSO« steht da wie die Bezeichnung für den Charakter eines Musikstücks. Majestätisch ragt der brennende Kirchenbau in den Himmel, majestätisch wirkt der Blitz, der den Nachthimmel erhellt und den Glockenturm entzündet. Das Majestätische repräsentiert hier die schreckliche Herrlichkeit Gottes. Gerade in dieser Ambivalenz wird der Blitzschlag in den Glockenturm des Großmünsters durch und durch zum Erhabenen ästhetisiert.

Das Erhabene ist eine der Kategorien, die – wie »Kritik« oder »Aberglaube« – die Gemüter des Zeitalters bewegten. »Erhaben«, schrieb Kant 1799 in seiner *Kritik der Urteilskraft*, »ist das, mit welchem in Vergleichung alles andere klein ist.«[177] Vor allem die Menschen sind klein gegenüber der Naturgewalt. Sie sind Zuschauer des Spektakels. Handelnde gibt es kaum. Nicht um Aktion geht es, sondern um Kontemplation. Nur so kann die Übermacht der Natur, der der Mensch physisch hilflos ausgesetzt ist, von Furcht befreit und als erhaben betrachtet werden. »Wer sich fürchtet, kann über das Erhabene der Natur gar nicht urteilen«, schrieb Kant.[178]

Der Mensch, der sich wirklich fürchtet, weil er dazu in sich Ursache findet, indem er sich bewußt ist, mit seiner verwerflichen Gesinnung wider eine Macht zu verstoßen, deren Wille unwiderstehlich und zugleich gerecht ist, befindet sich gar nicht in der Gemütsstimmung, um die göttliche Größe zu bewundern, wozu eine Stimmung zur ruhigen Kontemplation und ganz freies Urteil erforderlich ist. Nur alsdann, wenn er sich seiner aufrichtigen gottgefälligen Gesinnung bewußt ist, dienen jene Wirkungen der Macht, in ihm die Idee der Erhabenheit dieses Wesens zu erwecken, sofern er eine dessen Willen gemäße Erhabenheit der Gesinnung bei sich selbst erkennt, und dadurch über die Furcht vor solchen Wirkungen der Natur, die er nicht als Ausbrüche seines Zornes ansieht, erhoben wird. Auf solche Weise allein unterscheidet sich innerlich Religion von *Superstition*; welche letztere nicht Ehrfurcht für das Erhabene, sondern Furcht und Angst vor dem übermächtigen Wesen, dessen Willen der erschreckte Mensch sich unterworfen sieht, ohne ihn doch hochzuschätzen, im Gemüte gründet.[179]

Furchtlosigkeit also als Weg zur Idee Gottes und ausschließende Alternative zur Straftheologie, die ein Instrument von »Furcht und Angst« war. Schon für Scheuchzer war die Bekämpfung der Naturfurcht aufklärerisches Programm gewesen, um den Weg zur Schau Gottes freizumachen.[180] Seine Arbeit, schrieb Scheuchzer in der

---

[177] KANT, Kritik der Urteilskraft (1990), S. 94 (Hervorhebg. i. O.).
[178] Ibid., S. 106.
[179] Ibid., S. 109 f.
[180] Vgl. KEMPE, Von »lechzenden Flammen« (2000).

Vorrede zur *Natur-Historie des Schweitzerlandes*, sei auch »eine Theologia Naturalis, eine Einleitung zur Erkanntnuß GOTTES aus der Natur«.[181] In seiner Wochenschrift *Beschreibung der Naturgeschichten des Schweizerlandes* kam auch er 1706 auf den Großmünsterbrand von 1572 zu sprechen.[182] Was ihn dazu veranlaßte, eine Abhandlung *Von dem Donner/ Blitz/ Stral/ Feurigen Kuglen/ und anderen Feurigen Luftgeschichten des Schweizerlands* einzustreuen, war kein aktuelles Ereignis, vielmehr die Auffassung, »daß die Natur/ Ursachen/ eigenschaften/ und Umstande der feurigen Luft-Geschichten in keinem Land besser erlehrnet werden könne/ als in dem Schweizerlande/ als welches über alle Länder erhoben/ die Köpfe seiner Bergen über die Wolken strecket/ und also der rechte Schauplatz ist/ da dergleichen Natur-Comedien/ und Tragedien/ nicht von fehrne/ wie in anderen Landen/ sondern in der nähe können gesehen/ und betrachtet werden.«[183] Die Natur bot ein Schauspiel dar, und die Schweiz eine gutes Theater. Gespielt wurden Komödien und Tragödien. Als Entdecker der besten Zuschauerposition im Naturtheater, nahe, aber nicht zu nah' an der Bühne, kam Scheuchzer René Descartes in den Sinn, der nicht »hinder dem Ofen« gesessen, sondern wichtige Beobachtungen über die Ursachen des Donnerhalls in den Karpaten gemacht habe.[184] Es sind also wieder einmal die Berge, die den Vorzug der Schweiz bei der Beobachtung von Naturschauspielen ausmachten. Die Vorstellung vom Naturtheater war natürlich eine Variante der *theatrum-mundi*-Metapher,[185] und die Schauspielmetaphorik wurde auch im aufgeklärten Diskurs über das Erhabene topisch.

Parallel zur metaphorischen Deutung der besten aller möglichen Beobachterstandpunkte als privilegierte Zuschauerposition im Naturtheater hatte sich der Wunderbegriff verschoben. Fallengelassen wurde er nicht. Aber er ging nun beinahe im Verwundern und Staunen auf, also in einer subjektiven Empfindung. Dieses Staunen paßte sowohl ins Programm der Physikotheologie als in das einer fortschreitenden Naturerkenntnis. Bekanntlich ist das Staunen der Anfang der Erkenntnis. Aus der Reduktion des Wunders aufs Wundern und der damit vollzogenen Subjektivierung folgte zwingend eine Aufwertung der *curiositas*. Nach wie vor legitimierte sie sich mit den bewährten Mitteln der natürlichen Theologie. Ziel von Verwunderung und *curiositas* blieb die *admiratio*. Aber der Weg, den die Physikotheologie des achtzehnten Jahrhunderts dahin einschlug, war dem der alten *theologia naturalis* gerade entgegengesetzt. Sie kam zur *admiratio*, indem sie das Naturwunder nach seinen Möglichkeitsbedingungen hinterfragte und auflöste. Die *admiratio* konnte sich darum nicht mehr auf das einzelne als solches richten, sondern sie ging beim einzelnen

[181] SCHEUCHZER, Natur-Historie (1716–1718), Bd. 1, S. 2.
[182] In der Ausgabe vom 31. März 1706. Vgl. SCHEUCHZER, Naturgeschichten (1706–1708), Bd. 2, S. 52. Alleine Haller wird als Quelle angegeben.
[183] Ibid., S. 48 (Ausgabe vom 24. März 1706).
[184] Ibid.
[185] CHRISTIAN, Theatrum Mundi (1987).

gleich aufs Ganze der Schöpfung. Objekt der Bewunderung war der *creator mundi* und sein Artefakt als rationaler Entwurf des göttlichen Verstandes. Was diese Bewunderung am wenigsten ertrug, war die Vorstellung eines Geschehens *contra naturam*. Zwar räumte Scheuchzer noch die Möglichkeit spontaner Eingriffe des Allmächtigen ein.[186] Sie wurden aber nur noch auf dem Gebiet der biblischen Offenbarung geduldet. Für den Bereich alltäglicher Naturerfahrung mußte die Physikotheologie den alten Wunderbegriff auflösen. Damit verlor er zugleich seine moralischen und didaktischen Implikationen. Die Erkenntnis zielte nicht mehr aufs moralische Selbst des sündigen Menschen. Wenn dennoch am Wunderbegriff festgehalten wurde, sei es in Scheuchzers Naturgeschichtsschreibung oder in Breitingers und Bodmers Dichtungstheorie, so erzwang die Vermeidung von Widersprüchen eine vollständige Subjektivierung. Im paradoxen Begriffskonstrukt »Naturwunder« fand sie ihr erstes, nur noch metaphorisch bezeichnetes Objekt vor, um im Wunder Natur bei ihrem eigentlichen Gegenstand anzukommen. Im Erhabenen fand das Staunen mehr als einen Anfang – nämlich kein Ende.

Kants *Kritik der reinen Vernunft* sollte schließlich das Requiem auf den Kausalnexus zwischen Natur und Moral sein. Gestorben war er schon früher. Die Ablösung vom moralischen Kausalmodell der Erklärung des Außergewöhnlichen hatte weitreichende Konsequenzen. Sie stand hinter der Aberglaubenskritik der Aufklärung, und mit ihr erreichte die Naturforschung ihre bequeme, übrigens, was die Bekämpfung der Furcht betrifft, ganz epikureische Betrachterposition, in der sie sich wohlfühlte. Dennoch wollte die Aufklärung nicht auf das Modell Natur verzichten, wenn es um Moral ging. Ganz im Gegenteil. Aber paradigmatisch wurde nun die Natur im Sinne eines Systems von Gesetzen, nicht mehr als Kommunikationsmedium zwischen Gott und Mensch. Eben darum mußten Gottes spontane Willküreingriffe *contra naturam* durch das Wunder Natur ersetzt werden, das in der perfekten Einrichtung der Naturgesetze bestand und eben damit Vorbild wurde für die menschliche Moralgesetzgebung, so vor allem in der Vorstellung des Naturrechts, die nicht neu war, aber in der Aufklärung Hochkonjunktur hatte. Auch Kant scheute vor dem völligen Bruch zwischen Natur und Moral zurück. Seine dritte Kritik baute Brücken über den Abgrund, der sich aufgetan hatte: Das (Natur-)Schöne wurde zum Symbol der Sittlichkeit, das Erhabene zur Darstellung der Vernunftideen, zu denen auch Gott gehörte. Natur und Moral verbanden sich hier – aber nur noch in der Innerlichkeit des Subjekts. Hierher war auch das Wunder zurückgezogen – vielmehr das, was davon übrig geblieben war: »Zwei Dinge erfüllen das Gemüt mit immer neuer und zunehmender Bewunderung und Ehrfurcht, je öfter und anhaltender sich das Nachdenken damit beschäftigt: *der bestirnte Himmel über mir und das moralische Gesetz in mir*.«[187]

---

[186] Zu den zwei Wunderbegriffen Scheuchzers oben, S. 253.

[187] KANT, Kritik der praktischen Vernunft (1985), S. 186.

4. SITTENGEMÄLDE ODER: FISCHART UND HIRSEBREIFAHRT

Die Literaturgeschichte verbindet die Namen Bodmer und Breitinger vor allem mit dem Gottsched-Streit. Literaturwissenschaftler haben in neuerer Zeit den Versuch unternommen, Bodmer an den Anfang romantischer Mittelalterverehrung und damit an eine Stelle setzen, die lange Zeit Herder vorbehalten war.[188] Diese »Umwidmung« hat vielleicht ihre Berechtigung. Bodmer gab verschiedene Werke mittelalterlicher Dichtung neu heraus oder bearbeitete sie, so das Nibelungenlied und den Parzival. Auch im Kreis seiner Schüler wirkte er in diese Richtung fort. Man muß sich nur die Gemälde Johann Heinrich Füsslis ansehen, um das zu begreifen. Füssli übte sich in jungen Jahren darin, den Stil der Illustrationen in den spätmittelalterlichen und frühneuzeitlichen Bilderhandschriften nachzuahmen, die er in Zürichs Bibliotheken fand. Einige Zeichnungen aus dieser Zeit sind erhalten.[189] Schon Bodmer war mit den Zürcher Chroniken bestens vertraut gewesen. Das verstand sich für den Professor der Geschichte am Zürcher Carolinum.[190] Wie aber waren Literaturgeschichte, Dichtungstheorie, Malerei und Geschichtsschreibung in Bodmers Zürich miteinander verbunden?

Ginge es hier alleine um Persönlichkeiten wie Scheuchzer oder Bodmer, könnte man sich mit dem Schlagwort »Universalgelehrtentum« zufriedengeben. In Wahrheit jedoch ist nicht viel damit erklärt. Und die alte Behauptung, die das Phänomen höchstens seiner Möglichkeit nach verständlicher zu machen hilft, nämlich daß die Wissenschaften und Künste in ihren Methoden und Inhalten noch vergleichsweise überschaubar gewesen seien, erscheint fragwürdiger, je mehr man sich damit befaßt. Scheuchzer bietet ein Beispiel dafür, wie das Streben nach Universalität vielfach im Fragment endete. Abgeschlossen und gedruckt wurde nur der kleinere Teil seiner Arbeiten.

---

[188] Vgl. DEBRUNNER, Alter (1996), S. 1 und S. 183. Insgesamt differenzierter LEIBROCK, Aufklärung und Mittelalter (1988).

[189] KHZ, Nachlaß Füssli; DEBRUNNER, Alter (1996), S. 156–166 und 184–188, 190.

[190] Auf die Initiative von Bodmer und Breitinger geht auch eine Bibliographie zurück mit dem immer noch an das Gesnersche Vorbild anklingenden Titel *Bibliotheca scriptorum Helvet*[iorum] *universalis*; ZBZ, Ms. S 289. Die Handschrift gehört zu den Vorläufern von Hallers *Bibliothek der Schweizergeschichte*. Bodmer und Breitinger griffen für ihre Arbeit auf Scheuchzers *Historia Helvetiae* zurück; ZBZ, Ms. H 105–133, bes. die biobibliographischen Zettel in den Bänden, die über den Band *Historiae Helvetiae scriptores* erschlossen werden können; Ms. H 139.

4. Sittengemälde oder: Fischart und Hirsebreifahrt

Um zu begreifen, was hinter dem historischen Phänomen universaler Bildung steckt, muß man die Reduktionismen durchschauen, mit deren Hilfe Brücken zwischen den traditionellen Disziplinen und Künsten geschlagen werden konnten. Was das Verhältnis von Poesie und Malerei betraf, spielte für die Zürcher die Verbindlichkeit des *ut-pictura-poesis*-Prinzips eine Schlüsselrolle.[191] Das kommt in Formulierungen wie der von den »poetischen Gemählden der Dichter« oder dem Titel der berühmten Wochenschrift *Die Discourse der Mahlern* direkt zum Ausdruck. Vor diesem Hintergrund versteht sich das Interesse für die Bilderhandschriften der Vergangenheit. Hier konnte man poetische und malerische Verarbeitung eines Stoffes direkt nebeneinander finden. Um aus diesem Stoff nicht nur historische Tatsachen herauszufiltern, sondern auch seinen künstlerischen Gehalt auszuschöpfen, bedurfte es eines universal gebildeten Blicks. Damit verband sich – auch in Zürich – zunehmend ein patriotisches Interesse an »vaterländischer Geschichte« mit ihren Mythen und Ritualen. Der historische Blick war noch keineswegs alleine auf die politische Geschichte oder die Heldentaten der Vergangenheit fixiert, mochten letztere auch häufig im Vordergrund der historischen Erzählung stehen. Die Überlieferung der Vergangenheit wurde noch unter Gesichtspunkten gesehen, die im neunzehnten Jahrhundert zunehmend in neu entstehende Disziplinen umgelagert wurden. Die Naturgeschichte war nur einer dieser Gesichtspunkte. An der Aneignungsgeschichte der *Wickiana* lassen sich für das achtzehnte Jahrhundert außerdem realienkundliche Interessen beobachten, etwa an der Kleidung oder den Waffen der Vorfahren; oder die Suche nach der Überlieferung von Sagen und Volksliedern, noch bevor sich die Brüder Grimm an ihre Sammlungswerke machten und lange bevor die Volkskunde aufkam und sich als akademische Disziplin etablieren konnte.

Mehrere dieser historischen Interessen kamen zusammen, als sich Bodmer und andere nach ihm einer Begebenheit und ihrer Überlieferung zuwandten, die in den *Wickiana* so ausführlich dokumentiert ist wie nirgendwo sonst. Die Rede ist von der sogenannten Hirsebreifahrt während des Straßburger Freischießens von 1576. Das Ereignis wurde in den Kapiteln der ersten drei Teile nicht geschildert. Dies soll hier darum rasch nachgeholt werden.

Die »Freischießen« waren Schützenfeste, die von den schweizerischen und südwestdeutschen Städten an wechselnden Orten ausgerichtet wurden: 1456 und 1576 in Straßburg, 1472 und 1504 in Zürich, 1583 in St. Gallen usw. Vordergründig handelte es sich um gesellschaftliche Ereignisse mit Wettbewerben, die wie das Armbrustschießen an mittelalterliche Traditionen des Turniers anknüpften, dabei aber auch neuere Waffengattungen berücksichtigten (Büchsenschießen). Auch Springen, Steinstoßen und Laufen waren beliebte Disziplinen.[192] Zum Spektakel gehörte zudem eine Lotterie, der »Glückshafen«. Unter der Oberfläche allerdings

---

[191] Dazu DEBRUNNER, Alter (1996), S. 166–171.
[192] Zum Hintergrund der Wettkämpfe vgl. BAECHTOLD, Das glückhafte Schiff (1880), S. 87 f.

waren die Schützenfeste politische Ereignisse im Dienst diplomatischer Beziehungen oder der Städtefreundschaft.[193] In diesen Kontext gehören die Hirsebreifahrten der Zürcher zu den Straßburger Freischießen 1456 und 1576.[194] Die Zürcher vollbrachten in diesen Jahren das Kunststück, per Schiff an einem einzigen langen Sommertag die gesamte Strecke von Züriich nach Straßburg zu bewältigen und einen noch warmen Hirsebrei – ein »Mues« aus Hirse, das bei Festessen gerne gereicht wurde[195] – mitzubringen. Die vielköpfige Mannschaft des »glückhaften Schiffs«, das die Fahrt am 20. Juni 1576 erfolgreich absolvierte, war eine reine Gesandtschaft wichtiger Repräsentanten der Zürcher Stadtbürgerschaft. Die Zürcher Teilnehmer an den Wettbewerben des Freischießens waren zuvor schon angereist. In Straßbrug angekommen, zelebrierten die Zürcher Gesandten drei Tage lang ihren Städtebund mit Straßburg.

Die ungewöhnliche Leistung der Zürcher Hirsebreifahrt wird in verschiedenen Zeugnissen als »Wunder« bezeichnet, was für Wick ein willkommener Vorwand gewesen sein mag, dieses für den thematischen Rahmen seiner Chronik sonst wenig einschlägige Ereignis zu dokumentieren, und zwar auf beinahe hundert Folioseiten Die Hirsebreifahrt ist in den 24 *Wickiana*-Büchern sicher eine der Begebenheiten, bei denen der Wunderbegriff am stärksten strapaziert wird. Er ist hier völlig auf die subjektive Seite des Verwunderns und Bewunderns reduziert, hat alle Aspekte von Geschehen *contra* oder *praeter naturam* abgelegt und enthält nur insofern einen Rest von Metaphysik, als zum Gelingen des Unternehmens für den Pfarrer Wick zweifellos Gottes Segen beitrug.

Zu den bei Wick gesammelten Dokumenten gehören zum Beispiel das Reisetagebuch des Zürcher Stadtarztes Georg Keller und ein lateinisches Lobgedicht des jüngeren Rudolf Gwalther, Sohn des gleichnamigen Nachfolgers von Heinrich Bullinger. Für die vorrangig an der literarischen und poetischen Tradition interessierten *Wickiana*-Rezipienten des achtzehnten Jahrhunderts war jedoch Johann Fischarts »Lobspruch« *Das Glückhafft Schiff von Zürich* das wertvollste Dokument.[196] »Der Dichter befand sich 1576 entweder in Basel und mochte Zeuge davon gewesen sein, wie die Zürcher auf ihrer Fahrt diese Stadt berührten, oder dann war er damals – und das ist wahrscheinlicher – bei seinem Schwager Jobin in Straßburg selbst«, erläu-

---

[193] Vgl. HSG, S. S. 363 (»Zahlreiche Schützenfeste und wechselseitige Besuche erfüllen eine politische Funktion.«) und S. 365.

[194] Die Chronikbelege aus Bullingers »Tigurinern«, Stumpf, Brennwald und einer anderen Schweizerchronik für die Hirsebreifahrt von 1456 bei BAECHTOLD, Das glückhafte Schiff (1880), S. 89.

[195] Vgl. den Artikel zur Hirse im HLS 6, S. 374.

[196] ZBZ, Ms. F 25, fol. 178ʳ–191ᵛ. Der Text ist noch nicht erschienen in den ersten beiden Bänden der auf drei Bände angelegten Ausgabe: FISCHART, Werke (1993 und 2002). Eine bibliophile Neuausgabe ist: FISCHART, Glückhafft Schiff (1927). Zu Werken und Biographie Fischarts siehe KÜHLMANN, Fischart (2001); außerdem die Beiträge in ADB 7, S. 31–47; NDB 5, S. 170 f.; DBI 3, S. 308.

erte Jakob Baechtold 1880, als er die *Wickiana*-Dokumente edierte.[197] Tatsächlich wohnte Fischart ab 1576 für einige Zeit in Straßburg.[198]

Das Werk Fischarts, heute eines der besser erforschten Lebenswerke deutschsprachiger Dichter des sechzehnten Jahrhunderts, war im achtzehnten wenig bekannt und mußte erst wiederentdeckt werden, nachdem es im siebzehnten Jahrhundert in Vergessenheit geraten war. Ein durch Martin Opitz eingeleiteter »>Paradigmenwechsel< der literarischen Normvorstellungen« hatte Fischarts Verse ins poetische Abseits gestellt. Verglichen mit den »Konventionen höfischer ›Zierlichkeit‹« wirkten sie nun unbeholfen.[199] Heute kennt und schätzt die Literaturgeschichte Fischart für seine kongeniale, beißend scharfe Bearbeitung von Rabelais *Gargantua*, 1575 unter dem Titel *Geschichtsklitterung* erschienen, und für seine satirischen Schriften voller buresk-grobem Sprachwitz. *Das Glückhaffte Schiff* zeigt einen anderen, ernst-feierlichen Fischart, der seinen Spott aber in einer gleichzeitig abgedruckten Replik auf ein polemisches Gedicht ausschüttete, das die Hirsebreifahrt mit Hilfe verbreiteter Kuhschweizerklischees aufs Korn zu nehmen versucht hatte.

Aber sehen wir zu, wie sich das achtzehnte Jahrhundert Fischarts Dichtung, der Hirsebreifahrt und der dazu in den *Wickiana* überlieferten Dokumente annäherte. Wie in den vorangehenden Kapiteln werde ich auch hier vor allem das Geschichtsverständnis herausheben, das diesen Zugang leitete.

4.1. Die Sitten der Alten

Johann Jacob Bodmer hat sich nicht nur um die Dichtung des Mittelalters verdient gemacht. 1743 ließ er in der *Sammlung critscher, poetischer und anderer geistvollen Schriften* einen Artikel drucken, der *Von der Poesie des sechszehnten Jahrhundert nach ihrem schönsten Lichte* handelte. Das Licht, dem hier mit starker Wirkung zu Nachruhm verholfen wurde, war Johann Fischart. Bodmer entdeckte ihn wieder, nachdem zuletzt Julius Wilhelm Zinkgref in seiner Opitz-Ausgabe von 1624 anerkennende Worte für Fischarts *Glückhaftes Schiff von Zürich* gefunden hatte. Bodmer einerseits zitierte sie und bemerkte, sie seien »auch die Leichenpredigt des poetischen Nahmens Johann Fischarts gewesen«.[200] Bei Fischart wie bei Sebastian Brant sah er die gleiche Schwierigkeit:

> Ihre Gedichte sind mit ihrer Sprache weggeworffen und vergessen worden. Diese hat eine so starcke Veränderung erlitten, daß unsre heutige kaum mehrere Lineamente von derselben behalten hat, als einem Enkel von den Gesichtszügen des Ahnen übrig bleiben.[201]

---

[97] BAECHTOLD, Das glückhafte Schiff (1880), S. 103.
[98] Vgl. ADB 7, S. 33.
[99] KÜHLMANN, Fischart (2001), S. 19.
[00] BODMER, Poesie (1743), S. 55.

Das Mittel, das Bodmer gegen die verwischten Familienähnlichkeiten wählte, wa[r] ebenso radikal wie fragwürdig: Er übertrug die Verse in Prosa und paßte die Or[] thographie – unter Beibehaltung der Wortwahl – »der heutigen Sprachlehre«, als[o] der seiner eigenen Zeit an.[202] Diese sprachlichen Glättungen für Ohren des achtzehn ten Jahrhunderts führten in den folgenden Jahren leider zu dem Mißverständnis[] Fischarts Gedicht auf die Hirsebreifahrt sei nicht gereimt gewesen.[203] Erst die Wie derentdeckung des seltenen Erstdrucks klärte dieses Mißverständnis auf.

Bodmer verarbeitete die Hirsebreifahrt von 1576 in seinen *Historischen Erzäh lungen die Denkungsart und Sitten der Alten zu entdecken*, die 1769 in Züric[h] gedruckt wurden. Die darin versammelten »Geschichtgen« stützten sich auf histo risches Geschehen. Sie bewegten sich zwischen Literatur und Geschichtsschreibung[.] Bodmer wollte mit ihnen eine Alternative zur moralischen Erziehung der Junge[n] durch die üblichen Fabeln bieten. Der Stoff entstammte durchweg der Schweizer geschichte, klammerte jedoch die Kriege und öffentlichen Händel mit didaktische[n] Argumenten aus:

> Es ist ein Unglück, daß die Geschichtschreiber nur die Zeiten für wichtig halten, d[a] die Staaten in Kriege verwickelt sind. Gefechte, Schlachten, Beraubungen, Zerstörun gen, sind gewiß nicht Sachen, die auf das Leben und die Gemüther den nützlichste[n] Einfluß haben. Wie viel mehrern Nutzen könnte hingegen die Erzählung kleiner, nak keter, das Herz verrathender, Geschichtgen haben, welche gute Wirkungen vornemlic[h] auf die erste, neue, Denkungsart eines Jungen, ihn zu gewöhnen, daß er von de[m] Glücke der Menschen nicht nach dem Scheine, sondern nach dem Zustande ihre[s] Herzens urtheilete, wenn er diesen von dem umgebenden Blendwerke und den fal schen Vorspieglungen abgesondert ins Auge faßt.[204]

Die für das Geschichtsverständnis wichtigsten Oppositionsbegriffe klingen a[n] dieser Stelle an: Auf der einen Seite die große Geschichte der Staaten und ihre[r] Kriege, eine Geschichte des öffentlichen Lebens, aber damit auch des Scheins un[d] der Blendwerke; auf der anderen Seite die kleine Geschichte des Privaten, in de[r] sich der Mensch vermeintlich unverhüllt offenbart. Kaum überraschend brachte de[r] Bodmer-Kreis Rousseaus Kulturkritik große Sympathie entgegen. Für Bodme[r] selbst ging davon jedoch kein entscheidend neuer Anstoß aus. Dem Ideal der Na türlichkeit huldigten schon Scheuchzer und nach ihm Albrecht von Haller mit ihre[r] Konstruktion des *homo alpinus* als einer Art edlem Alpenwilden.[205] Wie auch im mer, eine natürliche Moral konnte sich nur frei vom Deckmantel der Zivilisatio[n]

---

[201] Ibid., S. 55 f.

[202] Ibid., S. 58. Außer dem Exemplar des *Glückhaften Schiffs* in den *Wickiana* gibt es heut[e] zwei weitere Exemplare in Zürich (ZBZ, 18.94a und 18.94b) nach den bei BAECHTOLD, Da[s] glückhafte Schiff (1880), S. 104 beschriebenen beiden Ausgaben. Es ist daher nicht sicher[,] daß Bodmer unmittelbar auf die *Wickiana* zurückgriff.

[203] Vgl. RING, Reise (1787), S. 69 f.

[204] BODMER, Historische Erzählungen (1769), S. IX f.

[205] DEBRUNNER, Alter (1996), S. 17–20.

4. Sittengemälde oder: Fischart und Hirsebreifahrt

zeigen. Aus dieser Grundauffassung zog Bodmer Konsequenzen für sein didaktisches Konzept von Geschichte:

> Gegenwärtige Erzählungen sollten ihre Verdienste daher haben, daß sie den Menschen in Umständen und Stunden aufsucheten, wo er nichts ist als der Mensch, Er selbst und kein andrer, in der wahren Gestalt seines Herzens und seines Kopfes erscheinet.[206]

Herz und Kopf sind gängige Metaphern des Inneren des Menschen. Auch die Stichworte »Denkungsart« und »Sitten« zeigen, daß es um Sittlichkeit, also um innere, moralische Werte in der Vermittlung der Vergangenheit ging: um die Tugenden »der Alten«. Erst befreit vom Kleid der Zivilisation konnte die »nackte Wahrheit« zum Vorschein kommen. Diese Enthüllungsstrategie sollte der von Bodmer literarisierten Sittengeschichte ihren eigenen Gegenstand jenseits von Krieg und Politik garantieren. Sie stand im Dienst moraldidaktischer Ziele in der Knabenerziehung. Bodmer wollte dabei die ausgewählten und erzählten Geschichten als »gute Vorübung und Vorbereitung zu den Geschichten der Schweizer« verstanden wissen:[207] Sittengeschichte also als Propädeutik der historischen Bildung im Konzept einer Erziehung, von der das weibliche Geschlecht ebenso ausgeschlossen war wie von den Staatsgeschäften. Am gesellschaftlichen Verständnis der Geschlechterrollen wurde hier so wenig gerüttelt wie an der Unterscheidung männlicher und weiblicher Tugenden.

Bodmers Geschichtspädagogik verband Patriotismus, Traditionspflege und Tugendlehre miteinander. Die Hirsebreifahrt von 1576 bot in jeder Hinsicht geeigneten Stoff dazu. Das Ergebnis stand unter dem Titel *Der freundschaftliche Caprice*. Gleich zu Anfang wurden die Tugenden genannt, um die es ging: Gastfreundlichkeit und Freundschaft. Ihnen ließen sich die Ehrungen, die den Zürchern in Straßburg zuteil wurden, als »Merckmale von Hochachtung und Freundschaft« zuordnen. Johann Fischart, seine dichterische Bearbeitung des Stoffes und seine scharfe Antwort auf das Spottgedicht sollten der Jugend eingeprägt werden. Dann erinnerte Bodmer an die erste Hirsebreifahrt von 1456 (Tradition). Am Ende wurde das ganze Unternehmen durch die Gefahr aufgewertet, in die sich die Zürcher durch das Passieren des Rheinfalls begeben hatten. Aber hier irrte Bodmer, oder er ließ der dichterischen Freiheit zuviel Lauf, denn die Zürcher Argonauten hatten diese Gefahr durch den Wechsel in ein bereitgestelltes Schiff unterhalb des Falls wohlwissentlich umgangen.[208] Hier die Erzählung:

> Es war ein lustiger Einfall, der doch auf Gastwirthschaft und Freundschaft zielte, daß im Jahr 1576. zween und funfzig junge Züricher sich vereinigten, die freundschaftliche Stadt Straßburg mit einem angenehmen Besuch zu überraschen. Der Entwurf war, daß sie die Reise zu Wasser vornehmen, und an dem Tage, an welchem sie in das

---

[206] Ibid., S. V.

[207] Ibid., S. XVIII.

[208] Vgl. Kellers Bericht: ZBZ, Ms. F 25, fol. 146ʳ. Bei BAECHTOLD, Das glückhafte Schiff (1880), S. 94. Bodmer scheint den Bericht Kellers nicht gekannt oder ihm keine Aufmerksamkeit geschenkt zu haben.

Schiff gesessen wåren, in Straßburg anlånden wollten. Sie vollfûhrten ihr Vorhaben den 22sten Junius[209] auf der Limmat und dem Rhein, und brachten zum Wahrzeichen einen Hirsbrey, den sie den Morgen in Zûrich hatten kochen lassen, von Sonne und Wetter begûnstigt am Abend noch warm in die werthe Straßburg, wo sie mit offenen Armen empfangen, und ihnen die unbetrieglichsten Merckmale von Hochachtung und Freundschaft gegeben wurden. Johann Fischart von Straßburg, sonst Menzer genannt, das beste Genie das Deutschland damals besaß, besang dieses schnelle und glûckliche Schiff in einer rohen Sprache mit poetischer Begeisterung, und als ein schwacher Geist sich in elenden Reimen ûber den Hirsbrey und die Schweizerknaben unnûtz machte, wåschte er ihm den Kopf mit satirischem Salze.

Doch war der Einfall und die Reise nicht neu. Im Jahr 1456. hatte eine Gesellschaf munterer Zûricher dieselbe Schiffahrt mit einem Hirsbrey nach derselben Stadt aus geführt. Sie waren eben so gastfreundschaftlich aufgenommen, und keine Ehrenbe zeugungen gegen sie gespart worden. Damals verwahrten die gûtigen Straßburger der Hafen, der den Hirsbrey zu ihnen bracht, in ihr Zeughaus zum Gedåchtniß. Ein Hôscl von Zûrich gewann die beste Gabe im Rennen, und Heinrich Waldmann ein anderen Zûricher die beste im Steinwerfen und im Springen.

Wiewohl das Unternehmen nur Scherz schien, so war es doch wegen des Rheinfall bey Laufenburg und anderer Klippen mit Gefahr begleitet, und brauchte unerschrock ne Månner.[210]

4.2. »Aufklärung« einer Tradition

Johann Fischart und die Zürcher Hirsebreifahrt bewegten die Gemüter noch übe Jahrzehnte, nachdem Bodmer die Geschichte einmal ausgegraben hatte. Im Jah 1755 unternahm der gebürtige Straßburger Friedrich Dominicus Ring auf dem Weg nach Metz eine Schiffsreise von Zürich in seine Heimatstadt, gewissermaßen zum Abschluß seiner Zürcher Jahre als Hauslehrer der von Muralt. Der Weg führte selbstverständlich über Basel, und da es nicht darum ging, die Strecke an einem Tag zurückzulegen, machte Ring dort mit seinen Gefährten Zwischenstation. Hier zog es ihn in das Haus des Basler Bankiers Burckhardt, wo er »wider alles Vermuthen« seinen »alten Lehrer, Gönner und Freund, den Professor Schöpflin vorfand.«[211] Es handelt sich um Johann Daniel Schoepflin, der in Straßburg Geschichte und Rhe torik lehrte, jenen Schöpflin, an den sich Goethe in *Dichtung und Wahrheit* im Rückblick auf seine Straßburger Lehrjahre erinnert: »Er gehörte zu den glücklichen Menschen, welche Vergangenheit und Gegenwart zu vereinigen geneigt sind, die dem Lebensinteresse das historische Wissen anzuknüpfen verstehn.« Er habe dem »paradiesischen Rheinthal« ganz angehört.[212] Kann es da überraschen, daß Schöpflin

---

[209] Vielleicht ein Druckfehler. Das korrekte Datum: 20. Juni 1576. Vgl. ibid., S. 92.

[210] BODMER, Historische Erzählungen (1769), S. 214–217.

[211] RING, Reise (1787), S. 7. Ring verfaßte auch eine *Vita Schoepflini*. Vgl. RING, Vita Schœpf-lini (1767).

[212] GOETHE, Dichtung und Wahrheit (1890), S. 45.

die Hirsebreifahrt von 1576 aus der Erinnerung hervorzog, als Ring berichtete, er sei zu Schiff unterwegs von Zürich nach Straßburg?

Die Begegnung mit Schöpflin wirkt wie ein Initial ohne Zündung. Mehr als dreißig Jahre später berichtete Ring, Schöpflin habe ihn glücklich gepriesen, eine Reise zu tun, die er sich selbst schon oft zu unternehmen vorgenommen hätte. »Er bat mich zu gleicher Zeit, daß ich doch ja alles Auffallende dieser Reise, nebst Ort, Zeit und Stunde genau bemerken – und unter andern auch darum bemerken möchte, weil es zu Aufklärung einer Tradition und mehr als Tradition – einer Geschichte beytragen könnte«.[213] Gemeint war die Hirsebreifahrt. Schöpflin muß darüber bereits umfangreiches Material zusammengetragen haben. Die Erinnerung an das Ereignis scheint in Straßburg nie abgebrochen zu sein. In der Reiseliteratur des siebzehnten Jahrhunderts taucht der Breitopf, der im Zeughaus aufbewahrt wurde, jedenfalls mehrfach unter den Sehenswürdigkeiten der Stadt im Elsaß auf.[214] Schöpflin stellte Ring in Aussicht, ihm bei nächster Gelegenheit in Straßburg mitzuteilen, was er von dieser Sache wisse und gesammelt habe. Ring solle dann eine gelehrte Abhandlung darüber verfassen. Zwar habe man die Reise mit dem Breitopf »als etwas beynahe unmögliches angesehen«, die Zeugnisse seien jedoch so unwidersprüchlich, daß sie kaum Zweifel erlaubten. Letzte Gewißheit sollte die Probe geben, die darin bestand, die Reise selbst unternommen zu haben. So stellte Ring die Meinung des Lehrers dar, und tatsächlich ließ er den Hauptteil seines Büchleins *Ueber die Reise des Zürcher Breytopfes nach Strasburg vom Jahr 1576*, das 1787 erschien, mit der Beschreibung der eigenen Reise und der Berechnung der Fahrtzeit zu Schiff enden. Die Kriterien für die erwünschte »Aufklärung« der Geschichte wurden also klar genannt: Widerspruchsfreiheit der Zeugnisse und Möglichkeit einer Schiffsreise von Zürich nach Straßburg an einem einzigen Tag. Was das zweite betraf, konnte Ring eine befriedigende Auskunft erteilen: Bei seiner Reise verbrachte er insgesamt rund 16 Stunden zu Schiff, ohne daß die Schiffsleute besondere Eile an den Tag gelegt hätten. Es war also möglich, Straßburg in einem Sommertag zu erreichen.

Die damit erlangte Klarheit vermochte kaum dem Anspruch der »Aufklärung einer Tradition« zu genügen. Schon Scheuchzer, der sich auf Rahn stützte und damit indirekt wiederum auf Haller und Wick, hatte die Zeugnisse zur Hirsebreifahrt ebenso unzweifelhaft gefunden wie Schöpflin.[215] Der Möglichkeitsnachweis war eigentlich unnötig und darum vielleicht nicht mehr als ein schwacher Ersatz für den

---

[213] RING, Reise (1787), S. 8 f.

[214] Vgl. REUSS, Strassburger Freischiessen (1876), S. VII mit Belegen.

[215] Vgl. die knappe Darstellung im 19. Band der *Historia Helvetiae*, ZBZ, Ms. H 123, fol. 102ᵛ (Quellenangabe: »Rahn Chr.«). Vgl. Rahns Chronik, Ms. B 76b, pag. 491. Bei Scheuchzer war wenige Seiten vorher Stimmers Zeichnung vom Straßburger Freischießen eingefügt (heute versetzt in die Graphische Sammlung, ZBZ). Unter dem Namen Georg Kellers Ms. H 123, fol. 106ᵛ, wird die Beschreibung der Hirsebreifahrt erwähnt, allerdings nur mit der Angabe: »MSC«, ohne Hinweis auf den *Wickiana*-Jahrgangsband zu 1576.

Mangel an Dokumenten, an dem Rings Arbeit litt. Die eigentliche Ausbeute kam zu spät für den Druck seiner Abhandlung. Auf Schöpflin und sein Wissen konnte Ring nicht mehr zurückgreifen. Der berühmte Lehrer war bereits 1771 verstorben. Der Nachlaß scheint entweder nicht zugänglich gewesen zu sein oder keine Dokumente geboten zu haben oder aber gar nicht von Ring herangezogen worden zu sein. Letzteres erscheint am wahrscheinlichsten, denn das, was Ring bis zum Anhang zu bieten hatte, spricht weder für Willen zur Gründlichkeit (bei der Recherche), noch für einen ausgeprägten historischen Sinn. Dennoch füllte Ring 127 Seiten – leider zu viele davon mit selbstgefälligen Reflexionen über seine eigene Rolle als Historiograph eines Breitopfes. Die Kritik, die Jakob Baechtold knapp hundert Jahre später formulierte, war vernichtend: »Die Schrift [...] ist für uns geschmacklos durch ihre witzelnde, geistreichelnde Art; sie bringt erst im Anhang auf wenigen Seiten eine Andeutung desjenigen, dessen Ausbeutung ihr einen Werth gegeben hätte, nämlich den Hinweis auf die Wick'sche Sammlung.«[216]

Der Hauptteil drehte sich vor allem um Johann Fischart, der ebenso zu einem Straßburger erklärt wurde wie Johannes Gutenberg. Aber nicht einmal den Text des *Glückhaften Schiffs* vermochte Ring seinen Lesern zu präsentieren. Er mußte auf Bodmers Aufsatz zurückgreifen, um Passagen daraus zitieren zu können. Dabei vermutete er, »daß das Ganze selbst sich in Zürich noch vorfinden müsse, wenn jemand in Bodmers Verlassenschaft recht nachsehen wollte«. Eigene Bemühungen scheint er bis dahin nicht angestellt zu haben.[217] Auch was die Straßburger Überlieferung betraf, vertraute der Karlsruher Hofrat lieber auf »ein glückliches Ungefähr« als auf eigene Kräfte.[218] Die Druckschrift selbst sollte das »Publikum« auf die Sache aufmerksam machen und auf diese Weise dazu beitragen, den so sehr begehrten Text des Originals wieder »ans Licht« zu bringen. Aufklärung also durch Öffentlichkeit und Öffentlichkeit durch das Printmedium: ein typisches Muster aufklärerischen Denkens und Handelns – in diesem Falle freilich eher ein Deckmantel für mangelnden Fleiß.

Die »Aufklärung« erreichte Ring auf anderem Weg. Im Sommer 1785 erhielt er in Karlsruhe überraschenden Besuch vom Verwalter des Großmünsterstifts, Caspar Heß und dessen Frau – alten Bekannten aus Rings Zürcher Jahren. Unter einem Gemälde Salomon Geßners soll das Gespräch »per associationem idearum« auf die Zürcher Hirsebreifahrt nach Straßburg gekommen sein. (Schließlich war Geßner

---

[216] BAECHTOLD, Das glückhafte Schiff (1880), S. 101. Ebenso vernichtend WENDELER, Strassburger Freischiessen (1877), S. 115, über Ring: »nach Verschwendung von acht Bogen Druckpapier muste er sich [...] im Interesse seines Verlegers auf eine magere bibliographische Beschreibung seines reichen Quellenschazes beschränken.«

[217] Die vier von Ring an Bodmer erhaltenen Briefe liegen zwischen 1763 und 1768 und berühren den Gegenstand, für den sich Ring später interessierte, nicht. Vgl. ZBZ, Ms. Bodmer 4 b.18.

[218] RING, Reise (1787), S. 69.

ebenso Dichter wie Johann Fischart.)[219] Als Heß nach Zürich zurückkehrte, machte er sich auf die Suche. Auch andere Zürcher Verbindungen scheint Ring nun aktiviert zu haben – jetzt, da der fertige Text seiner Abhandlung bereits beim Verleger auf den Druck wartete.

Monate später wurde Heß fündig, und er fand mehr, als er gesucht hatte. Das Nachfragen unter den Zürcher Freunden war zunächst ohne Erfolg geblieben. Aber dann entdeckte Heß Fischarts Gedicht »in meinem eignen Hause unter einem Wust andrer Schriften versteckt«, wie er Ring am 30. Oktober 1785 mitteilte. Eine Abschrift stellte er in Aussicht. Dann aber wurde ihm bewußt, daß er Materialien in seinen Händen hielt, die weit mehr boten als Fischarts *Glückhaftes Schiff*. Im Postskript zum selben Brief graute ihm bereits vor der Abschrift. Es seien noch viele andere Gedichte zum Thema vorhanden, »pro et contra«. Darum der Vorschlag:

> Wann es Ihnen ihr Wunsch ist, über diese Begebenheit ins helle Licht zu kommen, so sollten Sie nothwendig alle diese mehr oder minder wichtige Stück und ärgerliche Holzstüke daby selbs einsehen. Alles zusammen enthält wenigstens 90. Folio Blätter. Wann ich nur sicher wäre, wie ich den Foliant der einen theil einer merkwürdigen Sammlung von etlich oder 30. theilen enthält, u[nd] von einem Chorherr Wiki in Zürich gesammelt, u[nd] auf meiner Stiftsbibliothek aufbehalten wird, Ihnen zusenden u[nd] wieder sicher zurückbekommen könnte, so wollt ich Ihnen denselben herzlich gern anvertrauen.[220]

Das aber ging schon darum nicht, weil der Foliant keinen Einband hatte. Die beschriebenen Papierbögen waren notdürftig aneinandergeleimt. In diesem Zustand ließ er sich nicht verschicken.

Liest man nun den Anhang, den Ring nach dieser Entdeckung seinem Büchlein über den Zürcher »Breytopf« beigab, so gewinnt man den Eindruck, er sei tatsächlich nach Zürich gefahren und habe die Mühen der Transkription auf sich genommen:

> Neunzehn bis zwanzig enge geschriebene Quartbögen, wo jede Seite wenigstens vierzig und meistens mehrere Zeilen faßt, hab ich damit angefüllt und oft gar unleserliche Handschriften entziffern müssen, und gar oft sie unentziffert lassen müssen, bis mich das alte: Lust und Lieb zu einem Ding, und Patriotismus und Beharrlichkeit und – ich weiß selbst nicht, welche noch andre Reihe von mir beywohnenden Tugenden und guten, ehrlichen und empfehlungs- und nachahmungswürdigen Eigenschaften

---

[219] Ibid., S. 126 f.

[220] Heß an Ring, 30. Oktober 1785; UB Freiburg, Nachl. Ring II B Bd. 14, fol. 82ᵛ. Zu Rings Reaktion auf diesen Brief: RING, Reise (1787), S. 128: »es kam von meinen erstern Freunden ein zweyter Brief, und eine zweite Versicherung, daß – ich nichts zu hoffen hätte. Aber! siehe da! Am Schlusse des langen verzweifelnden und verzweifelnmachenden Briefs folgte ein Postscript ...«. Zitiert werden dann Sätze aus dem Heß-Brief, die keineswegs nur im Postskript stehen. Tatsächlich teilt Heß nach einer umständlichen Entschuldigung für langes Schweigen sofort seinen Fund mit. Das zeigt, wie sehr die Darstellung Rings um dramatischer Effekte willen Tatsachen verfälscht.

am Ende doch zum glücklichen Enträtsler, Entziffrer, Wahrsager und Rathsherrn gemacht und gestempelt hätten, welches denn, zu meinem Trost, noch einst die dankbare
Nachwelt erkennen und mich dafür, wie ich gewis weiß, mit Unvergeßlichkeit lohnen
wird.[221]

Diese Zeilen sind typisch für Ring. Noch die Selbstironie dient der Selbstinszenie-
rung. Mit den Tatsachen hat diese Darstellung freilich nicht viel zu tun. Nur soviel
ist richtig: Die anfangs erwähnten Quartbögen hatte er tatsächlich fein säuberlich
und eigenhändig beschrieben.[222] Das Original in Zürich – den *Wickiana*-Band zum
Jahr 1576 – mußte er für diesen Zweck jedoch nicht entziffern. Seine Vorlage war
eine mit Sicherheit gut lesbare Abschrift, die er auf dem Postweg erhalten hatte.

Das läßt sich aus dem weiteren Briefwechsel mit Heß schließen, der Ring am
19. Juli 1786 bescheinigte, er habe das diesem »communicirte Breyhaffenn convolut
richtig wiederum erhalten«.[223] Demnach hatte Heß Dokumente zur Hirsebreifahrt an
Ring verschickt, mit Sicherheit jedoch nicht das Original, sondern Kopien. Von wem
sie stammten, darüber klären zwei Quittungen auf. Heß bescheinigte darin die Über-
weisung eines Honorars von Ring an Vater und Sohn Johann Martin Usteri. Die eine
datiert noch auf Ende 1785, die zweite auf den 13. Juni 1786.[224] Wenn man bedenkt,
daß Heß die Entdeckung der *Wickiana*-Dokumente erst mit Datum vom 30. Oktober
1785 mitgeteilt hatte, so kann man einen Besuch Rings in Zürich nahezu ausschließen. Statt dessen scheint Heß recht bald auf die Idee gekommen zu sein, den damals
dreiundzwanzigjährigen Johann Martin Usteri gegen Bezahlung für die Kopierar-
beiten zu engagieren. Dafür sprechen die ehrlicheren und ernsteren Zeilen bei Ring,
in denen von einem Zürcher Freund (gemeint war Heß) die Rede ist, der ungenannt
bleiben wollte und »der mir diese Actenstücke aufgesucht, aufgefunden und zu
verschaffen Mittel und Wege gewußt hat«.[225] Das Geschäft scheint dann über den als
Kaufmann tätigen Vater des jungen Usteri abgewickelt worden zu sein.

Für Rings Buch kam die ganze Aktion zu spät. Zu mehr als einer angehängten
Übersicht über die in den *Wickiana* vorhandenen Dokumente reichte es nicht mehr,
und die Hoffnung, die Leserschaft könnte Verleger und Autor zu einer Fortsetzung
der Arbeit drängen, wurde enttäuscht.[226] In Anbetracht des später von Baechtold
geäußerten, vernichtenden Urteils spricht dies freilich für den guten Geschmack des
»Publikums«. In Rings Darstellungsweise drückt sich allerdings nur der Extremfall

---

[221] RING, Reise (1787), S. 130.
[222] UB Freiburg, Nachl. Ring II B Bd. 14, fol. 1ʳ–79ᵛ.
[223] UB Freiburg, Nachl. Ring II B Bd. 14, fol. 86ʳ. Das schweizerdeutsche »Hafen« bedeutet
»Topf«.
[224] Vgl. UB Freiburg, Nachl. Ring II B Bd. 14, fol. 88ʳ.
[225] RING, Reise (1787), S. 150. Heß hatte in einem Schreiben vom 16. Februar 1786 darum
gebeten, nicht genannt zu werden, und dabei recht strikte Vorgaben gemacht, wie die Zürcher Quelle zu nennen sei. Vgl. UB Freiburg, Nachl. Ring II B Bd. 14, fol. 85ʳ.
[226] RING, Reise (1787), S. 130.

einer bestimmten Haltung zu einem Gegenstand aus, der in der Rangordnung bedeutender Geschichtsereignisse weit unten angesiedelt wurde. Eine allzu ernsthafte Aufarbeitung erschien da unangemessen. Man muß wohl ernst nehmen, wenn Ring betonte, er habe sich und seine Leser in erster Linie »belustigen«, vielleicht auch ein bißchen belehren wollen, mochte seine Schrift dann auch weder zum einen noch zum anderen gut geeignet gewesen sein.[227] Vor allem hätte die versprochene Aufklärung einer Tradition mehr erfordert.

Wie ungünstig seine Arbeit in Zürich bewertet wurde, das bekam Ring von dem Zunftmeister Caspar Ott zu hören, einem ehemaligen Schüler Christoph Martin Wielands, der Ring aus dessen Zürcher Jahren kannte. In einem ausführlichen Brief vom 16. September 1787 zählte er, unter der Maske beißenden Humors und mit scharfer Ironie, peinlich genau die Mängel des Ringschen *Breytopfes* auf. So etwa machte Ott auf die Überlieferung der Hirsebreifahrt von 1456 in den Chroniken von Stumpf und Bullinger aufmerksam und wies Ring auf die Erwähnung der ersten Fahrt in Bluntschlis *Memorabilia Tigurina* von 1704 und in Bodmers *Historischen Erzählungen* hin.[228] Gerade letzteres unterstrich, wie wenig Sorgfalt der Karlsruher Hofrat auf seine Arbeit verwendet hatte. So überrascht es nicht, daß die Geschichte der Hirsebreifahrt nur wenige Jahre später – diesmal von einem Zürcher – ein weiteres Mal ausführlich beschrieben wurde. Es hatte symbolische Bedeutung, wenn Ott an einer Stelle seines Briefes bemerkte: »wir treffen den Hirs immer noch warm genug an«.[229] Das Interesse an der Geschichte war noch keineswegs abgekühlt.

4.3. Unterhaltungsgeschichte

»Was wird der Historiograph des Zürcherischen Breitopfs sagen, wenn er's etwa nicht schon durch die pfausbäckichte Fama vernommen hat, dass ein zweiter Liebhaber der Alterthümmern aufstehet und das gleiche Phänomen bearbeitet? Die Eifersucht wird ihn ohne Zweifel ergreifen«, schrieb Ott im Januar 1793 an Ring.[230] Der Pfarrer Hans Rudolf Maurer hatte gerade seine Abhandlung *Der warme Hirsbrey von Zürich* abgeschlossen. Ott legte seinem Brief ein Exemplar bei, nicht ohne anzumerken, daß der Verfasser ihn mehrmals konsultiert hatte. Er »ist ein circa 40jähriger wackerer Geistlicher, der viel an unserer Jugend gearbeitet hat, daneben Liebhaber der vaterländischen Geschichte«, teilte Ott mit.[231] Maurer war zwischen

---

[227] Ibid., S. 125.
[228] Ott an Ring, 15. August 1787; UB Freiburg, Nachl. Ring II B Bd. 14, fol. 95ᵛ–96ᵛ (mit einem Zitat aus Bodmers Erzählung). Vgl. BLUNTSCHLI, Memorabilia Tigurina (1704), S. 213.
[229] Ott an Ring, 15. August 1787; UB Freiburg, Nachl. Ring II B Bd. 14, fol. 94ᵛ.
[230] Zitiert nach BAECHTOLD, Das glückhafte Schiff (1880), S. 102.
[231] Ibid.

1778 und 1792 als Schullehrer am Carolinum tätig gewesen, was ihm einen bequemen Zugang zu den historischen Quellen ermöglicht hatte. In der Einleitung zu seiner Studie über die Hirsebreifahrt äußerte er sich ausführlich dazu.

An erster Stelle nannte er die »Chroniken der älteren Zeit, besonders die noch ungedruckten«. Der Geschmacklosigkeit ihrer Verfasser sei die Kenntnis vieler Details zu verdanken, »welche freylich Livius und Robertson in ihren Geschichten nicht verewigt hätten.«[232] Diese in sich ambivalente Wertung erklärt auch die zwiespältige Haltung Maurers zu seiner »Hauptquelle«, den Dokumenten im *Wickiana*-Jahrgang 1576. Maurer wies nur auf dem Umweg ihrer Aufzählung bei Ring auf Wick hin, mied aber im übrigen seinen Namen. Nur einmal, in einer Fußnote, tauchte er auf.[233] Als weitere Quellen nannte Maurer Lieder und Verse, Ratsmanuale, Tagebücher und Realien: Schaupfennige, Trinkkelche, Überreste von Geschenken, Geräten und Gewändern. »Verschiedene dieser Belege sind von einer Beschaffenheit, dass sie nach der genauesten und schärfsten Historik, das Factum und die Hauptumstände desselben unwidersprechlich beweisen«.[234] Maurer beanspruchte also, den Maßstäben einer historisch-kritischen Methode gerecht zu werden, für deren Bezeichnung ihm – viele Jahrzehnte vor Droysen – bereits der Begriff der »Historik« zur Verfügung stand.

Trotz des methodischen Ernstes, durch den er sich von Ring unterschied, schätzte Maurer die Bedeutung seines Gegenstandes kaum anders ein als die Bearbeiter vor ihm. Was hier mit Ernst untersucht und behandelt wurde, war eigentlich das Gegenteil ernstzunehmender Geschichte, diente bloß zur »Unterhaltung«. Maurers wertbehaftete Unterscheidungen stimmten mit denen Bodmers überein. Es waren »Kleinigkeiten, die hier angebotten«[235] wurden, der »eherne Topf« war »zu unwichtig, um Stoff für Canonen zugeben«.[236] »Erhollung ist's, sich wegzustählen, aus dem gewirre von Verträgen, Bündnissen, Verhandlungen, Streitigkeiten und Thädigungen, mit welchen der unruhige Geist jener Zeiten, der Wechsel der Regierungen, Kauf und Kriegsglük unsere Geschichtsbücher füllten«.[237] Die Geschichte der Hirsebreifahrt darzustellen, bedeutete demgegenüber, »mit unsern berühmten Vätern bisweilen ein wenig zuprivatisiren«. Maurer wollte »Fragmente ihrer Geselligkeit, ihres Geschmaks und ihrer Sitten vorlegen«,[238] kurz: ein »Sittengemählde«.[239] Und was sich in den darin dargestellten Szenen zeigte, war wiederum Bodmers Mensch, der nichts ist als Mensch – ein Motiv, das bei Maurer in Verbindung mit

---

[232] MAURER, Hirsebrey (1792), S. VII.
[233] Ibid., S. VIII und S. 63 (zu Wick).
[234] Ibid., S. VIII.
[235] Ibid., S. II.
[236] Ibid., S. IX.
[237] Ibid., S. I.
[238] Ibid., S. II.
[239] Ibid., S. VII.

4. Sittengemälde oder: Fischart und Hirsebreifahrt

einer Anspielung auf den Naturzustand und einer Rousseau-Reminiszenz wieder auftauchte:

> In froher, sorgloser Gemüthsstimmung fühlt der planlose Reisende das ihm seltene Glük des Nichsthuns, der Entladung von häuslichen Lasten, und der Bürde des mühevollen Berufs, geniest [...] die Freyheit des Naturmenschen, dessen Vaterland nichts geringers, als die noch ungetheilte Erde ist; er wählt königlich, umringet, so lang der Pfennig im Beutel klingt, von einer dienstfertigen Welt [...]. Als einziger Gebieter über seine Person geniest er nach Wohlgefallen, ganz Mensch, und nichts als Mensch die wenigen Stunden in ungetrübter Heiterkeit. Anlässe und Umstände schaukeln ihn, wie die sanften Weste [Westwinde, F. M.] den Kahn, in welchem ohne Steur und Segel auf dem reizenden Bielersee weiland der so selten glükliche Rousseau herumtrieb, auf seiner friedevollen Fahrt.[240]

Dies war ein kaum verschlüsseltes Bekenntnis zum ehemaligen Bodmer-Kreis, aus dem sich 1763 eine Gruppe junger Zürcher nach Môtiers begeben hatte, um dem Philosophen zu huldigen.

Gegenüber Bodmers *Historischen Erzählungen* veränderte Maurer die Zielgruppe seiner Sittengeschichte. Der pädagogische Gesichtspunkt fiel weg, während der moraldidaktische Impetus blieb. Es ging weiterhin um Tugenden, vor allem um diejenige der Freundschaft. Der Stil war erzählend, die Geschichtsschreibung wurde aber durchaus häufig mit Fußnoten belegt, die bei Bodmer nur störend gewesen wären. Wirklich neu war bei Maurer die Verbindung von »ernster« und Unterhaltungsgeschichte. Entsprechend arrangierte er seine Darstellung. Die Hirsebreifahrt wurde von der Geschichte der Verbindungen zwischen Zürich und Straßburg eingerahmt und diente in der chronologischen Abfolge der Ereignisse ebenso wie im Lesefluß zur Entspannung. Die Unterschiede der einzelnen Teile sind augenfällig. Die Episode vom »glückhaften Schiff« wurde schon typographisch großzügiger präsentiert. Engbedruckt dagegen waren die politischen Seiten des Buchs – und bilderlos, während das »Sittengemälde« des Mittelteils mit Kupferstichen von Johann Heinrich Meyer und Matthias Stumpf ausgestattet wurde, die sich teilweise an Vorlagen aus den *Wickiana* orientierten.[241] In dieser Aufmachung wirkt die Schilderung der Hirsebreifahrt wie ein heiteres Zwischenspiel, wie die *opera-buffa*-Episode um Papageno und Papagena in Mozarts *Zauberflöte* (uraufgeführt 1791). Für den Vergleich

---

[240] Ibid., S. 79. Vgl. ROUSSEAU, Rêveries du promeneur (1959), S. 1044 f. Dazu STACKELBERG, Rousseau (1999), S. 60 f.

[241] Folgende Kupferstiche sind von Meyer signiert: MAURER, Hirsebrey (1792), S. 73, 91; unsigniert: S. 39, 48, 86, 90, 106. Die Porträtstiche S. 49, 53, 60 sind signiert: »M. Stumpf«. Über ihn kurz HBLS 6 (1931), S. 592. Die beiden von Meyer signierten Stiche aus Maurers *Hirsebrey* wurden in ANONYMUS, Der warme Hirsebrei von Zürich (1829), S. 209, als Vorlage verwendet. Verschiedene Stiche aus Maurer sind abgebildet in ALLGEMEINE ELSÄSSISCHE BANKGESELLSCHAFT (Hg.), Die Hirsebreifahrt der Zürcher nach Strassburg (1976), Abb. 4, HIRSEBREIFAHRT, Hirsebreifahrt 1986 (1986), S. 13, 21, 25 f. und ORGANISATIONSKOMITEE HIRSEBREIFAHRT ZÜRICH STRASSBURG 1996 (Hg.), Hirsebreifahrt 1996 (1996), S. 20.

spricht mehr als nur zufällige zeitliche Koinzidenz, wenn oder insofern sie überhaupt zufällig ist. Denn kulturgeschichtlich laufen solche Entwicklungen ungefähr parallel zur »Entstehung der Freizeit«[242] und des Privaten, damit auch zur Aufwertung von Unterhaltung und Entspannung.

Maurers *Hirsebrey*, um darauf zurückzukommen, war kein größerer Erfolg vergönnt als Rings *Breytopf*. Ott berichtete Ring am 28. Oktober 1794: »Maurer schreibt nichts mehr, dann seine Arbeiten fanden nicht Abgang genug, man fand seine Manier zu weitschichtig und zu trocken. Der Mann hat übrigens eine gute Pfrunde zu leben.«[243] In aller Anlehnung an Bodmer fehlte Maurer gerade das völlig, was den Reiz der *Historischen Erzählungen* ausmachte: Kürze in der Darstellung und Schlichtheit im sprachlichen Ausdruck. Die Quellen selbst, so lang ihre Liste auch war und so gut er sie gekannt haben mochte, ließ er nicht zu Wort kommen, sieht man von wenigen Zitaten aus Gwalthers *Argo Tigurina* und Fischarts *Glückhaftem Schiff* ab. Baechtold konnte daher bemerken, daß auch Maurer, wie zuvor Ring, »gerade das, was uns heute das Wichtigste erscheint, die Quellenmitteilungen aus Wick, bei Seite« gelassen hatte. Erst in einer Handschrift von Johann Martin Usteri erkannte der schweizerische Literaturwissenschaftler eine »Sammlung der die Fahrt betreffenden gleichzeitigen Beschreibungen und Gedichte«, wie sie ihm selbst vorschwebte.[244]

4.4. Sittengeschichte und Genrekunst

> Da wir beisammen sind in trautem Kreise
> Gedenken wir aufs Neu'
> Vergangner Zeit, der Ahnen Schifferreise
> Nach Strassburg mit dem Brei.[245]

Usteris Bekanntschaft mit den *Wickiana* läßt sich vermutlich ziemlich genau ans Jahresende 1785 datieren, als er die für Ring bestimmten Abschriften anfertigte. Von dem ersten Konvolut ist nichts zurückgeblieben.[246] Usteri vernichtete es wohl,

---

[242] NAHRSTEDT, Freizeit (1972). Dazu ROECK, Lebenswelt (1991), S. 35 f.

[243] Zitiert nach BAECHTOLD, Das glückhafte Schiff (1880), S. 102.

[244] Ibid., S. 103 f. Sehr scharf wiederum WENDELER, Strassburger Freischiessen (1877), S. 116, zu Maurer: »seine breitspurige mit dem Jare 1255 beginnende Darstellung der gewonnenen Resultate, die Wichtiges und Unwichtiges mit gleicher patriotisch-philosophischer Sauce begiesst, wird dem Leser stellenweise zur waren Pein«. Auch er vermißt die Quellen.

[245] 1. Strophe des Gedichts »Der Strassburger Becher« von Johann Martin Usteri. Vollständig abgedruckt bei BAECHTOLD, Das glückhafte Schiff (1880), S. 109.

[246] In ZBZ, Ms. U 22 befindet sich unter den im Deckel eingeklebten Zetteln eine Liste der in den *Wickiana* vorhandenen Dokumente. Am rechten Rand (lateinische Zahlen in dunklerer Tinte) ergänzte Usteri später die Numerierung nach dem Anhang bei RING, Reise (1787), S. 131 ff. Dabei könnte es sich um ein Fragment der ursprünglichen Abschriften handeln.

als er den schönen Sammelband *Die Fahrt der Zürcher nach Strasburg mit dem Hirsbrey. Anno 1576* aus Abschriften zusammenstellte und mit Nachzeichnungen versah. Im »Vorbericht« motivierte er die aufgewandte Mühe, indem er die Hirse-breifahrt als »ein anziehendes und belehrendes Bruchstück aus der Sittengeschichte« des sechzehnten Jahrhunderts bezeichnete. Für eine ungedruckte und offenbar auch nicht für den Druck vorgesehene Sammlung genügte diese Begründung. Um ihr »noch mehr Interesse und Vollständigkeit zu geben«, hatte er »auch die bildlichen Darstellungen, u[nd] die bis auf uns gekommenen Denkmäler dieser Fahrt hier auf-genommen«.[247] Die kopierten Bilder zeigen das »glückhafte Schiff« auf dem Hin-weg, sodann die »Heimfahrt von Straßburg« und schließlich den Umzug der Hir-sebreifahrer in Zürich nach der Rückkehr am 28. Juni 1576 (Abb. F14). Die Motive folgen den Vorlagen im 14. Buch der *Wickiana*.[248]

Bei den abgezeichneten »Denkmälern« handelt es sich um zwei Trinkbecher. Drei Blätter sind dem Pokal gewidmet, den der Goldschmied Abraham Gesner, selbst Teilnehmer an der Hirsebreifahrt, im Auftrag der Bogenschützengesellschaft ange-fertigt hatte.[249] Das erste Blatt zeigt den Becher frontal, das zweite im Profil, dar-unter der Schild vom Rücken einer Karyatidenfigur; das dritte schließlich den Boden der vergoldeten Silberschale mit vier Szenen in vier Kreisquartalen, dazwischen und in der Mitte eingelegt die fünf Gedenkmünzen, die den Zürcher Argonauten vom Straßburger Rat als Geschenk überreicht worden waren.[250] In den vier Feldern des Schalenbodens erkennt man links das Schiff auf der Hinfahrt nach Straßburg, oben den Scheibenstand der Armbrustschützen nach Tobias Stimmers Holzschnitt zum Straßburger Freischießen,[251] rechts die Verteilung der Straßburger Fahnen zur

---

[247] ZBZ, U 22, »Vorbericht«. Vgl. NÄGELI, Usteri (1907), S. 214.

[248] Für die Vorlagen siehe in Ms F 25 fol. 139ᵛ (Hinfahrt), fol. 152ᵛ–153ʳ (Einzug bei der Rückkehr) und fol. 166ʳ (Rückfahrt). Haller hat lediglich das erste Motiv in seiner Chronik aufgegriffen. Das dritte *Wickiana*-Bild (Umzug der Hirsebreifahrer) ist schwarzweiß abge-bildet in: ALLGEMEINE ELSÄSSISCHE BANKGESELLSCHAFT (Hg.), Die Hirsebreifahrt der Zürcher nach Strassburg (1976), Abb. 6.

[249] SLZ, Dep. 409 (Depositum der Bogenschützengesellschaft). Ein zweites Stück im Musée historique in Straßburg. Abbildungen in: GRUBER, Silber (1977), S. 116 (Nr. 191); außer-dem in ALLGEMEINE ELSÄSSISCHE BANKGESELLSCHAFT (Hg.), Die Hirsebreifahrt der Zür-cher nach Strassburg (1976), nach dem Vorwort (nur die Innenseite der Schale nach einer Zeichnung von Frédéric Piton); HIRSEBREIFAHRT, Hirsebreifahrt 1986 (1986), S. 15 f.; Hir-sebreifahrt ORGANISATIONSKOMITEE HIRSEBREIFAHRT ZÜRICH STRASSBURG 1996 (Hg.), Hirsebreifahrt 1996 (1996), S. 32.

[250] Vgl. hierzu die Inschrift auf der Rückseite des Schalenbodens, bei Usteri auf der Frontal-ansicht erkennbar, abgedruckt bei BAECHTOLD, Das glückhafte Schiff (1880), S. 110 Anm. 5, und in HIRSEBREIFAHRT, Hirsebreifahrt 1986 (1986), S. 16. Dort ist in der Unter-schrift zur Abbildung des Pokals trotzdem irrtümlich von »fünf gewonnenen Straßburger Schützenpfennigen« die Rede. Für den richtigen Bezug der Inschrift zur feierlichen Verab-schiedung der Zürcher vgl. den Bericht von Keller: ZBZ, Ms. F 25, 159ʳ. Text bei BAECH-TOLD, Das glückhafte Schiff (1880), S. 96, der das Motiv auch richtig entschlüsselt; vgl. S. 111 (»Austheilung der Fahnen bei der Ansprache durch den Stadtmeister Sturm«).

Ehrung der Hirsebreifahrer bei ihrer Verabschiedung am 23. Juni 1576 (die Namen werden verlesen; ein Hund symbolisiert Treue), unten schließlich die sechs Roll-wagen mit den Zürchern auf der Rückfahrt.[252] Das vierte Blatt zeigt den Fuß des zweiten Straßburger Bechers, dessen nicht abgebildete Schale der des ersten Bechers entsprach.[253]

Usteri gehörte zwar nicht mehr unmittelbar zum Bodmer-Kreis. Dazu war er zu jung. Aber mit seiner Doppelbegabung als ›Dichtermaler‹ und mit seinem Zugang zur Geschichte stand er ganz in dieser Tradition.[254] Von der Hirsebreifahrt hatte er vermutlich erstmals durch Bodmers *Historische Erzählungen* gehört, zu denen er 1781 siebzig Skizzen zeichnete.[255] Das Ereignis von 1576 ließ Usteri danach nicht mehr los. Er sammelte nicht nur die Text- und Bilddokumente der Vergangenheit, sondern verarbeitete den Stoff in verschiedenen künstlerischen Formen weiter. Wie alle solche Arbeiten betrieb er auch diese nicht zum Broterwerb. Eine umfassende künstlerische Ausbildung hatte er nie genossen. Usteri war das, was man im besten und durchaus wohlwollenden Sinne einen »Dilettanten« nennt: eine »unvollendete« künstlerische Begabung mit bürgerlichem Beruf. Ähnliches galt für David Heß oder Salomon Landolt: »Keiner der Erwähnten gedachte, aus der Kunst einen Brotberuf zu machen, sie waren zu Offizieren, Ratsherren, Kaufleuten bestimmt. Für ihre Bedürfnisse reichte das erworbene Können, auch für die Ansprüche der Zeitgenos-sen. Dies dürfte wohl der Hauptgrund sein, daß diese Liebhaber nicht mehr an sich gearbeitet und den oft nur kleinen Schritt zum Beherrschen der Kunst nicht getan haben. Erst die Nachgeborenen bedauerten, daß bei manchen Werken die Ausfüh-

---

[251] Vgl. das Fragment ZBZ, PAS II 13/5–6, in dem der entsprechende Ausschnitt fehlt; voll-ständig im Nebenbild bei HARMS (Hg.), Flugblätter VII (1997), zu Nr. 82. Der Ausschnitt findet sich in ALLGEMEINE ELSÄSSISCHE BANKGESELLSCHAFT (Hg.), Die Hirsebreifahrt der Zürcher nach Strassburg (1976), Abb. 5, HIRSEBREIFAHRT, Hirsebreifahrt 1986 (1986), S. 20, und ORGANISATIONSKOMITEE HIRSEBREIFAHRT ZÜRICH STRASSBURG 1996 (Hg.), Hirsebreifahrt 1996 (1996), S. 16 f.

[252] Die Zahl entspricht dem Bericht von Keller. Vgl. ZBZ, Ms. F 25, 159ʳ. Text bei BAECH-TOLD, Das glückhafte Schiff (1880), S. 97.

[253] Ibid., S. 110, dazu die Abbildungen auf Taf. I, Nr. 1–5. Ob die Szenen in den Schalen tatsächlich, wie Baechtold (S. 111) meint, »nach den Motiven der Wick'schen Sammlung« gestaltet sind, ist zweifelhaft. Einzig für das fahrende Schiff im linken Feld erscheint das heute plausibel. Der Stimmer-Holzschnitt ist nicht (mehr?) vollständig, das Fragment aus den *Wickiana* enthält die Szene des oberen Feldes nicht. (Baechtold nimmt allerdings an, daß der Holzschnitt ursprünglich vollständig in den *Wickiana* vorhanden war; vgl. S. 109 Anm. 3). Die Übergabe der Fahnen wird bei Wick gar nicht dargestellt und die Rückfahrt in den Rollwagen anders.

[254] ULRICH, Usteri (1990), S. 28 (»Dichter-Maler«) und S. 5 (»Doppelbegabungen«, außerdem genannt: Salomon Geßner, Ludwig Meyer von Knonau, David Heß, im 19. Jh. August Corrodi); vgl. auch NÄGELI, Usteri (1907), S. 58 (»Dichtermaler«). Zum Bodmer-Kreis vgl. zusammenfassend GKZ, Bd. 2, S. 451–455, hier S. 455 zu Usteri.

[255] KHZ, Nachlaß Usteri, L 23. Vgl. NÄGELI, Usteri (1907), S. 22, und ESCHER, Nachlaß (1896), S. 28.

rung der Absicht nicht entsprach.«[256] Der etwas ältere Johann Heinrich Füssli war eine Ausnahmeerscheinung, und seine Emigration nach London weist auf die Grenzen hin, an die ein Künstlerdasein im Zürich des Ancien Régime stoßen konnte.

Literarisch verarbeitete Usteri die Dokumente der Hirsebreifahrt in einer Briefnovelle: *Thomann Zur Lindens Abentheuer auf dem großen Schießen zu Straßburg.*[257] Das handgeschriebene Original dieser Erzählung war eine von Usteris »Fälschungen«, ein »unschuldiger Betrug«, geschrieben auf altem Papier und in einer für das sechzehnte Jahrhundert vermeintlich typischen Schrift.[258] Usteri hat sich mehrere Späße dieser Art erlaubt. Als Camillus Wendeler, der sich als guter Fischartforscher auch für das Straßburger Freischießen interessieren mußte,[259] das Manuskript gegen Ende des neunzehnten Jahrhunderts in der Preußischen Staatsbibliothek fand, hielt er die »stil- und costümgerechten Briefe« lange Zeit für echt, trotz »einiger merkwürdiger moderner Anklänge«. Humorig bemerkte er im Vorwort zu der von ihm besorgten Ausgabe der Novelle, Analogien zu solchen Unstimmigkeiten ließen sich in Volksliedern des sechzehnten Jahrhunderts finden, »vor Allem – wenn man will«.[260] Ähnlich äußerte er sich zur Qualität der von Usteri nachgeahmten Zürcher Mundart des sechzehnten Jahrhunderts. Nur einige »Inconsequenzen« konnte er feststellen. Wendeler war freilich kein Zürcher. Ganz anders urteilte Gottfried Keller in einer neu bearbeiteten Ausgabe von Scherrs *Schweizerischem Bildungsfreund*. Usteris *Graf Wallraff von Thierstein* sei weggelassen worden, heißt es da, »weil die Schriftsprache des sechszehnten Jahrhunderts, in welcher Manches zu dichten Usteri sich leider eigensinniger Weise gefiel, zu gesetzlos und willkürlich im schriftlichen Ausdruck« sei. »Ein unerträglicher Widerspruch, eine Unnatur liegt ferner schon darin, daß der ganze Gedankengang, alle Bilder und alle Satzbildungen und Wortfügungen solcher Produkte durchaus modern sind und daher in dem alten schlottrigen Gewande nur eine ungeschickte Maskerade vorstellen.«[261]

---

[256] So ULRICH, Usteri (1990), S. 22 f.

[257] Unter diesem Titel zuerst 1819 in den *Alpenrosen* erschienen, dann in: USTERI, Dichtungen (1831), Bd. 1, S. 247–288. Vgl. BAECHTOLD, Das glückhafte Schiff (1880), S. 108. Wendeler wählte den Titel: »Liebesabenteuer eines Zürichers vom glückhaften Schiff auf dem Freischieszen zu Straszburg im Jahre 1576« für das unbetitelte Originalmanuskript. Hier auch die Bestimmung als Novelle; vgl. USTERI, Liebesabenteuer (1877). Vgl. auch kurz NÄGELI, Usteri (1907), S. 190–192 (hier S. 192: »unschuldiger Betrug«).

[258] Zu Usteris »Fälscherkünsten« vgl. Heß, Lebensbeschreibung Johann Martin Usteri's, in: USTERI, Dichtungen (1831), Bd. 1, S. LXXVII. Ein Blatt mit dem Text »Der armen Frow Zwingli Klag« vermag einen Eindruck davon zu geben. Vgl. KHZ, Nachlaß Usteri, L 28, S. 6, Vgl. ESCHER, Nachlaß (1896), S. 37.

[259] Vgl. WENDELER, Strassburger Freischiessen (1877). Hinweis bei BAECHTOLD, Das glückhafte Schiff (1880), S. 103.

[260] Vgl. Wendelers Einleitung zu USTERI, Liebesabenteuer (1877), S. 6 und Anm. 1. Dort am Anfang (S. 5) eine Beschreibung der Handschrift.

[261] Kellers Vorwort zu SCHERR, Bildungsfreund (1876). Vgl. ULRICH, Usteri (1990), S. 24.

Ähnliches ließe sich über das Liebesabenteuer des Seilers Thomann zur Linden sagen. Der Name findet sich in Wicks Liste der Hirsebreifahrer, ist also authentisch. Nicht so der Beruf. Der wirkliche Thomann zur Linden war Krämer oder Pfister.[262] Usteris Berufswahl für seinen Helden hielt sich also frei vom historischen Faktum und war wohl symbolisch. *Der gelehrte Seiler* war eine aus Bodmers *Historischen Erzählungen*, zu denen Usteri 1783 eine Zeichnung angefertigt hatte.[263] Historischer Hintergrund war die Lebensgeschichte Thomas Platters, der, durch Zwingli zur Ausübung eines Handwerks ermuntert, während der Arbeit Bücher studierte und Rektor der Münsterschule in Basel wurde. In *Thomann zur Lindens Abenteuer* ließ Usteri etwas Vergleichbares geschehen: Darin entdeckt der Kaufmann Cham Thomanns Begabung im Kopfrechnen und Schreiben und macht ihn zu seinem Gehilfen. Man darf in diesem Arrangement außerdem noch eine Anspielung auf Usteris eigenen kaufmännischen Beruf und seine nebenher betriebenen Studien vermuten.

In fiktiven Briefen an seinen Bruder Johannes ließ Usteri Thomann zur Linden selbst die Schiffahrt, den Empfang und die Besichtigungen in Straßburg sowie die Rückreise in teils wörtlicher Anlehnung an den Bericht von Georg Keller schildern. Geschickt wird ein Liebesabenteuer darin eingeflochten. Thomann verliebt sich in eine schöne Straßburgerin, die am Festmahl der am 21. Juni 1576 eingetroffenen Zürcher vom glückhaften Schiff teilnimmt und sich von ihm den noch warmen »Hirs« reichen läßt. Er trifft sie mehrfach vor der Abreise und verspricht seine baldige Rückkehr. Als neuer Gehilfe des reichen Zürcher Kaufmanns Cham, dem er zuvor durch Einlösung eines Schuldscheins überraschend zu bereits verloren geglaubtem Geld verhilft, kehrt er zwei Monate später nach Straßburg zurück und verabredet das lang ersehnte Treffen mit der Schönen. Zur Verlobung hat er einen Ring mitgebracht. Am Abend der Verabredung vertreibt er sich die verbleibende Zeit bis zum Treffen, indem er mit einem Wächter auf den Turm des Straßburger Münsters hinaufsteigt, wo er den Blick »gegen das Schwytzerland« richtet, sich auf die warnenden Worte seiner Mutter und auf seine Liebe zu der Zürcherin Helene besinnt.[264] Durch »das leichtfertig gschwätz vnd die liedlin« eines alten Kriegsmanns beim Abstieg wieder schwankend geworden, erinnert ihn Schlag Neun der »güggel« auf der berühmten Münsteruhr an den Verrat Petri und bringt ihn von seinem Vorhaben endgültig ab.[265] Das Glück seiner Gewissensentscheidung wird ihm dadurch offenbar, daß sich die Straßburgerin kurz darauf als »lockere Dirne« entpuppt. Diese moralische Disqualifikation schließt jedes Mitgefühl aus, das der

---

[262] Ein »grämpler« nach der Berufsbezeichnung in Hallers Chronik; vgl. ZBZ, Ms. A 26, fol. 274ʳ. Bedeutung nach SchwId 2, Sp. 738. Die biographischen Handschriften ZBZ, Ms. E 20, fol. 125ᵛ, und Ms. E 56, pag. 207, kennen nur einen Pfister Thomann zur Linden, der 1564 Bürger von Zürich wurde.

[263] BODMER, Historische Erzählungen (1769), S. 256–262. Es ist die letzte Nummer, so auch in den Zeichnungen: KHZ, Nachlaß Usteri, L 23, Nr. 97.

[264] USTERI, Liebesabenteuer (1877), S. 41 f.

[265] Ibid., S. 43.

4. Sittengemälde oder: Fischart und Hirsebreifahrt

Leser mit einer unverdient unglücklich zurückgelassenen Straßburgerin hätte haben können. So aber lenkt nichts von der Tungendlehre ab. Die moralische Rechnung geht auf.

Im abschließenden Brief erzählt Thomann seinem Bruder vom »bürgermal ›zum schneggen‹« am 21. November 1576, auf dem die Hirsebreifahrer und die Schützen, die Zürich beim Straßburger Freischießen vertreten hatten, die Wein-, Brot- und Salzgaben der Herren von Straßburg gemeinsam verspiesen.[266] Schließlich berichtet Thomann, er habe den Ring, den er für die Straßburgerin gekauft hatte, in Frankfurt gegen einen neuen Ring mit einem »gschmelzten güggel« eingetauscht, mit dem er Helene wiedergewinnen wolle. »Vnd soll mich der zytlebens warnen, das ich myn pflicht nie verrath vnd vf dem rechten weg blyb, wie das der im münster zu Strassburg ouch than hat.«[267]

Beim Wort »Abenteuer« mag man mehr Dramatik erwarten als diese Geschichte bietet. Schwere moralische Vergehen läßt sich der verliebte Held nicht zuschulden kommen. Die entscheidende, symbolisch aufgeladene Läuterungsszene auf dem Straßburger Münster, durch die eine Wende herbeigeführt wird, lange bevor sich eine Katastrophe auch nur anbahnt, bietet rechtzeitig Vaterlands- und Mutterliebe in Kombination mit reformierter Gewissensfrömmigkeit auf, um einen Fehltritt zu verhindern. So unwiderstehlich ist es, der Versuchung zu widerstehen. Neue Werther-Leiden bleiben dem Leser dadurch erspart. Das Handeln weicht nicht von den Wertvorstellungen biedermeierlichen Bürgerdaseins ab. Die Liebesgeschichte stellt denn auch nur eine Episode neben anderen dar, vor allem neben der Schilderung der Ereignisse um die Hirsebreifahrt, die ganz auf die Freundschafts- und Ehrbezeugungen zugeschnitten ist. Die Briefform im historischen Anstrich bietet für eine so lockere und undramatische Komposition die nötigen Spielräume. Umgekehrt wirken die Briefe durch ihre Sprunghaftigkeit auch eher wie echte Zeitzeugnisse.

Thomann zur Lindens Abentheuer erschien 1819 zuerst in der Zeitschrift *Alpenrosen* mit einem Titelkupfer, der die Schlüsselszene auf dem Straßburger Münster darstellte (Abb. A18).[268] Ein Jahr später gab das schweizerische Musikfest in Basel Usteri Gelegenheit, die Hirsebreifahrt in anderer dichterischer Form zu bearbeiten. Das Lied *Der Straßburger Becher* richtete sich an einen »trauten Kreis«,[269] war also ausdrücklich zu verstehen als Dichtung für bestimmte Anlässe der Erinnerung, in denen Gemeinschaft zelebriert wurde. Solche Erinnerungsformen waren nun typisch

---

[266] Vgl. ZBZ, Ms. F 25, fol. 205ᵛ. Wörtlich identisch bei Haller, Ms. A 16, fol. 293ʳᵛ. Vgl. den Katalog von Usteri, Ms. St 294, pag. 61, lit. f. Abgedruckt bei BAECHTOLD, Das glückhafte Schiff (1880), S. 132.

[267] USTERI, Liebesabenteuer (1877), S. 47.

[268] ALPENROSEN, Alpenrosen (1819), S. 257–299. Titelkupfer von F. Hegi nach einer Zeichnung Usteris.

[269] Vgl. das Motto nach der letzten Überschrift. Beleg wie in Anm. 245.

für bestimmte Geselligkeitsformen. Im Zürich an der Wende zum neunzehnten Jahrhundert war das gesellige Leben ebenso von den traditionellen Zunftgesellschaften wie von neueren Gründungen, etwa der Naturforschenden Gesellschaft oder der von Usteri ins Leben gerufenen Schweizerischen Künstlergesellschaft, geprägt. Vor allem die lange Zunfttradition baute Brücken in die Vergangenheit. Wo sie abgebrochen waren, sorgte der Historismus für Wiederherstellung. Usteri stand mit seinen historischen Studien und ihrer Umsetzung mit am Anfang solcher Entwicklungen. Er verlieh nicht allein Manuskripten und Zeichnungen einen »historischen Anstrich«, sondern entwarf auch Denkmäler, Medaillen, Dekorationen, Tapeten und Möbel im Stil der Vergangenheit und mit Motiven aus der Geschichte. Auf den Entwürfen zu einem Trinkbecher für die Schiffleutenzunft entdeckt man als Hauptbild auf dem Fuß das glückhafte Schiff von 1576 mit seiner Besatzung in voller Fahrt. Der Becher wurde 1822 tatsächlich weitgehend nach Usteris Zeichnungen hergestellt.[270]

Die Hirsebreifahrt bildete freilich nur einen Kristallisationspunkt unter anderen in Usteris umfangreicher Auseinandersetzung mit den *Wickiana*. Sein Verzeichnis zu den Büchern elf bis 23 (ohne das 19. Buch) mit einer Vielzahl von Textauszügen und einem systematischen Vergleich mit Hallers Chronik gehört in die Reihe von Usteris Sammlungen, die ein weites Spektrum an Genealogica, Heraldica, Numismatica, Militaria, Diplomatica, Literaria und Politica umfassen. Er sammelte historische Kupferstiche und Glasmalereien. Besondere Aufmerksamkeit widmete er ethologischen Studien.[271] Er kopierte Volkslieder und Bilder aus den alten Chroniken. Zur Erschließung der Materialien legte er umfangreiche Register an. Einen Teil der gesammelten historischen Kenntnisse setzte Usteri aber nur im Neujahrsblatt der Feuerwerker-Gesellschaft in Geschichtsschreibung um: Von 1806 bis zu seinem Tod im Jahr 1827 verfaßte er für die Zürcher Jugend eine Kriegsgeschichte der Schweiz, die bis zur Schlacht bei Näfels im Jahr 1388 reichte.[272] Im übrigen blieb es bei Materialsammlungen, Studien und Kopien. Usteri lagen dichterische und künstlerische Verarbeitung der historischen Stoffe näher als die Form der historischen Darstellung.

In einem der vielen Bände des künstlerischen Nachlasses mit den für Usteri so typischen kleinen, meist aquarellierten Zeichnungen befindet sich auch eine Serie von Blättern mit Bildern nach Wick und nach Hallers Tigurinerchronik.[273] Bei der

---

[270] KHZ, Nachlaß Usteri, L 14, Bl. 16 und 17. Vgl. ESCHER, Nachlaß (1896), S. 41.

[271] Zum Spektrum der Kollektaneen Usteris siehe die Übersichten bei NÄGELI, Usteri (1907) S. VI f. (literarischer Nachlaß), S. XII f. (künstlerischer Nachlaß); dazu der Abschnitt »Der Forscher und Sammler«, S. 211–228.

[272] Ibid., S. 217 f.

[273] Ibid., S. 216. So weit ich sehe, bisher nur hier, bei Nägeli, kurz erwähnt, leider ohne Datierung. Unter »Hallers Chronik« versteht Nägeli irrtümlich eine illustrierte Bernerchronik, die aber verloren gegangen sei. Er verweist (S. 271, Anm. 109 und 110) auf ZEMP

4. Sittengemälde oder: Fischart und Hirsebreifahrt

Wickiana-Studien handelt es sich durchweg um »Genrebildchen«:[274] Alltagsstreitereien, Unfall-, Mord-, Gerichts- und Hinrichtungsszenen, darunter Hexenverbrennungen, zu denen Usteri im Wickiana-Register auch die Texte kopierte; zweimal wird die Badenschenke dargestellt, zum einen 1534 an den Bürgermeister Roist, wobei Usteri (im Vergleich zur Vorlage) die auf das Wappen des Bürgergeschlechts anspielende blaue Rose unterschlägt, zum anderen 1576 an Bürgermeister Kambli. Auch in der Literatur immer wieder abgebildete Illustrationen wie die zum Märzfeuer auf dem zugefrorenen Zürichsee 1543 oder zum Widerruf Joder Studers von Zwinglis Kanzel im Großmünster herab tauchen auf. Die Szenen zu Streit und Gewalttätigkeit, Mord und Totschlag unter Eheleuten passen zu Usteris dichterischem und karrikaturistischem Vergnügen an Eheeifersüchteleien. Die Wunderzeichen scheint er ignoriert zu haben, während eine gewisse Vorliebe für Geschichten, in denen Hexen, Teufel und Dämonen eine Rolle spielen, schon durch seine frühen Illustrationen zu Ludwig Lavaters Gespensterbuch bezeugt wird.[275]

Die Studien halten sich nicht sklavisch an die Vorlagen, beschränken sich oft auf Einzelfiguren oder Teilausschnitte, ändern die Anordnung von Figuren, ihre Haltung oder ihre Gestik. Das gilt auch für die Motive nach Flugblättern, die Usteri ebenfalls als Bildvorlagen wählte. Der Holzschnitt des Drucks *Ein wunderbarliche Geschicht/ von dreyen Studenten ...*, in Nürnberg 1573 erschienen, liegt zwei Studien zugrunde.[276] In der ersten erkennt man zwei der zechenden Studenten am Tisch sitzend wieder. Die Gestik des Mannes im Halbprofil links hat Usteri deutlich abgemildert, indem er dessen erhobenen linken Arm heruntergenommen hat. Ähnlich ist die Armstellung des Wirts in der zweiten Studie verändert. Kaum wiederzuerkennen sind die drei Männer und der eine Knabe nach einem »Holzschnitt zu Nürnberg gedruckt 1577«.[277] Usteri hat die Hüte der dargestellten Figuren vertauscht und auch die übrige Kleidung leicht abgeändert. In anderen Flugblattstudien kombinierte er Figuren aus verschiedenen Teilbildern und stellte so neue Personengruppen zusammen.[278] Immer stehen die Menschen im Mittelpunkt, ihr Habitus, ihre Kleidung. In zwei weiteren Zeichnungen nach Holzschnitten verzichtete Usteri ganz auf die sensationellen Himmelserscheinungen – die *stella nova* von 1573 und den Kometen von 1577 –, die in den Flugblättern die visuelle Hauptrolle spielten.[279]

Bilderchroniken (1897), S. 166 Anm. 3, und stützt sich auf WYSS, Historiographie in der Schweiz (1895), S. 229 f.

[274] NÄGELI, Usteri (1907), S. 68. Die Wickiana-Studien sind zu finden in: KHZ, Nachlaß Usteri, L 11.

[275] Usteri besaß ein Exemplar. Vgl. NÄGELI, Usteri (1907), S. 67.

[276] KHZ, Nachlaß Usteri, L 11, 13. Blatt. Vorlage: ZBZ, PAS II 13/22. Siehe HARMS (Hg.), Flugblätter VII (1997), Nr. 36.

[277] KHZ, Nachlaß Usteri, L 11, 10. Blatt. Vorlage: ZBZ, PAS II 14/4. Ibid., Nr. 95.

[278] 9. Blatt, oben rechts; vgl. ZBZ, PAS II 10/15. Ibid., Nr. 24. Außerdem 9. Blatt, unten links; vgl. ZBZ, PAS II 10/19.

[279] Vgl. 9. Blatt, oben links; vgl. dazu die Flugblätter ZBZ, PAS II 10/2. Ibid., Nr. 43. Und PAS II 15/5–6. HARMS (Hg.), Flugblätter VII (1997), Nr. 87.

Auswahl und Variationen lassen die Merkmale von Usteris sittengeschichtlichen Blickwinkel deutlich hervortreten. Die Abmilderungen in Gestik und Körperbewegung dürften typische Projektionen der bürgerlichen Oberschicht des achtzehnten Jahrhunderts in die Vergangenheit sein. Dazu paßt auch der Verzicht auf die später vor allem von Hans Fehr so tief empfundenen Grausamkeiten. Selbst in den Hinrichtungsszenen, die Usteri mit der Feder festhielt, rollen keine Köpfe und spritzt kein Blut. Man kann sehend nachvollziehen, was der Zeitgenosse David Heß mit Bezug auf Usteris »Schilderungen aus der vaterländischen Geschichte« meinte: Sie seien »so gewählt, daß sie, was frühere Jahrhunderte noch Rohes mit sich führten, in den Schatten des Hintergrundes zurücksetzend, vorzüglich die einfachen Sitten, die strenge Tugend und die Heldenthaten der Vorzeit zur Nachahmung aufstellen«.[280] Gerold Meyer von Knonau drückt dies in poetischen Worten so aus: Usteri habe die ältere Geschichte »wie ein Liebender die Geliebte gern mit schonender Zärtlichkeit« behandelt.[281] Und Conrad Ulrich schließlich bemerkt dazu: »da lebt noch Johann Jacob Bodmers und Obmann Füßlis Geist! Wie in den Bildern zur vaterländischen Geschichte auf den Neujahrsblättern wird uns eine angenehm veredelte Vergangenheit vermittelt.«[282]

Dies festzustellen impliziert freilich das Eingeständnis, daß Usteris vielgelobter »moralischer Sinn«[283] stärker war als sein historischer. Seine Genrebilder wollen eben noch nicht »zeigen, wie es eigentlich gewesen«.[284] Sie passen behutsam, aber deutlich genug das Gesehene den eigenen Sittlichkeitsidealen an. Die Imitation des Fremden wählt aus, variiert, sublimiert. Sie greift gewisse Stilelemente auf, zensiert aber das, was in die Vorstellung vom Sittengemälde nicht hineinpaßt. So bleibt die Fremdheit früherer Jahrhunderte, die fasziniert, weil sie – nach einem lebendigen Verständnis von Tradition – als eigene verstanden wird, da gebannt, wo sie unangenehm werden könnte.

Außer Studien finden sich auch fertige oder beinahe fertige Bilder, deren Format freilich im Rahmen Usterischer Kleinkunst bleibt.[285] Dabei erlaubt er sich kaum Freiheiten, sondern hält sich eng an die Vorlagen. Der »Schwertertanz in Zürich den 17. Februar 1578«, hat später zu volkskundlichen Studien angeregt.[286] Usteri wählte

---

[280] Heß in USTERI, Dichtungen (1831), Bd. 1, S. LXVIII.
[281] MEYER VON KNONAU, Canton Zürich (1844 / 1846), Bd. 2, S. 44.
[282] Vorwort zu ULRICH, Usteri (1990), S. 25. In diesem Sinne auch NÄGELI, Usteri (1907), S. 65: Usteri habe »den Bestrebungen der Zürcher des achtzehnten Jahrhunderts auf dem Gebiete der vaterländischen Geschichte [...] zuerst künstlerischen Ausdruck gegeben«.
[283] MEYER VON KNONAU, Canton Zürich (1844 / 1846), Bd. 2, S. 85.
[284] RANKE, Völker (1874), S. VII.
[285] Ulrich, in seinem Vorwort zu ULRICH, Usteri (1990), S. 23, resümiert: »Großformate malte Usteri nie, er war ein Kleinmeister in jedem Sinne des Wortes.«
[286] KHZ, Nachlaß Usteri, L 11, 17. Blatt. Dazu BODMER, Schwerttanz (1989), S. 66 mit Hinweisen zur Literatur (S. 169 f.). Kürzere Fassung auch in CATTANI (Hg.), Zentralbibliothek Zürich (1994), S. 94 f.

4. Sittengemälde oder: Fischart und Hirsebreifahrt

auch Motive aus Flugblättern. Vollständig kopierte er einen Nürnberger Einblattdruck über die russische Gesandtschaft auf den Reichstag 1576 und das gleichzeitig gedruckte Flugblatt über die orthodoxen Kirchenzeremonien der Russen (Abb. A19 und F15).[287] David Heß, der auch Usteris Nachlaß ordnete, faßte diese und weitere Blätter als russische, tartarische und siebenbürgische Trachtenstudien zusammen. Im Falle der Ganzfigur des Woiwoden Stephan Bathory leuchtet das ein. Die Flugblattkopien, die auch den Text einschließen, sind damit jedoch noch nicht zureichend erläutert. Usteris Interessen scheinen sich hier wie bei den Studien keineswegs alleine auf die Trachten beschränkt zu haben. Gestik und Mimik sowie das Genre waren ihm ebenso wichtig.

Usteris Kleinkunst wurde immer wieder mit ähnlichen Arbeiten von Chodowiecki und Hogarth verglichen.[288] In der Literatur liest man, daß er mit seinen historischen Studien und seinen Illustrationen der Romantik nahegestanden habe, während seine Dichtungen mehr dem Biedermeier angehörten.[289] Die Trennung dieser Gesichtspunkte – und um mehr als nachträglich von wirklichen oder vermeintlichen Epochenmerkmalen her an die Vergangenheit herangetragene Gesichtspunkte handelt es sich nicht – erscheint nur begrenzt sinnvoll. Was Epocheneinteilungen auseinanderzuhalten versuchen, liegt im Einzel- und damit im Regelfall nur in Gemengelage vor. Usteris Genrebildchen etwa lassen sich ebenfalls mühelos dem Biedermeier zuordnen. Die Verklärung des Alltäglichen gehört zu den charakteristischen Merkmalen dieser Kunstgattung im neunzehnten Jahrhundert. Bei Usteri verbindet sie sich mit der Verklärung der Vergangenheit. Die karikaturistischen Überzeichnungen fordern zum Schmunzeln heraus. Zum Medium der Kritik aber wird die Karikatur bei ihm nur in der aktuellen Auseinandersetzung mit der Französischen Revolution und den Wirren der Helvetik, nie im historischen Rückblick.

Usteris Patriotismus galt dem Alten Zürich und den alten Eidgenossen und stand ebenso hinter seinem sittengeschichtlichen Zugang zur Vergangenheit wie die Autorität Bodmers. Als treuer »Sohn des Ancien Régime«[290] mag er persönlich rückwärts orientiert gewesen sein. Gleichwohl weist vieles an seinen Arbeiten in die Zukunft. Seine folkloristischen Studien antizipieren Interessengebiete der späteren Volkskunde. Seine Sammlungen von Volksliedern liegen ungefähr zeitgleich zu denen der Brüder Grimm. »Volk« ist auch das Stichwort für die *Wickiana*-Rezeption, die – nach einer längeren Pause in der ersten Hälfte des neunzehnten Jahrhunderts –

---

[287] ZBZ, PAS II 13/10–13 (russische Gesandtschaft) und dazu das 18. Blatt bei Usteri KHZ, L 11. Siehe HARMS (Hg.), Flugblätter VII (1997), Nr. 80. Usteri hat die dichte Figurenkette durch leicht vergrößerte Abstände etwas aufgelockert; PAS II 13/14 (Kirchenzeremonien). Siehe HARMS (Hg.), Flugblätter VII (1997), Nr. 81. In Usteris Kopie fehlt rechts eine Figur.

[288] So schon Heß in USTERI, Dichtungen (1831), Bd. 1, S. LXXIf. und LXXVf. Dazu NÄGELI, Usteri (1907), S. 68f. Zum Vergleich mit Hogarth auch ULRICH, Usteri (1990), S. 27.

[289] Vgl. ULRICH, Usteri (1990), S. 11.

[290] Ibid.

mit Emil Weller wieder einsetzte, der politisch geradezu als Antipode zu Usteri erscheint. In die recht kurze Zwischenzeit fällt das Ende des Ancien Régime mit allen Wirren von der Helvetischen Republik bis zur Gründung des Schweizerischen Bundesstaates 1848. Die Auflösung des Chorherrenstifts mit seiner Bibliothek im Zuge der Reformierung des Unterrichtswesens war eine der Konsequenzen der politischen Veränderungen. Organisatorisch und räumlich löste sich das Bildungssystem endgültig von der Kirche. Mit der Verlegung des *Wickiana*-Bestandes in die Stadtbibliothek war es nicht mehr nur Privilegierten möglich ihn einzusehen. Und hier verlor auch der Ratserlaß vom 28. August 1588 den letzten Rest von Wirkung, den er bis dahin noch behalten haben mochte.

4.5. »Wir treffen den Hirs immer noch warm genug an«

Auch nach Martin Usteri wurde die Hirsebreifahrt als literarischer Stoff weiterverarbeitet. Carl Spindlers romantische Erzählung *Blümlein Wunderhold* entstand 1824.[291] Direkt auf Usteris *Thomann zur Linden* gingen zwei Zürcher Bearbeitungen als Singspiel und als »vaterländisches Lustspiel« zum Sechseläuten von 1840 zurück.[292] Auf Maurers historischer Studie beruhte eine Serie über den »warmen Hirsebrei von Zürich«, die 1829 im *Karlsruher Unterhaltungs-Blatt* erschien.[293] Es dauerte weitere fünfzig Jahre, ehe die wissenschaftliche Beschäftigung mit dem Ereignis wieder einsetzte. Rodolphe Reuss verfaßte 1876 eine Studie über das Straßburger Freischießen von 1576 und veröffentlichte die dazugehörigen Dokumente aus den Straßburger Ratsprotokollen.[294] Auch den beschädigten Hirsebreitopf bildete er ab, der nun in gewissem Sinne doch noch zum Stoff für Kanonen (vgl. oben S. 300) geworden war: Er war bei der Beschießung Straßburgs 1870 schwer beschädigt worden.[295] In der Einleitung zu seiner Studie zählte Reuss eine beeindruckende Liste historischer Daten auf, die 1876 durch den Mechanismus runder Jubiläen ins Gedächtnis sprangen: das Ende des weströmischen Reiches 476, die Auseinandersetzung zwischen Papst Gregor VII. und Kaiser Heinrich IV. im Jahr 1076, die Burgunderkriege 1476 und 1776 die Unabhängigkeitserklärung Amerikas. Neben diesen Großereignissen konnte das Straßburger Freischießen von 1576 nur als »intéressant épisode de nos mœurs locales« bestehen.[296] Reuss drang ebenso wie Wendeler ein

---

[291] SPINDLER, Blümlein Wunderhold (1909). Ohne nähere Angaben auch erwähnt bei BAECHTOLD, Das glückhafte Schiff (1880), S. 108 f.

[292] Nach BAECHTOLD, Das glückhafte Schiff (1880), S. 109.

[293] ANONYMUS, Der warme Hirsebrei von Zürich (1829).

[294] REUSS, Le grand Tir (1876), und REUSS, Strassburger Freischiessen (1876).

[295] REUSS, Strassburger Freischiessen (1876), links gegenüber vom Titelblatt, auf dem auch zwei der Straßburger Gedenkmünzen abgebildet sind. Auch in HIRSEBREIFAHRT, Hirsebreifahrt 1986 (1986), S. 22, und ORGANISATIONSKOMITEE HIRSEBREIFAHRT ZÜRICH STRASSBURG 1996 (Hg.), Hirsebreifahrt 1996 (1996), S. 32.

[296] REUSS, Le grand Tir (1876), S. 4.

Jahr später auf die Veröffentlichung der von Ring verzeichneten, von Maurer be-
nutzten, aber nach wie vor unveröffentlichten *Wickiana*-Dokumente.[297] Dafür, daß
sie endlich veröffentlicht wurden, sorgte 1880 der schweizerische Literaturwissenschaftler Jakob Baechtold.[298]

Die fehlende Aktualität des alten Bündnisses zwischen Zürich und Straßburg mag
im achtzehnten und neunzehnten Jahrhundert dazu beigetragen haben, das historische Interesse an der Hirsebreifahrt jenseits der »ernsten« politischen Geschichte
anzusetzen. Die freie Reichsstadt Straßburg war 1681 mit der Okkupation durch die
französische Krone untergegangen. Die letzten Verbindungen zu Zürich wurden
nach und nach aufgelöst. Wenn 1877 der frisch gegründete Limmat-Club mit einer
Serie von Straßburgfahrten begann, die bis 1936 fortgesetzt und 1946 wieder aufgenommen wurden, so standen diese unter völlig anderen Vorzeichen. Die politische
Relevanz von Städtefreundschaften im Zeitalter der Nationalstaaten war verschwin-
dend. Hirsebreifahrten wurden erst 1956 (500jähriges Jubiläum der Fahrt von 1456),
1976 (400jähriges Jubiläum der Fahrt des »glückhaften Schiffs« von 1576), 1986
und 1996 unternommen, nun tatsächlich jenseits aller Politik.[299] Es waren Wieder-
holungen einer Fahrt, nicht aber der Geschichte.

Das Bündnis zwischen Straßburg und Zürich und dessen Relevanz im politischen
System des alten Reiches mit seinen freien Reichsstädten bildete den Hintergrund
der Hirsebreifahrt von 1576. Die Fahrt selbst war mindestens so sehr ein diplomatischer wie ein sportlicher Akt und gehört zur Vorgeschichte des Bündnisses von
1588. Das hochoffizielle Zeremoniell in Straßburg, die Ehrenbezeigungen und
Freundschaftskundgebungen unterstrichen dies. Im Zusammenhang mit der Tradition der Freischießen brachte Jakob Baechtold dies auf den treffenden Begriff
»Schützenfestpolitik«.[300] Diese Dimension entging der Sittengeschichte von Bodmer
bis Usteri nahezu vollständig, und eben darin unterscheiden sich auch aktuelle Ansätze signifikant von diesem Vorläufer der Kulturgeschichte.

Inzwischen sind Zeremoniell, Fest und Ritual Gegenstände für eine »Kulturgeschichte des Politischen«[301] geworden, die sich in den letzten zehn bis fünfzehn

---

[297] REUSS, Strassburger Freischiessen (1876), S. 72, und WENDELER, Strassburger Freischiessen (1877), S. 116 f.

[298] BAECHTOLD, Das glückhafte Schiff (1880). Fischarts *Glückhaftes Schiff* ist darin nicht
abgedruckt. Es war bereits 1828 von VALLING (Hg.), Fischart's Glückhaftes Schiff (1828)
herausgegeben worden.

[299] Vgl. ALLGEMEINE ELSÄSSISCHE BANKGESELLSCHAFT (Hg.), Die Hirsebreifahrt der Zürcher
nach Strassburg (1976); HIRSEBREIFAHRT, Hirsebreifahrt 1986 (1986) und ORGANISATI-
ONSKOMITEE HIRSEBREIFAHRT ZÜRICH STRASSBURG 1996 (Hg.), Hirsebreifahrt 1996
(1996).

[300] BAECHTOLD, Das glückhafte Schiff (1880), S. 111. Auch er spricht dann allerdings mit
Bezug auf 1588 von einem »ernsten Abschluss« dieser Politik.

[301] Vgl. insbes. die Beiträge zu STOLLBERG-RILINGER (Hg.), Kulturgeschichte des Politischen
(2005).

Jahren entwickelt hat. Diese Reformvariante der klassischen Politikgeschichte, die ehedem vom Staat und seiner Evolution in der Neuzeit dominiert wurde, verfügt über die medien- und kommunikationstheoretischen Ansätze für eine politische Analyse der Hirsebreifahrt von 1576. Eine solche Analyse würde hier den Rahmen sprengen. Aber soviel sei gesagt, daß aus der Perspektive der »neuen Politikgeschichte« der öffentlich-offizielle Empfang der Zürcher in Straßburg denkbar schlecht geeignet wäre für den Versuch zum »Privatisieren« mit den »Alten«, wie ihn Maurers »Unterhaltungsgeschichte« unternahm. Kein heutiger Historiker würde hier noch nach der Freiheit des Naturmenschen suchen. Die Anthropologie des unveränderlichen Menschenwesens beherrscht nicht mehr das Feld der Kulturgeschichte. Der Mensch, »wie er ist und immer war und sein wird«,[302] ist aus dem Zentrum ihrer Betrachtungen vertrieben.

---

[302] BURCKHARDT, Studium der Geschichte (1982), S. 226 (vgl. auch S. 170).

5. MASSENLITERATUR UND VOLK

Der sittengeschichtliche Blick, den das spätere achtzehnte Jahrhundert auf die *Wickiana* warf, bereitete eine Wende vor – eine neue Perspektive, die bis ins zwanzigste Jahrhundert hinein dominieren sollte. Um diese Zusammenhänge deutlicher zu machen, lohnt es sich noch einmal an einem Punkt in der Aneignungsgeschichte der *Wickiana* anzusetzen, der mit Beginn des achtzehnten Jahrhunderts erreicht wurde: mit Scheuchzers naturhistorischer *Wickiana*-Lektüre. Geprägt war sie von frühaufklärerischer Aberglaubenskritik und ihren Wertungen. Wie Christian Wolf, den er zitierte, setzte Scheuchzer Aberglaube mit Volksglaube gleich und unterschied beides vom gelehrten Wissen. Schon die Aufklärung arbeitete also mit einer Leitdifferenz, die auch in vielen historisch-anthropologischen Studien der 1980er und 1990er Jahre bestimmend war. Ich meine die Unterscheidung von Elite- und Volkskultur. Was die historische Forschungsliteratur freilich mit dieser Unterscheidung nicht übernahm, war die abschätzige Konnotation des Präfixes »Volk«. Vor allem für »linke« Historiker, die ideologisch durch sozialistische oder sogar kommunistische Soziallehren geprägt waren, kehrte sich die Wertigkeit im Verhältnis von Volks- und Elitekultur geradezu um.

Einen ersten Schritt auf dem Weg zu einer solchen Umwertung hatte lange zuvor die Romantik getan, allen voran die Gebrüder Grimm. Zeugnisse des Volksglaubens wurden jetzt nicht mehr einfach mit Ablehnung betrachtet, sondern als Quellen mit eigenem Wert, aus denen sich Aussagen über etwas ableiten ließen, das sich dem historischen Blick allzu leicht entzog: eben »das Volk«. Die mit Bodmer beginnende sittengeschichtliche Perspektive auf die historischen Quellen des Mittelalters und der Frühen Neuzeit war ein Vorläufer dieses neuen Blicks, nur daß sie noch nicht so offensiv mit dem Begriff des Volksglaubens umging wie später die Romantik. Das verhinderte auch eine Neubewertung der in den *Wickiana* überlieferten Prodigienberichte. Erst als »Volksglaube« selbst zum Label für einen neuen Forschungsgegenstand geworden war, wurden diese Quellen gezielt aufgesucht.

Bevor wir allerdings die Rolle des Volksbegriffs und der Volkskunde für die letzte, in der zweiten Hälfte des neunzehnten Jahrhunderts einsetzende Phase der *Wickiana*-Rezeption betrachten, soll kurz auf die veränderten Bedingungen für die Aneignung der *Wickiana* eingegangen werden, die sich daraus ergaben, daß der Große Rat des Kantons Zürich am 10. April 1832 die Auflösung des Chorherrenstifts beschloß. Sie wurde nach der Bürgerlichen Revolution von 1830 im Zuge der Reformierung des Unterrichtswesens vollzogen. Mit dem Ende des *Ancien Régime* kam also auch das Ende der *Schola Tigurina*, der Zürcher Hohen Schule. Ebenfalls im Jahr 1832, mit dem Unterrichtsgesetzt vom 28. September, wurde die Gründung einer Universität beschlossen und im folgenden Jahr bereits in die Tat umgesetzt.[303] Es war eine Zeit der Neugründungen am Bildungsstandort Zürich. Die Einrichtung einer Universitätsbibliothek gelang nicht. Die Bemühungen des ersten Rektors der Universität, Lorenz Oken, blieben in dieser Hinsicht erfolglos.[304] Statt dessen beschloß der Regierungsrat am 12. November 1835, eine Bibliothek für die höheren kantonalen Lehranstalten zu gründen, in der die Bestände der ehemaligen Stiftsbibliothek und einige kleinere Büchersammlungen miteinander vereinigt werden sollten.

Schon vor diesem Beschluß hatte die Stadtbibliothek Interesse an ausgewählten kirchengeschichtlichen Manuskripten aus der Stiftsbibliothek angemeldet.[305] Auf dieser Interessengrundlage ergab sich ein Handel, der zur Verlegung der *Wickiana*-Bestände in die Stadtbibliothek führte: der Handschriftenverkauf von 1836.[306] Zentrale Gestalt dieser Aktion war der Universitätsgründer Johann Caspar von Orelli,[307] zuerst Professor am *Carolinum*, später am Gymnasium und an der Universität, Erziehungsrat seit 1820 und seit 1831 auch Oberbibliothekar der Stadtbibliothek. Orelli gilt als die »Seele der zürcherischen Unterrichtsreform«.[308] Beim Handschriftenverkauf von 1836 diente er zwei Herren, nämlich außer der Stadtbibliothek auch dem Erziehungsrat, der Orelli und Johann Georg Baiter bei diesem Geschäft als einen seiner beiden Unterhändler benannt hatte.[309] Das dürfte mindestens ein Stück weit erklären, weshalb der Verkauf der Handschriften der Stiftsbibliothek an der neugegründeten Kantonsbibliothek völlig vorbeiging. Der Vertrag wurde am 23. April 1836 vom Erziehungsrat und vom Konvent der Stadtbibliothek ratifiziert. Damit gingen rund 200 Manuskripte an die Stadtbibliothek über – darunter der *Thesaurus Hottingerianus*, die sog. *Esslingeriana* und eben die *Wickiana*. Die

---

[303] Die Universitätsgeschichte ist ausführlich in dem Band: GAGLIARDI, Universität Zürich 1833–1933 (1938) dargestellt, zur Gründung dort S. 177–217. Fortsetzung: STADLER (Hg.), Universität Zürich 1933–1983 (1983).

[304] Vgl. BODMER, Orelli (2000), S. 239.

[305] Vgl. BODMER, Kantonsbibliothek Zürich (1985), S. 73. Das Anliegen der Stadtbibliothek wurde kurz vor der Verschmelzung von Stiftsbibliothek und Kantonsbibliothek vorgebracht. Vgl. das Schreiben der Bibliothekskommission an den Erziehungsrat vom 9. November 1835: ZBZ, Arch. St. 13 b, Nr. 22.

[306] SENN, Wick (1974), S. 86, und SENN, Wickiana (1975), S. 13, gibt die Jahreszahl 1835. Das ist darum merkwürdig, weil schon bei WEBER, Wundterzeichen und Winkeldrucker (1972), S. 20, korrekt »1836« steht. Weber hat hier stillschweigend die Angabe bei GAGLIARDI, Katalog der neueren Handschriften (1982), Sp. 503, auf den er hinweist, korrigiert.

[307] Über Orelli veranstaltete die Universität anläßlich seines 150. Todesjahrs vom 12. bis 14. November 1999 eine Tagung. Die Beiträge sind in dem Band von FERRARI (Hg.), Unwissenheit (2000), versammelt.

[308] So die Formulierung Jean-Pierre Bodmers in BODMER, Kantonsbibliothek Zürich (1985), S. 70.

[309] Ibid., S. 73; vgl. auch die knappe Darstellung bei BODMER, Orelli (2000), S. 247 f. Zur Ernennung vgl. ZBZ, Arch. St 13 b, Nr. 24.

Wickiana wurden damit erstmals für die Öffentlichkeit zugänglich, woran sich auch nichts mehr änderte, als am Anfang des zwanzigsten Jahrhunderts die Stadtbibliothek in der Zentralbibliothek aufging.

5.1. Die »eigentliche Volksliteratur«

Die ersten beiden Jahrzehnte nach ihrer Verlegung in die Stadtbibliothek scheinen die *Wickiana* in störungsfreiem Schlummer verbracht zu haben. Dann begann sich plötzlich ein Bibliograph namens Emil Ottokar Weller für die in ihnen enthaltenen Flugschriften und Einblattdrucke zu interessieren. Man kann ohne Übertreibung sagen, daß damit eine neue Phase der *Wickiana*-Rezeption einsetzte. Denn als erster konzentrierte sich Weller ganz auf die Drucke. Er legte zunächst einen handgeschriebenen Katalog an und machte seine Forschungsergebnisse anschließend in einer Reihe kleinerer und größerer bibliographischer Arbeiten bekannt.[310]

Dieses Interesse an den Druckschriften der *Wickiana* war neu, und es blieb lange Zeit singulär. Wellers Publikationen waren rein bibliographischer Natur. Selbst ein Problem wie das der Verbindung von Skriptographie und Typographie in Wicks Chronik lag fern der Interessen Wellers, obwohl er die Druckschriften Band für Band so zu Gesicht bekam wie nur noch wenige nach ihm. Fast alle Einblattdrucke wurden später versetzt, in einem ersten Schub 1897/98, dann aber vor allem in einer großen Versetzungsaktion 1925. Seitdem werden die *Wickiana*-Flugblätter als eigene, von den Handschriftenbänden getrennte Sammlung in der Graphischen Sammlung der Zentralbibliothek Zürich aufbewahrt. So wie Weller die *Wickiana*-Bücher sah, waren sie noch gespickt mit den von Wick oft zerschnittenen Einblattdrucken. Weller hatte also die ganze Überfülle gedruckter und gezeichneter Bilder vor sich. Nur wenn man sich dies bewußt macht, gewinnt man einen angemessenen Eindruck von der selektiven Wahrnehmungsleistung Wellers. Sein Blick auf die *Wickiana* tat ziemlich genau das, was mit der Versetzung der Einblattdrucke später teilweise tatsächlich geschah: Er schnitt die Drucke gleichsam aus dem Kontext der Bände heraus.

Emil Weller ist kaum noch bekannt, aber keineswegs eine bedeutungslose Figur. Gute Bibliothekare wissen auch heute sofort, daß es sich um den Verfasser wichtiger bibliographischer Grundlagenwerke wie die *Annalen der Poetischen National-Literatur der Deutschen im XVI. und XVII. Jahrhundert* (1862/4), insbesondere aber

---

[310] Der »Catalog über die Wick'sche Sammlung« trägt die Signatur: ZBZ, Ms. F 35a. Das Verzeichnis enthält am Ende Nachträge von anderer Hand zu *Wickiana*-Bänden, die in der Zeit, als Weller den Katalog anlegte, fehlten (dazu ausführlicher MAUELSHAGEN, Überlieferung und Bestand (i. V.). Abgesehen davon sind alle Druckschriften, nach Formaten unterschieden, aufgenommen.

von Anonymen- und Pseudonymenlexika handelt, die bis heute unentbehrliche Nachschlagewerke sind: das *Lexicon Pseudonymorum* (1886) und *Die falschen und fingirten Druckorte* (1864). Nichtsdestotrotz schweigen sich biographische Lexika meist über ihn aus. Wenn man einmal etwas über ihn findet, so beschränkt sich dies auf Angaben wie »Bibliograph« oder »Privatgelehrter«.[311]

Emit Ottokar Weller wurde 1823 als Sohn eines Dredner Augenarztes geboren, kam also aus bürgerlichem Elternhaus und erhielt eine entsprechende Ausbildung. Als Student in Leipzig machte er sich 1844/45 mit den Schriften von Karl Marx und Friedrich Engels vertraut. Weller engagierte sich fortan für die Arbeiterbewegung. Er gab sein Medizinstudium auf, verließ die Universität und begann bei Otto Wigand, Verleger junghegelianischer und Feuerbachscher Schriften, eine Ausbildung zum Buchhändler. 1847 gründete er eine eigene Verlags- und Kommissionsbuchhandlung unter dem Motto »Wissen statt Glauben«. Weller war radikaler Atheist und blieb es bis in sein Testament hinein, in dem er jegliche religiöse Erziehung für seinen noch minderjährigen Sohn untersagte.[312] Zu den Verlagsprodukten gehörte das *Demokratische Taschenbuch für 1848*, das am Ende die Übersetzung einer französischen Schrift von Karl Marx und einen »Wegweiser auf dem Gebiet der sozialdemokratischen Literatur«[313] enthielt. Es ist diese Arbeit, die Weller zum »Pionier der sozialistischen Bibliographie«[314] machte: »Weller dürfte der erste deutsche Buchhändler und Bibliograph gewesen sein, der eine systematische Propaganda für die

---

[311] Keine Einträge in ADB, NDB oder DBE. Bis vor kurzem fehlte Weller sogar im DBI, was sich erst mit dem III. Teil dieser Serie geändert hat. Der Grosse Brockhaus von 1935 bezeichnet Weller als »Bibliograph«; vgl. LGB (1936) 3, S. 564, wo Weller als »bekannter Bibliograph« geführt wird. WEBER, Wunderzeichen und Winkeldrucker (1972), p. 152–53, nennt ihn einen Privatgelehrten. Kaum zu fassen ist, daß sogar Holzmann und Bohatta ihn in ihrem mehrfach (zuletzt 2006) neu gedruckten *Deutschen Anonymen-Lexikon* übergehen. Im Vorwort werden Vincentius Placcius und eine Reihe anderer Pioniere und Klassiker der Anonymen- und Pseudonymen-Lexikographie erwähnt, nicht jedoch Weller. Es würde die bibliographischen Fähigkeiten der Verfasser nachhaltig diskreditieren, müßte man annehmen, dies wäre unabsichtlich geschehen. Vgl. HOLZMANN, Anonymen-Lexikon (1902–28); Neuausgaben bei Olms 1961 und 1984, Puchheim 1998, Mansfield Centre, Conn. 1999 und zuletzt wieder Puchheim 2006. Die wichtigsten Beiträge von Weller sind: WELLER, Druckorte (1864), zuerst 1858 erschienen, und WELLER, Lexicon pseudonymorum (1886), zuerst in verschiedenen früheren Versionen publiziert.

[312] AG Nürnberg, Nachlaßakt Nr. 10/1886. Wörtlich heißt es unter Punkt 3 des Testaments: »Die Erziehung meines Sohnes darf keine religiöse sein, und ist es mein Wunsch, daß, wenn derselbe Anlagen und die Neigung hat, sich einem technischen Berufe zuwendet.«

[313] WELLER, Taschenbuch (1847). Der »Wegweiser« ist auch verschiedenen anderen Schriften angehängt. Vgl. die Aufzählung bei WEBER, Weller (1988), S. 154 (Anm. 29). Ergänzend dazu ist auf WELLER, Freiheitsbestrebungen (1848), nach S. 343, hinzuweisen. Eine Neuausgabe (mit weiteren bibliographischen Arbeiten Wellers) ist WELLER, Wegweiser (1967).

[314] KIESSHAUER, Weller (1990), S. 7 (im Anschluß an Bruno Kaiser); vgl. MÖNKE, Weller (1971), S. 733 (»erster sozialistischer Bibliograph«) und natürlich Bruno Kaisers Beitrag »Der erste Bibliograph und die erste Bibliographie der deutschen Arbeiterbewegung« in WELLER, Wegweiser (1967), S. 5–8.

5. Massenliteratur und Volk

Verbreitung der neuesten sozialistischen und kommunistischen Werke, einschließlich der Bücher von Marx und Engels betrieb.«[315]

Weller erhielt seit den 1960er Jahren eine gewisse Aufmerksamkeit durch die historische Sozialismusforschung der DDR. Er wurde der Strömung des »wahren Sozialismus« zugeordnet, deren Position sich vor allem durch eine von Marx und Engels abweichende Geschichtsteleologie in Bezug auf die Rolle des Bürgertums definieren läßt: »Enttäuscht und erbittert darüber, daß es im Verlauf der französischen bürgerlichen Revolutionen von 1789 und 1830 nicht zur Beseitigung der Not und des Elends der Volksmassen und zur Schaffung einer vom Klassenantagonismus freien Gesellschaftsordnung gekommen war, negierten die wahrsozialistischen Ideologen mit der Ausbeutungsfunktion der Bourgeoisie zugleich deren politische Herrschaftsansprüche, die bürgerliche Revolution und den politischen Fortschritt, ja die Kategorie des Politischen überhaupt.«[316] Wahrsozialisten sabotierten darum den bürgerlichen Kampf gegen den »Feudalabsolutismus«. Sie lehnten es ab, mit der »Bourgeoisie« gemeinsame Sache zu machen. Weller vertrat sogar die aus marxistischer Sicht abwegige Position, daß eine absolute Monarchie der konstitutionellen vorzuziehen sei, weil letztere nur dem kapitalistischen Bürgertum nutze. An den aktuellen Verfassungsdebatten sollte sich das Volk daher gar nicht erst beteiligen. Es müsse den Alleinherrscher einer »Geldaristokratie« vorziehen.[317] Die Wurzel dieser Einstellung war ein radikaler Anarchismus: Jede Regierung sei zu verabscheuen, weil jede Regierung Gewalt ausübe.[318]

Für solche Positionen fand die marxistisch-leninistische Geschichtswissenschaft der DDR in den 1960er Jahren scharfe, ablehnende Worte. Herwig Förder sah in Weller einen kleinbürgerlichen Reaktionär, dessen Demokratieverständnis inhaltslos und utopisch war, weil es sich nicht zum unausweichlichen Klassenkampf bekannte.[319] Erst kurz vor der Wende mäßigte die DDR-Historiographie ihr Urteil, nachdem sie Wellers späterer Entwicklung mehr Aufmerksamkeit geschenkt hatte. Sein Engagement für die Arbeiterbewegung und seine Öffnung für marxistische Positionen wurden nun gewürdigt.[320] Vor allem aber bewertete man seine Ansätze zu einem »spontanen und elementaren revolutionären Demokratismus«[321] positiv. In diesen Rahmen gehörte Wellers Anliegen, das demokratische Geschichtsbewußtsein der Massen zu bilden. Mit zwei Schriften von 1847 rief er zum Studium der Vergangenheit solcher Nationen auf, »welche sich durch ihre Liebe zur Freiheit, Unabhängigkeit, ihren Haß gegen Tyrannei ausgezeichnet« hatten, insbesondere England und

---

[315] WEBER, Weller (1988), S. 155.
[316] Ibid., S. 150.
[317] Vgl. WELLER, Konstitutionelle Frage (1846), insbes. S. 163 f.
[318] WELLER, Taschenbuch (1847), S. VII.
[319] Vgl. FÖRDER, Vorabend (1960), S. 154–161 zu Weller.
[320] Vgl. insbes. WEBER, Weller (1988), S. 152 f.
[321] Ibid., S. 155.

Frankreich.[322] Vor allem die zweite Schrift, über die *Freiheitsbestrebungen der Deutschen im 18. und 19. Jahrhundert*, fand das Lob der DDR-Historiker, weil sie »lang verschüttete demokratische Traditionen des deutschen Volkes« wiedererweckte.[323] Weller ging darin vom Bauernkrieg und Thomas Müntzer aus, der in der DDR als eigentlich identitätsstiftende Figur aus der Reformationszeit hochgehalten wurde. Diesem »Sozialrevolutionär« wurde offiziell der »Fürstenknecht« Luther gegenübergestellt, der die Bauern 1525 verraten hatte. Dieses, auf Friedrich Engels' Schrift über den deutschen Bauernkrieg beruhende Geschichtsbild wurde erst aus Anlaß des Luther-Jubiläums 1983 (500. Geburtstag des Reformators) modifiziert. Engels teilte übrigens mit Weller ein Anliegen, das schon im ersten Satz der Bauernkriegsschrift von 1850 zum Ausdruck kam: »Auch das deutsche Volk hat seine revolutionäre Tradition.«[324] Meine These ist, daß auch Wellers spätere bibliographische Schriften Weiterarbeit an dieser Traditionsbildung waren.

Weller wurde nach der Revolution von 1848/49 wegen »Vorbereitung des Verbrechens des Hochverrats« angeklagt und zu anderthalb Jahren Gefängnis verurteilt. Er entging der Strafe durchs Exil. Nach einer kurzen Phase illegaler Aufenthalte in Sachsen und Belgien,[325] vielleicht auch in Köln, ging Weller 1851 in die Schweiz. Er gehörte zu einer größeren Zahl politischer Emigranten aus Deutschland, die im Schweizerischen Bundesstaat Asyl fanden, insgesamt einige Tausend, unter ihnen Berühmtheiten wie Richard Wagner oder Gottfried Semper.[326] Viele konnten schon kurze Zeit später nach Deutschland zurückkehren, Weller erst 1863, jedoch immer noch nicht in seine sächsische Heimat, sondern nach Nürnberg. Es mag zutreffen, daß Wellers »revolutionäres« Wirken im Exil sein Ende fand. Gleichwohl blieb er Sozialist, und seine bibliographischen Arbeiten waren nicht so »ausschließlich« wissenschaftlich motiviert, wie Rolf Weber 1988 meinte.[327] Inge Kießhauer, Verfasserin der letzten Studie über Weller, die ihren Anfang noch im Institut für Geschichte der Arbeitbewegung in der DDR genommen hatte, aber erst nach der »Wende« von 1989 erschien, hat mit gutem Grund von einer »scheinbar unpolitische[n] Existenz als Privatgelehrter für literaturhistorische Forschungen« gesprochen, die Weller während seines Exils aufbaute.[328]

---

[322] WELLER, Stimmen (1847), S. 321.

[323] WEBER, Weller (1988), S. 156.

[324] MEGA I/10, S. 367.

[325] VALENTIN, Revolution von 1848–1849 (1931), S. 98, erwähnt in seiner Darstellung der 1848–Revolution den »Buchhändler Weller in Leipzig, Hauptverleger sozialistischer und revolutionärer Schriften, Dezember 1849 wegen Vorbereitung zum Hochverrat verurteilt, aber nach Belgien entflohen.«

[326] Vgl. GROSS, Emigration (1999), S. 133 f. In der Namensliste dort S. 138–142 fehlt Weller.

[327] WEBER, Weller (1988), S. 189.

[328] KIESSHAUER, Weller (1990), S. 15.

5. Massenliteratur und Volk

Auch wenn sich die Zeugnisse über Wellers Leben in der Schweiz mehr oder weniger auf Vorworte oder knappe Einleitungen zu seinen größeren bibliographischen und lexikalischen Arbeiten beschränken, gibt es doch genügend Anhaltspunkte, die eine solche Einschätzung stützen. Wellers Anliegen war in den zwölf Jahren, in denen er Schweizer Bibliotheken durchforstete,[329] darauf gerichtet, unbekannte Schätze der Volksliteratur zu heben – was zur gleichen Zeit auch andere taten, aber mit eher romantischen Ideen. Die Motive Wellers für seine bibliographische Tätigkeit im Exil waren politisch. Es ging ihm um die Aufdeckung einer bis dahin unbekannten freiheitlich-sozialistischen Tradition. Dieses Motiv war mit dem Begriff des Volkes verknüpft. Der Nürnberger Hans Sax war für Weller ein Volksdichter des sechzehnten Jahrhunderts. Ebenso Heinrich Wirri aus Solothurn oder Johann Fischart.[330] Die kleinen Druckerzeugnisse, Flugschriften und Einblattdrucke, waren für Weller sogar »die eigentliche Volksliteratur«, wie er in der unpublizierten Einleitung zu seinem handschriftlich überlieferten Verzeichnis der *Wickiana*-Druckschriften darlegte (Dok. 10). Die Funktion dieser Literatur sah er darin, daß »gewöhnliche oder außerordentliche Ereignisse, damals neue Völker, Thiere, Pflanzen pp. populär erklärt und beschrieben, dem großen Haufen der Ungebildeten veranschaulicht wurden«. Mit anderen Worten: Es handelte sich um eine Art Volksbildungsliteratur. Hinter dieser Produktion steckten bis anhin nahezu unbekannte »Schriftsteller«, Drucker und Formschneider. Weller schätzte seine Arbeit als »einen nicht unwichtigen Beitrag zur Literaturgeschichte« ein, der Einblick »in die immense Thätigkeit der Presse des 16. Jahrhunderts« versprach. Das hätten auch die romantischen Entdecker der Volksliteratur von ihrer Arbeit sagen können. Was Weller von ihnen und den späteren Verfassern volkskundlicher Arbeiten unterschied, war eine andere ideologische Grundlage. Mit ihr wurde der Grundlagenforschung zur »Volksliteratur« ein mehr als nur antiquarischer Wert zugemessen. Wellers Bibliographien und Lexika zur Literatur der Frühen Neuzeit waren Arbeit an sozialistischer Traditionsbildung.

5.2. Der »rote Faden vom Zorn Gottes«

Wellers Bibliographien blieben, jenseits seiner politischen Motive, Pionierleistungen auf dem Gebiet der Erforschung der Bestände frühneuzeitlicher Druckschriften. Das gilt insbesondere für die Erschließung von Einblattdrucken. Darüber hinaus zeigte

---

[329] Vgl. dazu WELLER, Repertorium typographicum (1864), IX: »Sämmtliche deutschschweizerische Bibliotheken, außer denen von Chur und Solothurn und einigen sehr kleinen, deren Kataloge nichts Erhebliches enthielten, habe ich selbst durchmustert, die größte: die Zürcher Stadtbibliothek, über zehn Jahre zu benutzen Gelegenheit gehabt; einzig Aarau und Luzern (Bürgerbibl.) boten aus dieser Zeit so gut wie nichts. Ueber die Bibliothek des Basler Antistitii blieb mir der Pfarrer Sarafin jede Antwort schuldig.«

[330] Vgl. WELLER, Sax (1868) und WELLER, Wirri (1860).

Weller kein genuines Interesse an Wick als Historiographen. Anders die junge Ricarda Huch, die später als Schriftstellerin und Verfasserin einer Geschichte des Dreißigjährigen Krieges bekannt wurde. 1891 hatte sie ihr Studium in Zürich mit der Promotion im Fach Geschichte abgeschlossen und war anschließend bis 1895 als Sekretärin in der Zürcher Stadtbibliothek angestellt. Hier eben stieß sie auf die *Wickiana*. Was sie vorfand, waren 23 Folio- und Quartbände,[331] die sie mit einiger Hingabe, wenn auch nicht vollständig studierte.[332] Das Ergebnis war ein Aufsatz über *Die Wicksche Sammlung von Flugblättern und Zeitungsnachrichten in der Stadtbibliothek Zürich*, der 1895 in dem von der Stadtbibliothek selbst herausgegebenen Neujahrsblatt erschien.[333] In ihren Jugenderinnerungen hielt Ricarda Huch lediglich folgendes dazu fest:

> Mein Platz war an dem großen Fenster, unter dem jetzt die Zwinglistatue steht. Als ich im Neujahrsblatt über die in der Bibliothek aufbewahrte Wicksche Sammlung schrieb, arbeitete ich wochenlang in der Wasserkirche, von der die städtische Bibliothek ihren Anfang genommen hat und an die das damalige Bibliotheksgebäude, das sogenannte Helmhaus, angeschlossen ist.[334]

Huchs Beitrag bietet nicht nur eine literarische Beschreibung der *Wickiana*, »ein Kabinettstück der historischen Charakterisierungskunst«,[335] sondern er zeugt reichlich von seiner Entstehungszeit um die Jahrhundertwende, der Blütezeit des Historismus. Der hermeneutische Atem einer Geschichtswissenschaft, die sich in den Geist der Zeiten einzuleben suchte, durchströmt den ganzen Aufsatz. Das Gefühl der Fremdheit, die hermeneutische Distanz, stand am Anfang: »Wenn man in den Wickschen Büchern liest, glaubt man mitten in eine fremde Welt hineinversetzt zu sein. [...] Wie anders scheint diese Zeit und scheinen diese Menschen zu sein als alles, was uns vertraut ist!«[336] Dieser erste Eindruck wich jedoch bald einem zweiten, der zur Konstante im ewigen Wandel zurückführte: zum Menschen, »wie er ist und immer war und sein wird«, Ausgangspunkt und Zentrum einer Betrachtungsweise, die Jakob Burckhardt als »wesentlich pathologisch« umschrieben hatte.[337] Huch erkannte die Konstante am Pathologischen wieder:

> Der allerseltsamste Eindruck, der einem bleibt beim Lesen der Wickschen Bücher, ist der, wie bei allem Wechsel der Zeit die Menschen sich so gleich geblieben sind: mit

---

[331] Der Jahrgang 1581 (ZBZ, Ms. F 29a) fehlte noch.

[332] Zum Umfang ihrer Lektüre vgl. HUCH, Wicksche Sammlung (1895), S. 22.

[333] STADTBIBLIOTHEK ZÜRICH (Hg.), Jahresbericht der Stadtbibliothek 1894 (1895), S. 20, heißt es dazu: »Das Neujahrsblatt auf 1895 enthält eine Arbeit von Fräulein Dr. R. Huch über ›die Wicksche Sammlung von Flugblättern und Zeitungsnachrichten aus dem 16. Jahrhundert in der Stadtbibliothek Zürich‹. Ein kulturgeschichtlich außerordentlich interessanter Bestandteil unserer Bibliothek hat in ihm eine feinsinnige Würdigung erfahren.«

[334] HUCH, Frühling (1968), S. 204.

[335] So WEBER, Wunderzeichen und Winkeldrucker (1972), S. 20.

[336] HUCH, Wicksche Sammlung (1895), S. 2.

[337] BURCKHARDT, Studium der Geschichte (1982), S. 179; vgl. auch S. 226.

derselben Lust am Gräßlichen, demselben Hang zum Wunderbaren, demselben Bedürfnis des Moralisierens.

Erst der Fortschritt des Wissens stellte die Distanz wieder her, die sich in der Gegenwart als Abstand zwischen dem Kreis der Gebildeten und der breiten Masse wiederfand:

> Ebenso setzt uns beständig die Erweiterung des Wissens in Erstaunen, die sich seit jener Zeit vollzogen hat. Ihre Wirkung tritt uns zwar hauptsächlich nur in einem beschränkten Kreise von Menschen vollkommen entgegen; in der Bildung der großen Masse, welche den Einfluß fortgeschrittener Erkenntnis nicht so gründlich genießen konnte, könnte man auch heute wohl noch manchen vernehmlichen Nachklang der Anschauungsweise jener längst verflossenen Zeit erlauschen.[338]

Was Ricarda Huch dabei zu vernehmen glaubte, waren manche »überraschende Ähnlichkeiten mit dem durchschnittlichen Zeitungsleser von heutzutage«. Wick erschien ihr leichtgläubig, urteilslos und das Gegenteil von empfindelnd oder gefühlselig, vielmehr ganz als Kind seiner »abergläubischen und wilden«, »durch ihre Phantasie« gepeinigten Zeit.[339] Dieser allgemeinen Charakteristik ließ sie einen Überblick folgen, der auch heute noch einen guten Eindruck vom thematischen Spektrum der *Wickiana* gibt: Von der konfessionellen Polemik über Wunderglaubigkeit und Teufelsglauben, Verbrechen und Strafen, die französischen Religionskriege, den spanisch-niederländischen Konflikt, Nachrichten über die Reichsterritorien, die Moskowiter und Türken, England und die Schweiz, über Lepanto und den Kalenderstreit bis zur Schilderung von Unglücksfällen, Feuersbrünsten, Seuchen und Hexenverfolgung in Wicks Chronikbüchern – Huch gelang es nicht nur, das ganze Spektrum durch geschickt ausgewählte Beispiele zu veranschaulichen; sie erkannte auch Verbindungen und schuf Übergänge, die einen Eindruck vom inneren Zusammenhang all dieser Themen und Ereignisse im Weltbild Wicks gaben. Anders als spätere Leser vermutete sie in den »sorglich vermerkten Wunderzeichen oder Prodigia« einen ordnenden Gesichtspunkt: »Welche Bedeutung Wick selbst ihnen beimißt, erhellt daraus, daß er seine Zeitgeschichte wohl ›Wunderbücher‹ benennt, und in der That können für die Gläubigen die Zeichen der rote Faden vom Zorne Gottes sein, der sich durch diese ›trübselige zyth‹ hindurchzieht.«[340]

Der kleine Beitrag der jungen Ricarda Huch im Neujahrsblatt der Stadtbibliothek von 1895 hatte eine beachtlich schnelle Nachwirkung. Noch im selben Jahr erschien in Zürich die *Geschichte der Historiographie in der Schweiz* von Georg von Wyss, der sich ausdrücklich auf Huch bezog, als er in einem halbseitigen Abschnitt, kaum mehr als eine Anzeige, auf die »Wick'sche Sammlung von Flugblättern und Zeitungsnachrichten« einging. Man könnte meinen, in den knappen Formulierungen

---

[338] Beide Zitate: HUCH, Wicksche Sammlung (1895), S. 2 f.
[339] Ibid. und S. 4.
[340] Ibid., S. 17 f.

gelegentlich noch Huchs Aufsatz durchklingen zu hören, wäre da nicht die Tatsache
daß Wyss wörtlich übernahm, was er in Egbert Friedrich von Mülinens *Prodromu.*
einer schweizerischen Historiographie von 1874 zu den *Wickiana* vorgefunden hat
te. Das abschließende Urteil integrierte Wicks Bücher in ein bis heute nachwirken
des Bild von der zweiten Hälfte des sechzehnten Jahrhunderts: »die gegenüber de
ersten Hälfte des Jahrhunderts schwächer gewordene Zeit erweist sich unverkennba
in der Art der Anlage.«[341] Noch 1897 folgte eine weitere Kurzbeschreibung de
Wickiana in einer historiographiegeschichtlichen Sammeldarstellung, Josef Zemp
Werk über *Die schweizerischen Bilderchroniken.* Zemp beschrieb die *Wickiana* al
»ein kulturhistorisch höchst lehrreiches Sammelsurium von allerhand Merkwürdig
keiten, Unglücksfällen, Mord-, Hexen- und Ketzergeschichten«. Wick selbst er
schien ihm als abergläubisch und grämlich, seine Sammeltätigkeit als wahllos.[342]

5.3. Die gefährliche Frau *Wickiana*

Wo Ricarda Huch den »roten Faden vom Zorn Gottes« erkannt hatte, entdeckte de
Rechtshistoriker Hans Fehr »die Welt des Teufels«.[343] Nicht ganz zufällig, denn da
Interesse an der sowohl schriftlichen wie bildlichen Darstellung von Verbrechen und
Strafen in den Wickschen Büchern lenkte seinen Blick recht einseitig auf das Wir
ken teuflischer und dämonischer Mächte. In einem Feuilletonartikel beschrieb Fehr
die »dämonische Kraft«, die für ihn von den *Wickiana* ausging, wobei er sich in
Genus und folglich auch im Bild vergriff:

> Die Wikiana ist eine gefährliche Frau, die einen mit tausend Ketten festhält und
> überhaupt nie mehr losläßt.

Die gleichzeitige Abstoßung, die Fehr nur wenige Absätze später vermerkte, kom-
plettiert seine hochstilisierte Beschreibung eines pathologisch wirkenden Verhält-
nisses:

> Ein starker perverser Zug geht durch die Sammlung, so stark, daß den Gesunden
> bisweilen ekelt. Und nicht nur die Gerichtsbilder deuten auf solch einen perverser
> Einschlag, ebenso stark kommt er in den gräßlichen Mißgeburten, Verkrüppelunger
> und Unholden aller Art zum Ausdruck. Ja, mancher moderne Psychiater wird nicht
> zurückschrecken, in den zur Darstellung gebrachten Himmelserscheinungen (Kome-
> ten, Sonnen, Monde, feurige Garben, Blutregen, Hagel) Aeußerungen einer krankhaf-
> ten Phantasie zu sehen.[344]

---

[341] WYSS, Historiographie in der Schweiz (1895), S. 221. Vgl. MÜLINEN, Prodromus (1874)
S. 208.
[342] ZEMP, Bilderchroniken (1897), S. 164f.
[343] FEHR, Wickiana (1922).
[344] Ibid.

5. Massenliteratur und Volk

Diese Erwartung eines Psychiaters war geradezu visionär. Er kam im Jahre 1958, sah mit Archetypenblick auf das kollektive Unterbewußte in die Vergangenheit, schrieb über zwei *Wickiana*-Flugblätter, die er sogar abbildete – analysierte jedoch nicht die Psyche eines Toten (Wick), sondern untersuchte einen »modernen Mythus«. Sein Name war Carl Gustav Jung ...[345]

Aber wie konnte Fehr die »Mißgeburten« zu Ausgeburten einer perversen Phantasie erklären? Viele der Darstellungen waren doch mit Sicherheit keine Erfindungen der Korrespondenten Wicks gewesen, sondern verläßliche Zeugen teratologischer Fälle des sechzehnten Jahrhunderts. Pervers erschien ihm hier wohl weniger die Dokumentation als solche als ihr Ort in einer Chronik. Pervers erschien ihm das Interesse an der Abnormität, das ja hier keineswegs durch medizinische Forscherinteressen motiviert und damit aus Sicht des zwanzigsten Jahrhunderts gerechtfertigt werden konnte. Hinter der Öffentlichkeit des Abnormen, die im sechzehnten Jahrhundert eine Selbstverständlichkeit war, vermochte Hans Fehr wie viele vor und nach ihm nur die Sensationslust des »gemeinen Volkes« zu erkennen, die von den Nachrichtenmedien, insbesondere vom illustrierten Flugblatt bedient wurde. In dieser einseitigen Einordnung eines befremdlichen Phänomens frühneuzeitlicher Öffentlichkeit liegt vor allem ein anachronistisches Mißverständnis, das auf immer noch verbreiteten Vorannahmen über die angeblich massenhafte Verbreitung billiger Drucke beruht und darauf, daß es diese Art gedruckter Literatur zu Fehrs Zeiten so nicht mehr gab. Die Teratologie hatte ihren Ort in medizinischen Fachzeitschriften. Das Schlagwort von der Sensationslust des Publikums übersieht, daß die christlich-religiöse Weltsicht im sechzehnten Jahrhundert aus »Monstren« und Prodigien eine Nachricht von allgemeinem, letztlich heilsgeschichtlichen Interesse machte – und dies nur um so mehr im Spannungsfeld konfesioneller Konkurrenz um »Zeichen und Wunder«.

Hans Fehr, geboren 1874 in St. Gallen, »erfuhr ganz zufällig vom Vorhandensein« der *Wickiana*, als er 1922 Studien im Zürcher Landesmuseum betrieb.[346] Fehr hatte Rechtswissenschaften in Würzburg, Bonn, Berlin und Bern studiert, war nach der Promotion als Attaché der schweizerischen Gesandtschaft in Paris auf Posten gegangen, ehe er die akademische Laufbahn fortsetzte und sich 1904 in Leipzig habilitierte. 1907 erfolgte die Berufung zum ordentlichen Professor nach Jena. Nach Zwischenstationen in Halle 1912 und Heidelberg 1917 kehrte er 1924 in Bern ein, wo er bis 1944 lehrte. Der zeichnerisch begabte Rechtshistoriker bewegte sich nicht nur in akademischen, sondern auch in künstlerischen Kreisen. Lebenslange Freundschaft verband ihn mit dem Maler Emil Nolde. Zu den biographischen Höhepunkten

[345] Vgl. JUNG, Mythus (1958). Hierzu WEBER, Wunderzeichen und Winkeldrucker (1972), S. 22 Anm. 45 & S. 93, und STÄHELI, Ovnis (1992), S. 5.
[346] Vgl. FEHR, Wickiana (1922). Zur Biographie Fehrs: BADER, Fehr (1963); FEHR, Lebenswerk (1945); außerdem den biographischen Art. in DBE, Bd. 3.

gehörte eine Begegnung mit Thomas Mann. Der berühmte Schriftsteller kam anläß lich eines Vortrags an der Universität im Sommer 1922 nach Heidelberg. An Erns Bertram schrieb er darüber: »Heidelberg war reizend. Zum ersten Mal dort, war ic bezaubert von der Romantik der Landschaft und der jugendlichen Geistigkeit de akademischen Sphäre. Ich wohnte bei dem Rechtshistoriker Fehr, hoch über de Stadt, in der Nähe des Schlosses, mit schönstem Blick über die Neckar-Ebene.« An darauffolgenden Tag hörte Thomas Mann »ein sehr anregendes Kolleg« seine »Gastherrn über den Inquisitionsprozeß«.[347]

Das künstlerische Interesse Fehrs ging schließlich mit dem beruflichen eine Ver bindung ein. Den Anstoß dazu hatte eine junge wissenschaftliche Disziplin gegeber die Volkskunde. Das Ergebnis waren drei größere Arbeiten zum Verhältnis vo Kunst und Recht: *Das Recht im Bilde* (1923), *Das Recht in der Dichtung* (1931) un *Die Dichtung im Recht* (1936). In einem salbungsvollen Rückblick auf sein wisser schaftliches Lebenswerk zählte Hans Fehr diese Arbeiten zum Substantiellen, wäh rend das kleine Bändchen, das er über die *Wickiana* veröffentlichte, für ihn »in Zeichen der ›Zufallsliteratur‹« stand.

> Ich kopierte selbst mit Tusche und Pinsel etwa 30 Blätter, und schließlich entschlos ich mich, ein Buch über die *Wickiana* herauszugeben, ohne, ja, fast gegen meine Willen. Ein Verleger (Herbert Stubenrauch in Berlin) war bald gefunden. Unter der Titel: *Massenkunst im 16. Jahrhundert* erschien die Publikation im Jahre 1924. Si enthält hauptsächlich Flugblätter (Holzschnitte), die Wick während vieler Jahre er gattert hatte. Einen ausführlichen Text und genaue Erklärungen zu alle den merkwür digen Tafeln setzte ich hinzu. Wie reich dieses kleine Werk ist, mag man ersehen wenn man im Inhaltsverzeichnis liest: Wundergeburten und Wundergestalten, Him melserscheinungen, Türkengreuel, historische Volkslieder, religiöse Kampfblätte usw. Den Rechtshistoriker liess ich nur nebenbei zu Worte kommen, so in den Ab schnitten: Die Dämonen und das Recht, Hinrichtungen, Mordgeschichten und ander Erzählungen.[348]

Hatte es in dem Feuilleton-Artikel von 1922 noch überschwenglich geheißen, e sei unmöglich, eine Kulturgeschichte des sechzehnten Jahrhunderts ohne Berück sichtigung der *Wickiana* zu schreiben, zitierte Fehr nun noch einmal die abgemil derte Formulierung des gleichen Gedankens: »Es ist nicht übertrieben, wenn ich an Schluss der Einleitung den Satz niederschrieb: Die Sammlung Wick enthält ei unentbehrliches Stück Kulturgeschichte des 16. Jahrhunderts.«[349]

Das Buch *Massenkunst im 16. Jahrhundert* erschien als erster Band der von Wil helm Fraenger geplanten Reihe *Denkmale der Volkskunst*. Der Untertitel *Flugblätte aus der Sammlung Wickiana* stellte den Schwerpunkt der Betrachtung auf de

---

[347] Thomas Mann an Ernst Bertram, München, 8. Juli 1922: MANN, Briefe an Ernst Bertrar (1960), S. 111–113.
[348] FEHR, Lebenswerk (1945), S. 16 f.
[349] Ibid.

Druckgraphik klar heraus. Sein Urteil brachte der Verfasser mit dem Wort »Massenkunst« zum Ausdruck. Welche Rechnung dahinterstand, gaben schon die ersten Zeilen zu erkennen: »Im leidenschaftlich erregten Zeitalter der Reformation gestaltete der Drucker seine Kunst nach drei Richtungen: Dem Gelehrten gab er das Buch, dem Gebildeten die Flugschrift, dem Volke das Flugblatt.«[350] Die dritte Gleichung lag im eigentümlichen Charakter der Phantasie der Masse begründet:

> Das Volk liebt das grausig Dramatische. Denn das Volk ist voll Phantasie. Das Volk ist voll Sehnsucht nach Bildern. Es verlangt nach Plastik, nach lebhaftestem Ausdruck aller Dinge. Nur das Anschauliche ist volkstümlich.[351]

Was nun aber die Phantasie des Volkes vor allem bewegte, so glaubte Hans Fehr an der Vielzahl der Flugblätter über Wunderzeichen, Hinrichtungen und Verbrechen diagnostizieren zu können, war nichts als Wahn, eine »Massenpsychose«.[352]

In diesem Zusammenhang beweist sich erneut die Vorliebe des Rechtshistorikers für eine Metaphorik aus dem Gebiet sadomasochistischer Obsessionen. Der Gelehrte in den Ketten der gefährlichen Frau *Wickiana* dachte beim Stichwort »Flugblatt« an die Peitsche: »Das Flugblatt war die geistige Peitsche des Jahrhunderts. Die Menge verlangte nach dieser Peitsche«.[353] Was den gelehrten Chorherren Wick bewogen haben mochte, eine stattliche Sammlung solcher Folterinstrumente anzulegen, dafür vermochte Hans Fehr nur eine Erklärung zu geben: Dieser Wick mußte ein »eigenartige[r] Kauz« gewesen sein, die »Sensationslust« seine »schwache Seite«.[354] Etwas später brachte Leo Weisz dieses Bild der *Wickiana* und ihres Verfassers auf die Formel vom »allem Anschein nach etwas sadistisch veranlagten Chorherren«.[355]

Solche Ansichten waren natürlich alles andere als ein Produkt des Zufalls. Fehr hatte schon 1923 für sein Buch *Das Recht im Bilde* sechzehn Illustrationen aus den *Wickiana* übernommen. Gezielt hatte er nach Darstellungen von Hinrichtungen gesucht. Dabei mußten ihm auch die Federzeichnungen zu Wunderzeichen und Unglücksfällen in den *Wickiana* aufgefallen sein. Am Leitfaden der Illustrationen bildete sich sein Gesamteindruck. Die zahlreichen und z. T. sehr umfangreichen politischen Dokumente scheinen ihm beim Durchblättern der Bände völlig entgangen zu sein. So entstand der Eindruck eines kulturhistorischen Kabinetts der Grausamkeiten und des Aberglaubens.[356] Mit der Kategorie »Aberglaube« wurde stillschweigend auch der traditionelle Jargon der Aberglaubenskritik übernommen: Eine überschäu-

---

[350] FEHR, Massenkunst (1924), S. 3.

[351] Ibid., S. 37.

[352] Ibid., S. 14.

[353] Ibid., S. 3.

[354] Ibid., S. 5 f.

[355] WEISZ, Erziehung (1940), S. 18. Hierzu treffend WEBER, Wunderzeichen und Winkeldrucker (1972), S. 18 Anm. 21.

[356] Schon Dejung hat die *Wickiana* als »einzigartige Fundquelle für Curiosa der Kulturgeschichte von 1560–1587« bezeichnet. Vgl. HBLS, Bd. 7, S. 509.

mende, von Ängsten umhergetriebene, willkürlich dichtende Phantasie mußte hier am Werk gewesen sein. Deutlich ist Fehrs Bedürfnis spürbar, sich mit souveräner Geste davon abzugrenzen, als setze man sich schon durch die Auseinandersetzung dem Verdacht abergläubischer oder perverser Neigungen aus. Fehrs Blick auf die *Wickiana* war offensichtlich durch ein irritiertes Involviertsein verzerrt. Der krude Volksbegriff, den er aus einer noch jungen akademischen Disziplin entlehnte, vervollständigte das Arsenal einer von Klischees wimmelnden Darstellung. Mit ihnen bildete sich Fehr, fernab von modernen lesergeschichtlichen Untersuchungen, das Urteil, das er mit dem Begriff »Massenkunst« zum Ausdruck brachte.

5.4. Flugblätter

Mit Hans Fehr verlagerte sich der Schwerpunkt der *Wickiana*-Rezeption in den folgenden Jahrzehnten eindeutig auf die Einblattdrucke. Schon im Anschluß an die grundlegenden bibliographischen Arbeiten von Emil Ottokar Weller im neunzehnten Jahrhundert waren einzelne Stücke aus der Flugblattsammlung Wicks publiziert oder in der Literatur erwähnt worden.[357] Noch vor Hans Fehr hatte Gustav Hellmann für seinen 1921 als Akademieabhandlung erschienenen Beitrag *Die Meteorologie in den deutschen Flugschriften und Flugblättern des XVI. Jahrhundets* die Bestände der *Wickiana* vollständig gesichtet. So verschieden sein Interesse von dem Fehrs war, so anders war auch das, was er vorfand: »Die Durchsicht der 23 Bände, wobei ich nur auf Drucke meteorologischen Inhalts achtete und die vielen handschriftlichen Berichte über Witterungserscheinungen ganz außer acht ließ, hat eine volle Woche in Anspruch genommen, dafür aber auch reiche Ausbeute geliefert.«[358] Hellmanns Abhandlung war die Pionierarbeit von Wilhelm Hess vorausgegangen, der in der *Zeitschrift für Bücherfreunde* erstmals über *Himmels- und Naturerscheinungen in Einblattdrucken des XV. bis XVIII. Jahrhunderts* geschrieben hatte. Seine Abhandlung teilt mit Hans Fehr die generalisierende Aberglaubensperspektive und den Volksbegriff. Die *Wickiana* hatte Hess nicht einbezogen, obwohl sie gerade im Bereich der Wunderzeichen den reichsten Bestand an Flugblättern aus dem sechzehnten Jahrhundert boten.[359] Hier wie an Max Geisbergs Sammlung der deutschen *Einblatt-Holzschnitte* erweist sich jedoch das um 1910 verstärkt einsetzende und bis in die späten zwanziger Jahre anhaltende Interesse an Einblattdrucken der frühen Neuzeit.[360]

---

[357] Siehe die Übersicht bei WEBER, Wunderzeichen und Winkeldrucker (1972), S. 24 Anm. 50.

[358] HELLMANN, Meteorologie (1921), S. 6.

[359] HESS, Himmels- und Naturerscheinungen I (1908/9) und HESS, Himmels- und Naturerscheinungen II-IV (1910/11).

[360] GEISBERG, Woodcut (1974). Zuerst 1923–1930. Zur Fortsetzung und Überarbeitung dieses Projekts STRAUSS, Woodcut 1550–1600 (1975). Auch ARCHENHOLD, Kometen-Einblattdrucke (1917), gehört in diesen Zusammenhang.

5. Massenliteratur und Volk

Auf diesem bereiteten Feld scheint Fehrs Buch eine rege Nachfrage nach den Flugblättern der *Wickiana* ausgelöst zu haben. Das hatte einschneidende Folgen für den Bestand. Jedenfalls berief sich die Zentralbibliothek in ihrer Begründung für die Versetzung der Einblattdrucke im Jahre 1925 darauf.[361] Die Benutzung sollte erleichtert, die Beanspruchung der Manuskriptbände reduziert werden, indem man die Blätter herauslöste und auf großformatige Bögen aufzog. Der Effekt scheint jedoch zum Gegenteil ausgeschlagen zu sein: »Merkwürdigerweise wurde das wissenschaftliche Interesse durch dieses Vorgehen nicht gefördert, vielmehr scheint es nun, als ob die Drucke aus ihrer angestammten Heimat verbannt worden wären.«[362] Immerhin erschien 1927 die medizingeschichtliche Abhandlung von Albrecht Sonderegger, der die »Mißgeburten« an Tier und Mensch, wie sie auf den Illustrationen und in den Einblattdrucken der *Wickiana* dokumentiert waren, untersuchte und dabei die realistischen von den nach dem damaligen Wissensstand »unmöglichen« Darstellungen unterschied.[363]

Während der folgenden Jahrzehnte fand eine Serie von Ausstellungen statt, deren Schwerpunkte ebenfalls auf den Einblattdrucken lagen, die nun, auf einzelne Bögen aufgezogen, natürlich leichter präsentiert werden konnten als zuvor. Zwei Ausstellungen wurden 1935 und 1938 in der Zentralbibliothek, eine weitere 1953 im Haus zum Rechberg, eine letzte schließlich 1954/55 im Stadthaus veranstaltet, die anschließend nach Bern und Genf wanderte.[364] Diese letzte Ausstellung stand unter dem Titel *Fliegende Teller. Himmelszeichen im Aberglauben des 16. Jahrhunderts.* Die gezeigten Einblattdrucke erregten die Aufmerksamkeit von Carl Gustav Jung, der schließlich zwei der Ausstellungsstücke in seine psychologische Abhandlung über das »Ufo-Phänomen« aufnahm.[365]

Die Versetzung der Einblattdrucke hatte eine weitere Konsequenz: Die Graphische Sammlung wurde ab Anfang der fünfziger Jahre zu einem stillen Ort der wissenschaftlichen Auseinandersetzung mit den Flugblättern der *Wickiana*.[366] Dort

---

[361] Vgl. den ZENTRALBIBLIOTHEK ZÜRICH (Hg.), Bericht der Zentralbibliothek 1924/1925 (1926), S. 18.

[362] WEBER, Wunderzeichen und Winkeldrucker (1972), S. 23.

[363] Vgl. SONDEREGGER, Missgeburten (1927).

[364] Vgl. WEBER, Wunderzeichen und Winkeldrucker (1972), S. 22 Anm. 45.

[365] Vgl. JUNG, Mythus (1958), S. 94–96, Abb. V und VI.

[366] Zunächst erstellte Marlies Stäheli einen *Beschreibenden Katalog der Einblattdrucke aus der Sammlung Wickiana in der Zentralbibliothek Zuerich,* der, zusammen mit einem schmalen Textband, an der *Ecole des Bibliothécaires* in Genf 1950 als Diplomarbeit eingereicht und angenommen wurde. Der Katalog wurde nicht gedruckt, sondern liegt als Maschinoskript unter der Signatur PAS II 26 in der Graphischen Sammlung der Zentralbibliothek. Französische Fassung in der *Bibliothèque de l'Ecole sociale de Genève* (Codex 1164). Für einen Ausschnitt siehe: STÄHELI, Ovnis (1992). Mit ihrem Titelregister, einem Orts-, Namen- und Sachregister sowie einem Drucker- und Druckortregister leistete die früh verstorbene Stäheli erstmals die Vorarbeiten, die aus heutiger Sicht unerläßlich für die wissenschaftliche

fanden die Einblattdrucke dann auch ihren bedeutendsten Kustos, den Kunsthistoriker Bruno Weber. Der spätere Leiter der Abteilung veröffentlichte einen Teil seiner umfangreichen Recherchen 1972 unter dem Titel *Wunderzeichen und Winkeldrucker 1543–1586*.[367] Rückblickend bedeutet Webers Arbeit zweifellos eine Zäsur.[368] Seine Würdigung der *Wickiana* als Ganzes klingt zwar zunächst wie eine Zusammenfassung bisheriger Sichtweisen, enthält aber zugleich eine Neueinschätzung:

> Ein Poesiealbum von politischen und kirchlichen Fällen, von Kriegen, Verbrechen, Katastrophen, Illusionen, ein Kompendium der Dekadenz, ein Manifest für den tiefgründigsten Aberglauben, ein Panoptikum des Bösen, angefüllt mit allen Epidemien der Seele, Verfolgung und Weherufen, Teufels- und Hexenwerk, schrecklichen Zeichen des Himmels und der Natur, Weissagungen, Wundergestalten, Toten, Sterbenden, ein ungeheures Kaleidoskop von sinnüberladenen Exzessen der menschlichen Phantasie. An diesen formlosen »Annales rerum memorabilium et mirabilium«, wie Dürsteler später die Sammlung nannte, arbeitete der Chorherr Wik nicht als Chronist, sondern prophetisch, als ein Prediger in seinem Tagewerk, ganz auf das Kommende gerichtet; *quales homines, tale coelum*. Die Perspektive des großen, leidenschaftlichen Sammlers entspricht seiner jeweiligen Mission in der Zeit.[369]

Sammeln war für Weber mit einer ganzen Serie von Leistungen der Reflexion verbunden: »ursprüngliches Sammeln ist Beobachtung und Wahrnehmung im vielfachen Sinn, Suchen, Sichten und Sorgen, Erinnern, Läutern und Bewahren«. In diesem Sinne erkannte er in Wick einen der »reflektierenden Sammler von Essenz, die das Gras wachsen hören«.[370] Die Tätigkeit des Sammlers und seine Sammlung erhielten damit erstmals einen gehobenen Stellenwert. Vor allem aber führte die Aufarbeitung der Biographie Wicks zu einer Revision des einige Jahrzehnte zuvor von Fehr und Weisz geprägten Bildes: Von einem »eigenartigen«, vielleicht gar »sadistisch veranlagten« »Kauz« blieb wenig übrig. Weber betonte als erster, daß jenes ältere Zerrbild auf »blanken Behauptungen« beruhte.[371]

Erschließung des illustrierten Flugblatts geworden sind. Auf dieser Basis erstellte Cornelia Lather fast dreißig Jahre später im Rahmen einer weiteren bibliothekarischen Diplomarbeit einen Zettelkasten mit Standort-, Orts-, Verfasser-, Künstler-, Personen- und einem chronologischen Register. Vgl. LATHER, Einblattdrucke (1979). Von Bruno Weber stammt das Verzeichnis PAS II 27.

[367] Weber wählte zwanzig Einblattdrucke aus, die in einem Faksimileband wiedergegeben wurden. Gleichzeitig erschien ein Textband, der eine umfangreiche Einleitung über *Die Sammlung Wikiana und ihre Einblattdrucke* sowie Kommentare zu den hier noch einmal schwarzweiß abgebildeten Flugblättern enthält. Die im Vorwort angekündigte Fortsetzung kam nicht zustande. Vgl. WEBER, Wunderzeichen und Winkeldrucker (1972), S. 7.

[368] Hellmut Rosenfeld urteilte über Webers Arbeit: »Diese umfassende Dokumentation des vervielfältigenden Kleingewerbes ist wohl das Beste, das bisher zu diesem Thema geschrieben wurde, und für die weitere Forschung unentbehrlich.« Vgl. ROSENFELD, Rezension zu Weber (1973).

[369] WEBER, Wunderzeichen und Winkeldrucker (1972), S. 14.

[370] Ibid., S. 13.

[371] Ibid., S. 18 Anm. 21.

Epilog

Der Vergleich der Wunderzeichenberichte, besonders solcher, die in Druckschriften verbreitet wurden, mit der Sensations- und Bouelevardpresse war ein Zugang zu den *Wickiana*, der im neunzehnten und zwanzigsten Jahrhundert offensichtlich lange plausibel war. Der Begriff »Zeitung«, der im sechzehnten Jahrhundert einfach soviel wie »aktuelle Nachricht« bedeutete, hat solche Vergleiche nahegelegt, damit aber auch die Gefahr der Verwechslung und des Anachronismus geschaffen. Denn trotz der Bilder, trotz der Flugschriften und Flugblätter, und obwohl Wick häufig »neue Zeitungen« notierte, verfehlt der Vergleich mit der illustrierten Presse von heute den historischen und historiographischen Kontext des sechzehnten Jahrhunderts. Wick verstand sich so wenig als »Journalist« wie Conrad Lycosthenes, dessen gelehrter Anspruch bei Veröffentlichung seiner Weltchronik der Prodigien noch viel deutlicher hervortritt als im Falle Wicks, der sich als Prediger verstand und weniger als Gelehrter, wenn er auch zweifellos zu den Gebildeten seiner Zeit gehörte. Vor allem aber verkennt der Vergleich das moralische Wertsystem, das den Sammler und Chronisten Wick motivierte.

Sieht man auf die Geschichte der Aneignung der *Wickiana* zurück, so überrascht vielleicht am meisten, wie lange sich der volkskundliche Blick des späteren neunzehnten und des zwanzigsten Jahrhunderts ankündigte und dann durchhielt. Die sittengeschichtliche Perspektive, die zuerst Johann Jacob Bodmer an die (vor allem am Ort Zürich selbst vorhandene) Chronistik des Mittelalters und der Frühen Neuzeit herantrug, bot erstmals eine Alternative zur aberglaubenskritischen Ablehnung durch die Aufklärung und bahnte letztlich den Weg für eine Neubewertung, die später als »Volksaberglaube« oder »Volksglaube« auf den Begriff gebracht wurde. Freilich wählte die Sittengeschichte kurz nach der Mitte des achtzehnten Jahrhunderts Stoffe wie die Hirsebreifahrt aus, die weniger negativ besetzt waren als Wunderzeichen. Allerdings spielte bei Bodmer (ebenso wie bei Breitinger) eine Poetik des Wunderbaren mit hinein, die im »Wunder« einen didaktischen Bildungswert erkannte, wenn auch das Wunderbare in dieser Dichtungstheorie völlig aufs subjektive Sich-Wundern reduziert war.

Der Wandel, der sich in der Aneignungsgeschichte der *Wickiana* seit Johann Jacob Scheuchzer abzeichnet, läßt sich nur in unzulänglicher Weise auf Begriffe wie »Aufklärung«, »Rationalisierung« oder »Säkularisierung« bringen. Vor allem die beiden Weberschen Kategorien haben sich an keiner Stelle meiner Darstellung besonders aufgedrängt – schon gar nicht durch die Sprache der Dokumente. Sie würden letztlich in das Fahrwasser einer älteren, fortschrittsgeschichtlichen »Meistererzählung« zurückführen. Vor allem aber erscheint es fragwürdig, ob sich die gemachten Momentaufnahmen aus dem achtzehnten Jahrhundert überhaupt auf diese historischen Großkonzepte bringen lassen könnten, ohne daß man ihnen Zwang antäte. Auch von der anderen Seite, der des sechzehnten Jahrhunderts und des Umgangs, den Wick als historisch-chronologisch vorgehender Prodigiensammler mit Phänomenen pflegte, die er als Prodigien einstufte, ergeben sich wieder einmal Zweifel am klassischen Narrativ. Wick, so paradox es klingt, ging in gewissem Maße empirisch vor. Wie in der zeitgenössischen Naturgeschichte fungierte auch bei ihm *historia* als Sammelbegriff für Erfahrenes und Erfahrbares. Wick sammelte Historien und verglich, um die Zeichen (im Nachhinein) deuten zu können. Wick als empirischen »Wunderzeichenforscher« zu verstehen, mag ein befremdlicher Gedanke sein, wenn man an das Bild vom verschrobenen, leichtgläubigen und sensationslustigen Archidiakon denkt. Das mag beim Thema Wunderzeichen überhaupt befremden. Die Barrieren liegen aber im modernen Verständnis von den Grenzen der Erfahrung und vom (wissenschaftlich) Überprüfbaren, nicht in der Vergangenheit. Es handelt sich um ein hermeneutisches Problem der historischen Distanz. Tatsächlich gehörte im sechzehnten Jahrhundert der Verweis auf die »erfarung« zum Standardrepertoire von Wunderzeichenberichten: Die Erfahrung beweise, daß auf die Zeichen stets Unheil folge, heißt es topisch unter allgemeinem Verweis auf »die Historien« immer wieder in gedruckten Erzeugnissen und handschriftlichen Aufzeichnungen. Es ist ein späteres Ergebnis, basierend auf grundsätzlichen theoretischen Entscheidungen über die Bedingungen der Möglichkeit menschlicher Erfahrung, wenn vor dieser Erfahrung eine Grenzlinie gezogen wurde, die sie ins Jenseits einer modern verstandenen Empirie verbannte.

Die Aberglaubensperspektive der älteren Forschung führte in mehrfacher Hinsicht zu einer Isolierung der Phänomene, die als Aberglaube eingestuft wurden: Isolierung zum einen gegenüber dem christlichen Glauben, und zwar nach den aberglaubenskritischen Maßstäben der Nachaufklärung. Der Kometenglaube etwa, ein typisches Element des frühneuzeitlichen Wunderglaubens, erscheint im *Handwörterbuch des deutschen Abglaubens* als zeitlose Konstante.[372] Bis tief ins achtzehnte Jahrhundert hinein lassen sich Zeugnisse finden, in denen Theologen und Prediger mit der Bibel in der Hand für Frevel erklärten, wenn solche Phänomene nicht als Zeichen und Wunder Gottes wahrgenommen wurden. Beispiel für die Konstanz theologischer Deutungen waren im vierten Teil dieses Buches vor allem die Predigten von Conrad Ulrich aus Anlaß des Münsterturmbrandes von 1763. Eine Forschung, die affirmativ am wertenden Begriff des Aberglaubens festhielt, hat unvermeidlich anachronistische Zerrbilder solcher Phänomene entworfen. Die umstrittenen und fließenden Grenzen zwischen Glaube und Aberglaube gerieten dabei aus dem Blick. Die Projektion aktueller Wertbegriffe auf die Vergangenheit führte auch

---

[372] HDA 5, Sp. 89–166.

in peinliche Lagen: Vor allem im neunzehnten Jahrhundert mit seiner Neigung, religiöse Helden wie Luther oder Zwingli auf nationale Denkmäler zu heben, riefen die unübersehbaren Zeugnisse für Luthers oder Bullingers »Aberglauben«, auf die man bei den großen Editionsprojekten wie der Weimarer Ausgabe oder dem *Corpus Reformatorum* unvermeidlich stieß, betretenes Schweigen hervor. Die ganze Ratlosigkeit offenbart sich noch an einem typischen Ausweg aus dieser Peinlichkeit, dem Topos, hier seien die großen Männer nun einmal »Kinder ihrer Zeit« gewesen, während sie sonst dieser finsteren und abergläubischen Epoche um Meilen voraus gewesen sein sollen.

Eine weitere Isolation des Themas brachte die gegenstandsorientierte Sicht und ihre kognitive Fixierung auf den Glaubensaspekt mit sich. Die Mentalitätsgeschichte und ihre Nachfolgerin, die Wahrnehmungsgeschichte, haben dieses Problem geerbt. Beide Perspektiven laufen Gefahr, die frühneuzeitlichen Prodigien aus komplexen sozial- und politikgeschichtlichen Zusammenhängen herauszulösen – am Ende sogar aus den konkreten kommunikationsgeschichtlichen, aus denen Chroniken wie die *Wickiana* oder das Werk von Conrad Lycosthenes hervorgingen. Ich habe am Beispiel eines »Sonnenzeichens« über Chur und des für Zürich peinlichen Blitzeinschlags im Glockenturm des Großmünsters zu zeigen versucht, daß Prodigien und Gottesstrafen hochpolitische Angelegenheiten sein konnten, sei es im multikonfessionellen eidgenössischen Zusammenhang, sei es im europäischen Konflikt der Konfessionen oder auf der Ebene lokaler Politik, wenn Differenzen innerhalb der Kommune aufbrachen. Die Zeichen bargen in Zürich verstärkt durch Bullingers Bundestheologie und der durch sie mitdefinierten politischen Rolle der Prädikanten als Sittenwächter ein besonderes politisches Potential. Als Warnungen Gottes waren sie Ankündigung seiner Strafe und zugleich Evidenz für einen moralischen Mißstand, der durch obrigkeitliche Maßnahmen beseitigt werden mußte, sollte Unheil abgewendet werden.

Die *Wickiana* gehörten nicht dem »Volk« an. Nur wenige Dokumente, die Wick sammelte und in seiner Chronik verarbeitete, ließen sich in ein Repräsentationsverhältnis zu dieser ohnehin zweifelhaften Größe bringen. Wenn mit Wunderzeichen Politik gemacht wurde, so beschränkte sich diese nicht auf die von Aby Warburg und anderen beobachtete »Propaganda«. Es entsprach allerdings der eingeschränkten Perspektive auf die Flugschriften der Reformationszeit, daß von der Forschung lange Zeit nur diese Seite beleuchtet wurde. Sie schien wiederum auf den modernen Zeitungsjournalismus zu verweisen, mit dem »das Volk« oder »die Masse« assoziiert wurden. Nun ist der gezielte Einsatz der Presse im Glaubenskonflikt, wie er besonders für die Frühphase der Reformation typisch war, zweifellos ein klassisches Thema der reformationsgeschichtlichen Forschungen. Im Fokus auf »Propaganda« wurde aber gerne übersehen, daß Luther und Melanchthon selbst den Vorzeichen große Bedeutung beimaßen und sie für Zeichen des Allmächtigen hielten, also nicht einfach nur instrumentell für ihre Zwecke einsetzten. Kaum beachtet blieben der

Prodigiendiskurs der reformatorischen Elite und nahezu alle kommunalen oder lokalen politischen Kontexte, in denen Reformatoren der ersten, zweiten oder dritten Generation über Wunderzeichen debattierten. In dem Diskurs, aus dem die *Wickiana* hervorgingen und an dem sie Anteil hatten, waren Wunderzeichen »irreducible and stubborn facts« (Alfred North Whitehead), die man nicht ignorieren konnte. Sie konnten peinliche Implikationen haben für andere oder für die eigene weltliche und kirchliche Gemeinde. Wo die Zürcher Kirchenleute der Bullingerzeit Wunderzeichen publizistisch – und damit politisch – einsetzten oder darauf reagierten, taten sie dies vor allem defensiv. Damit unterschieden sie sich vom reformatorischen Vorbild Luthers und Melanchthons, die mit der Veröffentlichung ihrer Schrift über Papstesel und Mönchskalb 1523 offensiv die gegen sie gerichtete Speerspitze umzukehren versucht hatten.

Wicks Rolle als Beobachter der »Zeichen Gottes« wurde durch eine Reihe kultureller Kontexte definiert, die sich später wandelten und darum in den folgenden Jahrhunderten beim Blick in Wicks Werk nicht mehr unmittelbar präsent waren.

Da ist zum einen der historiographische Kontext; ein *historia*-Verständnis, das auf Erinnerung, auf Sammlung von Exempeln und, nicht zuletzt, auf Hinweise auf den moralischen Zustand der eigenen Gemeinde und des konfessionell gespaltenen Europas zielte. Die *Wickiana* passen in das bei Bullinger voll entwickelte föderaltheologische Verständnis der Geschichte als »Heilsgeschichte, die sich zwischen den Partnern des Bundes untereinander« – Gott und seinem Volk – »sowie zwischen ihnen und ihren Widersachern entfaltet« – den Gegnern des wahren Glaubens.[373] Die Wunderzeichen waren ein wichtiger Teil dieser Geschichte, ein Indiz außerdem aus der Perspektive jeweiliger Gegenwart in die Zukunft dieser Geschichte, die als Ganze Gottes »wunderwerch« (Bullinger) war und am Jüngsten Tag enden würde. Wick stand weder mit seinem Geschichtsverständnis noch mit seinem »empirischen« Vorgehen isoliert da im Zürich des sechzehnten Jahrhunderts. Man darf sogar vermuten, daß er in einer Art arbeitsteiligen Beobachtung der Zeitläufte mit den Wunderzeichen sein eigenes Gebiet hatte, das zuvor von Bullinger, Lavater oder (in Ansätzen) auch von Gesner »bearbeitet« worden war, jedoch schon bald nach seiner Berufung ins Großmünsterstift von ihm übernommen wurde. Man kann von einem Differenzierungsprozeß historiographischer Genres sprechen. Es ist in jedem Falle wichtig, die *Wickiana* als Geschichtsschreibung, als Annalistik oder Chronistik, ernst zu nehmen, um sie in das Umfeld einer äußerst lebendigen Historiographie am Platz Zürich nicht mehr nur als Ausnahme einordnen zu können. Ich habe eben darum versucht, Ordnungszusammenhänge aufzuspüren und Leistungen Wicks als Autor sichtbar zu machen, deren Existenz von der Forschung noch in den 1970er Jahren rundweg bestritten wurde.

---

[373] MOSER, Bullingers Reformationsgeschichte (2002), S. 11.

Epilog

Ein weiterer, eng mit dem historiographischen verbundener Kontext ist der theologische. Wicks »Wunderbücher« sind das Produkt einer bundestheologisch fundierten, heilsgeschichtlichen Perspektive auf das Zeitgeschehen. Dazu gehörte die Vorstellung, in der »letzten Zeit« zu leben, die eine »Trůbselige Zÿth« war. Wick sammelte jedoch nicht etwa darum Prodigien, um zu beweisen, daß die in der Johannesapokalypse erwähnten Zeichen erfüllt und folglich das Ende der Welt nahe war. Wir haben gesehen, daß es für das Zürcher Verständnis der Prophezeiungen des Johannes hier nichts mehr zu beweisen gab. Die Wunderzeichen, als Zeichen der Endzeit aufgefaßt, hatten eine auf den praktisch-theologischen, den seelsorgerlichen Gebrauchskontext bezogene Bedeutung. Wie der biblische Regenbogen nach der Sintflut waren sie Erinnerungszeichen, die zu Besserung, gutem Leben und rechtem Glauben ermahnten. Ihre Verwendung als Predigtexempel verknüpft – über die memoriale Funktion – den praktisch-theologischen mit dem historiographischen Kontext, in dem Wicks Annalen entstanden. Durch die Definition der Rolle der Prädikanten als moralische Wächter einer (im Verständnis der Zürcher Reformatoren) untrennbar ebenso kirchlichen wie weltlichen Gemeinde erhielt die Beobachtung der Zeichen aber auch eine genuin politische Funktion, die sich durch die erhaltenen Zeugnisse der politischen Kommunikation zwischen Kirchenleitung und Obrigkeit – insbesondere Bullingers »Fürträge« – gut belegen läßt. Wunderzeichen zu sammeln war Teil der Arbeit an der Erfüllung der Bundespflichten der Gläubigen mit Gott und damit am Erhalt des Wohlstands der Zürcher Kommune.

Der politische Gebrauchskontext der *Wickiana* geht somit über die überlieferten Spuren publizistischer Aktivitäten Zürichs auf dem Feld der Wunderzeichenpolitik und über die gelegentlich zu beobachtende Funktion einer offiziösen Geschichtsschreibung weit hinaus, die Wick etwa in seiner Darstellung des Großmünsterbrands 1572 oder der Hirsebreifahrt von 1576 übernahm. Gottes Zeichen waren Material für Polemik und Verteidigung gegen Polemik von fremder Seite, ein Potential, das natürlich nicht immer ausgeschöpft wurde. Wick dokumentierte etwa zum Münsterturmbrand gleichzeitige Blitzeinschläge in katholische Kirchen. Ebenso aufschlußreich waren Nachrichten, mit denen der allgemeine Charakter der Hungerkrise Anfang der 1570er Jahre belegt werden konnte. Daraus ergaben sich Argumente gegen Konfessionspolemik nach dem Muster: »Gott straft euch wegen eures Glaubens«.

Schließlich der kommunikationsgeschichtliche Kontext: Die *Wickiana* sind das Ergebnis eines umfangreichen Nachrichtenaustauschs, der bis zu Bullingers Tod von dessen Briefwechsel dominiert wurde, aber auch danach keineswegs zusammenbrach. Das teils »internationale« Netzwerk für den Austausch schriftlicher Nachrichten verweist, wie wir gesehen haben, auf den engeren Kreis des Zürcher Chorherrenstifts als Nachrichtenbörse und damit auf einen weitergehenden mündlichen Diskurs. Im Großmünsterstift, es kann nicht anders gewesen sein, tauschten sich die Chorherren und die Professoren der *Schola Tigurina* regelmäßig über Wunderzei-

chen aus. Daß andere Personen aus der Zürcher Elite an diesem Austausch partizi-
pierten und ebenfalls zu den Nachrichtenlieferanten Wicks gehörten, überrascht
kaum, gingen sie doch selbst in der Regel durch die Ausbildung an der Hohen
Schule oder waren sogar durch familiäre Bande mit Lehrern und Pfarrern verbunden.

Summary in English

In the second half of the sixteenth century, almost thirty years after Zwingli's death, Johann Jacob Wick began to collect and note down reports of prodigious events in Zurich where he served the local church. After studying in Tübingen, Marburg and Leipzig, Wick became minister at Witikon while at the same time acting as administrator at the Fraumünster convent school. In 1545 he became minister of Egg and in 1552 of the Predigerkirche in Zurich. Finally, in 1557 he was called to the principal church of Zurich, to the Großmünster where he became the second archdeacon and henceforth interacted closely with his mentor Heinrich Bullinger. When he died in 1588, Wick left twenty-four folio volumes, on average comprising six-hundred pages each. The collection is probably the largest chronicle of wonders of the sixteenth century, possibly even the most comprehensive of early modern Europe. At the order of the Zurich city council, the chronicle was put in the care of the library of the *Großmünsterstift* after Wick's death. Today the volumes are stored in the *Zentralbibliothek Zürich*.

What makes the chronicle extraordinary is its combination of handwritten notes with a large number of printed materials. 499 pamphlets and more than 430 broadsheets are an exceptional collection for the sixteenth century. Wick himself called his annals »wonder books« (*Wunderbücher*). As a »conglomeration of sundry curiosities, misfortunes, of stories of murder, witchcraft and heretics« (Bruno Weber), even as »a compendium of superstition« they were repeatedly described by other scholars. Such descriptions are, however, a thematic reduction. The *Wickiana* are a mirror of European history of the second half of the sixteenth century. The era as well as the collection is dominated by the religious conflicts of post-Reformation Europe. Thus, the French Wars of Religion are excellently documented, with news about the »Paris Blood Wedding« of Saint Bartholomew's Day 1572 almost filling a volume. Extensive parts of the chronicle are dedicated to the Dutch Revolt. Furthermore, the Council of Trent is portrayed from a reformed point of view as is the conflict about the introduction of the Gregorian Calendar in 1582 (*Kalenderstreit*) and the political dispute between reformed and catholic towns of Switzerland in the era of the counter-reformation. Also, Wick regularly reports on the situation of the Church of England or on the Muscovites and the Turks besieging Christian Europe from the east. Thus, the battle of Lepanto, 1571, as well as the atrocities committed by Ivan the Terrible are extensively documented and illustrated in Wick's chronicle. Documentation of extraordinary natural phenomena like comets, aurorae boreales, »monsters«, halos etc., is particularly abundant. Wick understood these appearances as warning »signs and wonders« – meaningful events in the history of salvation.

Summary in English

Almost the entire staff of the *Großmünsterstift* and its social environment contributed to the development of the *Wickiana*. Wick received printed and handwritten excerpts from correspondence by scholars like Conrad Gesner, Rudolf Gwalther, Ludwig Lavater und Josias Simler. However, most of all Wick profited from Bullinger's Europe-wide network of correspondence. The emergence of the *Wickiana* runs parallel to the rise of German collections of »prodigies« (wonders and portents) of the sixteenth century. In *Wunderkammer auf Papier* I was able to show that Zurich's *Großmünsterstift* played an important role in the literary exchange of knowledge about wonders and portents that lead to the publication of Conrad Lycostenes' *Prodigiorum ac ostentorum chronicon*, printed in Basel in 1556.

For many historians as well as non-historians the reason why the *Wickiana* evolved from, of all things, a reformed background may require an explanation. The prevailing image of the Reformation is still influenced by Max Weber's paradigms of rationality and secularisation which declares the reformers to be forerunners of the eighteenth century Enlightenment. In this school of thought, the belief in wonders and miracles is still seen as a typically catholic phenomenon and is therefore perceived »as a distinctive feature between orthodox and Reformation religiosity«, as Renate Dürr has aptly stated. Though still prevalent in the wider public, such views are no longer valid in the eyes of historians of the Reformation. Over the last ten or twenty years research has broadened our understanding of catholic, protestant, and reformed approaches to magic, miracles, and wonders. It is consistent with these developments to question traditional interpretations of the *Wickiana*, explaining them either through biographical individualism, focusing on Wick's character, his interests and personal passions, or with the help of generalising concepts such as »superstition« or »popular beliefs«. Obviously, both these perspectives are opposed to each other in that the second suggests a diffuse collective consciousness (*Volksglaube*), while the first proposes a single mind as an explanation for the same phenomenon. Nevertheless, both views are related to each other and belong together if one understands Wick's predispositions as an explanation of his openness towards the phantasmagoria of »popular beliefs«. However, in *Wunderkammer auf Papier* I argue against these views.

Looking back on the reception history of the *Wickiana*, it is astounding to see that the folkloric focus of the late nineteenth and twentieth century loomed on the horizon for more than a century and that it has persisted in the minds of scholars until today. Johann Jacob Bodmer was the first scholar to read medieval and early modern chronicles (accessible to him in Zurich's libraries) with an historical approach that focused on the *mores* (morals and manners) of the past (*Sittengeschichte*). His approach, for the first time, provided an alternative to the contemporary Enlightenment rejection critical of the supposedly superstitious chronicles. Ultimately, Bodmer's approach paved the way for a Romantic reassessment of »popular beliefs«. Bodmer (together with Breitinger) developed a poetics of the wondrous (*Poetik des*

Wunderbaren) which recognised educational value in the wondrous – meaning the mere subjective act of wondering.

In his work, Wick proceeded almost empirically. Like the students of natural history of his time, he used *historia* as a collective term with which to describe past experience and experience *per se*. He collected and compared *historiae* in order to be able to compare the signs retrospectively. It may seem strange to comprehend Wick as an empirical »scientist of portents« having before one's inner eye the image of an eccentric, gullible and sensationalist archdeacon. Actually, this might seem a strange approach to the subject of wonders as a whole. Rather than from the past, barriers arise from the modern understanding of the limits of experience and from what can be scientifically proved. It is, hence, a hermeneutical problem of historical distance. Indeed, reference to *erfarung* (experience) belongs to the sixteenth-century standard repertoire of reports about wonders and portents. Thus, printed documents as well as handwritten notes, often with topical reference to *historiae*, mention that experience »proved« the »fact« that portents were usually followed by disaster. Later exclusion of this type of *erfarung* was based on a theoretical definition of the »conditions of the possibility of experience« (Kant) which banned wonders and portents to the opposite of modern empiricism.

In multiple ways, the perspective of superstition which dominated older research on the *Wickiana* led to an isolation of phenomena categorized as »superstition«: Firstly, it produced an isolation vis-à-vis Christian belief according to post-Enlightenment's benchmarks critical of superstition. In the *Handwörterbuch des deutschen Aberglaubens* the belief in comets, for example, a typical element of early-modern belief in portents, appears as a timeless constant.[1]

We have evidence that until deep into the eighteenth century theologians and preachers would regard it as sacrilege if such phenomena were not recognised as »signs and wonders« sent by the Lord. Examples for the permanence of theological interpretations were given in the fourth part of this book with the sermons of Conrad Ulrich which he wrote under the impact of the conflagration of the *Großmünster* spire in 1763. Anachronistic caricatures of such phenomena were inevitably drawn by research which affirmatively maintained a biased concept of superstition. Thus, the controversial and blurred boundaries between belief and superstition were lost from sight. What is more, the projection of contemporary values into the past led to embarrassing situations. Mainly in the nineteenth century, with its nationalist tendency to put religious heroes like Luther and Zwingli on a pedestal, sheepish silence overcame researchers at the sight of conspicuous signs of Luther's and Bullinger's »superstitious beliefs«, which were inevitably discovered during large editorial projects such as the *Weimarer Ausgabe* of Luther's works or the *Corpus Reformatorum.*

---

[1] HDA 5, Sp. 89–166.

Helplessness peaked in the use of the typical and topical loophole that in this in
stance those great men had just been »children of their time«, while they had other
wise formed an avant-garde, far ahead of their dark and superstitious era.

The object-oriented perspective and its cognitive fixation on the part of »belief«
brought about a further isolation of the subject of »signs and wonders«. Approaches
like the history of mentalities and historical anthropology have inherited this problem. Both perspectives are in danger of disconnecting »early-modern wonders« from
complex social and political contexts of their time – or ultimately even from con-
crete communicational backgrounds from which chronicles like the *Wickiana* or the
opus of Conrad Lycostenes emerged in the first place. With the example of a »sun
sign«, observed in Chur, and the embarrassing – for Zurich – lightning strike on the
Großmünster's belfry, I have tried to show that signs of the wrath of God could be
highly political affairs, be it in the multi-confessional context of Switzerland, be it in
that of the European confessional conflict, or be it on the level of local politics when
discord ruptured a community. In Zurich those signs – enforced by Bullinger's
Covenant theology (*Bundestheologie*) and its defining of the pastoral office –
contained particular political dynamite. Understood as warnings of God, they were
announcements of his future punishment while at the same time being evidence for
moral decay which had to be corrected by the authorities if disaster was to be
averted.

The *Wickiana* were not written »for the sake of simple folk« (Robert W. Scribner). Only few, if any, documents collected by Wick and woven into his chronicle
can be connected with the questionable concept of the »folk«. And whenever »signs
and wonders« became involved with political matters such politics was not purely
»propaganda«, as Aby Warburg and others have suggested. Focusing almost ex-
clusively on this aspect certainly corresponded to a constrained research perspective
on the pamphlets of the Reformation era. The »simple folk«-idea of *Volkskunde* and
historical anthropology was also misleading as it encouraged comparison with modern newspaper journalism with which »the people« or »the masses« were associated
This does not mean to doubt that the use of the press in religious conflict was
purposeful and emerged paradigmatically in the early phase of the Reformation.
However, the focus on »propaganda« often blurred the fact that even Luther and
Melanchthon themselves believed that seemingly »unnatural« appearances were
meaningful and, thus, portentous. Research hardly took notice of the Reformation
elite's discourse on portents. Neither were any of the communal or local contexts
addressed, in which the reformers of the first, second, and third generation were
debating »signs and wonders«. In *Wunderkammer auf Papier* I give many examples
testifying that in the discourse from which the *Wickiana* emerged and which it
helped shape, portents were »irreducible and stubborn facts« (Alfred North Whitehead). They could have embarrassing implications for others as well as for one's
own secular and ecclesiastical community. When the churchmen of Zurich in the

Bullinger era did use or react to portents by spreading the news of their appearance, it was mostly to defend themselves or the »true evangelical faith«. In this way they were different from their Reformation role models Luther and Melanchthon, who had offensively tried to turn around charges against them by the publication of their famous pamphlet on the Pope-Ass and the Monk-Calf in 1523.

To sum up, Wick's role as an observer of the »signs of God« was defined by a variety of cultural contexts which changed through time and which were not directly present anymore when historians, natural historians, and other scholars looked at Wick's work during the following centuries.

There is the *historiographical context*, that is, an understanding of *historia* aiming at memory, the collecting of examples and not least at clues about the moral condition of one's own community and of the confessionally segregated Europe. The *Wickiana* fit the federal-theological understanding of history as salvation history which became fully developed at Bullinger's time. This salvation history »enfolded between the partners of the covenant« – God and his people – »as well as between them and their adversaries« – the opponents of the true faith.[2] Portents and wonders were an important part of this history and also – from the perspective of the respective present – glimpses into the future of this history which, as a whole, was a marvel of God (*Gottes »Wunderwerch«*, Bullinger) ending with judgement day. Neither with his understanding of history nor with his »empirical« method was Wick isolated among his peers in sixteenth-century Zurich. Presumably, the observation of »signs and wonders« had, in a process of division of labour, become »his« field of research, passed down to him after his appointment to the *Großmünsterstift*. This work had previously been done by others: Bullinger himself, Ludwig Lavater and (at least partially) by Conrad Gesner. The division of labor ran parallel to a differentiation of historiographical genres. At any rate, it is important to take the *Wickiana* seriously as historiography, as annals or chronicles of their time, in order to be able to dispense with the view of them as an exceptional occurrence in the lively historiographic environment of Zurich. I have therefore tried to trace back the original order of entries in the chronicle (partly destroyed over the centuries) and to make visible the achievements of Wick as an author, which had been flatly denied by research as recently as the 1970s.

A further context closely connected with historiography is the theological one. Wick's »wonder books« are the product of a perspective on the events of the day which is rooted in Federal theology and salvation history. Part of this perspective was the idea of living in the last days. However, Wick did not collect portents in order to prove that the signs of the Apocalypse of St John were fulfilled and that therefore the end was nigh. We have seen that for the understanding of the

---

[2] MOSER, Bullingers Reformationsgeschichte (2002), S. 11, translation by the author.

prophecies of St John established in Zurich there was nothing more to prove here Conceived as signs of the end of time, wonders had a practical, theological signifi cance in the context of spiritual guidance. Like the biblical rainbow after the Deluge they were memorial signs which appealed for betterment, a good life and for the adoption of »the true faith«. The usage of miracles as examples in sermons connect - through their memorial function – the theological with the historiographic con text from which Wick's annals evolved. Though the definition of the role of the preachers as moral guardians of (in the understanding of Zurich's reformers) an ecclesiastical as well as secular community the observation of signs was, however assigned a genuinely political function. The latter is well documented by the pre served political correspondence between church leaders and city authorities – in particular with Bullinger's addresses to the council of his home city (*Fürträge*) Collecting portents was therefore part of fulfilling the obligations of the covenant between the believers and God, and thus it was also part of maintaining the well being of the Zurich community.

The *political contexts* in which the *Wickiana* became an important tool of infor mation hence surpass by far the traces of Zurich's »journalistic« efforts in the field of wonder-politics and also the sometimes noticeable function of official histori ography. The latter was taken on by Wick in his portrayals of the conflagration of the *Großmünster* 1572 or the *Hirsebreifahrt* in 1576. God's signs were material for polemics as well as defence against polemics by opponents, a potential which, of course, was not always exploited. For example, when documenting the conflagration of the spire of the *Großmünster*, Wick recorded simultaneous strikes of lightning on catholic churches. Equally elucidating were reports documenting the general char acter of the famine at the beginning of the 1570s. From such examples argument against confessional polemics evolved, woven according to the pattern of »God punishes you because of your beliefs«.

Last but not least there is the *context of the history of communication*. The *Wickiana* are the result of an extensive exchange of correspondence dominated by Bullinger until his death and which by no means broke down afterwards. The partly »international« correspondence network points, as we have seen, to the closer circle of Zurich's *Großmünsterstift* as a centre of news exchange and thus also a centre of continuous oral discourse on portents. At the *Großmünsterstift*, no doubt, the churchmen and the professors of the *Schola Tigurina* had regular exchanges about »signs and wonders«. Unsurprisingly, members of Zurich's elite outside the *Groß münster* participated in this exchange and also belonged to Wick's news network since they had either been educated at the *Schola* or were connected to it by familial ties to ministers and teachers.

ANHANG

DOKUMENTE UND ABBILDUNGEN

Dokument 1

Brief von Johann Rudolph Bullinger an Johann Jacob Wick

ZBZ, Ms. F 24, 386 (Autograph)   Berg, 27. Dezember 1575

Die Gnade vnd sågen gottes sigi mitt vnß: der verlihi ůwer erwirdt ein glükhaffdt sålig nüw iar, sampt üwer fůrgeleipten husfrauwē vnd kinderē, in gsundheit zů wirken. Erwirdiger wolgelerter, erender, günstiger lieber Herr Hans Jacob, hie schik-ken ich v Ew:[1] die portenta et ostenta, mines lieben Herrē vnsers såligen, wie er si mir bÿ sinē låben gåben hatt. Vnd diewil ich wol weis das si v Ew: Zů üwerē fürnemmen, vnd merung der wunderbůcher dienstlich sindt, gunnē ich si niemandt bas[2] dann üch, wǒlti gott ich kǒndi vndt mochti ü. Ew: in grǒsseren vndt mererē dienē, wǒlte ich sǒlichs nach minem vermüge zů iederzÿtt mitt gůttem willen thůn: Bitt hienåbendt v Ew: welli mich alli zÿtt in liebi vndt trůw, wie bishar bevolē halten: der allmechtig Gott verlihi v Ew: langes låben damitt ir ůwer angehepti[3] arbeitt mitt nůtz vndt menklichē[4] zegůttem meren, vndt nach vil iarr zůsamē dragen mǒgendt: welches nitt allein zů vil ergetzlikeitt[5] des menschē deinstlich, sonder auch zů Enderung vndt Besserung des sündtlichen låbens der weltt nutzlich: Gott erhalti v Ew: ietzt vndt alli zÿt in sinē våtterlichen gnadē schutz vndt schirm. Amē.

Dat. Berg den 27. Decemb: 75
V Ew. die: f.[6]
Hanß Růdolph Bullinger
Pfarer zů Berg.

---

[1] Hier und im weiteren Abkürzung für die Anrede: üwer Erwirdt (Euer Ehrwürden).
[2] besser i.S.v. mehr.
[3] begonnene.
[4] jederman.
[5] Erbauung.
[6] Etwa: Üwer Erwirdt dienstlwilliger fründ (Euer Ehrwürden dienstwilliger Freund).

Anhang:

Dokument 2

Brief von Conrad Lycosthenes an Heinrich Bullinger

ZBZ, Ms. F 24, 471 f. (Original)   Basel, 6. April 1557

S.I.D.[1] Licet ab eo tempore quo dira paralysi benignitate ‖ diuina correptus sum, Bullingere clarissime, nullas ‖ a te literas acceperim, non patiar tamen ulla morbi ‖ improbitate amicitiam inter nos dirimi: corpus quidem ‖ imbecille & languidum mihi est, & dextrae manus, ‖ qua saepenumero amicos salutare solebam[,] usus omnino ‖ ademptus est, ita tamen animus in domino saluus, ‖ & incolumis est, ut per amanuensem, & si necessitas ‖ postulauerit sinistra amicos interpellandos censeam: ‖ Cum itaque hunc adolscentem tibi haud ignotum ‖ ad nos abiturum intellexerim, nolui eum meis literis ‖ omnino uacuum dimittere. Vnum autem est, quod ‖ propter singularem tuam erga me humanitatem atque ‖ beneuolentiam a te peto, cum enim iam prodigiorum ‖ atque ostentorum omnium tam coelestium, quam terrestri- ‖ um ab Adamo ad nostra usque tempora historiam iam ‖ per quindecim annos a me collectam, nunc rele[uata?]³ ‖ atque obseruata temporis ratione disponam: A genero ‖ tuo Ludouico Lauathero insignis eruditionis adoles- ‖ cente, (qui eius argumenti te

Mag es auch sein, bester Bullinger, dass ich seit jener Zeit, da ich durch die grausame Güte Gottes vom Schlagfluss heftig überfallen wurde, keinen Brief von Dir erhalten habe, will ich dennoch nicht dulden, dass die Freundschaft zwischen uns durch irgendeine Unpässlichkeit dieser Krankheit getrennt wird; mein Körper ist allerdings schwach und schlaff, und der Gebrauch der rechten Hand, mit der ich die Freunde oftmals zu grüssen pflegte,[2] ist gänzlich entzogen; gleichwohl ist der Geist im Herrn heil und unversehrt, so dass ich beschliessen kann, dass die Freunde durch einen Schreiber und, wenn es die Notwendigkeit erfordert, mit der linken Hand gestört werden müssen. Weil ich daher eingesehen habe, dass dieser Dir nicht unbekannte junge Mann zu uns aufbrechen würde, wollte ich ihn nicht ganz ohne einen Brief von mir entlassen. Es ist auch das eine, das ich wegen Deiner einzigartigen Bildung und Deinem Wohlwollen mir gegenüber von Dir erbitte, denn gerade, da ich die von mir bereits seit fünfzehn Jahren gesammelte Geschichte aller Zeichen und Wunder, der himmlischen wie der irdischen, von Adam bis auf die Gegenwart chronologisch nach Entdeckungs- oder Beobachtungszeit ordne, wurde ich vor einigen Monaten von Deinem Schwiegersohn Ludwig Lavater, einem jungen Mann von ausgezeichneter Gelehrsamkeit (der mir schrieb, dass Du vieles dieses Inhalts beobachtet hast),

---

[1] Spiritus in Deo.
[2] Gemeint ist: ihnen zu schreiben.
[3] An dieser Stelle ist ein Randausriss über mehrere Zeilen überklebt. Die Stelle ist auch mit UV-Lampe nicht eindeutig zu entziffern.

multa obseruasse ad ‖ me scribe-
bat) ante aliquot menses admoni-
tus. quaeso ‖ si lubet quaedam mihi, & posteritati communices: col-
legi ‖ maximam syluam ex uarijs
historijs, quibus meas ‖ obseruatio-
nes deinde adieci, & dubium non
est quin ‖ multa a te etiam collecta
iamdudum descripta atque ‖ depicta habeam, tamen cum sint plurima
quae me ad- ‖ huc lateant, ab amicis me hinc inde, ad exornandam ‖
hanc historiam emendicare in usum
posteritatis non ‖ erubesco. Henri-
cus Petri additis rerum imaginibus
‖ magnas fert expensas: Grata igitur utrique nostrum erunt quae ad
nos miseris, quod per praesentem ‖
[472] adolescentem commodissime
fieri poterit. Ego ‖ interim omnem
dabo operam, ut tua omnia, bo-
‖ na fide, & cum faenore etiam ma-
turius quam ‖ speres, remitantur.
Vale Lycosthenis ueteris amici ‖
nunquam immemor. Basileae.
6. Aprilis. Anno 1557.

     T[uus] Conradus Lycosthenes

ermahnt.[4] Ich frage, ob es Dir beliebt, mir und
der Nachwelt einges davon mitzuteilen. Eine
sehr grosse Menge habe ich aus verschiedenen
Historien gesammelt, durch die ich alsdann
meine Beobachtungen ergänzt habe, und es ist
unzweifelhaft, dass ich viele auch von Dir
schon längst gesammelte beschrieben und gezeichnet habe; dennoch, weil es sehr viele
Dinge gibt, die mir bisher verborgen geblieben sind, schäme ich mich nicht, sie mir, zum
Nutzen der Nachwelt, von seiten meiner
Freunde zur Ausschmückung jener Geschichte
zu erbitten. Heinrich Petri macht grosse Auf-
wendungen, weil Bilder hinzugefügt worden
sind. Willkommen wird daher jedem von uns
das sein, was Du uns schickst, was durch den
anwesenden jungen Mann auf bequemste
Weise geschehen kann. Ich werde mir inzwischen jegliche Mühe geben, dass Dir all' das
Deine, in Treu' und Glauben und mit Zins,
auch früher, als Du hoffst, zurückgeschickt
werde. Lebe wohl, Deines alten Freundes Lycosthenes niemals vergessend. Basel, den
6. April 1557.

     Dein Conrad Lycosthenes.

---

[4] Vgl. Lavater, Catalogus A 5: »Fortassis Conradus Lycosthenes vetus amicus noster, vir
    diligens et industrius, in libro suo de prodigijs, quem propediem in lucem edendum spero,
    etiam hanc doctrinae partem exornabit, et alios praeterea multos cometas adjicet.«

Dokument 3

Brief von Heinrich Bullinger an Tobias Egli

StAZ, E II 342a, 664[1]   9. Mai 1572

S. D. Has ad te frater duntaxat scribo ut intelligas tuas me accepisse/ una cum consignatione historica et literis quaestori aerario[2] inscriptis/ quas ipsi cum historica consignatione transmisi. Consignationem historiam iam iam recepi/ communicaturus eam D. Hallero[3] et reliquis fratribus fidis.

Wüssend das am Mittwuchen zů abend zwüschen 5 und 6 die straal in den münsterthurn der gêgen minē huß stadt geschossen/ zů oberist am hälm in anzünt. Da dannen er gebrunnen biß hinab vff das gemuret vnd v̄beral am holtzwerck verbrunnen. Das fhüwr hat gewäret biß vm̄ die 9 an die nacht. Man hatt nitt können darzů kumē. Doch sind redlich lüth gewesen. Die vff der fallen bÿ dem wächter hüßli gestanden/ vnd erweret mitt Gots hůlff das das fhüwr nitt wÿter kummen mögen/ vnd der Thurn und die gloggen errettet sind. Der ander thurn ist ouch dappffer errettet/ der zum̄ anderen mal ouch anhůb rüchen/ vnd grosse gfhaar was. Das träm und hôltzen vom thurn oder tachstůl herab/ zerschlůg der kÿlchen tach/ vnd fiel das fhüwr vff die kÿlchen. Die Burger aber saassen vff der kÿlchen vnd warend vff dem gwelb lastend[4] so redlich das der kÿlchen one das zerschmåtteret tach kein schaden beschåhen. Es was ein ernsthaffte sach/ vnd was ein gar dappffer retten von man vnd wÿbeern/ Die hüser vm̄ dz münster warēd alle versåhen. Die vff der fallen im̄ wächterhüßli warend/ verharretēd da/ dz die fürinen balchen zů inen fielend/ sÿ aber namēts vnd wurftents zū fensteren vß vff den kÿlchhoff. Was ein häfftig wäsen vnd brastlen. Vnd dz sich zů verwundern vnd vnder so vil tusend mēschen (dañ ein groß volck ab dem See vnd land trostlich zůlüff) ist nienan geschändt. Vnd das noch me/ ward volgendtz tags/ ia in einē tag/ der Thurn/ kÿlchen/ die voll leÿteren standen/ wassers/ mist etc./ vnd kÿlchhoff/ der voll holtz lag vnd verbrunnes zügs/ zieglen etc./ gesüberet/ vnd alle tach/ darzů in 8000 ziegel gebrucht/ frÿ vor nacht wieder gemacht/ vnd so suber alles/ das ich hüt widerum̄ in der kÿlchen hab predigen können vnd ouch widerum der schnelle verwunderet. Gott hatt uns heÿmgesůcht/ aber in allem vil gnaden bewisen in mitten alles lÿdes. Im sÿe lob und ere. Gott beware uns vor grösserem vnfal. Dominus tecū et cū tua familia et dominis et amicis nostris. 9 Maÿ 1572. In ÿl.

---

[1] Für eine vollständige Kopie von Johann Jakob Simler vgl. ZBZ, Ms. S 126, Nr. 116. Größere Passagen des Briefes sind abgedruckt in QSG 25, S. 337 f.
[2] Ein Brief an den Seckelmeister Heinrich Thomann d. Ä.
[3] Gemeint ist Johannes Haller in Bern.
[4] Lesart unsicher. So aber auch bei Simler und in QSG 25, S. 338.

Bullinger.

[P.S.] Von Augspurg hab ich vil nüwer Zÿtung doch kein wÿl zů schriben. Im̄ niderland widersetzend sich ettlich stett dem Duca de Alva. Vnd hat sich in Vngeren sůst ouch ein vnglück angehept: wiewol mā schript der Türggisch keÿser sŏlle todt sin.

Dokument 4

Erlaß des Zürcher Rates über den Verbleib der Wickiana[1]
(Akten des Großmünsterstifts 1578–1609[2]

StAZ, G I 5   28. August 1588

[*Umschlag:*] Antrëffend. [*Daneben in anderer Hand:*[3]] N.7. Stiftsbibl: Herrn Wicken seligen Chronickbůcher.

[*Text innen:*] Diewÿl Inn Herr Hans Jacob Wicken seligen geschribnen Chronick-bůcheren, allerleÿ, vnnd etliche sachen verzeichnet vnnd begriffen, so weger[4] Inn geheimbd zůbehallten, dann khundtbar zemachen. Vnnd deßhalb selbige bůcher nitt mängklichem vnder die hand zelassen sind.

Da so habent sich mÿn gnedig Herren erkhëndt: Das dieselben bůcher alle, Inn die Liberÿg, zum Grossenmünster alhie genoṁen, vnnd daselbsten behallten werden sollint. Sodann Herr Wicken seligen erben einer, mittler zÿt, was erhaffts daruß Inn ein formliche Chronic zůuerfassen willens, Sölle demselben der Zůgang zů söllichen bůcheren, die zebruchen, zůgelassen sÿn. Ald so Jeṁandts anderer glÿchsfals, der-glÿchen Inn ein ordenliche zůsaṁen begrÿffung stellen, vnnd daruß etwas notwën-dig sÿn, demselben söllend disere bůcher, Inn geheimbd zebruchen, nitt abge-schlagen werden.

---

[1] Auszugsweise zitiert auch bei Senn, Wick (1974), S. 76 (nach der Überlieferung in den Ratsurkunden). Außerdem bei Bauer, Krise der Reformation (2002), S. 218 (nach Senn). Zum Erlaß kurz Weber, Wunderzeichen und Winkeldrucker (1972), S. 18 & S. 21 (Anm. 32), der auf beide Überlieferungen des Dokuments im StAZ hinweist. Dem Ratserlaß vom 28. August 1588 ging eine Supplikation der Kinder und Erben Wicks voraus, welche die Pfründe des Verstorbenen betraf. Vgl. StAZ, E I 30 Nr. 41 (undatiert). Auf der Rückseite des Dokuments wird der Ratsbeschluß zu dem Gesuch der Erben wiedergegeben:»Diewyl myn herren bericht, das die Herren am Stifft, diß begerens auch zefriden, haben myn herren daryn Jren willen auch geben, dergestalt, das Inen den erben, die presentz so wol als das Corpus, biß Joannis Baptiste künfftig, als dann die pfrund vff vnd angaht, erlangen, vnd wellicher an syn Herr Wicken seligen statt, erwelt wirt, der soll biß dahin auch vff synem stand vnd pfrund blyben.« Es folgt die Verfügung über Wicks Chronik noch einmal nahezu in identischem Wortlaut mit abschließender Datierung.

[2] StAZ, Akten der Propstei. Chronologisch geordnet. Maschinenabschrift in Bd. 1 der Wicki-ana: ZBZ, Ms. F 12, hinten in einem Umschlag beigefügt (Quellenangabe dort mit der heutigen nicht übereinstimmend). Die Abschrift des Erlasses aus den Ratsurkunden wurde dem Kapitel des Großmünsterstifts übergeben. Vgl. Dok. 5. Der Erlaß ist mit leichten Änderungen am Wortlaut auch in den Ratsurkunden überliefert; vgl. StAZ, B V 31, fol. 115ʳ.

[3] Wahrscheinlich von J. J. Fries hinzugefügte Notiz.

[4] In der Überlieferung der Ratsurkunden lautet die Formulierung: »so weger Inn geheimbd zůbehallten, weder khundtbar zemachen«. Die Bedeutung von »weger ... dann« ist nicht etwa »weder ... noch«, sondern »weger« ist eine Modalpartikel der Beteuerung und Be-kräftigung i.S.v. »wahrlich«, »sicherlich«, »wirklich« oder »in der Tat«. Vgl. SchwId 15, Sp. 698.

Dokumente

Actum Mittwuchs den 28.ten Augusti. Anno 88. Praes[entibus] Herr Burgermeister Kambli, vnnd beid Reth.

Stattschrÿber.

Anhang:

Dokument 5

Vermerk des Bibliothekars Johann Jacob Fries zur Übergabe der Wickiana an die Bibliothek des Chorherrenstifts

ZBZ, Ms. Car XII 5., fol. 191[1]   ohne Datum[2]

Acta sub Jo. Ja. Frisio Bibliothecario 1589

Nach absterben Herren Hans Jacob Wiken predic. vnnd chorherren [*in margine:* H. Wikens chroniken] zum großen münster/ ward in dem capitel/ vß anmeldůg Herren Obman Kellers[3] von H.[4] Jacob V̊rich[5] anzeigt/ dz mine Herren die rhädten erkennt/ obgnannten Herren Wickens seligen erben/ sollind/ allerley weytlouffigk. Zumeyden/ die chronica so er zůsamē sampt allerley newen zeytungē/ geschriben vnd getrukte tractätelÿ ingesezt/ in die Liberÿ stellen/ Damit dieselbē bücher nit alßo yedermā zůleßen geben werdint/[6] So hatt nun dozmal mir befolen/ dieselben von den erben zůempfahen/ Inn Synodi tag[7] zůherpst Anno 1588[8] / richten ich vß[9] gegen

---

[1] Vgl. im folgenden die Abschrift von Salomon Heß aus dem Jahre 1817; ZBZ, Ms. G 333, S. VI f.

[2] Die nächstfolgende Notiz datiert auf den 13. April 1589.

[3] Johannes Keller (1537–1601), des Großen Rates 1560, des Kleinen Rates und Obmann der Klöster 1573, Pannerherr 1589, häufig Gesandter, ab 1594 Bürgermeister. Vgl. HBLS 4, 471; [C. Keller-Escher,] Die Familie Keller vom Steinbock; ZBZ, Ms. Z II 613, Tom. I., Nr. 35.

[4] Herr.

[5] Lesart nach der Abschrift von Salomon Heß. – Jakob Ulrich (1538–1605), ordiniert 1563, im gleichen Jahr Provisor am Carolinum und Pfarrer in Schwamendingen, war seit 1576 Professor der Philosophie und der lateinischen Sprache am Collegium publicum sowie Chorherr am Großmünster. 1572 soll er sich beim Brand des Großmünsters durch besonderen Mut ausgezeichnet haben. Ein Bruder, Peter Ulrich (1544–1611), wurde als Zunftmeister zur Gerwe 1588 erster Vertreter der Familie im Kleinen Rat. Der Name »Ulrich« ist häufig auch in der Form »U̇rich« überliefert. Vgl. DEJUNG, Zürcher Pfarrbuch (1953), S. 577; HBLS 7, S. 116 f.

[6] Soweit faßt Fries den Ratserlaß vom 28. August 1588 sinngemäß zusammen. Vgl. Dok. 4.

[7] Mit Mandat vom 8. April 1528 verfügten Bürgermeister und Rat der Stadt Zürich, »järlich zweimal, einest umb die österlichen zit, das ander mal zů unser Herren tag zů Herbst, uf bestimpte tag, die wir anzeigen werden, alle und jede prädicanten und pfarrer, ouch gemein kilchgnossen einer jeden klichöri in unser stadt und landen, für uns in unser stadt ze berüefen«. Zum Wortlaut des Mandats siehe Actensammlung zur Geschichte der Zürcher Reformation in den Jahren 1519–1533, S. 597, Nr. 1383. Vgl. HBRG II, S. 3. Ferner LAVATER, De ritibus (1559), fol. 22: »Synodus quotannis bis Tiguri in curia celebratur: semel in Maio, et semel in Septembri. Omnes parochi ad oppidum constuunt [...]. In synodo unus ex Coss. [einer der beiden Bürgermeister] et octo ex senatoribus adsunt.« Abweichend Ott in seinen Ergänzungen von 1702. Vgl. LAVATER, Gebräuche (1987), S. 101. Die Mai-Synode wurde bis 1703 regelmäßig am ersten Montag nach dem 1. Mai, die Gallus-Synode am ersten Montag nach dem 16. Oktober, dem Namenstag des Gallus, abgehalten. Vgl. SCHMID, Landeskirche (1954), S. 223. Bei der Gallus-Synode (Oktober) weicht Ott von

M. Samuel Hoholzern[10] vnnd H. Felix Wyßen[11] / die habent von Herrn stattschryber erlangt / das sy die bücher wol mogend bhalten ein zeyt lang / biß sy die was inē dienstlich vßgeschriben / vnd gebraucht / Das habent sÿ mir zur antwort geben / vnd die bücher bißharo bhalten. Hernoch habend sy der erkantnuß statt gethon vnd die bücher drin gstelt sind im Jndice[12] inzeichnet.

Lavaters Angabe (September) ab.

[8] Korrigiert aus 1589. Salomon Heß liest irrtümlich »1589«; ebenso Martin Germann in dem von ihm bearbeiteten Teil in: BODMER, Kantonsbibliothek Zürich (1985), S. 53/55. Die Herbstsynode des Jahres 1588 fand am 19. Oktober statt. Vgl. die Synodalia 1530–1597: StAZ, E I 2.1a. Abweichende Angabe in den Synodalakten: ZBZ, E II 1a (22. Oktober 1588).

[9] Wahrscheinlich mündlich. Entsprechende Dokumente konnten nicht ermittelt werden.

[10] Samuel Hochholzer (1550–1606), Schwiegersohn Wicks, heiratete Anna Wick am 19. Januar 1575. 1576 wird er Provisor am Fraumünster, 1581 Pfarrer in Albisrieden, 1590 in Stein am Rhein als Nachfolger seines Vaters. DEJUNG, Zürcher Pfarrbuch (1953), S. 345. HBLS 4, S. 253.

[11] Felix Wyss (1550–1618), Schwiegersohn Wicks, heiratete Magdalena Wick am 22. Oktober 1578. Ab 1580 ist er Pfarrer in Goßau, 1612 wird er Dekan. Ibid., S. 642.

[12] Vgl. ZBZ, Ms. Car. XII. 7, fol. 408 & fol. 413.

Dokument 6

Nachricht von einem »Gesicht in Prag« am 29. Juli 1571

ZBZ, Ms. F 19, fol. 263ʳ–264ʳ

[263ʳ] Von einer grusamer vñ erschrokenlicher gesicht, welche zů nachtlicher wÿl zů Prag in der hauptstatt der kron Behem, gesåhen worden am 29 Julÿ dises 1571 iar. Vñ M. Heÿnrichen Bullinger für gwüß vñ warhafft zůgeschribē.

Am 29 Julÿ dises 1571 iars, ist von einliffen, bis vff ein stund noch mitternacht vff der Nůwen Statt Prag[1] am offnem plaz, oder markt, von vil glaubwirdigen Burgeren, vñ ÿnwoneren, dise nachfolgende, grusame, vñ erschrokenliche gesicht, gsåhen worden, wie volget.

Erstlich ist gehört worden ein groß prusen, praschlen, schotterē vñ getůmel, do habeñ die lüth zů den fånsteren hinvß gelůget, in dem haben sÿ såhen dahar zühen, ein gar grosen gwaltigen reÿsigen zůg, vnd der selbig zůg, ist dahar gezogen, vß einer gaßen, welche mā die verbrent gaßen[2] nempt, vñ ist also fort gezogen, nebet den hůseren gegen der kirchen, welche mitten am [263ᵛ] plaz gelågen, zů deß Herren Fronlÿchnam genempt,[3] vñ also mit grosem praschlen, vñ getümel fortgerukt zum Closter, zů Emaus genempt,[4] in aller růstung, form, vñ gstalt, vñ kleidung, wie sich der reÿßig zůg, in eim zug oder sunst in Herren dienst pflågen zebruchen.

Als diser zůg nun verrukt, doch gar stuͦmet, vñ nütt gerett, welches nütt müglich wer, wen es lüth gewåsen werind, dz sÿ soltend gar nütts gerett haben, disem zug hatt gevolget, ein seer groser kamer wagen, fast starch, als mitt vil ÿsen beschlagen, doch on alle reder, sonder anzůsåhen, als schwåbte er, oder wurde sunst geschleifft, das sich das pflaster vnder iñ bewegt, vß welchem ein susen vñ prusen gieng.

Disem Wagen volgetend ÿlends noch von wÿtem, siben oder acht seer grose månner, on alle hůupter, von welchē lauffen, vñ tritten sich ein groß, vnd grusam praschlen, vñ getümel erhůb vil schrekenlicher anzůsåhen, dan deß vorigen reÿßigen zůgs gestalt.

Noch disem allem, als der reÿsig zůg, der Wagen, vñ Månner one hůupter für über, [264ʳ] nütt lang darnach ist gesåhen worden, bÿ der vorgenanter kirch am plaz zum Fronlÿchnam genant, ein ganz hell liecht, oder fhůr, bÿ welchem vff der einen sÿten vil truhen mitt hufen vff ein anderen gelågen, vff der anderē sÿten deß fhůrs glÿcher wÿß vil klaͤmer vñ puluer fåßli gelågē.

[1] Prager Neuestad.
[2] Brantgasse (Spálená); Unterstreichung Wicks.
[3] Fronleichnamskirche.
[4] St. Emmaus-Kloster.

Jn disem ist gefaren koṁen, ein grusamer prusender wagen, vff dem selben wagen sind die truhen vñ fåßli alle geladen wordē, vñ nåbet der Nüwen Statt thorhuß, in die pratten gaßē genant, ganz schnell in einem prusenden sturm wind hinweg gefůrt, vñ ist also in disem wirbel wind dises alles verschwunden.

Über ein kleine wÿl ist erschinen ein gar heller groser stern als ein gar groser breÿter hůtt welcher gschinē biß fast gegen Morgen.

Dise personē aber, die sŏllichs wunder gesåhen, habeñ sŏllichs vor dem Herrē Hauptmā, der Nüwen Statt Prag, auch vor ettlichē rhads personē offentlich bekant, vñ gesagt, auch ettlich der selbigen, durch sŏlliche grusam, vnd erchrokenliche gesicht, in tŏdliche krankheÿt gefallē, vñ noch liggend.

Dokument 7

Tabellarische Übersicht zu Scheuchzers Wickiana-Rezeption in der ›Natur-Historie des Schweitzerlandes‹

Nr.	Seite	Obertitel/Titel Zitat	Wickiana
		I. Teil: Helveticae Stoicheiographia, Orographia et Oreographia »VON DENEN SCHWEITZERISCHEN GEBIRGEN«	
1	127-144 pag. 128-132	Von denen Berg-Fällen A. 1584. den 4. Mart. ist durch einen Bergfall ein Unglück geschehen in dem Canton Bern / in der Herrschaft Aelen / darbey das ganze Dorff Crobiera, Corbieres, Corbeiri, und ein grosser Theil des Dorffs Yvorne, Yvornaz, Hyborna bedecket worden. Diese Geschicht ist zwahren beschrieben worden von Claudio Alberio Triuncuriano, Oratione de Terrae motu: Sim. Goulart Hist. admir. L.I. p.486. Haller Chron. L. XLIV. c.2. Hottinger Hist. Eccles. P.V. c.16. Rahn. Eydgenöß. Geschicht. ad h.a. Stettler Annal. Bernens. P.II. L.II. p.292. Wagner Hist. Helv. Nat. p.45. Ich wil aber einen grundtlichen Bericht allhier einrucken aus einem bisher noch nicht getruckten Brieff / welchen D. Joh. Rodolf Bullinger des grossen Reformatoris Bullingeri Sohn / dohmaliger Medicus zu Bern / den 9. Apr. 1584. geschrieben an Hrn. Josuam von Wittenbach Schultheissen zu Murten / welcher Bericht desto begieriger wird gelesen werden / weilen der Scribent den Augenschein selbs von dieser traurigen Begegnuß eingenommen [...]. [Es folgt das Schreiben; ohne Quellenangabe; im Druckmanuskript, Ms. S 570, fol. 131ʳ, durchgestrichen: «conf. Wick L. XXII.»]	Ms. F 32, 84ᵛ- 86ʳ: Briefkopie - bei Scheuchzer wörtlich zitiert
2	pag. 136	[...] A. 1582 ist nach einem starken Regen den 12. Brachm. im Thal Flüelen ein Rufi gangen / welche um 1000. Gulden Schaden gethan. Wick MSC. L. XXI. ex relat. Lucii Nier Pastoris zu Davos.	Ms. F 31, 158ᵛ: unter chronikalischen Aufzeichnungen von Lucius Nier, vermutl. Autograph
3	pag. 145	Von denen Schnee-Lauwinen "A. 1583. Den 18. Merz sind 4. Mann ab Davos in Pündten über den Sträler gegangen / 2. von Davos / 2. aus dem Schallsik, deren sind 2. von einer Lawinen getödt / 2. andere kaum darvon kommen. Wick MSC. L.XXI. ex Lucii Nier Past. Davos. Relat."	F 31, 160ʳ: ebd.

Nr.	Seite	Obertitel/Titel Zitat	Wickiana
		III. Teil: Meteorologia et Oryctographia Helvetica »LUFFT-GESCHICHTEN«	
4	24-36 pag. 25	Von feurigen Lufft-Geschichten "[1573] d. 2. Aug, gegen dem Dorf Brütten Zürcher-Gebieths/ hat die Stral unter einem Baum 5. Pferd nebst einem jungen Knaben erstrecket/ und ist der Vatter halb tod naher Hauß getragen worden. Wick. MSC."	Vorlage unbekannt
5	24-36 pag. 27	Von feurigen Lufft-Geschichten "[1575, 8. Aug.] Zu Diessenhofen hat die Stral in den Spittal geschlagen/ und einen alten Mann getödet. Wick. ad h.a."	Ms. F 24, pag. 269
6	46-81 pag. 78	Von Feurigen Pfeilen/ Spiessen/ Brünnenden Balken/ und ganzen Heerzeugen (Anhang) "A. 1564. d. 28. Oct. Abend zwischen 5. und 6. Uhren sahen Leuthe/ welche von Embrach auf Zürich reiseten bey hellem Himmel brennende Spiesse/ welche bald sich gekrümmet wie Schlangen/ hernach weiß worden/ und	Ms. F 16, fol. 185^{r-v}
7	ebd.	verschwunden. Wick. ad. h.a. A. 1571. d. 2. und 3. Mart. ware zu Schaffhausen und im Flaachthal/ Abends zwischen 8. und 9. Uhren/ der Himmel gegen Mittnacht wie brünnend anzusehen/ weiß und roth gestreimt. Ob den	Ms. F 19, fol. 221^r: Schreiben von Joh. Rud. Bullinger
8	ebd.	Streimen sahe man Regenbogen-Farben in einer schwarzlechten Wolken. Wick. ad. h.a. Zu Genff und in Burgund sahe man auch einen feurigen	
9	pag. 78-80	Himmel mit zweyen feurigen Säulen. Beza Lit. ad Bulling. d. 8. Mart. Die seltzame Geschicht/ welche d. 28. Sept. A. 1575. zu Arberg und anderstwo gesehen worden/ wil ich erzelen aus einem Schreiben Herrn Christophori Lüthardi: [...]" (Es folgt das Zitat des lat. Briefes.)	ebd., fol. 221^v: Teilkopie von Heinrich Bullingers Hand Ms. F 24, pag. 301 f.
10	81-83 pag. 82	Von dem Feurigen Himmel "A. 1574. d. 23. Maij. sahe man zu Zürich und im Thurgäu in der Mittagstund Feuer vom Himmel fallen. Wick. ad h.a."	Ms. F 23, pag. 55
11	84-88 pag. 84	Von denen Erdbidmen "Ad A. 1573. schreibet Pontisella ad Lud. Lavaterum von Chur/ d. ult. Jan. 1573. Terraemotus apud nos noctu saepius quam interdiu	F 22, pag. 617

Nr.	Seite	Obertitel/Titel Zitat	Wickiana
		duarum jam septimanarum intervallo urbem nostram magno tremore conquassant: praecedit vero comitaturque terribilis sonus mugitui similis; vulgus magnam partem annonae vilitatem inde praedicit." (keine Angabe zur Quelle)	
12	88-90 pag. 89	Von dem Sonnen-Regenbogen "A. 1524. d. 2. Maij. und 1571. d. 8. Apr. sahe man zu Zürich zwey umgekehrte Regenbögen. Wick. MSC. Ich zweifle nicht / es seyen diß Stücker von Halonibus gewesen; dahin auch müssen gezogen werden die meisten seltsamen Regenbogen-Geschichten."	F 19, fol. 226ʳ: Text bei Senn, Die Wickiana (1975), S. 190
13	91 f. pag. 91	Von dem Hof oder Ring um die Sonn oder um den Mond "A. 1571 d. 21. --- sahe die Sonn erstlich dunkel / hernach hochrot aus / und gewahrete man um dieselbe zu Berg im Zürich-Gebieth und zu Glaruß einen Hof. Wick. MSC.	F 19, fol. 215ʳ: Brief v. Joh. Rud. Bullinger. Glarus nicht erwähnt. Vgl. Senn, Die Wickiana (1975), S. 203-205.
14	ebd.	A. 1574. d. 25. Apr. sahe man in Freyen Aempteren Höfe um die Sonn. Wick."	F 23, pag. 52-53
15	95-98 pag. 95	Ungewohnte Farben des Gestirns "A. 1571. d. 29. Sept. war die Sonn am Morgen Goldfarb / zu Mittag blutroht / so daß auch die Scheiben gegen der Sonn roht schienen / zu Abend hatte sie einen Schein wie der Mond. Wick. ad h.a."	F 19, fol. 280v-281r
16	pag. 95f. & Fig. 4	"A. 1572. [...] d. 2. Jan. hat Herr Andreas Tscharner / Rahtsherr zu Chur / die auffsteigende Sonn bey dünstiger Lufft ganz bleich gesehen / wie man den Mond ansihet. d. 3. hat er und andere ehrliche verständige Burger von Chur wiederum auf die aufstehende Sonn Achtung gegeben / welche wiederum bleich war / wie des Tags vorher. Bald aber hatte sie sich gleichsam in zwey Stücke zertheilet / und sahe man aus der einten halben Kugel einiche dicke schwarze Streimen aufsteigen. Fig. IV. A. einiche länger / andere kürzer / gleich als wären es Männlein von verschiedener Grösse / deren etliche die Köpfe gehenket / gleich denen Bäumen / deren Gipfel von starken Winden gebogen werden; einer stiege nach dem anderen herauf / und verschwunden bald: bald machte der dünklere Theil der Sonn einen spitzigen Winkel. Fig. B. hernach nahme die Dünkle fast den ganzen	F 21, fol. 80r-82v: Bericht in Wicks Hand. Ohne Illustrationen

Nr.	Seite	Obertitel/Titel Zitat	Wickiana
		Sonnencörper ein / und bliebe nur der vordere Theil hellleuchtend gleich einer hervorlellenden Flamm. Lit. C. diese zertheilete sich in drey helle Sternen / welche aber auch sich wiederum vereiniget. Lit. D. E. Nachdem der untere Theil der Sonn auch angefangen sich zuverdunklen / wie vorher der obere / der indessen wiederum seinen vorigen Glanz bekommen / sahe man folgende Gestalten Lit. F. G. H. welche letstere umgeben ein Regenbogenfarblichtes Wölklein / welches gegen dem End der Erscheinung auch den oberen Theil der Sonn gleich einem Hut bedecket / so daß die Farben allezeit geblieben. Haller. Chron. L. XXXVIII. c.5. Wick. MSC."	

Dokument 8

Beschreibung einer ungewöhnlichen Sonnenerscheinung über Chur am 2./3. Januar 1572 – Vergleich Wick / Scheuchzer

Dokument 8a:
Wickiana

Ms. F 21, fol. 80ʳ–82ᵛ [Wicks Hand]

[80r] Ein gar wunderbarlich vñ selzam wunderzeichen vñ verenderung der sonnen, in der Statt Chur der Drÿer pündter Rhezier lands, gesåhen worden am 2. vñ 3. tag Jenners dises 1572. iars.

[*Links neben dem Titel Randbemerkung Wicks:*] Dises wunderzeichen, ist ein warnung, vñ ein gwüßer vorbott gsin, der schådlichē brunst, die sich hernach iṁ 1574 am 23 Julÿ zůgetragen. [*Dunklere Tinte:*] auch der anderen brunst, die sich am 21 septemb: iṁ 1576. verloffen.

Es hatt sich zůgetragen an der mittwuchē den anderen tag Jenners, am morgen do die suñ vffgieng, vast vṁ die zÿt, zů welcher die Botten gmeiner Drÿen půndten, so am abend daruor gen chur vff einen bÿtag berůfft, an die herberig koṁen, vñ ÿetz zůsamen sizen soltend, sich zů beradschlagē Einer Bullen halb, so man innē wordeē wie der Bapst, vor etlicher zÿt, Herren Johannsen Planta, Beÿder Råchten Doctor, vñ Herren zů Rhezüns zůgeschikt hatt etc. Da hatt sich zůtragen das Andrǽas Scharner, ein ersamer Rhadsherr der Stadt Chur, vñ deß spitals daselbs pflåger, vß sinem huß zum vnderen thor gangen, als er über den Mülibach zum Wåschhüßli koṁen, dunkt in die suñ gebe gar ein selzamen vñ vngewontē schÿn, vñ als er sich gegen den Hiṁel kert, vñ die suñ anfieng anzůsåhen, sach er den Hiṁel nütt gar heÿter, sonder wen suṁers zÿtē öttwen vß groser hitz der hiṁel gar dümber ist, vñ wie er die sunnē ansach, was die gar bleich, das sÿ irē rechtē natürlichē glanz verloren hatt, das er [80v] mocht on alle verlezung vñ schaden der gsicht darin sähen, als in den Mon, oder als in einē spiegel, do die kugel oder der körpel der sunnen nun halb was gfórmbt vñ gstaltet wie ein halber teller oder ein halber boden eines wÿnfaß.

[1. Freiraum für eine Illustration]

Am anderen tag aber wz donstagē deß dritten tags deß Monats, do aber die suñ vffgieng åben vṁ die stund, wie am vordrigē tag vṁ halbe nüne, do nach die Botten zůsamen saßend, über den oben angezeigtē handel, do gieng obermelter Andares Scharner, mit sampt Wilhelm JAcob, burger zů Chur vñ grichtsheer der statt, der armen kinden pflåger. Als sÿ zů dem Mühlibach kamēd, dunkt sÿ abermals, der sunnē schÿn were nütt råcht, do sprach diser Wilhelm Jacob, hoÿ hoÿ hoÿ, als alt ich bin, hab ich doch der glÿchen nie gsåhen, Dan die suñ was also verblichen nun halb, trurig vñ bleich, das sÿ darin såhen mochtēd, als in ein Spiegel. In dem kamend auch andere Burger herzů, Isaac Språcher, Hans Schwÿzer, Zacharias Scarpatik, vñ Christian Luz vñ andere, do ist die suñ, in andere vñ andere gstalt verkert worden, habeñ gsåhen, das oberthalb an der sonnē, an statt deß halben theils so gar verblichen vñ abgstanden was, schwarz strÿmen [81r] vñ ding langlechtig vñ knopfflechtig vffgangen vñ sich erzeigt, nütt wie ein busch, sonder mer einē man, dan einē baum glÿch, wie man von wÿtnuß hatt mõgen abnemen, vñ hernach hatt sich gechlingē ein andere sõlliche gstalt, doch õttwz kürzer erzeigt; vñ dan die dritt, noch õttwz kürzer, doch eins kürzer, dan das ander, all oben an der Sonnē, nüt in gröserer wÿte, dan die suñ wÿt ist, wie hie nebet vß verzeichnet.

[2. Freiraum für eine Illustration]

Vñ wie wol die an einē orth blibend, ÿe doch mitt dē oberē theil schwanktend sÿ hin vñ wider, wie die bõum, wen der wind waÿt; Item als wen sÿ sich neigtind, vñ widerum vffstůndint, vñ gschäfftig werind, also die sõllichs sahend, seÿtend vnder einanderen die thůnd glÿch denē lüthen, die man von wÿter ruß vff dē fåld sicht korn schnÿden. Darnach anfieng der vßerist zů der linggen sÿtē von dē anderen vß[,] vñ als bald er gar vß dem Cirkel der sonnen was, ist er gechlingen verschinē, derglÿchen die anderen auch vñ nütt mer gesåhē worden, biß an den letsten, der zum erstē erschein[,] vñ wie er von sinē orthauch verrukt[,] stůnd er ein wenig still, also das die [81v] lüth seÿtēd, der hatt õttwz vergåßen, vñ den ließ er sich gar vß vñ verschwand.

Vñ wie die halbe suñ aber einig bliben ist, sind die spiz an dem Diametro zbeden orthen abgschlißē, vñ hand sich grad als abgschliffē, vñ der buch vñerthalb ist auch verschwunnē, biß die suñ einem wåberspůl oder wåberschiffli glÿch ist worden.

[3. Freiraum für eine Illustration]

in mitten dik, vñ an den orthen spizig[,] wie dan verzeichnet ist

[4. Freiraum für eine Illustration]

Hernach ward es ÿe lenger ÿe dünner, biß einer kerzē glÿch gsåhē hatt, oder glån. vñ dise kerzen ist xin, als wen sÿ glastet, bsonder am vorderen theil: vñ von irr gsprüzt, wie das heÿß schmalz sprüzet, vñ knastlet, so man öttwas waßers darinn schüttet.

[5. Freiraum für eine Illustration]

Als dan ist dise kerz, strÿmen oder spieß, an zweÿen orthē abgeschnittē, vñ drü stükli darůß worden, glÿchling lang, welcher ein ÿedes in sich selbs gewachsen ist, biß daruß drÿ schön sternē wordē sind. [82r] Welche drÿ sternē als dan gechlingen in den Himel gschloffē eins mals, also dz man nütt hatt könnē sähen oder vnder scheidē, wo die suñ xin were, biß die Sternē widerum über ein wÿl fürher kom̄en sind, vnd sich erzeigt hand, zum erstē die zwē vñ den auch der dritt, gar schön vñ heÿter, welche widerum zů drÿ stüklinē gratē sind, glÿcher gstalt wie vor, die widerum zůsamen gwachsen sind, als man dz ÿsen zesamē schweißt, zů der vorigen gstalt eines stäkens oder kerzen, welche abermals gar schön glastet hatt.

Vñ wie zum erstē man gsähē hatt den vnderen halbē theil der sonnen[,] vñ der ander halb theil gar verloren was, vñ hatt ein farw wie sunst der himel, vñ fieng an ÿe lenger ÿe mer ob sich wachsē biß dz der ober theil an der sunnē ganz worden. Als dan hatt sÿ sich angefangē nidsich strekē, vñ zum erstē gegē vffgang hatt sich ein spiz nidsich gelaßē, vñ obenaher gwichē, dz die suñ ein sölliche form gewunnē hatt, wie ein sechÿsen, so am pflůg vornē dz erterich vffschnÿdt.

[82v] Dennach sich widerum zůsammen zogē wie vor, vñ sich am anderen orth gegē Nidergang nidsich gestrekt, vñ oben nach gwichē, vñ ein gstalt gewunnē, wie ein råbmåßer, vñ abermals sich zůsamē glaßē, wie ein halber teller. Dennach hatt sich die halb suñ abermals nidsich gelaßē, vñ zůsåhenlich gewachsē, bis sÿ schier ganz worden[,] vß genom̄ē zů vnderist, do noch ein luken gewåsen; aber in allē wachsē vñ zůnemen, sind gar wunderbarlich glasten in der sonnē fürgangen, mit zitteren vñ zwizerē, das sÿ nie růwig, sonder sich stets geůbt hatt, vñ die glasten vñ röte, nüt durch den Himel, sonder in der sonnen sich geůbt. Ee aber die soñ ganz wordē[,] hatt sich ein kleine schwarze wolk mit farwē gemischlet wie ein rågenbogen vm̄ die sunnē glaßē, vñ sÿ zering vm̄fangen, vßgenom̄ē vnden für die luken, do die soñ nütt ganz xin. Vñ als die wolk gar vnrůwig, vñ die soñ noch nüt ganz xin ist, do hatt sich die wulch vffgelaßē, vñ oben vff die sonne gsezt, glÿch wie ein hoher hůt, vñ wie vor gmeldet, mit farwē wie ein rågenbogen, mitthin zů hatt sich die suñ fast geůbt, mit glastē vñ zitterē on vnderlaß, bis sÿ ganz wordē ist. Hernach überkam sÿ widerum iren natürlichē schÿn, also dz keim mer müglich was darin zesähē. In sum̄a, die es gesåhen, kőnnend nütt gnůg daruon sågen. Was sőllichs bedüte, weÿßt Gott wol.

Dokument 8b:
Johann Jacob Scheuchzer: Natur-Historie des Schweitzerlandes

3. Teil: Meteorologia et Oryctographia Helvetica, S. 95 f. & Fig. 4

Lufft-Geschichten

Ungewohnte Farben des Gestirns

[*Vorbemerkung*]

Wer die Natur der Farben aus unserer heutigen Mathematischen Philosophie verstehen lehrnet/ und ins besonder auf die Farben des Himmels/ der Wolken/ der Abend- und Morgen-Demmerung acht hat/ der wird bald sehen/ wie durch allerhand Refractiones oder Bruchstralungen in Wolken/ oder einer dicken Lufft die Sonn oder der Mond können unter allerhand Farben Gestalt unserem Aug vorkommen; wie zum Exempel der Mond in grossen und gänzlichen Verfinsterungen dunkelrhot aussihet. [...]

A. 1572. [...]

d. 2. Jan. hat Herr Andreas Tscharner/ Rahtsherr zu Chur/ die auffsteigende Sonn bey dünstiger Lufft ganz bleich gesehen/ wie man den Mond ansihet.

d. 3. hat er und andere ehrliche verständige Burger von Chur wiederum auf die aufstehende Sonn Achtung gegeben/ welche wiederum bleich war/ wie des Tags vorher.

Bald aber hatte sie sich gleichsam in zwey Stücke zertheilet/ und sahe man aus der einten halben Kugel einiche dicke schwarze Streimen aufsteigen. Fig. IV. A. einiche länger/ andere kürzer/ gleich als wären es Männlein von verschiedener Grösse/ deren etliche die Köpfe gehenket/ gleich denen Bäumen/ deren Gipfel von starken Winden gebogen werden; einer stiege nach dem anderen heraus/ und verschwunden bald: bald machte der dünklere Theil der Sonn einen spitzigen Winkel. Fig. B. hernach nahme die Dünkle fast den ganzen Sonnencörper ein/ und bliebe nur der vordere Theil hellleuchtend gleich einer hervorlellenden Flamm. Lit. C. diese zertheilete sich in drey helle Sternen/ welche aber auch sich wiederum vereiniget. Lit. D. E. Nachdem der untere Theil der Sonn auch angefangen sich zuverdunklen/ wie vorher der obere/ der indessen wiederum seinen vorigen Glanz bekommen/ sahe man folgende Gestalten Lit. F. G. H. welche letstere umgeben ein Regenbogenfarblichtes Wölklein/ welches gegen dem End der Erscheinung auch den oberen Theil der Sonn gleich einem Hut bedecket/ so daß die Farben allezeit geblieben. Haller. Chron. L. XXXVIII. c.5. Wick. MSC.

Dokument 9

Bericht über einen Kieselstein-Fund in der Töß am 12. Oktober 1556 aus der Chronik von Ulrich Meyer[1]

StB Winterthur, Ms. 4° 102, fol. 88ʳ–89ʳ

[88ʳ] Item am xy tag Winmonats des .15.56. iars sind funden worden .iy. kissling stein in der Döss. ob dem Closter, die stein sind gsin äsch grauw, der ein hett ein Ostericher schilt ghan, rott als öb er gmalett sige gsin, der selb ist gsin als ein fust gross. Der ander ist minder gsin, ein klein flach vnd vff der selben flechÿ ist gsin ein rott Andres krutz, auch als öb es mit einem röttelstein[2] sige gmalet gsin. Der dritt stein ist gsin auch flach vnd ein spiz, in der flechi ist gstanden ein Cruz, vnd vff dem Cruz ein rutten, fin ussbscheidenlich,[3] vnd näbett der ruetten uff der rächten sitten ein schwärtt, das alles ist rott gsin, vnd die stein grauw, vnd der die stein in der Döss funden hatt, ist gsin der Hans Custer, der ist ein karer, der fuortt der Statt sand vnd stein vnd was sy darff, der selb Hans hett abermal sand wellen furen ist gen Döss gfaren, vnd kummen näbent das Closter uffhin, vnd ob dem Closter, hett in [88ᵛ] als übel durstett, das er hett wellen uss der Döss drincken, vnd hett drûncken, vnd im drincken hett er den einen stein gsen vnd in gnummen in Hend, in bschuwett, glich hett er me glugett do hett er diss zwen auch funden, sind also all drÿg schier bÿ einanderen glägen, do hatt er all drÿg bschechen, vnd sich drab ferwunderet was doch das fur stein sigind, hett sÿ mit im heim treitt, die lütt lassen sächen, vnd ich hab sÿ auch gsechen vnd in minen henden ghan vnd hatt gmeint sÿ werind mit röttel stein gmalet gsin, vnd die stein mit speichel gnezt vnd griben, in der meinung als ob ichs wert ab riben, vnd wäschen, sÿ hend aber nut drinn gen, sind rott pliben, es hands etlich lütt ouch probieret mit heissem wasser, aber es hett nut ghulfen, sind nut dest minder rott pliben. Was es fur ein wunder sige, oder dutte, weisst Gott wol, hett ich die stein nit selbs gesechen so hett ichs auch nit glaupt, das muglich were [89ʳ] das mans funden hette, wie wol etlich lütt meinent, es sige nutt, es habs etwan ein landstricher, in die Döss gleitt, vnd die stein also gmalett, vnd sind aber an ortt vnd enden glägen, Das iaren kum einst lütt an das ortt kumind, da dan die stein glägen sind. Die stein hett Hans Custer dem Schulthes Gissler[4] gäben, der hetts noch. Was es aber fur ein wunder sige, mag ich nitt wussen, wir mundt wartten was

---

[1] Über die Chronik von Ulrich Meyer vgl. HAFNER, Chronisten (1880), S. 14–19.
[2] Rötel oder Rotstein ist ein aus einem Gemisch von Roteisenstein und Ton oder Kreide bestehender, bräunlichroter Farbstoff. Rötel wird seit der Antike als Mal- und Anstreichfarbe benutzt. Seit Ende des 15. Jahrhunderts kommen Rötelstifte auf, die bes. in der Renaissance und im Rokoko verwendet wurden. Für Belege zum Begriff »Rötelstein« siehe Grimms Wörterbuch 8, Sp. 1305, und SchwId 11, Sp. 882.
[3] D. h. deutlich. – Vgl. SchwId 8, Sp. 260.
[4] Alban Gisler war zwischen 1544 und 1566 in den geraden Jahren Schultheiß von Winterthur. Vgl. HBLS 3, S. 532. Über ihn auch: Njbl.StBWinterthur 1919.

Gott dar mit bedůti, wir hand leider zeichen gnůg aber kein besserůng. darum ist zů besorgen, die straff sige vor der Důr, Gott bhůtt vns vor allem leid vnd zwitracht. Amen.

Dokument 10

Emil Ottokar Weller: Die Folioblätter des 16. Jahrhunderts

ZBZ, Ms. F 35a, S. 131 f.

Die Geschichte der älteren Typographie liegt theilweise noch sehr im Dunkeln. Viele kleinere Drucker und Formschneider, besonders des 16. Jahrhunderts, sind wenig oder gar nicht bekannt, und ohne genaue Register ihrer Produkte läßt sich keine Sicherheit, kein festes Resultat der Angaben erzielen. Ebensowenig bekannt sind noch diejenigen deutschen Schriftsteller, welche in jener Zeit für die eigentliche Volksliteratur thätig waren, d. h. für solche Darstellungen, worin gewöhnliche oder außerordentliche Ereignisse, damals neue Völker, Thiere, Pflanzen pp. populär erklärt und beschrieben, dem großen Haufen der Ungebildeten veranschaulicht wurden. Indem ich nun eine auf der Zürcher Stadtbibliothek befindliche Sammlung dieser seltenen meist mit Holzschnitten verzierten[1] Folioblätter, die[2] größtentheils einzig oder doch nur in wenigen Exemplaren noch vorhanden sind, bibliographisch notirte, gebe ich meiner Meinung nach einen nicht unwichtigen Beitrag zur Literaturgeschichte und eröffne einen deutlichen Blick in die immense[3] Thätigkeit der Presse des 16. Jahrhunderts. Man kann nebenbei aus den zahlreichen Nachdrucken z. B. des Basler Samuel Apiarius den Umfang des damals für die Volksbildung sehr ersprießlichen Nachdrucks [S. 132] entnehmen, und wie Unrecht Dr. Streuber in den »Beiträgen zur vaterländ. Gesch. Hersg. von d. hist. Gesellschaft zu Basel« III. S. 63 hat, wenn er vom Gegentheil schreibt.[4]

Nachstehende Sammlung verdankt ihr Dasein dem Fleiße zweier obrigkeitlichen Personen der Stadt Zürich, welche im Laufe von vierzig Jahren diese Blätter, meist aus Süddeutschland, zum Theil aus erster Quelle, erhielten, auf ausgeschnittenes Schreibpapier einklebten und partieenweise nach den Jahrgängen zusammenhefte-

---

[1] Korrigiert aus »versehenen«.

[2] Zuvor gestrichen: »biblio«.

[3] Zuvor gestrichen: »Thätigkeit der Presse des 16. Jahrhunderts. Man kann«. Vor »Thätigkeit«, darüber gesetzt und wieder gestrichen: »immense«.

[4] Vgl. STREUBER, Neue Beiträge (1846). Wahrscheinlich bezieht sich Weller hier auf die Ausführungen Streubers zur Frage der Nachdrucke. Streuber behauptet S. 91: »Es kann im Allgemeinen unserer Vaterstadt nachgerühmt werden, daß der Nachdruck in ihr nicht zu Hause war, was ebenso sehr dem rechtlichen Sinn der Bürger, als der Obrigkeit zur Ehre gereicht; und wenn dennoch einzelne dergleichen Versuche hie und da vorkommen, so waren dieß nur vereinzelte Erscheinungen ohne Bedeutung.« Es folgt eine Aufzählung von vermeintlichen Ausnahmefällen, darunter auch ein Fall, in dem der Name Samuel Apiarius fällt. Direkt daran schließt Steuber folgende Bemerkung an, S. 92: »Aber alles dieses kann, wie gesagt, nicht hinreichen, um auch nur im Entferntesten den Verdacht hervorzurufen, daß zu Basel der Nachdruck je sei begünstigt worden. Wir wissen vielmehr aufs Bestimmteste, daß die Obrigkeit streng gegen denselben einschritt.«

ten. Der Bezug aus Norddeutschland muß schwieriger gewesen sein, oder wurde dort weniger derartiges edirt: man wird nur einzelne aus jenen Gegenden antreffen. Ein ganzer Band voll solcher Blätter ist leider in den dreißiger Jahren verloren gegangen oder abhanden gekommen.

F 1: Porträt von Johann Jacob Wick (18. Jh., Predigerkirche Zürich)

F 2: Brand des
Zürcher
Großmünsters
am 7. Mai 1572
(ZBZ, Ms. F 21,
fol. 142v-143r)

F 3: Flugblatt von Valentin Schönigk, Augsburg 1580, mit Randbemerkungen Wicks
(ZBZ, PAS II 17/12)

372

Ἄπια. PYRA.

PYRORV
ſtringunt: pro
tia cataplaſmat
ſiſtunt: ieiuno:
eſt, quod tardi
tiorem habet,
ius folia. Lign:
quos fungi ſtra
cum eis coqua

QVONIA
ſed ubiq; in tota ł
res per hiſtoriam
numerantur gene
Plinius refert libr
decumiana, dolob
niana, fauoniana,
rea, ſementina, l
alia, quorum enu
tiones mutata ſu
uſum reuocarunt
quibus fructibus
à tempore, in qu
ſtri quoq; Hetru
minibus à diuerſis
telle, giugnole, c
ne, carouelle, paſ
nareccie, gentili
nomenclaturis aſ
.erum Pyra collatione aſſequi, operæpretium eſſet, ut unumquodq; e
deſcriptionem: quandoquidem fieri non poteſt, ut ex ſola nomenclatu

Pyrorum cō-
ſideratio.

Pyrorum fa-
cultas.

F 4: Nebenzeichnungen und Randbemerkungen Conrad Gesners in Pier Andrea
Matthioli, *Commentarii in libros sex Pedacii Dioscoridis de medica materia,*
Venedig 1558 (ZBZ, Dr M 438)

F 5: Titelblatt von Andreas Musculus, *Vom Hosen Teuffel,* Frankfurt a. O. 1556, mit
Anmerkungen Wicks (ZBZ, Ms. F 15)

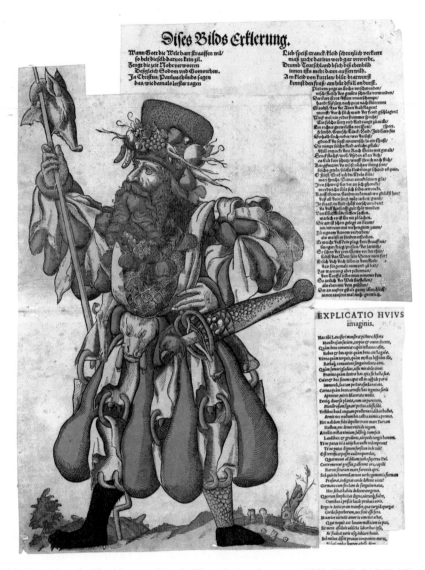

F 6: Landsknecht-Flugblatt von Martin Weygel, Augsburg, um 1560 (ZBZ, PAS II 4/2)

¶ Ich bin ein edler Reütter werdt
Vnd wann ein Hauptmann mein begerdt/
Zů Roß will ich mich brauchen lohn
Vnd solt der Boden vnder gohn/

Ich bin in meinem Klayd verzückt
Hab Hawen/Stechen wol versůcht/
Solt ich mich nit mit dreyen schlagen
Wolt nit das mich der Bodn solt tragen.

¶ Getruckt zů Augspurg/durch Martin Weygel Formschneyder.

F 7: Landsknecht-Flugblatt von Martin Weygel, Augsburg, um 1560 (ZBZ, PAS II 4/3)

376

F 8: Zweikampf zwischen einem Schweizer und einem deutschen Landsknecht, Federzeichnung (ZBZ, Ms. F 15, fol. 60r)

So will ich mein langen Spieß tragen
Solt ich mich mit dem Teüffel schlagen
Nun frisch daran es gilt als gleich
Ich hab wol sorg werd uymier reych
Der Naiz ist mir allweg zů gůt
Fr. #z in mit Lesseln auf dem Hůt.

Ein Hertz freüdt sich allzeyt so sehr
Das vil frembd Haupleüt komen her
So lauff ich mit inn grünen Waldt
Da singn die Vögel jung vnd alt
So gfeilt mir nit so wol jr singen
Als wann ich hör die Drumen klingen.

F 9: Landsknecht-Flugblatt von Martin Weygel, Augsburg, um 1560 (ZBZ, PAS II 4/4)

In diſem Tauſent fünffhundert zwey vnnd ſechtzigſten

Jar/Sonnabend aller Heyligen/iſt vnder dem Edlen wolgebornen
Graffen vnd Herrn/Sigiſmundo dem eltern von Kirchburg/tc. zů
Varnroda/diſe ſeltzame Wundergeburt von
einer Kůw kommen.

Das hindertheil deß Kalbs.   Das forder theil deß Kalbs.

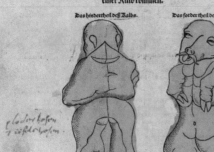

Iſe Wundergeburt hat.n Kopff gehabt/das niemandt gewußt ob er einem Wolff/Bärn/oder Affen gleich ſey/
mit zůgethanen Augen/mit einer ſchwertzlichen Naſen ein Hur.d gleich/hinden aber iſt der Kopff einem Menſchen
ehnlich/aber mit den Ohren nach der Thier gewonheit gerahten. Es hat auch Bruſt vnd Schultern einem vollkreſſi-
gen Menſchen gleich/vnd iſt in der geſtalt/als jetzund die Hartzkittel vnnd Ploderhoſen/mit ein vnderſatze/als es ge-
ſchürtzet wer/bekley der geweſt/die Füß gleich Schweinsfüſſen/kurtz ſtrümpflich auß dem Hartzhembt oder Münchs-
rock herfür gangen/als es den hinden ein Kappen getragen/die auch über den hindern/welcher faſt groß geweſen/ſo vnderſchiedlich
formiert geweſen/als were ne zů kurtz drüber/vnd wie doch ein Vnderhembde zwiſchen dem Schwantz vnnd Füſſen für gehangen/
welches alles beſcheidenlich vnd wol zůſehen geweſt/auch ſehr ſeltzam vnd wunderlich iſt vermerckt worden/das ſich manche gůther-
tzige Leut darüber hoch entſatzt vnd verwundert haben/Wie ſolches alles hieoben abcontrafeyt zůbeſehen. Man hat es auch etliche
tag liegend gelaſſen/damit von m.nigklichen als ein wunder Gottes/ein jeder ſich darauß zůerinnern. Solches iſt/wie gemeldt/ der-
geſtalt geſehen vnd abgemalet worden.

Was aber ſolche Wundergeburt für bedeutung hab/iſt kein zweyfel/daß es nicht vergebens/vnnd mag dem Allmechtigen
vnverborgen vnd allein bekanne ſeyn. Ich achte aber das es der vil hohe Gott/als ſein allmechtige wunder etlichen zur warnung
vnd Schauwſpiegel alſo ſehen laſſen/Damit anzeygen wöllen/ob es wol bey den rohen Menſchen kein anſehen hat/das ſolchs ſeine
langmůtige güte vnd Barmhertzigkeit vil lieber an einem Vieh dann an einem Menſchen zůgeſchehen auffgezogen/Daß ſich dieſel-
ben/ſo vnder der ſträfflichen Růhten vnnd zorn Gottes täglich zů ſündigen ligen/erinnern/zur Büß bekeren/vom böſen abſtehen/
vnd gůts ſchaffen ſollen. Als dann andre vil mantzige vnnd zeichen in kurtzer zeyt geſchehen/vnd vor ſeinem herrlichen vnnd zů-
kommenden Jüngſtentag noch vil ergehen/Damit ſich die Gottloſen aber nicht entſchuldigen/vnnd alsdann ſagen möchten: Ich
habe gar niemandt gehört/keinen Propheten vernommen/vnd noch nie kein zeychen geſehen/tc. Dann alſo iſt es vom anfang der
Welt zůgangen/das niemandt ſolchs geachtet/vnd ob ſie Göttlichen Zorn vermerckt hetten/ſich doch darauß nicht bekehrt haben/
noch etwas frömer worden/ſonder je mehr/ſo ſie nicht erger gerahten/doch wie vor in eodem blieben. Warzů aber ſolch Geſchöpff
vnd wunder eben an dem kleinen örtlein/da doch ſonſt der mennig an Menſchen vnd Vych n.cht wohnen oder befunden werden/
ſich ziehen/vnd was vernünfftige hieraus zůbetrachten haben/iſt leichtlich zůermeſſen.

Getruckt zů Franckfurt am Mayn.
M. D. LXIII.

F 10: Flugblatt über eine »Wundergeburt«, Frankfurt a. M. 1563 (ZBZ, PAS II 4/5)

Ware Contrafactur Herrn Martin Luthers / wie er zu Wurms auff dem Reichstag gewesen/vnd was er Gebettet habe.

Allmechtiger Ewiger Gott/ wie ist nur die Welt ein ding/ wie sperret sie den leutten die meüler auff/ wie klein vnd gering ist das vertrauen der menschen auff Gott/ wie ist das Fleisch so zart vnd schwach/ vnnd der Teüffel so gewaltig vnd geschefftig/ vnd nur durch seine Apostel vnd Welleweisen/ wie zeuhet sy so balde die handt ab/ vnd schnur dahin/ leüffe die gemeine ban/ vnd den weitten weg der hellen zu/ da die Gottlosen hin gehören/ vnd sihet nur allein bloß an/ was prechtig vnd gewaltig/ groß vnd mechtig ist/ vnd ein ansehen hat; wañ ich mein augen da hin wenden sol/ so ist es schon mit mir auß/ die glocke ist schon gegossen/ vnd das vrtheyl gefellet. Ach Gott/ ach Gott O Gott/ du mein Gott/ du mein Gott/ stehe du mir bey/ wider aller welle vernunfft vnd weißheit/ thue du es/ du müst es thun/ du allein/ ist es doch nit mein/ sonder dein sache/ hab ich doch vor mein person allhie nichts zuschaffen/ vnd mit disen grossen Herren der Welle zuthun/ wöle ich doch auch wol gütte geruhige täg haben vnd vnuerworren sein/ aber dein dein ist die sach Herre/ die gerecht vñ Ewig ist/ stehe mir bey/ du trewer Ewiger Gott/ ich verlasse mich auff keine menschen/ es ist vmb sunst vnd vergebens/ es hincket alles was fleischlich ist/ vnd nach fleisch schmecket. O Gott Gott O Gott/ hörest du nicht mein Gott/ bist du Todt: Nein/ du kanst nicht sterben/ du verbirgst dich allein. hast du mich darzu erwölet/ das ich die warheit fördern sol/ ich frage dich/ wie ich es dañ gewiß weiß/ Ey so walte es Gott/ Dañ ich mein lebenlang/ nie wider solche grosse Herrn zuseyn gedacht/ hab mir es auch nie vorgenomen/ Ey Gott/ so stehe mir bey/ in dem namen deines lieben Suns Jesu Christi/ der mein schutz vnd schirm sein sol/ ia mein feste burgck/ durch krafft vnd sterckung deines Heyligen Geistes. Herr wo bleibst du: du mein Gott/ wo bist du/ kom/ kom/ ich bin bereit/ auch mein leben darumb zulassen/ gedultig wie ein Lemlein/ dañ gerecht ist das sache vnd dein/ so will ich mich von dir nit absundern Ewigklich/ dz sey beschlossen/ Ewigklich sage ich in deinem namen/ die Welle müß mich vber mein gewissen wol vngezwungen lassen/ vnd wañ sy noch voller Teüffel were/ vnd solt mein leyb/ der doch zuuor mit hende werck vnd geschöpff ist/ drüber zu grunde vnd boden/ ia zu drümern gehn/ darfür aber dein Wort vnd Geist mir güte ist/ vnd ist auch nur vmb den leyb zuthun/ die Seel ist dein vnd gehört dir zu/ vnd bleibt auch bey dir Ewig/ Gott hülff mir. Amen in Gottes namen Amen.

F 11: Flugblatt mit einer Darstellung Martin Luthers, o. O., um 1550/60 (ZBZ, PAS II 24/15)

F 12: Flugblatt von Hans Moser, Augsburg, um 1550/60, mit einer Darstellung von Bruder Klaus (ZBZ, PAS II 13/19)

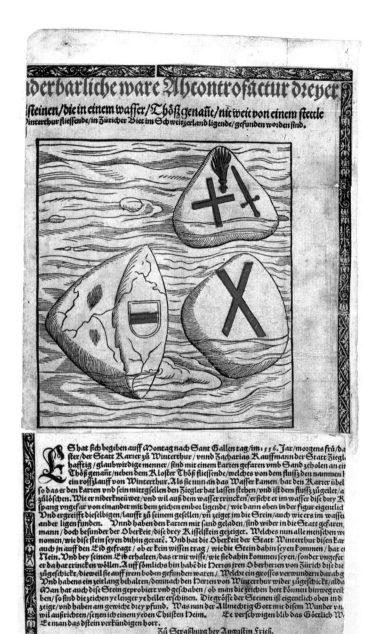

F 13: Flugblatt von Augustin Mellis, gen. Fries, Straßburg 1556, über einen Fund ungewöhnlicher Kieselsteine in der Töß bei Winterthur (ZBZ, PAS II 1/5)

F 14: Umzug der Hirsebreifahrer in Zürich nach der Rückkehr aus Straßburg am 28. Juni 1576, kolorierte Zeichnung von Johann Martin Usteri (ZBZ, Ms. U 22)

F 15: Flugblatt über russische Kirchenzeremonien (nur Bildteil), Prag 1576
(ZBZ, PAS II 13/14)

384

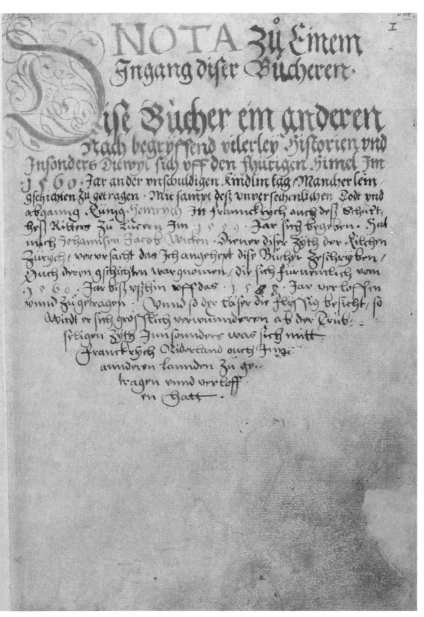

A 1: Titelblatt zum ersten Buch der *Wickiana* (ZBZ, Ms. F 12)

A 2: Der Komet von 1527, Federzeichnung (ZBZ, Ms. F 26, fol. 223r)

LIBER VII.   122

Et erunt figna in fole,& luna,& ftellis,& in terra anxietas gentium in
perplexitate,refonante mari & fluctu,extabefcentibus hominibus præ ti
more, & expectationi eorum quæ fuperuenient orbi. Nam uirtutes cœ=
lorum mouebuntur. Et tunc uidebunt filium hominis uenientem in nu=
be cum poteftate & gloria magna.

Differit modo de fignis extremũ illum iu **De fignis extre**
dicĩ diem præcedẽtibus. Et ponit ea primo **mum diem præ**
quæ futura funt in cœlo : deinde ea quæ in **cedentibus.**
terra:hinc quæ in mari.In cœlo funt,Sol,Lu
na & ftellæ; in his apparuerunt intra annos
quadringẽtos figna ftupẽda,quod nõ igno=
rant hiftoriarum diligentes Lectores. Refe=
ram unum duntàxat fignũ,idḉ recens pro=
pemodum. Nam anno domini 1527.undeci
ma die Octobris,mane circiter horam quar=
tam,in ea Vueftriæ parte, cui Comites Rhe
ni prefunt,terrificus cometes à multis uifus   *4 Efdve 15*
eft,durauitḉ hora et quarta eius parte.Orie
batur à Subfolano,afcendens Meridiem Oc
cidentemḉ uerfus, fub Septentrione maxime confpicuus. Longitudine erat im=
menfa,colore fanguineo in croceum declinante.Summitas eius incuruati brachĩ
fpeciem & formam habebat:in cuius manu ingentis magnitudinis gladius, uelu=
ti iam iam percuffuri,uidebatur.In gladĩ mucrone atque ab utraḉ acie, tres non
mediocres ftellæ apparebant, uerum quæ à mucrone fulgebat reliquis duabus
maior erat.Ab his fubobfcuri radĩ pilofæ caudæ figura confpiciebantur. In late=
ribus à fummo ad imum ufque radĩ in fpeciem ferè haftarum deformati & gladĩ
minores,diluti fanguinis colore; inter quos humanæ facies comis barbisḉ hifpi=
dæ,nigricantis nubis colore cernebantur. Hæc fimul tanto terrore horroreḉ mo=
uebantur ac rutilabant,ut nonnulli fpectatorum timore metuḉ propè exanimati
dicantur. Vidit hunc infignis aftrologus Petrus Creufferus. Viderunt innumeri
homines utriufḉ fexus alĩ. Interpretatus eft eundem Cometẽ clariffimus uir D.
Gerardus Nouiomagus, qui in dedicatoria ad Carolum v . Auguft. Cæf.epiftola **Gerard. No=**
inter alia, Non dubito, inquit, quin maieftati tuæ grata erit hæc epiftola, in qua **uiomagus.**
terrificus ille Cometes,cui fimilis à condito orbe, nufquam quod fciam, uifus le=
gitur, ueris apertisḉ uerbis defcribetur. Per quem proculdubio clementiffimus
ille atque iuftiffimus imperator ac dux nofter Iefus Chriftus rex regum & domi=
nus dominorum nos neglecti fui cultus arguit, ueræḉ religionis admonet: & ni=
fi refipifcamus dirũ exitiũ nobis in foribus effe certiffimo argumẽto demõftrat.
Tantũ uir ille pius & doctus, cuius fpiritus iam cum deo uiuit in gloria. In aquis **Signa in aquis.**
dicit figna fore maris æftum horribilem , qui noftro etiam fæculo folito magis in=
tumuit,atque urbes aliquot & multos homines in Gallia Belgica,nempe in Selan
dia abforpfit. Dicit fluctus trifti fragore refonituros: quod in fluminum inunda=
tionibus fidem excedentibus , completum effe teftantur hiftoriæ. Alium quoque
fenfum indicaui Matth.24.
    In terris erit συνοχη ἐθνῶν ἐν ἀπορία anguftia & contractio quædam animi homi= **Signa in terris.**
num,in eo quod perplexi hærent,neḉ quid agant,aut quò fe uertant uident.Ger
manice,Vfferdè wirt ĝen völckern eng vnd angft werden/ḋ3 fy nit wüffend wo fy vß follend·
                                X   2

A 3: Der Komet von 1527 in Bullingers Kommentar zum Lukas-Evangelium (1546),
      Holzschnitt

387

Liber prohibitus littera c. LL 15 ª
Monstres.

PRODIGI
ORVM AC
OSTENTORVM

Liber prohibitus, in Indice concilij triden.
litt., Chronicon
et convadi

CHRONICON,

Quæ præter naturæ ordinem, motum,

ET OPERATIONEM, ET IN SVPERIO-
ribus &his inferioribus mundi regionibus, ab exordio mundi usque ad hæc
nostra tempora, acciderunt. Quod portentorum genus non temere euenire
solet, sed humano generi exhibitum, seueritatem iramq; Dei aduersus scelera, atq; magnas in mundo uicissitudines portendit. Partim ex probatis fideiq;
dignis authoribus Grecis, atque Latinis : partim etiam ex multorum
annorum propria obseruatione, summa fide, studio, ac sedulitate, adiectis etiam rerum omnium ueris imaginibus, conscriptum per

Conuentus Annihationis   *Capucinorum Parisiensium*

CONRADVM LYCOSTHENEM
RVBEAQVENSEM.

Cum Cæsareæ Maiest. gratia & priuilegio.

BASILEAE, PER HENRI-
CVM PETRI.

1557

A 4: Titelblatt: Conrad Lycosthenes, *Prodigiorum ac ostentorum chronicon,*
Basel 1557

388

Ein gar wunderbarlich

vnd seltzam wunderzeichen vnnd veren=
derung der Sonnen / ob der Statt Chur der drÿen
Pünthen Rhetier lands gesehen worden
am anderen vnd dritten tag Jen=
ners diß gegenwürtigen
M. D. LXXII.
Jars.

M. D. LXXII.

STADT
BIBLIOTHEK
ZÜRICH

A 5: Titelblatt einer 1572 in Zürich gedruckten Flugschrift

A 6: Stadtbrand in Bern 1405, Darstellung im sog. »Berner Schilling«

A 7: Joder Studer beim Widerruf von der Kanzel des Großmünsters, 1572
    (ZBZ, Ms. F 21, fol. 145r)

A 8: Anna Wieland beim Widerruf von der Kanzel des Großmünsters, 1579
      (ZBZ, Ms. F 28, fol. 191v)

A 9: Jagli Rot beim Widerruf, 1586 (ZBZ, Ms. F 34, fol. 51r)

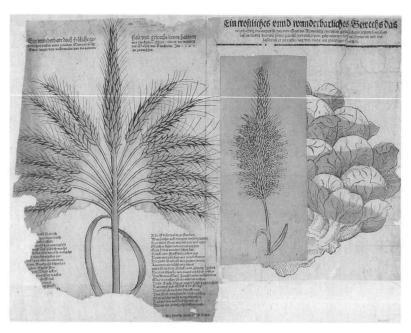

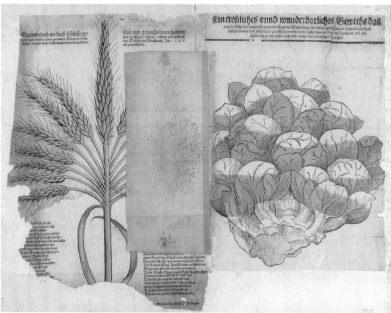

A 10: Pflanzenteratologisches Flugblatt mit Klappbild; oben: aufgeklappt, unten:
zugeklappt (UB Erlangen: Codex 2, Blatt 486 und 487)

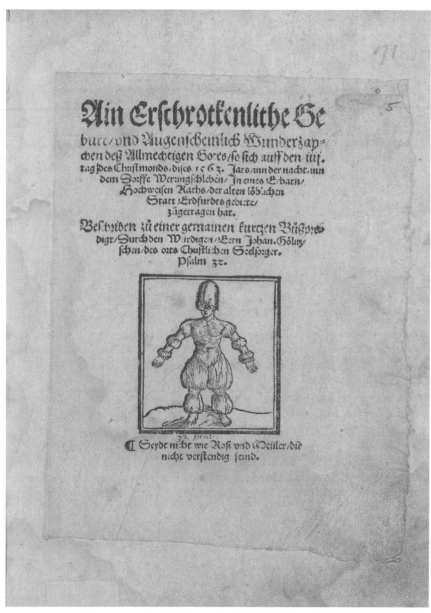

A 11: Titelblatt einer Flugschrift von Hans Zimmermann, Augsburg 1563, über eine
»Wundergeburt« in Werningsleben bei Erfurt (ZBZ, Ms. F 15, fol. 71r)

A 12: Porträt von Johann Jacob Fries, Kupferstich von Theodor Meyer, 1600
(ZBZ, Ms. E 17, fol. 302r)

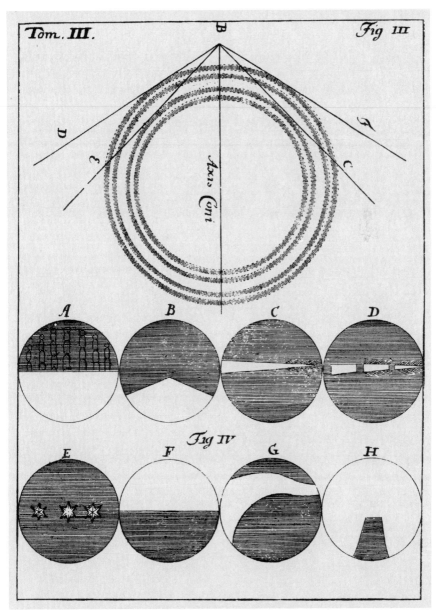

A 13: Sonnenerscheinung in Chur vom 2./3. Januar 1572 in Scheuchzers *Natur-Historie des Schweizerlandes* (vgl. Abb. A 5)

De prodigiis

1556 QVinto Septembris in Marchiæ oppidulo Cufterino, hora
nona uefpertina innumerę flāmæ undiɋ cœlo emicuerunt.
In medio uerò cœlo trabes duę ignitæ uifæ, ad extremum autem
incerto authore uox defuper audita eft, VEH, VEH, ECCLE
SIAE. Iobus Fincelius de miraculis fui temporis.

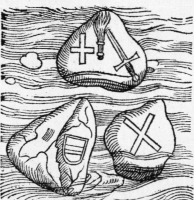

IN Heluetia die Lunę poft
D. Galli feftum, nō pro-
cul ab oppido Vuinterthur
in Thefo fluuio, ferebāt tres
filices inuētos, in quorū pri
mo, crux Heluetica, gladius
atque uirga, in reliquis autem duobus crux atɋ infi-
gnia Burgundiaca depicta
ac quafi à natura infculpta
uidebantur.

IN Hungarię ciuitate Ba
batfcha 6. Octobris die
ante folis exortum, uifa eft in aëre duorum puerorum nudorum
quidem, fed clypeis militaribus ac gladijs armatorum monoma-
chia, in qua is qui fcutum duplici aquila ornatum habebat, arma-
tura Turcica munitū, adeò
proftrare uifus, ùt corpus
multis ictibus uulneratum
è nubibus in terram cadere
uifum fit. Eodem etiā tempore ac loco, uifus eft arcus
cœleftis, naturalib. fuis co
lorib. depictus, ac duo ex
utraɋ eius parte foles. Horum imaginem damus, ut
à Vuolffgango Straucho
Norinbergenfi cum defcri
ptione urbis data eft. Ve-
rum his non multū difsimilia funt quę Fincelius in Hifpanijs uifa effe

A 14: Die Töß-Steine von 1556 (vgl. Abb. F 13) in Conrad Lycosthenes' *Prodigiorum ac
ostentorum chronicon*

398

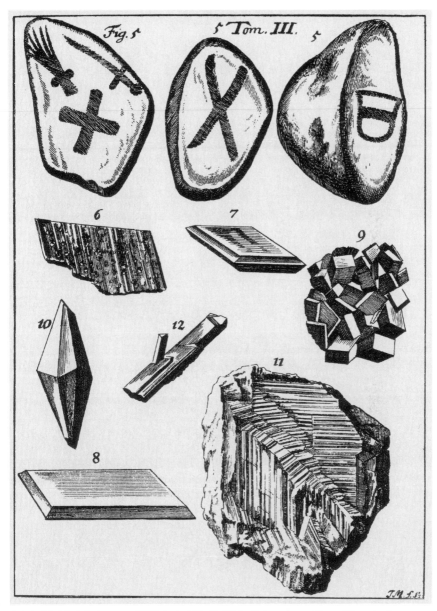

A 15: Die Töß-Steine von 1556 (vgl. Abb. F 13) in Scheuchzers *Natur-Historie des Schweizerlandes*

A 16: Ein Figurenstein (Achat) mit Kreuzigungsszene in Karl Nikolaus Langs *Historia Lapidum figuratorum*, 1735

A 17: Münsterturmbrand von 1763, Kupferstich von Johann Rudolf Holzhalb (nach einer
Zeichnung von Paul Usteri)

Pag: 293.

M. Usteri inv.

F. Hegi Sc.

Thomann zur Linden's Abentheuer
Alpenrosen, 9: Iahrg.

A 18: Titelkupfer von F. Hegi zu Johann Martin Usteris Novelle *Thomann zur Lindens Abentheuer*, 1819

A 19: Nachzeichnung eines *Wickiana*-Flugblatts (Abb. F 15) von Johann Martin Usteri (KHZ, L 11, 18. Blatt)

QUELLEN- UND LITERATURVERZEICHNIS

1. Archivalien

1.1. BESCHREIBENDES VERZEICHNIS DER WICK-DOKUMENTE

1.1.1. Zürich: Zentralbibliothek (ZBZ): Handschriftenabteilung

A 139   Wicks Hand auf dem Titelblatt und in Randbemerkungen in diesem Sammelband zur Geschichte der Waldmannschen Unruhen.

D 8   Predigten über Jesaia, Kap. 30–48, gehalten zwischen 21. November 1563 und 29. April 1565. Teil einer Serie von Predigten: enthält die 87.–140. Predigt. 303 Blätter, durchgehend Wicks Kursive.
Bei Gagliardi 1982, Sp. 399, wird Bullinger als Verfasser angegeben. Die Predigten sind jedoch in Wicks Hand niedergeschrieben. Daß es sich um Kopien oder Niederschriften von Bullinger-Predigten handelt, ist nicht ersichtlich. Entsprechend korrigiert im von J. P. Bodmer verfaßten Register zum Handschriftenkatalog.

D 79   Kopienband von Wicks Hand: Predigten von Heinrich Bullinger, Rudolph Gwalther, Caspar Magander und von Wick selbst nach Mitschriften Otto Werdmüllers, lat. und deutsch, überwiegend aus den Jahren 1540, 1544 und 1545.

D 113   Sammelmappe: Schriften von J. J. Wick und H. Bullinger, Nr. 1: Notizzettel von Wicks Hand: einige Erläuterungen zu Stellen aus dem Alten und Neuen Testament (Psalmen, Evangelien, Galaterbrief etc.), größtenteils aus den Jahren 1568–69, einzelnes von 1559, 1562 und 1571.
Die Zettel haben in der Regel folgenden Aufbau: Die Bibelstelle wird in deutscher Sprache zitiert und anschließend, meist lat., erläutert. Die Erläuterungen sind datiert. Sie dienten mit Sicherheit zur Predigtvorbereitung. In diese Richtung deutet die Angabe des Festes, auf das die Bibelstelle zugeschnitten ist (z.B. die Notiz »in festo Natiuitatis«). Ein Großteil der Erläuterungen scheint Wick sogar nicht für sich selbst, sondern für die Predigt anderer verfaßt zu haben. Die zweite Hälfte der Sammlungen enthält regelmäßig Notizen wie »pro D. Hallero«, »pro D. Bullingero« etc.

D 140   Predigttexte von Wicks Hand über die ersten acht Kapitel der Apostelgeschichte, einleitend einiges zu Lukas; insgesamt 57 »Conciones«, gehalten zwischen dem 14. Mai 1568 und dem 31. Juli 1569; ein kurzer Abschnitt von fremder Hand (fol. 142^r–148^r, »Concio XXIII« angehängt).

D 156   Skizzen zu 58 Predigten über Matthäus 5–12; undatiert, lat. und deutsch.

D 291   Notizen zu Predigten über die Epheserbriefe, zwischen 1569 und 1570 gehalten; 122 später bez. Bll., durchgehend Wicks Kursive.

Bei Gagliardi 1982, Sp. 455f., wird Bullinger als Urheber der Predigten angegeben. Auf dem Einband findet sich: »Bullingeri in Pauli ad Ephes. epist. homiliæ autographæ.« *Die Angabe, es handele sich um ein Autograph, ist jedoch offensichtlich falsch. Das gilt auch für die Bleistiftbeschriftung auf der Vorderseite des ersten Blattes. Korrigiert im Register von J. P. Bodmer.*

F 12–19, 21–29, 29a, 30–35
Wunderchronik (sog. *Wickiana*), 25. Bde., ca. 1560–1587.

F 57   Thesaurus Hottingerianus, Sammelband mit Dokumenten verschiedener Herkunft, darin fol. 225^r–366^r: 9 Kapitel über die Homilien, auf 55 Predigten aufgeteilt; durchgehend Wicks Kursive, lat. und deutsch; einige beigeheftete Zettel und gelegentlich eine Randbemerkung von fremder Hand.

F 63   Thesaurus Hottingerianus, Sammelband mit Aktenstücken und Briefen zur kirchlichen und politischen Geschichte des 16. und 17. Jh., darin: fol. 349^r–370^v: vier Fragmente aus dem Bestand der *Wickiana*.

FA Escher v. Luchs 39.101
Ein Eintrag Wicks in das Stammbuch von Hans Hartmann Escher, datiert 20. Mai 1584.

Z I 346   Beschriftung auf dem Papierumschlag: Aus dem defekten Umschlag von B. 77 losgelöste Einzelblätter: 12 Stück. August 1909. – Bl. 1: Wicks Hand: *Entwurf zu einem Brief an Bürgermeister und Rat betr. das Testament von Landvogt Ulrich Bleuler*, Datum: 18. Mai 1582. – Bl. 2: Überschrift von Wicks Hand: *Reges in Jsrael et Juda.* – Bl. 3–5: Fremde Hand mit Korrekturen von Conrad Gesner: *PRODIGIVM.* Beschreibung und Deutung des Nordlichts vom 28. Dezember 1560, mit kleineren Korrekturen von der Hand Conrad Gesners. – Bl. 6–12: Textfragmente von verschiedenen Händen (nicht Wick).

Die Einzelblätter stammen aus einem aufgelösten Band von ›Miscellanea Historica Helvetica‹ *(Ms. B 77). Im Katalog von Waser (Ms. St 377, fol. 89–93) gibt es ein ausführliches Inhaltsverzeichnis, in dem sie jedoch nicht erwähnt werden, was sich daher erklärt, daß die Blätter bei der Auflösung aus dem Umschlag herausgelöst wurden. Bei Gagliardi 1982, Sp. 1680, wird die ganze Zusammenstellung unter der Signatur Ms. Z I 346 mit* »Schriftstücke aus dem Nachlasse von J. J. Wick« *bezeichnet. Ob diese Zuordnung auch für die Blätter, die nicht von Wicks Hand stammen, aufrecht erhalten werden kann, ist zweifelhaft. – Bei dem Fragment mit dem Titel ›PRODIGIVM‹ handelt sich um eine Vorlage für Conrad Gesners Schrift ›Historia et interpretatio prodigii ...‹ von 1561. Spuren einer redaktionellen Bearbeitung sind an einigen wenigen Korrekturen von Gesners Hand erkennbar. Die Identifikation der Handschrift Gesners wurde von Urs Leu, Leiter der Abteilung Alte Drucke in der Zentralbibliothek Zürich und wohl bester Kenner der Handschrift Gesners bestätigt. Bauer 2002 behandelt das Fragment irrtümlich als Wick-Manuskript.*

1.1.2. Zürich: Zentralbibliothek (ZBZ): Graphische Sammlung

PAS II 1–24 *Wickiana*-Flugblätter

1.2. WEITERE ARCHIVALIEN-BESTÄNDE

1.2.1. Berlin: Staatsbibliothek (StB Berlin)

Historische Drucke: Flugschriften und Flugblätter

1.2.2. Biel: Stadtarchiv (StdA Biel)

CCXLIX.12 Chronik Rechberg

1.2.3. Erlangen: Universitätsbibliothek (UB Erlangen)

Botanischer Nachlaß von Conrad Gesner, Ms. 2386

1.2.4. Frankfurt am Main: Stadt- und Universitätsbibliothek (StUB)

Flugschriftensammlung Gustav Freytag

1.2.5. Freiburg: Universitätsbibliothek (UB Freiburg)

Nachlaß von Friedrich Dominicus Ring

1.2.6. Luzern: Zentral- und Hochschulbibliothek (ZHBL)

97 fol   Renwart Cysat, Collectanea Chronica und denkwürdige Sachen pro Chronica Lucernensi et Helvetiae

1.2.7. Nürnberg: Germanisches Nationalmuseum (GNM Nürnberg)

Graphische Sammlung: illustrierte Flugblätter

1.2.8. Schaffhausen: Stadtbibliothek (StBS)

Ulmeriana   Nachlaß Johann Conrad Ulmers (vgl. Index descr. a Car. Augusto Baechtoldo, Scafusae 1888)

1.2.9. Zürich: Kunsthaus Zürich (KHZ)

Zeichnerischer Nachlaß von Johann Conrad Füssli
Zeichnerischer Nachlaß von Johann Martin Usteri

1.2.10. Zürich: Schweizerisches Landesmuseum (SLZ)

Depositum der Bogenschützengesellschaft

1.2.11. Zürich: Staatsarchiv (StAZ)

A 27   Akten: Kundschaften und Nachgänge, d. h. Untersuchungen in Strafsachen 1434–1797
A 49   Akten: Bauamt 1459–1798
A 171   Akten: Zeitungsberichte an Heinrich Bullinger 1568–1572
B III   Bände: Satzungs- und Verwaltungsbücher 1304–1798
B V   Bände: Ratsurkunden 1399–1798
E I   Kirchenarchiv: Religions- und Schulsachen, 15.–18. Jahrhundert
E II   Kirchenarchiv: Antistitialarchiv, 16.–18./19. Jahrhundert
G   Archiv des Chorherrenstifts Großmünster

1.2.12. Zürich: Zentralbibliothek (ZBZ): Handschriftenabteilung

A 14–15   Heinrich Bullinger, *Historia/ Gemeiner loblicher Eydgnoschafft/, In welcher uffs aller kürtzist verzeychnet sind die Zyten, Harkummen und krieg merteyls Landen und Stetten der Eydgnoschafft, insonders der allten Statt Zürych von irem anfang biß in das iar 1532/ durch Heinrychen Bullingern/ den ellteren/ MDLXVIII.* Vorstufe zu Bullingers »Von den Tigruineren usw.«

A 18–20   Heinrich Bullinger, *Von den Tigurineren vnnd der Statt Zürich Sachen.* 14 Bücher, von den Anfängen bis 1516. Abschrift von Johannes Haller, Anfang 17. Jahrhundert.

A 21–24   Heinrich Bullinger, *Reformationsgeschichte.* Abschrift von Johannes Haller, Anfang 17. Jahrhundert.

A 26–33   Johannes Haller, *Von den Tigurineren vnnd der Statt Zürich ouch andrer Eydtgnößischen vnd vßländischen Sachen.* Der erste Band, Ms. A 25, verloren. *Siehe auch die Kopien Ms. B266–271, J 15–20 sowie die Teilabschriften in Ms. L 525, Nr. 6, Ms. Car. XV 12, 18–19 und Ms. Z I 164–166; 319, 640–641.* Laut Vermerken auf den Titelblättern der einzelnen Bücher oder am Ende der Bände zwischen 1612 und 1620 entstanden.

A 36   Kopienband von der Hand Johannes Hallers zu Graubünden und Zürich.

A 43   Sammelband zur kirchlichen und politischen Geschichte des 16. Jahrhunderts aus dem Besitz von Heinrich Bullinger; 727 später bez. Seiten. Kollektaneen, Aufzeichnung eingetroffener Nachrichten, Aktenstücke, Auszüge aus Briefen, an Bullinger übersandte Zeitungen, 1546–48.

A 44   Sammelband zur kirchlichen und politischen Geschichte des 16. Jahrhunderts, aus dem Besitz von Heinrich Bullinger; 710 später bez. Seiten. Kriegsnachrichten aus verschiedenen Ländern, Briefwechsel, Akten, Denkschriften Bullingers über die Glaubensstreitigkeiten; Briefe bes. aus den Jahren 1572–74, Originale und Kopien; viele Berichte zur Bartholomäusnacht und zu den französischen Religionskriegen.

A 65   Sammelband zur kirchlichen und politischen Geschichte des 16. Jahrhunderts, aus dem Besitz und z. T. von der Hand von Heinrich Bullinger; 617 später bez. Seiten. Hauptinhalt: Aktenstücke und Berichte zur schweizerischen Reformationsgeschichte der Jahre 1530–1562, bes. betr. die Konfessionsstreitigkeiten in Glarus; Nachrichten und Aktenstücke.

A 66   Sammelband zur kirchlichen und politischen Geschichte des 16. Jahrhunderts, aus dem Besitz von Heinrich Bullinger; 673 später bez. Seiten. Neue Zeitungen.

A 69   Sammelband aus dem Besitz von Johannes Stumpf und Johann Rudolf Stumpf und ihren Nachkommen: Briefe von Bekannten (Theodor Beza, Ambrosius Blaurer, Heinrich Bullinger, J. J. Grynaeus, Berchtold und Johannes Haller), von Vater und Sohn Stumpf selber, von Vadian u. a., hauptsächlich von Geistlichen, sowie einzelnen Engländern, überwiegend an die beiden Stumpf gerichtet; meist Originale. Außerdem zahlreiche Konzepte und Kopien von Johannes Stumpf.

A 70   Sammelband, enthält bes. Briefe und Aktenstücke, Einblattdrucke aus dem Besitz von Joh. Stumpf, Joh. Rud. Stumpf und ihren Nachkommen; 1189 später bez. Seiten. Darunter auch (pag. 75–84) eine Kopie von Heinrich Bullingers Schrift: *Von dem Glocken lüthen/ ouch von den brüchen vnd sachen die dem lüthen anhangend/ für das alt recht der gleübigen lüthen/ wider das nüw bäpstisch vnd abergleübig gelüth/ kurzer bericht vß der Biblischen geschrift vnd alten historien zusamen gezogen* (weitere Abschriften in Ms. A 124 b, Nr. 6; Ms. B 285, S. 350–359; Ms. F 89, fol. 724–729; Ms. J 290, Nr. 6; S 403, Nr. 5; S 433, Nr. 20).

A 90   Sammelband zur Zürcher- und Schweizergeschichte des 13.–17. Jahrhunderts; Nr. 14, 26–28, 32, 34, 36/37 sind Abschriften bzw. Notizen nach Johannes Hallers Chronik.

A 124 b	Sammelband zur Zürcher- und Schweizergeschichte des 16. und 17. Jh.; Nr. 1 ist eine Abschrift aus Johannes Hallers Chronik.
B 76 a-d	Johann Heinrich Rahn: Eidgenössische Chronik bis zum Jahr 1677, mit Fortsetzung bis 1701.
B 205	Johann Conrad Füssli: Bibliographische Notizen, größtenteils zur Schweizergeschichte.
B 266–271	Johannes Haller: Fortsetzung von Heinrich Bullingers *Tigurinern* und seiner Reformationsgeschichte, über die Jahre 1532–1619. Abschrift verschiedener Hände (enthält auch eine Kopie des verlorenen Bandes Ms. A 25). *Siehe Ms. A 26–33.*
D 269–271	Wolfgang Haller: Kalender mit systematischen Wetteraufzeichnungen, Preisangaben für Korn, Hafer, Roggen und Wein sowie chronikalischen Aufzeichnungen. 1544–1576. Bände nach 1576 (bis 1601 – Hallers Tod) vermutlich verloren.
E 14	Erhard Dürsteler: *Beschreibung der Stift und Clösteren, Geistlicher-, Convent-, Ritter-, Bruder- und Schwöster-Orden der Statt und Landschafft Zürich, von derselben Ursprung, Stiftern, Guthältern, Käuffen ...*, 18. Jh.
E 16–24	Erhard Dürsteler: *Stemmatologia Tigurina. Das ist Zürichisches Geschlechter-Buch ...*; Biographische Handschrift. 18. Jh.
E 47	Johannes Esslinger: *Conspectus Ministerii Turicensis ... zusammen getragen A° 1777 und in der Folge der Zeit fortgesetzt*; Biographische Handschrift
E 53–60	Johann Friedrich Meyß: *Lexicon geographico-heraldico-stemmatographicum urbis et agri Tigurini, das ist vollständige und historische Beschreibung aller ... Stätten, Fleken, Dörfferen, Clösteren, ... Schlösseren und Burgställen, Seen, Flüssen ...*, 1740–43; Biographische Handschrift
F 35 a	Emil O. Weller: *Catalog über die Wick'sche Sammlung*, um 1857. Ein Verzeichnis der Wickiana-Druckschriften, Flugschriften und Einblattdrucke mit Angabe der Standorte vor Versetzung der Flugblätter.
F 36–87	Thesaurus Hottingerianus: Sammlung von Schriftstücken, besonders Briefen, zur Reformationsgeschichte und zur allgemeinen schweizerischen und ausländischen Kirchengeschichte, angelegt von Johann Heinrich Hottinger. 52 Bde.
F 182	Sammelband: Bündner Unruhen der Jahre 1571–1573, besonders über das Strafgericht zu Chur, 1573, u.a. Akten, Kopien und Auszüge, meist von Tobias Egli, per Briefwechsel an Bullinger übermittelt.

G 333–334 Salomon Heß: Catalogus Bibliothecae Carolinae Tigurinae tum Manuscriptorum tum Impressorum cura Leonhardi Brenwaldi ...; Abschrift des Katalogs der Bibliothek des Grossmünsterstifts von Leonhard Brennwald.

H 40 Johann Jacob Fries: *Allerley gedechtnuß wirdige newe Zeytungen ... aus der Eidgenossenschaft und dem Auslande in den Jahren 1554–1577*; Aufzeichnungen und Verzeichnis relevanter Nachrichten aus den *Wickiana*, um 1590.

H 93 Johann Jacob Scheuchzer: *Monasteriorum Tigorinorum Historia*. Autogr., Nachrichten und Urkundenregesten. Vgl. Steiger 1933, S. 27 (Ms. Nr. 45).

H 96 Johann Jacob Scheuchzer: *Capituli Turicensis praepositorum canonicorum fratrum eteologia*, bis ca. 1726.

H 105–133 Johann Jacob Scheuchzer: Historia Helvetiae, 29. Bde., ca. 1720–25, Autorgr.

H 140 Sammelband mit bibliographischen Notizen von Johann Jacob Scheuchzer; Nr. 2: Teilkopie des Katalogs der Stiftsbibliothek von Johann Jacob Hottinger, nach 1710.

H 393–348 Briefbände: Briefe an Johann Jacob Scheuchzer, 56 Bde.

J 15–20 Johannes Haller: Fortsetzung von Heinrich Bullingers *Tigurinern* und seiner Reformationsgeschichte, über die Jahre 1532–1619. *Siehe Ms. A 26–33.*

J 255 *Miscellanea Helvetiae*, verschiedene Hände; Nr. 3: Johannes Haller: *Rathschlag und Bedenken der Loosung gegen meiner lieb eidtgnossen von Bern.*
[Bei Gagliardi 1982, Sp. 842, irrtümlich »Joh. Zoller.« Korrigiert im Register von J. P. Bodmer am Ende des Katalogs.]

J 262 Johann Jacob Fries: *Stammbůch Gelehrter/ Weyser/ Personen/ der Kirchen vnd Regiment Vorstehenderen Sampt fro schönen/ nutzlichen/ vnnd erbauwlichen Sprüchen/ von allerley furfallenden sachen in gwüsse Tittel vnd Hauptpuncten abgetheilt. Der Jugendt zů eyffrigem nachvolgen der Tugenden jrer Vorfaren/ auch der selbigen Personen vnd Lehren/ ehrlicher vnd nothwendiger gedechtnuß zů lieb/ vornahen in Lateinischer/ vnd yetzo in Teütscher spraach in 3. bücher verfaßt durch H. J. F. Prouerb. 10. cap. Die gedechtnuß der frommen/ hat lob vnd rhum: aber der Namen der Gottlosen stinckt,* 1597.

J 269 Sammelband betr. die Landgrafschaft Thurgau; darin Nr. 4: *Untersuchung gegen Jak. Weerli, Wirt zu Wäldi, wegen Schmähreden aus Anlaß des Brands des Grossmüsnters 1763.*

L 10   Sammelband bibliographischen Inhalts, angelegt von Johann Jacob Scheuchzer; darin Nr. 8: Register der Helvetica in den *Wickiana*, angelegt 1716. Kopie von Johannes Leu, identisch mit Ms. L 851, Nr. 3.

L 424   Johannes Leu: *Varia collectanea praeprimis ecclesiastica Tigurina oder allerhand Nachrichten ...*; darin Nr. 1b: Verhör wegen Schmähungen aus Anlaß des Brandes des Großmünsterturms, Frauenfeld, Dezember 1763 (Weerli-Verurteilung). Siehe auch Ms. J 269.

L 525   Johannes Leu: Sammelband zur Geschichte der Grafschaft Baden sowie der Beziehungen zu Frankreich, bis ca. 1780; darin Nr. 5: Auszüge aus Johannes Hallers Chronik über eine Badenfahrt von 198 Zürchern unter Führung von Bürgermeister Diethelm Röist. Siehe auch Ms. A 26–33.

L 851   Register zu Werken der Leuschen Sammlung und Büchern aus Leus Besitz; darin Nr. 3: Index zur Wickschen Chronik, angelegt von Johann Jacob Scheuchzer.

S 1–266   Simlersche Briefsammlung zur Kirchengeschichte des 16.–18. Jahrhunderts, angelegt von Johann Jacob Simler. Kopien, größtenteils von Simlers Hand, 18. Jh.

S 289   *Bibliotheca Scriptorum Historiae Helvetiae Universalis.* Bibliographie zur Geschichte, Landeskunde, Genealogie und Heraldik der Schweiz, veranlaßt von Johann Jacob Bodmer und Johann Jacob Breitinger; verschiedene Hände, 18. Jh.

U 1–109   Nachlaß von Johann Martin Usteri. Darunter Ms. U 15: Auszüge aus Johannes Hallers Chronik und Ms. U22: *Die Fahrt der Zürcher nach Strasburg mit dem Hirsbrey. Anno 1576. Sammlung der diese Fahrt betreffenden, gleichzeitigen Beschreibungen und Gedichte &c.*

St 294   Johann Martin Usteri: *Wicks Chronick Buch 11–24. C.n° 8.* Inhaltsverzeichnis mit einzelnen Textabschriften der *Wickiana*-Bände Ms. F 22–29 und F 30–34, vor 1796.

St 377   Katalog der Stiftsbibliothek von Waser.

Car. C 43   Heinrich Bullinger, Von den Tigurineren vnd der Statt Zürých sachen VIII Bůcher/ verzeichnet von Heinrýchen Bullingeren. In wlchen der anfang dieser historj gefůrt wirt/ von den zýten vor der geburt Christi an/ biß man nach Christi geburt zellt 1400 Jar [Zürich 1573].

Car. I 151   Kommentar zur Johannesapokalypse nach Prediten von Theodor Bibliander; Nachschrift von Heinrich Bullinger und Rudolf Gwalther, 16. Jh.

Car. XII 5   Ludwig Lavater und Wolfgang Haller: Katalog der Bibliothek des Grossmünsterstifts, 1553.

Quellen und Literatur

Car. XII 5–7 Johann Jacob Fries: Katalog der Stiftsbibliothek, begonnen 1588.

Car. XV 12, 1b 8–19
Johannes Haller: Fortsetzung von Heinrich Bullingers *Tigurinern* und seiner Reformationsgeschichte, Teilkopie. *Siehe Ms. A 26–33.*

Z I 164–166; 319, 640–641
Johannes Haller: Fortsetzung von Heinrich Bullingers *Tigurinern* und seiner Reformationsgeschichte, Teilkopie. *Siehe Ms. A 26–33.*

Z II 314–331 Leonhard Brennwald: Tagebuch, 1795–1812. 18 Bde.

Z VIII 1 Johann Jacob Scheuchzer: *Meteorologia Helvetica.* Vgl. Steiger 1933, S. 34 Nr. 106.

Z VIII 19 & a-d
Johann Jacob Scheuchzer: *Lexicon mineralogicum.* Vgl. Steiger 1933, S. 37 Nr. 125.

Z VIII 19e Johann Jacob Scheuchzer: *Icones pro Lexico mineralogico.* Vgl. Steiger 1933, S. 37, Nr. 126.

Z VIII 605&a
Johann Jacob Scheuchzer: *Mineralia Hevetiae.* Vgl. Steiger 1933, S. 32 Nr. 95.

Z VIII 733 Johann Jacob Wagner: *Historia naturalis Helvetiae curiosa,* Zürich 1680. Durchschossenes Handexemplar mit Notizen des Autors.

Bodmer 4b.18 Briefe an Johann Jacob Bodmer

1.2.13. Zürich: Zentralbibliothek (ZBZ): Graphische Sammlung

PAS II 26 Marlies Stäheli, Katalog der Einblattdrucke aus der Sammlung *Wickiana* in der Zentralbibliothek Zuerich

PAS II 27 Verzeichnis von Bruno Weber

PAS II 106 Ludwig Schulthess / Johann Conrad Werdmüller, Ansichten vom Kloster Töss
Enthält 40 numerierte Pappbögen mit Zeichnungen zu Außenansicht und Interieur des Klosters, entstanden zwischen 1837 und 1839. Nr. 1–13 von Schulthess; Nr. 14–40 von Werdmüller.

2. Gedruckte Quellen und Literatur

2.1. SIGLEN FÜR NACHSCHLAGEWERKE, EDITIONEN UND ONLINE-RESSOURCEN

ADB   Allgemeine Deutsche Biographie, hg. durch die historische Commission bei der königl. Akademie der Wissenschaften, 56 Bde., Leipzig 1875–1912.

BBKL   Biographisch-bibliographisches Kirchenlexikon, hg. von Friedrich-Wilhelm Bautz und Traugott Bautz, Herzberg 1975 ff.

CR   Philippi Melanthonis opera quae supersunt omnia, Corpus Reformatorum, Bde. 1–28, Halle/S. und Braunschweig 1834–60 (New York, London und Frankfurt a.M. 1963); Supplementa Melanchthoniana I.1–VI.1, Leipzig 1912–26 (Frankfurt/M. 1968).

DBA I-III   Deutsches biographisches Archiv I = Kumulation aus 254 der wichtigsten biographischen Nachschlagewerke für den deutschen Bereich bis zum Ausgang des neunzehnten Jahrhunderts, hg. von Bernhard Fabian und Willi Gorzny, München und New York 1982 (1431 Microfiches); II = Neue Folge bis zur Mitte des 20. Jahrhunderts, hg. von Willi Gorzny, München und New York 1990 (1457 Microfiches) (Online über das World Biographical Information System zugänglich).

DBE   Deutsche Biographische Enzyklopädie. Bde. 1–13, München und Leipzig 1995–2003.

EA   Amtliche Sammlung der ältern Eidgenössischen Abschiede von 1291 bis 1798, 22 Bde, Zürich, Luzern 1856–1886.

GKZ 2   Geschichte des Kantons Zürich. Bd. 2: Frühe Neuzeit 16. bis 18. Jahrhundert. Zürich 1996.

GG   Geschichtliche Grundbegriffe. Historisches Lexikon zur politisch-sozialen Sprache in Deutschland, hg. von Otto Brunner, Werner Conze und Reinhart Koselleck, 8 Bde., Stuttgart 1972–1997.

HBBibl I   Joachim Staedtke, Beschreibendes Verzeichnis der gedruckten Werke von Heinrich Bullinger. Heinrich Bullinger Bibliographie, Bd. 1 (Heinrich Bullingers Werke, 1. Abt.: Bibliographie). Zürich 1972.

HBBW	Heinrich Bullingers Briefwechsel, hg. von Hans Ulrich Bächtold, Rainer Henrich u.a., 11 Bde. (bisher erschienen), Zürich 1974 ff.
HBD	Heinrich Bullingers Diarium (Annales Vitae) der Jahre 1504–1574, hg. von Emil Egli (Quellen zur Reformationsgeschichte; Bd. 2), Basel 1904.
HBGr	Bullingers Korrespondenz mit den Graubündnern, hg. von Traugott Schiess, 3 Bde., Basel 1904–1906.
HBLS	Historisch-biographisches Lexikon der Schweiz, 7 Bde., Neuenburg 1921–1934.
HBPB	Heinrich Bullingers Privatbibliothek. Bearb. von Urs Leu und Sandra Weidmann (Heinrich Bullingers Werke. Erste Abteilung: Bibliographie, Bd. 3), Zürich 2004.
HBRG	Heinrich Bullingers Reformationsgeschichte. Nach dem Autographon hg. auf Veranstaltung der vaterländisch-historischen Jöchern Gesellschaft in Zürich von J. J. Hottinger und H. H. Vögeli. 3 Bde. Frauenfeld 1838–1840 (ND Zürich 1985).
HBRSt	Heinrich Bullinger, Ratio Studiorum. In Verb. mit dem Zwingliverein in Zürich hg., übers. und komm. von Peter Stotz (Werke, Sonderband), Zürich 1987.
HBSchr	Heinrich Bullinger, Schriften. Im Auftrag des Zwinglivereins und in Zusammenarbeit mit Hans Ulrich Bächtold, Ruth Jörg, Peter Opitz herausgegeben von Emidio Campi, Detlef Roth und Peter Stotz, 7 Bde., Zürich 2004–2007.
HDA	Handwörterbuch des deutschen Aberglaubens, hg. unter besonderer Mitwirkung von Eduard Hoffmann-Krayer, 10 Bde., Berlin 1927–1942.
HLS	Historisches Lexikon der Schweiz, hg. von der Stiftung Historisches Lexikon der Schweiz, 5 Bde. (bisher erschienen), Basel 2002 ff.
HSG	Handbuch der Schweizer Geschichte. 2 Bde. (4 Teilbde.), Zürich 1980.
HWR	Historisches Wörterbuch der Rhetorik, hg. von Gert Ueding, 10 Bde., Tübingen 1992–2011 (bisher 8 Bde.).
HZSchr	Huldrych Zwingli, Schriften. Im Auftrag des Zwinglivereins hg. von Thomas Brunnschweiler und Samuel Lutz, 4 Bde., Zürich 1995
MBW	Melanchthons Briefwechsel (Regesten), hg. von Heinz Scheible, Stuttgart-Bad Cannstatt 1977 ff.

MEGA	Marx Engels Gesamtausgabe, in 4 Abteilungen hg. von der internationalen Marx-Engels-Stiftung, Berlin 1975 ff.
LGB (1934–1936)	Lexikon des Gesamten Buchwesens, hg. von Karl Löffler und Joachim Kirchner, 3 Bde., Leipzig 1934–1936.
LGB (1987 ff.)	Lexikon des Gesamten Buchwesens, hg. von Severin Corsten u. a. Bd. 1 ff. (bisher 6 Bde.), Stuttgart 1987 ff.
NDB	Neue Deutsche Biographie, hg. von der Historischen Kommission der Bayerischen Akademie der Wissenschaften, 22 Bde. (bisher erschienen), Berlin 1953 ff.
QSG	Quellen zur Schweizer Geschichte (QSG). Bd. 1–25. Abt I. Chroniken, Bd. 1–8. Abt. II. Akten, Bd. 1–5. Abt. III. Briefe, Bd. 1–9. Abt. IV, Bd. 1–8. Basel 1877–1906. (Neue Folge 1908 ff.)
SchwId	Schweizerisches Idiotikon. Wörterbuch der schweizerdeutschen Sprache, 16 Bde. (bisher), Frauenfeld 1881 ff.
TRE	Theologische Realenzyklopädie, 36 Bde, Berlin / New York 1977–2004.
WA	D. Martin Luthers Werke. Kritische Gesamtausgabe (Weimarer Ausgabe), 120 Bde., Weimar 1883 ff.
WBIS	World Biographical Information System: http://galenet.galegroup.com/servlet/WBIS
Zedler	Grosses vollständiges Universal-Lexikon, hg. von Johann Heinrich Zedler, 64 Bde., 4 Suppl., Leipzig 1732–1754.
ZSAG	Zeitschrift für schweizerische Archäologie und Kunstgeschichte, Bd. 1 (1939) ff.
ZW	Huldreich Zwinglis sämtliche Werke. Unter Mitwirkung des Zwingli-Vereins in Zürich hg. von Emil Egli und Georg Finsler. (Corpus Reformatorum; 88–101), 14 Bde., Leipzig 1904–1959.

2.2. GEDRUCKTE QUELLEN UND LITERATUR

ABEL, WILHELM (1972): Massenarmut und Hungerkrisen im vorindustriellen Deutschland. Göttingen.

DERS. (1974): Massenarmut und Hungerkrisen im vorindustriellen Europa. Versuch einer Synopsis. Hamburg.

ALDROVANDI, ULISSE (1642): Monstrorum historia, cum Paralipomenis historiae omnium animalium. Bartholomaevs Ambrosinvs in patrio Bonon. Archigymnasio Simpl. Med. Professor Ordinarius, Musei Illustriss. Senatus Bonon., et Horti publici Prefectus Labore, et Studio uolumen somposuit. Marcvs Antonivs Bernia in lucem edidit Proprijs sumptibus. Bologna (Nicolai Tebaldini).

ALIVERTI, CHRISTIAN (1993): Huldrych Zwinglis Bibliothek in der Zentralbibliothek Zürich – ein Katalog. Zürich.

ALLGEMEINE ELSÄSSISCHE BANKGESELLSCHAFT und PRÄSIDIALABTEILUNG DER STADT ZÜRICH (Hg.) (1976): Die Hirsebreifahrt der Zürcher nach Strassburg, 1576. Der Reisebericht des Zürcher Stadtarztes Dr. Georg Keller. Zürich.

ALPENROSEN (1819): Alpenrosen, ein Schweizer Almanach auf das Jahr 1819. Bern, Leipzig.

ALSHEIMER, RAINER (1974): Katalog protestantischer Teufelserzählungen des 16. Jahrhunderts. In: BRÜCKNER, WOLFGANG (Hg.): Volkserzählung und Reformation. Ein Handbuch zur Tradierung und Funktion von Erzählstoffen und Erzählliteratur im Protestantismus. Berlin, S. 417–519.

ANDREAE, JACOBUS (1991): Leben des Jakob Andreae, Doktor der Theologie, von ihm selbst mit grosser Treue und Aufrichtigkeit beschrieben bis auf das Jahr 1562. Lateinisch und deutsch. Hg. von EHMER, HERMANN (Quellen und Forschungen zur württembergischen Kirchengeschichte 10). Stuttgart.

ANONYMUS (1763): Die Stimme Gottes im Wetter, Oder: der durch das Strahl-Feuer Sonntags den 21ten Augstmonat angezündte und abgebrandte Gloken-Thurn zum Groß-Münster, erbaulich betrachtet. Zürich (Johann Kaspar Ziegler).

DERS. (1829): Der warme Hirsebrei von Zürich, eine Begebenheit aus der letzten Hälfte des sechzehnten Jahrhunderts. In: Karlsruher Unterhaltungs-Blatt 2, S. 208–220.

ARCHENHOLD, FRIEDRICH S. (1917): Alte Kometen-Einblattdrucke. Berlin.

BÄCHTOLD, HANS ULRICH (1982): Heinrich Bullinger vor dem Rat. Zur Gestaltung und Verwaltung des Zürcher Staatswesens in den Jahren 1531 bis 1575. Bern.

DERS. (1991): Ein Bilderbuch des Glaubens und Kämpfens. Heinrich Thomanns Abschrift von Bullingers Reformationschronik. In: Turicum 4, S. 68–76.

DERS. (1995): Heinrich Bullinger, Augsburg und Oberschwaben. Der Zwinglianismus der schwäbischen Reichsstädte im Bullinger-Briefwechsel von 1531–1548 – ein Überblick. In: Zeitschrift für bayerische Kirchengeschichte 64, S. 1–19.

DERS. (1999): Gegen den Hunger beten. Heinrich Bullinger, Zürich und die Einführung des Gemeinen Gebetes im Jahre 1571. In: BÄCHTOLD, ULRICH, RAINER HENRICH und KURT JAKOB RÜETSCHI (Hg.): Vom Beten, vom Verketzern, vom Predigen. Beiträge zum Zeitalter Heinrich Bullingers und Rudolf Gwalthers. Alfred Schindler zum 65. Geburtstag. Zug, S. 9–44.

DERS. (Hg.) (1999): Schola Tigurina. Die Zürcher Hohe Schule und ihre Gelehrten um 1550 Katalog zur Ausstellung vom 25. Mai bis 10. Juli 1999 in der Zentralbibliothek Zürich. Zürich.

BACKUS, IRENA (1998): The church fathers and the canonicity of the Apocalypse in the sixteenth century: Erasmus, Frans Titelmans, and Theodore Beza. In: Sixteenth Century Journal 29, S. 651–666.

DERS. (2000): Reformation readings of the Apocalypse. Geneva, Zurich, and Wittenberg. Oxford.

BACON, FRANCIS (1858): Novum Organum. (The Works of Francis Bacon, Bd. I). London.

BADER, KARL SIEGFRIED (1963): Hans Fehr. In: Zeitschrift der Savigny-Stiftung für Rechtsgeschichte. Germanistische Abteilung 80, S. XV-XXXVIII.

BAECHTOLD, JAKOB (1880): Das glückhafte Schiff von Zürich. Nach den Quellen des Jahres 1576. In: Mitteilungen der antiquarischen Gesellschaft in Zürich (Abt. II, Heft 2) 20.

DERS. (1892): Geschichte der deutschen Literatur in der Schweiz. Frauenfeld.

BAKER, J. WAYNE (1980): Heinrich Bullinger and the covenant. The other reformed tradition. Athens / Ohio.

BARNES, ROBIN BRUCE (1988): Prophecy and gnosis. Apocalypticism in the wake of the Lutheran Reformation. Stanford.

DERS. (2002): Varieties of apocalyptic experience in Reformation Europe. In: Journal of Interdisciplinary History 33, S. 261–274.

BARON, FRANK E. (Hg.) (1978): Joachim Camerarius (1500–1574). Beiträge zur Geschichte des Humanismus im Zeitalter der Reformation. München.

BAUCKHAM, RICHARD (1978): Tudor apocalypse. Sixteenth century apocalypticism, millennarianism, and the English Reformation. From John Bale to John Foxe and Thomas Brightman. Appleford.

BAUER, BARBARA (1999): Naturphilosophie, Astronomie, Astrologie. In: BAUER, BARBARA (Hg.): Melanchthon und die Marburger Professoren (1527–1627). Katalog und Aufsätze. Bd. 2. Marburg, S. 345–439.

DIES. (2002): Die Krise der Reformation. Johann Jacob Wicks Chronik außergewöhnlicher Natur- und Himmelserscheinungen. In: HARMS, WOLFGANG und ALFRED MESSERLI (Hg.): Wahrnehmungsgeschichte und Wissensdiskurs im illustrierten Flugblatt der Frühen Neuzeit (1450–1700). Basel, S. 193–236.

BEHRINGER, WOLFGANG (1995): Weather, Hunger and Fear: Origins of the European Witch Hunts in Climate, Society and Mentality. In: German History 13, S. 1.

DERS. (1999): Climatic change and witch-hunting: The impact of the Little Ice Age on mentalities. In: Climatic Change 43, S. 335–351.

DERS. (2003): Im Zeichen des Merkur. Reichspost und Kommunikationsrevolution in der Frühen Neuzeit. Göttingen.

DERS. (2003): Die Krise von 1570. Ein Beitrag zur Krisengeschichte der Neuzeit. In: JAKUBOWSKI-TIESSEN, MANFRED und HARTMUT LEHMANN (Hg.): Um Himmels Willen. Religion in Katastrophenzeiten. Göttingen, S. 51–156.

DERS. (2007): Kulturgeschichte des Klimas. Von der Eiszeit bis zur globalen Erwärmung. München.

BEHRINGER, WOLFGANG, HARTMUT LEHMANN und CHRISTIAN PFISTER (Hg.) (2005): Kulturelle Konsequenzen der »Kleinen Eiszeit«/ Cultural Consequences of the »Litte Ice Age«. (Veröffentlichungen des Max-Planck-Instituts für Geschichte; 212). Göttingen.

Quellen und Literatur

BENZING, JOSEF (1982): Die Buchdrucker des 16. und 17. Jahrhunderts im deutschen Sprachgebiet. Wiesbaden.

BIBLIANDER, THEODOR (1545): Ad omnium ordinum Reip. Christianae Principes uiros, populumque Christianum, Relatio fidelis Theodori Bibliandri: quòd à solo Verbo filioque Die tum exacta cognitio praesentium temporum & futurorum, atque ipsius etiam Antichristi, maximae pestis totius orbis, tum recta optimaque moderatio reipublicae et totius uitae Christianae petenda sit. Basel (s.n.).

BIEL, PAMELA (1991): Doorkeepers at the house of righteousness. Heinrich Bullinger and the Zurich clergy, 1535–1575. Bern u.a.

BLICKLE, PETER (1987): Gemeindereformation. Die Menschen des 16. Jahrhunderts auf dem Weg zum Heil. Studienausgabe. München.

BLUMENBERG, HANS (1981): Die Lesbarkeit der Welt. Frankfurt a.M.

BLUNTSCHLI, HANS HEINRICH (1704): MEMORABILIA TIGURINA Das ist: kurze/ nach Alphabetischer Ordnung eingetheilte Erzellung der merkwürdigsten Sachen der Statt und Landschaft Zürich: Darinn zufinden/ was in der Policey/ Kirchen/ Schulen/ gemeinen Gebäuen/ Aemteren und Vogteyen/ deßgleichen in der Natur/ Kriegen/ sc. Vom Ursprung an der Statt bis auf das Jahr 1704 zu Statt und Land sich merkwürdiges begeben. Samt einem Zürichischen Geschlechter-büchlein/ wie auch einer Beschreibung aller Kirchendiensten und Kirchendieneren/ welche dem Synodo zu Zürich einverleibet. Zürich (Joh. Rudolf Simmler).

BODMER, JEAN-PIERRE und MARTIN GERMANN (1985): Kantonsbibliothek Zürich 1835–1915. Zwischen Bibliothek des Chorherrenstifts, Grossmünster und Zentralbibliothek. Zürich.

BODMER, JEAN-PIERRE (1989): Ein Schwerttanz in Zürich 1578. Bildreportage in der Sammlung Wickiana. In: CATTANI, ALFRED und BRUNO WEBER (Hg.): Zentralbibliothek Zürich. Schatzkammer der Überlieferung. Zürich, S. 62–67, 169f.

DERS. (2000): Johann Caspar von Orelli, Oberbibliothekar der Stadtbibliothek Zürich 1831 bis 1849. In: FERRARI, MICHELE C. (Hg.): Gegen Unwissenheit und Finsternis. Johann Caspar von Orelli (1787–1849) und die Kultur seiner Zeit. Zürich, S. 237–256.

BODMER, JOHANN JAKOB (1743): Von der Poesie des sechszehnten Jahrhundert nach ihrem schönsten Lichte. In: BODMER, JOHANN JAKOB: Sammlung Ciritischer, Poetischer, und anderer geistvollen Schriften, zur Verbesserung des Urtheils und des Witzes in den Wercken der Wohlredenheit und der Poesie. Zürich, S. 54–96 (7. Stück) und S. 3–20 (8. Stück).

DERS. (1769): Historische Erzåhlungen die Denkungsart und Sitten der Alten zu entdecken. Zürich (Orell, Geßner & Comp.).

BOELL, ADOLF (1882): Das große historische Sammelwerk von Reutlinger in der Leopold-Sophienbibliothek zu Überlingen (1580–1674). In: Zeitschrift für die Geschichte des Oberrheins 34, S. 31–65 u. 342–392.

BOLLIGER, DANIEL (2004): Bullinger on church authority. The transformation of the prophetic role in Christian ministry. In: GORDON, BRUCE und EMIDIO CAMPI

(Hg.): Architect of reformation. An introduction to Heinrich Bullinger, 1504–1575. Grand Rapids, S. 159–177.

BOSSHART, LAURENCIUS (1905): Die Chronik des Laurencius Bosshart von Winterthur 1185–1532. Hg. von HAUSER, KASPAR. (Quellen zur Schweizerischen Reformationsgeschichte, 3). Basel.

BREDNICH, ROLF WILHELM (1965): Das Reutlingersche Sammelwerk im Stadtarchiv Überlingen als volkkskundliche Quelle. In: Jahrbuch für Volksliedforschung 10, S. 42–84.

BREITINGER, JOHANN JAKOB (1980): Von dem Wunderbaren und dem Wahrscheinlichen. In: BODMER, JOHANN JAKOB und JOHANN JAKOB BREITINGER: Schriften zur Literatur. Hg. v. Volker Meid. Stuttgart, S. 83–204.

BRUTUS, STEPHANUS JUNIUS (1579): Vindiciae contra tyrannos: siue, De principis in populum, populique in principem, legitima potestate. Basel.

BÜCHMANN, GEORG (1977): Geflügelte Worte. Neue Ausgabe. München.

BUFFETAUT, ERIC (1998): Histoire de la Paléontologie. Paris.

BULLINGER, HEINRICH (1532): De prophetae officio, et quomodo digne administrari possit, oratio. Zürich (Christoph Froschauer).

DERS. (1534): De testamento seu foedere Dei unico & aeterno Heinrychi Bullingeri breuis expositio. Zürich (Christoph Froschauer).

DERS. (1546): In Lvcvlentvm et sacrosanctum Euangelium domini nostri Iesu Christi secundum Lucam, Commentarios lib. IX. per H. Bullingerum. Accessit operi Praefatio, qua demonstratur, Deum patrem in filio suo unigenito domino nostro Iesu Christo omnia dedisse ecclesiae suae, quae ad uitam & salutem hominis pertinent: ita ut non sit necesse illa aliunde petere. Zürich (Christoph Froschauer d. Ä.).

DERS. (1552): SERMONVM Decades quinque, de potissimis Christianae religionis capitibus, in tres tomos digestae. Zürich (Christoph Froschauer).

DERS. (1555): Das jüngste Gericht unsers Herren Jesu Christi, wie er das werde halten über alle Wålt, am letsten Tag, uss dem heiligen Euangelio Matthei am 25. Capit. mit zweyen Predigen ussgelegt. Zürich (Christof Froschauer).

DERS. (1557): In Apocalypsim Iesu Christi, reuelatam quidem per angelum Domini, uisam uero uel exceptam atque conscriptam a Ioanne apostolo & euangelista, Conciones centum. Basel (Johannes Oporin).

DERS. (1558): Haußbůch. Darinn begriffen werden fünffzig Predigen Heinrychen Bullingers / Dieners der Kirchen zů Zůrych. Jn welchen nit allein die zåhen Gebott Gottes / die zwölff Artickel deß Christenlichen glaubens / vnd des heilig Vatter vnser sonder auch alle andere artickel / leeren vnd hauptstuck vnserer Christenlichen vnd Euangelischen Religion / weytlöuffig / einfalt vnd ordenlich gehandlet vnd erklärt: dargegen die fürnemmsten gegenwürff aller widersåcheren freündtlich auß heiligen gschrifft / auch auß den heiligen alten Våtteren / widerlegt werdend. Welche nun etlich mal in Latinischer spraach im truck außgangen / yetzzemal aber auch dem Teůtschen land vnd dem gmeinen mann zů gůtem /

Quellen und Literatur

damit er aller fůrnemmsten articklen eigentlichen bericht habe/ vnd da ers an den Predigen nit hŏren darff/ doch in seinem hauß låsen mŏge/ in Teůtsche spraach verdolmetschet sind/ durch Johansen Hallern/ Dienern der Kirchen zů Bårn in Ůchtland. Es sind auch hinzůgethon vier schŏne vnd nutzliche Vorreden Heinrychen Bullingers/ vnd etliche alte Symbola/ auß seinem Latinischen exemplar verteůtschet/ sampt einer Vorred Johansen Hallers von der letsten zeyt/ vnd dreyen nutzlichen Registeren. Zürich (Christoffel Froschower).

DERS. (1558): Die Offenbarung Jesu Christi. Anfangs durch den heiligen Engel Gottes Joanni dem såligen Apostel vnd Euangelisten geoffenbaret/ vnd von jm gesåhen vnd beschriben. Müllhausen (Peter Schmidt).

DERS. (1573): Veruolgung. Von der schweren/ langwirigen veruolgung der Heiligen Christlichen Kirchen: ouch von den vrsachen der veruolgung: vnd vermanung zur gedult/ vnd bestand/ sampt erzellung der raach vnnd straff Gottes/ wider die veruolger. Zürich (Christoph Froschauer).

DERS. (1575): MINISTRORVM TIGVRINAE ECCLESIAE, AD CONFVTATIOnem D. Iacobi Andreae, pro Defensione Brentiani testamenti aeditam, APOLOGIA. In qua pro veritatis simplicis & nostrae innocentiae defensione, malitiosae D. Iacobi Andreae calumniae & futilis maledictorum, quae in nos effudit, colluuio, ita deteguntur & confutantur, vt Christiani homi-nes, per gratiam Dei, ab illius Sophistica & fallacijs sibi facile cauere possint. Zürich (Christoph Froschauer d. J.).

DERS. (1575): Antwort Heinrych Bullingers dieners der Kyrchen Zürych/ vff D. Jacoben Andresen über die Siben klagartickel Erinnerung. Jn welcher abtriben wirt der Lugengeist/ den der Doctor vns vilfaltig vfzuotråchen vnd zů eignen vnderstanden. Damit ouch vnser vnschuld dargethon/ vnd vnser reine rechtgeschaffne leer gerettet wirt. Es wirt ouch erwisen daß der heilig Theodoretus ein Christenlicher vnd råchthaltender leerer der heiligen Kyrchen gewåsen vnd noch sye/ vnd kein Nestorianer. Also wirt ouch geantwortet vff alle andere der Erinnerung gegenwůrff vnd lesteren. Zürich (Christoph Froschauer d. J.).

DERS. (1575): Antwort Der Dieneren der Kyrchen zů Zürych vff D. Jacoben Andresen zůgenampt Schmidly/ Widerlegen/ mit welcher er vnderstanden/ jre Antwort vff H. Johann Brentzen Testament gåben/ zů widerwysen vnd zůerwerffen. Jn welicher zů erhaltung einfaltiger warheit vnnd vnser vnschuld/ D. Jacoben boßhafft verlůnden/ verkeeren vnd vnbegrůndts schwetzen/ vff vns vßgeschůtt/ dermassen entdeckt vnd widerlegt wirt/ daß sich durch Gottes gnad/ fromme Christen/ vor siner Sophisterey vnnd falschem fürgåben/ wol werdend wůssen zů hůtten. Zürich (Christoph Froschauer d. J.).

DERS. (1575): HEINRYCHI BVLLINGERI AD D. IACOBI ANDREAE SVGGESTIONEM, RESPONSIO. IN qua calumnis, & ab aduersario ad toties nobis intentatum crimen mendacij, respondetur, simul & synceritas doctrinae innocentiaeque nostrae asseritur, ac B. Theodoretus Nestorianus, sed orthodoxus fuisse & esse ostenditur. Sed & alia nobis suggesta & obiecta di-luuntur ac confutantur. Zürich (Christoph Froschauer d. J.).

DERS. (1586): Wider die Schwartzen Kůnst/ Abergleůbigs segnen/ vnwarhafftigs Warsagen/ vnd andere dergleichen von Gott verbottne Kůnst: ein kurtzer Tractat auß Heiliger Schrifft/ vnd warhafften guten grůnden gesammlet. Frankfurt a. M. (Nikolaus Basse).

DERS. (2006): Schriften zum Tage. Hg. von HANS ULRICH BÄCHTOLD, RUTH JÖRG und CHRISTIAN MOSER. Zug.

BURCKHARDT, JACOB (1982): Über das Studium der Geschichte. Der Text der »Weltgeschichtlichen Betrachtungen« auf Grund der Vorarbeiten von Ernst Ziegler nach den Handschriften hg. v. Peter Ganz. München.

BURMAN, PETER (1987): St. Paul's Cathedral. London.

BÜSSER, FRITZ (1969): Der Prophet – Gedanken zu Zwinglis Theologie. In: Zwingliana 13, S. 7–18.

DERS. (1970): De prophetae officio. Eine Gedenkrede Bullingers auf Zwingli. In: HAAS, MARTIN und RENÉ HAUSWIRTH (Hg.): Festgabe Leonhard von Muralt zum 70. Geburtstag. Zürich, S. 245–257.

DERS. (1990): Das »Buch der Natur«. Vom Lob des Schöpfers zum Schutz der Schöpfung. Grosse Theologen über Schöpfung und Natur. Stäfa.

DERS. (2000): H. Bullingers 100 Predigten über die Apokalypse. In: Zwingliana 27, S. 117–131.

CAMERARIUS, JOACHIM (1532): Norica, sive De ostentis libri duo. Wittenberg (Georg Rhau).

DERS. (1558): De eorvm qvi cometae appellantvr, nominibvs, natvra, cavssis, significatione: cvm historiarvm memorabilium illustribus exemplis, Disputatio atque narratio. Leipzig (Papa).

CAMPELL, ULRICH (1572): Ein gar wunderbarlich vnd seltzam wunderzeichen vnnd verenderung der Sonnen/ ob der Statt Chur der dryen Pünthen Rhetier lands gesehen worden am anderen vnd dritten tag Jenners diß gegenwürttigen M.D. LXXII. Jars. Zürich (Christoph Froschauer d. J.).

DERS. (1884): Raetiae alpestris topographica descriptio. Hg. von KIND, C.J. (QSG, 7). Basel.

DERS. (1890): Historia Raetica, tomus II. Hg. von PLATTER, PLACIDUS. (QSG, 9). Basel.

CAMPI, EMIDIO (2004): Bullingers Rechts- und Staatsdenken. In: Evangelische Theologie 64, S. 116–126.

DERS. (Hg.) (2007): Heinrich Bullinger: life – thought – influence. Zurich, Aug. 25–29, 2004, International Congress Heinrich Bullinger (1504–1575). 2 Bde. Zürich.

CATTANI, ALFRED (Hg.) (1994): Zentralbibliothek Zürich. Lust zu schauen und zu lesen. Zürich.

CÉARD, JEAN (1996): La nature et les prodiges. L'insolite au XVIe siècle. Genève.

CHRISTIAN, LYNDA G. (1987): Theatrum Mundi. The History of an Idea. New York und London.

CREUTZER, PETER (1527): Außlegung Peter Creutzers/ etwan des weytberůmpten Astrologi M. Jo. Liechtenbergers discipels/ vber den erschröcklichen Cometen/ so im Westrich vnd vmbligenden grentzen erschinen/ am xj. tag Weinmonats/ des M.D. xxxvij. jars/ zuo eeren den wolgepornen Herrn/ herrn Johan/ vnd Philips Frantzen beyde/ Will vnd Reyngrauen. Nürnberg (Georg Wachter).

CUNNINGHAM, ANDREW und OLE PETER GRELL (2000): The Four Horsemen of the Apocalypse. Religion, war, famine, and death in Reformation Europe. Cambridge und New York.

CYSAT, RENWARD (1961): Collectanea chronica und denkwürdige Sachen pro chronica Lucernensi et Helvetiae. Erste Abteilung: Stadt und Kanton Luzern. Erster Teil: Collectanea Chronica und denkwürdige Sachen zur Geschichte der Stadt Luzern. Bearb. v. Josef Schmid. Mit zum Teil farbigen Abbildungen im Text und auf Kunstdrucktafeln. (Quellen und Forschungen zur Kulturgeschichte von Luzern und der Innerschweiz). Luzern.

DÄNIKER-GYSIN, MARIE-CLAIRE (1958): Geschichte des Dominikanerklosters Töß 1233–1525. (Neujahrsblatt der Stadtbibliothek zu Winterthur, 289). Winterthur.

DASTON, LORRAINE JENIFER und KATHARINE PARK (2002): Wunder und die Ordnung der Natur 1150–1750. Berlin.

DASTON, LORRAINE JENNIFER und KATHARINE PARK (1998): Wonders and the order of nature, 1150–1750. 2. Aufl., New York.

DEBRUNNER, ALBERT MAURICE (1996): Das güldene schwäbische Alter. Johann Jakob Bodmer und das Mittelalter als Vorbildzeit im 18. Jahrhundert. Würzburg.

DEJUNG, EMANUEL und WILLY WUHRMANN (1953): Zürcher Pfarrbuch 1519–1952. Zürich.

DELUMEAU, JEAN (1985): Angst im Abendland. Die Geschichte kollektiver Ängste im Europa des 14. bis 18. Jahrhunderts. Reinbeck bei Hamburg.

DENEKE, BERNWARD (1974): Kaspar Goltwurm. Ein lutherischer Kompilator zwischen Überlieferung und Glaube. In: BRÜCKNER, WOLFGANG (Hg.): Volkserzählung und Reformation. Ein Handbuch zur Tradierung und Funktion von Erzählstoffen und Erzählliteratur im Protestantismus. Berlin, S. 124–177.

DINGEL, IRENE (1996): Concordia controversa. Die öffentlichen Diskussionen um das lutherische Konkordienwerk am Ende des 16. Jahrhunderts. Gütersloh.

DÜRR, RENATE (2005): Prophetie und Wunderglauben – zu den kulturellen Folgen der Reformation. In: Historische Zeitschrift 281, S. 3–32.

DURRER, ROBERT (1917 und 1921): Bruder Klaus. Die ältesten Quellen über den seligen Nikolaus von Flüe, sein Leben und seinen Einfluß. 2 Bde. Sarnen.

EGLI, EMIL (Hg.) (1879): Actensammlung zur Geschichte der Zürcher Reformation in den Jahren 1519–1533. Zürich.

EIBACH, JOACHIM und GÜNTHER LOTTES (Hg.) (2002): Kompass der Geschichtswissenschaft. Ein Handbuch. Göttingen.

EISENSTEIN, ELIZABETH L. (1997): Die Druckerpresse. Kulturrevolutionen im frühen modernen Europa. Wien und New York.

ERASMUS, DESIDERIUS (1516): In Novum Testamentum ab eodem tertio recognitum annotationes item ab ipso recognitae, & auctario neutiq. poenitendo locupletatae. Basel (Froben).

ESCHER, CONRAD (1896): Joh. Martin Usteri's dichterischer und künstlerischer Nachlaß. (Neujahrsblatt der Stadtbibloiothek Zürich 1896). Zürich.

DERS. (1902): Pannerherr Andreas Schmid. In: Zürcher Taschenbuch 25, S. 112–131.

ESCHER, HERMANN (1922/1923): Geschichte der Stadtbibliothek Zürich. 2 Teile. (Neujahrsblatt der Zentralbibliothek Zürich). Zürich.

EWINKEL, IRENE (1995): De monstris. Deutung und Funktion von Wundergeburten auf Flugblättern im Deutschland des 16. Jahrhunderts. (Frühe Neuzeit, 23). Tübingen.

FABRICIUS, JOHANN (1611): De MACULIS IN SOLE OBSERVATIS, ET APPARENTE earum cum sole conversione, NARRATIO cui Adjecta est de modo eductionis specierum visibilium dubitatio. Wittenberg (Laurentius Seuberlich, Johann Borner).

FALK, TILMAN, ROBERT ZIJLMA und FRIEDRICH WILHELM HEINRICH HOLLSTEIN (Hg.) (1954–1996): Hollstein's German Engravings, Etchings and Woodcuts ca. 1400–1700. 43 Bde. Amsterdam.

FEHR, HANS: Die Wikiana. NZZ, Nr. 1387 vom 24.10.1922.

DERS. (1924): Massenkunst im 16. Jahrhundert. Flugblätter aus der Sammlung Wickiana. Berlin.

DERS. (1945): Mein wissenschaftliches Lebenswerk. Bern.

FERRARI, MICHELE C. (Hg.) (2000): Gegen Unwissenheit und Finsternis. Johann Caspar von Orelli (1787–1849) und die Kultur seiner Zeit. Zürich.

FINCEL, JOBUS (1556): Wunderzeichen. Warhafftige beschreybung vnd gründlich verzeichnuß schröcklicher Wunderzeichen vnd Geschichten, die von dem Jar an M. D. XVII. biß auff yetziges Jar M. D. LVI. geschehen vnd ergangen sindt nach der Jarzal Nürnberg (Johann vom Berg & Ulrich Neuber).

FISCHART, JOHANN (1927): Das Glückhafft Schiff von Zürich. München.

DERS. (1993 und 2002): Sämtliche Werke. Hg. von HANS-GERT ROLOFF, ULRICH SEELBACH und W. ECKEHART SPENGLER. Bisher 2 Bde. Bern u. a.

FISCHER, HANS (1973): Johann Jakob Scheuchzer (2. August 1672 – 23. Juni 1733). (Neujahrsblatt der Naturforschenden Gesellschaft in Zürich auf das Jahr 1973). Zürich.

FLÜELER, NIKLAUS (HG.) (1994–1996): Geschichte des Kantons Zürich. 3 Bde. Zürich.

FÖRDER, HERWIG (1960): Marx und Engels am Vorabend der Revolution. Die Ausarbeitung der politischen Richtlinien für die Deutschen Kommunisten (1846–1848). (Deutsche Akademie der Wissenschaften zu Berlin, Schriften des Instituts für Geschichte, Reihe I: Allgemeine und deutsche Geschichte; 7). Berlin.

FOUCAULT, MICHEL (2001): Was ist ein Autor? In: FOUCAULT, MICHEL: Dits et Ecrits. Schriften. Frankfurt a. M., S. 1003–1041.

FRANCK, SEBASTIAN (1531): Chronica, Zeytbůch vnd geschycht bibel von anbegyn biß inn diß gegenwertig M. D. xxj. jar. Darinn beide Gottes vnd der welt lauff/ hendel/ art/ wort/ werck/ thuon/ lassen/ kriegen/ wesen/ vnd leben ersehen vnd begriffen wirt. Mit vil wunderbarlichen gedechtniß wůrdigen worten vnd thatten/ gůten vnd bôsen Regimenten/ Decreten. sc. Von allen Rômischen Keisern/ Bâpsten/ Concilien/ Ketzern/ Orden vnd Secten/ beide d Juden/ vnd Christen. Von dem vrsprung vnd vrhab aller breůch vnd mißbreůch der Rhômischen kirchen/ als der Bilder/ H.eer/ Mesß/ Ceremonien.sc. so yetz im Bapstumb im schwanck geen/ wie eins nach dem anderen sey einbrochen/ was/ wa/ wann/ durch wen/ vnd warumb. Ankunfft viler Reich/ breůch/ neůwer sůnd.sc. Summa hier inn findestu gleich ein begriff/ summari/ innhalt vnd schatzkammer/ nit aller/ sunder der Chonickwirdigsten/ außer leßnen Historien/ eingeleibt/ vnnd auß vilen von weittem doch angenummenen glaubwirdigen bůchern/ gleich als in ein ymmen korb můselig zuosamen tragen/ in ser gůtter ordnung für die augen gestelt/ vnd in .iij. Chronick oder hauptbůcher/ verfaßt. s. l.

FRETZ, DIETHELM (1948): Konrad Gessner als Gärtner. Zürich.

FREUD, SIGMUND (1954): Zur Psychopathologie des Alltagslebens. Über Vergessen, Versprechen, Vergreifen, Aberglauben und Irrtum. Frankfurt a. M.

FREVERT, UTE und HEINZ GERHARD HAUPT (Hg.) (2005): Neue Politikgeschichte. Perspektiven einer historischen Politikforschung. (Historische Politikforschung, 1). Frankfurt a. M.

FRIED, JOHANNES (2001): Aufstieg aus dem Untergang. Apokalyptisches Denken und die Entstehung der modernen Naturwissenschaft im Mittelalter. München.

FRIEDLI, THOMAS K. (1985): »De maculis in sole observatis« oder Die Datierung der Beobachtungen v. Johannes Frabricius. Zürich.

FRIEDRICH, UDO (1995): Naturgeschichte zwischen artes liberales und frühneuzeitlicher Wissenschaft. Conrad Gessners »Historia animalium« und ihre volkssprachliche Rezeption. Tübingen.

FRIES, JOHANN JACOB (1583): Bibliotheca institvta et collecta, primvm a Conrado Gesnero: Deinde Epitomen redacta, & nouorum Librorum accessione locupletata, tertio recognita, & in duplum post priores editiones aucta, per Iosiam Simlerum: Iam vero postremo aliquot mille, cum priorum tum nouorum authorum opusculis, ex instructissima Viennensi Austriae Imperatoria Bibliotheca amplificata, per Iohannem Iacobum Frisium Tigurinum. Zürich (Christoph Froschauer).

DERS. (1592): BIBLIOTHECA PHILOSOPHORVM CLASSICORVM AVTHORVM CHRONOLOGICA. IN QVA VETERVM PHILOSOphorum Origo, Successio, Aetas, &Doctrina compendiosa, ab origine Mundi, vsque ad nostram aetatem, proponitur. QVIBVS ACCESSIT PATRVM, ECCLESIAE CHRISTI DOCTORVM: A TEMPOribus Apostolorum, vsque ad tempora Scholasticorum ad an. vsque Do. 1140. secundum eandem temporis seriem, Enumeratio. IOANNE IACOBO FRISIO Tigurino auctore. OPVS NOVVM: BIBLIOTHECARIIS, PHIlosophis & Theologis vtile: atque omnibus literatis iucundum lectu futurum. Zürich (Johannes Wolf).

DERS. (1593): ORATIONES DVAE, VNA DE OFFICIO VITAE MINISTRORVM ECclesiae : secundum methodum Decalogi conscripta, & exemplis ueterum Episcoporum illustrata. ALTERA DE EORVNDEM Concordia. IAN. IACOBO FRISIO Tigurino authore. Zürich (Johannes Wolf).

DERS. (1599): Vom Geschlecht der Brunen zu Zůrich: Sonderlich von dem Ersten Burgermeister der Statt Zůrich: Ein history sehr lustig vnnd nutzlich zulesen. An den Edlen Ehrenvesten Paulum Brunen zu Nůrenberg. Zürich.

FURRER, ERNST (1965): Polyhistorie im alten Zürich vom 12. bis 18. Jahrhundert. Bericht über die von Rudolf Steiger erarbeitete Ausstellung in der Zentralbibliothek Zürich. In: Vierteljahrsschrift der Naturforschenden Gesellschaft in Zürich 110, S. 363–394.

DERS. (1973): Die Ausstellung Johann Jakob Scheuchzer. Bericht über die von Rudolf Steiger unter Mitwirkung von Markus Schnitter gestaltete Ausstellung in der Zentralbibliothek Zürich. In: Vierteljahrsschrift der Naturforschenden Gesellschaft in Zürich 118, S. 363–387.

GAGLIARDI, ERNST, HANS NABHOLZ und JEAN STROHL (1938): Die Universität Zürich 1833–1933 und ihre Vorläufer. Festschrift zur Jahrhundertfeier. Hg. von ERZIEHUNGSRAT DES KANTONS ZÜRICH. Zürich.

GAGLIARDI, ERNST und LUDWIG FORRER (1982): Katalog der Handschriften der Zentralbibliothek Zürich. II. Neuere Handschriften seit 1500 (ältere schweizergeschichtliche inbegriffen). Einleitung und Register von Jean-Pierre Bodmer. Zürich.

GEISBERG, MAX (1974): The German Single-Leaf Woodcut 1500–1550. 4 Bde. New York.

GELDENHAUER [=NOVIOMAGUS], GERHARD (1527): De terrifico cometa, cui a condito orbe similis uisus mom est, qui apparuit Anno M.D.XXVII. mense Octobri, Epistola ad Carolum V. Impe. Caes. August. P. F. Victorem Gall. Pont. P. P. Straßburg (Johann Prüss d. J.).

GELDNER, THOMAS (1993): Ludwig Lavater – »Von Gespenstern, Nachtgeistern, mancherley wundersamen Erscheinungen und merkwürdigen Vorbedeutungen«. Ein Beitrag zum magischen Weltbild in der frühen Neuzeit. Diplomarbeit Wien.

GERMANN, MARTIN (1981): Arte et Marte: Durch Wisssenschaft und Waffen. Die Gründungsidee der Bürgerbibliothek Zürich nach Balthasar Venators Lobgedicht von 1643/1661 und Heinrich Ulrichs Programmschrift aus dem Gründungsjahr 1629. In: Zürcher Taschenbuch 101, S. 25–45.

DERS. (1994): Die reformierte Stiftsbibliothek am Großmünster Zürich im 16. Jahrhundert und die Anfänge der neuzeitlichen Bibliographie. Rekonstruktion des Buchbestandes und seiner Herkunft, der Bücheraufstellung und des Bibliotheksraumes. Mit Edition des Inventars von 1532/1551 von Conrad Pellikan. (Beiträge zum Buch- und Bibliothekswesen, 34). Wiesbaden.

GESNER, CONRAD (1561): Historia et interpretatio prodigii, qvo coelum ardere visum est per plurimas Germanie regiones, ineunte Año Domini M.D.LXI. die tertio à natali dominico, qui pueris innocentibus dedicatus est. Et de aliis qvibusdam prodigijs veteribus ac nouis. Conrado Boloveso Fridemontano authore. Zürich (Andreas & Hans Gessner).

GOEDECKE, KARL (1886): Grundriß zur Geschichte der deutschen Dichtung aus den Quellen. Bd. 2: Das Reformationszeitalter. 2. Aufl., Dresden.

GOETHE, JOHANN WOLFGANG (1890): Dichtung und Wahrheit. Dritter Theil. (Weimarer Ausgabe, 28.I). Weimar.

GOPPOLD, UWE (2007): Politische Kommunikation in den Städten der Vormoderne. Zürich und Münster im Vergleich. Köln, Weimar, Wien.

GORDON, BRUCE (1992): Clerical discipline and the rural reformation. The synod in Zürich. Bern u. a.

DERS. (2002): »Welcher nit gloupt der ist schon verdampt«: Heinrich Bullinger and the spirituality of the Last Judgement. In: Zwingliana 29, S. 29–53.

GRAF, JOHANN HEINRICH (1893): Die Karte von Gyger und Haller. Separatdruck aus dem XI. Jahresbericht der Geographischen Gesellschaft von Bern. Bern.

GROH, DIETER (i.V.): Göttliche Weltökonomie. Perspektiven der wissenschaftlichen Revolution. Frankfurt a. M.

GROSS, REINER und BÄRBEL FÖRSTER (1999): Politische Emigration aus Sachsen in die Schweiz 1848–1862. In: Studien und Quellen. Zeitschrift des Schweizerischen Bundesarchivs, Bern, Nr. 25, S. 111–146. GROTE, ANDREAS (Hg.) (1994): Macrocosmos in Microcosmo. Die Welt in der Stube. Zur Geschichte des Sammelns 1450–1800. (Berliner Schriften zur Museumskunde, 10). Opladen.

GRUBER, ALAIN (1977): Weltliches Silber. Katalog der Sammlung des Schweizerischen Landesmuseums Zürich. Unter Mitarbeit von Anna Rapp. Zürich.

GRUNER, GOTTLIEB SIGMUND (1773): Die Naturgeschichte Helvetiens in der alten Welt. Bern (Abraham Wagner).

DERS. (1774): Beyträge zu der Naturgeschichte des Schweizerlandes. Drittes Stück: Anzeige der Schweizerischen Mineralien. Bern.

GUTSCHER, DANIEL (1983): Das Grossmünster in Zürich. Eine baugeschichtliche Monographie. Bern.

GUTSCHER, DANIEL und MATTHIAS SENN (1984): Zwinglis Kanzel im Großmünster – Reformation und künstlerischer Neubeginn. In: Unsere Kunstdenkmäler 35, S. 310–318.

GUTWALD, THOMAS (2002): *Prodigium hoc cum nostro seculo inusitatum sit ...* Das Nordlicht vom 28. Dezember 1560 als Gegenstand vernetzter Wahrnehmung durch frühneuzeitliche Informationssysteme. In: HARMS, WOLFGANG und ALFRED MESSERLI (Hg.): Wahrnehmungsgeschichte und Wissensdiskurs im illustrierten Flugblatt der Frühen Neuzeit (1450–1700). Basel, S. 239–261.

GWALTHER, RUDOLF (1552): Ein Trostpredig uß der ersten Epistel Petri von der zůkunfft vnsers Herren Christi vnnd wie sich der mensch zů der selbigen in sinem låben vnd tod rüsten sölle. Zürich (Christoph Froschauer).

DERS. (1570): D. Lucas Euangelista. Rodolphi Gualtheri Tigurini in Euangelium Iesu Christi secundum Lucam homiliae CCXV. Accesserunt operi indices duo. Zürich (Christoph Froschauer).

HAFNER, A. (1879): Das ehemalige Kloster des Dominikaner Ordens an der Tössbrücke. Eine kunsthistorische Studie. (Neujahrsblatt der Stadtbibliothek zu Winterthur, 216). Winterthur.

DERS. (1880): Die Handschriften der alten Chronisten von Winterthur. Mit besonderer Berücksichtigung der Manuscriptensammlung hiesiger Bürgerbibliothek. (Neujahrsblatt der Stadtbibliothek zu Winterthur, 217). Winterthur.

HALLER, GOTTLIEB EMANUEL VON (1785–1788): Bibliothek der Schweizer-Geschichte und alle Theile, so dahin Bezug haben. Systematisch-Chronologisch geordnet. 6 + 1 Bde. Bern.

HARMS, WOLFGANG (2002): Das illustrierte Flugblatt in Verständigungsprozessen innerhalb der frühneuzeitlichen Kultur. In: HARMS, WOLFGANG und ALFRED MESSERLI (Hg.): Wahrnehmungsgeschichte und Wissensdiskurs im illustrierten Flugblatt der Frühen Neuzeit (1450–1700). Basel, S. 11–21.

HARMS, WOLFGANG und HEIMO REINITZER (Hg.) (1981): Natura loquax. Naturkunde und allegorische Naturdeutung vom Mittelalter bis zur frühen Neuzeit. (Mikrokosmos, 7). Frankfurt a. M., Bern und Cirencester.

HARMS, WOLFGANG und MICHAEL SCHILLING (Hg.) (1997): Die Sammlung der Zentralbibliothek Zürich. Kommentierte Ausgabe. Teil 1: Die Wickiana II (1570–1588). (Deutsche illustrierte Flugblätter des 16. und 17. Jahrhunderts, VII). Tübingen.

DERS. (Hg.) (2005): Die Sammlung der Zentralbibliothek Zürich. Kommentierte Ausgabe. Teil 1: Die Wickiana I (1500–1569). (Deutsche illustrierte Flugblätter des 16. und 17. Jahrhunderts, VI). Tübingen.

HEAD, RANDOLPH CONRAD (1995): Early modern democracy in the Grisons. Social order and political language in a Swiss mountain canton, 1470–1620. Cambridge.

DERS. (1996): Social order, politics and political language in the Rhaetian Freestate (Graubünden), 1470–1620. Ann Arbor (Michigan). Conradi Gesneri Historia Plantarum. Gesamtausgabe (1987). Hg. v. HEINRICH ZOLLER und MARTIN STEINMANN. 2 Bde, Zürich.

HEITZ, PAUL (Hg.) (1915): Flugblätter des Sebastian Brant. Strassburg.

HELLMANN, GUSTAV (1921): Die Meteorologie in den deutschen Flugschriften und Flugblättern des XVI. Jahrhunderts. (Abhandlungen der Preußischen Akademie der Wissenschaften, Jahrgang 1921, physikalisch-mathematische Klasse, Nr. 1). Berlin.

HENRICH, RAINER (2004): Bullingers Briefwechsel und die »Bullinger-Zeitungen«. In: CAMPI, EMIDIO, HANS ULRICH BÄCHTOLD und RALPH WEINGARTEN (Hg.): Heinrich Bullinger (1504–1575). Katalog zur Ausstellung im Grossmünster Zürich, 11. Juni–17. Oktober 2004. Zürich, S. 71–74.

DERS. (2004): Bullinger's correspondence. An international news network. In: CAM-PI, EMIDIO und BRUCE GORDON (Hg.): Architect of Reformation: An introduction to Heinrich Bullinger, 1504–1575. Grand Rapids (Michigan), S. 231–241.

DERS. (2007): Bullinger als Briefschreiber, am Beispiel seiner Briefe an Johannes Haller. In: CAMPI, EMIDIO und PETER OPITZ (Hg.): Heinrich Bullinger. Life – Thought – Influence. Zurich, Aug. 25–29, 2004. International Congress Heinrich Bullinger (1504–1575). Bd. 1. Zürich, S. 129–142.

HERKENRATH, ERLAND (1975): Bullinger zu Teuerung und Bettel im Jahre 1571. In: GÄBLER, ULRICH und ERLAND HERKENRATH (Hg.): Heinrich Bullinger 1504–1575. Gesammelte Aufsätze zum 400. Todestag. Bd. 1: Leben und Werk. Zürich, S. 323–338.

HESS, WILHELM (1908/9): Himmels- und Naturerscheinungen in Einblattdrucken des XV.–XVIII. Jahrhunderts. 1. Teil. In: Zeitschrift für Bücherfreunde XII.2, S. 1–20.

DERS. (1910/11): Himmels- und Naturerscheinungen in Einblattdrucken des XV.–XVIII. Jahrhunderts. 2.–4. Teil. In: Zeitschrift für Bücherfreunde N.F. II.2, S. 301–320, 341–368, 388–404.

HIRSEBREIFAHRT (1986): Hirsebreifahrt 1986. Zürich – Strassburg, 14.–17. August aus Anlass »2000 Jahre Zürich«. Zürich.

HOLENSTEIN, ANDRÉ (2007): Reformatorischer Auftrag und Tagespolitik bei Heinrich Bullinger. In: CAMPI, EMIDIO und PETER OPITZ (Hg.): Heinrich Bullinger. Life – Thought – Influence. Zurich, Aug. 25–29, 2004. International Congress Heinrich Bullinger (1504–1575). Bd. 1. Zürich, S. 177–232.

HOLLÄNDER, EUGEN (1922): Wunder, Wundergeburt und Wundergestalt in Einblattdrucken des 15.–18. Jahrhunderts. Kulturhistorische Studie. 2. Aufl., Stuttgart.

HÖLSCHER, LUCIAN (1979): Öffentlichkeit und Geheimnis. Eine begriffsgeschichtliche Untersuchung zur Entstehung der Öffentlichkeit in der frühen Neuzeit. Stuttgart.

HOLZMANN, MICHAEL und HANNS BOHATTA (1902–28): Deutsches Anonymen-Lexikon. 7 Bde. Weimar.

HOTSON, HOWARD (2000): Paradise postponed. Johann Heinrich Alsted and the birth of Calvinist millenarianism. Dordrecht.

HOTTINGER, JOHANN HEINRICH (1651–1667): Historia ecclesiastica Novi Testamenti. Hamburg und Schaufelberg.

DERS. (1664): Schola Tigurina Carolina: Id est, demonstratio historica; ostendens Illust. & Per-antiquae Reipub. Tigurinae Scholam, à Carolo Magno deducendam: Duabus absoluta Periodis; Quarum illa, à Carolo M. ad Reformationem, Trivialem; Haec, à Reformatione, exhibet Publicam: Accedunt I. Bibliotheca Tigurina, sive Catalogus Librorum ante & post Reformationem à Tigurinis scriptorum. II. Observationes de Collegij Carolini Origine et progressu; Doctoribus Ecclesiae et Scholae. III. Judicia quaedam exterorum, de Schola Tigurinorum reformata. Zürich (Joh. Heinrich Hamberger, Joh. Heinrich Wyss).

HUCH, RICARDA (1895): Die Wicksche Sammlung von Flugblättern und Zeitungs-nachrichten aus dem 16. Jahrhundert in der Stadtbibliothek Zürich. (Neujahrs-blatt, hrsg. v. d. Stadtbibliothek Zürich auf das Jahr 1895). Zürich

DIES. (1968): Frühling in der Schweiz. (Gesammelte Werke, 11). Köln.

JÖCHER, CHRISTIAN GOTTLIEB (1750): Allgemeines Gelehrten-Lexicon, darinne die Gelehrten aller Stände sowohl männ- als weiblichen Geschlechts, jetzige welche vom Anfange der Welt bis auf jetzige Zeit gelebt, und sich der gelehrten Welt bekannt gemacht, nach ihrer Geburt, Leben, merckwürdigen Geschichten, Ab-sterben und Schrifften aus denglaubwürdigsten Scribenten in alphabetischer Ord-nung beschrieben werden. Leipzig (J. F. Gleditsch).

JUD, LEO (1542): Paraphrasis oder Postille teûtsch. Die Offenbarung Sant Johanns des Theologi. Zürich (Christoph Froschauer).

JUNG, CARL GUSTAV (1958): Ein moderner Mythus. Von Dingen, die am Himmel gesehen werden. Zürich und Stuttgart.

KANT, IMMANUEL (1985): Kritik der praktischen Vernunft. Hg. von KARL VORLÄN-DER. (Philosophische Bibliothek, 38). 9. Aufl., Hamburg.

DERS. (1990): Kritik der Urteilskraft. Hg. von KARL VORLÄNDER. (Philosophische Bibliothek, 39a). 7. Aufl., Hamburg.

KELLER, HILDEGARD ELISABETH (Hg.) (2006): Jakob Ruf, ein Zürcher Stadtchirurg und Theatermacher im 16. Jahrhundert. Zürich.

KEMPE, MICHAEL (1996): Die Sintfluttheorie von Johann Jakob Scheuchzer. Zur Entstehung des modernen Weltbildes und Naturverständnisses. In: Zeitschrift für Geschichtswissenschaft 44, S. 485–501.

DERS. (2000): Von »lechzenden Flammen«, »geflügelten Drachen« und anderen »Lufft=Geschichten«. Zur Neutralisierung der Naturfurcht in populärwissen-schaftlichen Druckmedien der Frühaufklärung. In: MAUELSHAGEN, FRANZ und BENEDIKT MAUER (Hg.): Medien und Weltbilder im Wandel der Frühen Neuzeit. Augsburg, S. 155–178.

KEMPE, MICHAEL und THOMAS MAISSEN (2002): Die Collegia der Insulaner, Ver-traulichen und Wohlgesinnten in Zürich, 1679–1709. Die ersten deutschsprachi-gen Aufklärungsgesellschaften zwischen Naturwissenschaften, Bibelkritik, Ge-schichte und Politik. Zürich.

KEMPE, MICHAEL (2003): Wissenschaft, Theologie, Aufklärung. Johann Jakob Scheuchzer (1672–1733) und die Sintfluttheorie. (Frühneuzeit-Forschungen, 10). Epfendorf.

KENNGOTT, ADOLF (1866): Minerale der Schweiz nach ihren Eigenschaften und Fundorten ausführlich beschrieben. Leipzig.

KIESSHAUER, INGE (1990): Emil Otocar Weller – Bibliograph, Publizist und Verle-ger. Bibliographie. (Bibliographische Beiträge zur Geschichte der Arbeiterbe-wegung, 8). Berlin.

KÖHLER, HANS-JOACHIM (1991 ff.): Bibliographie der Flugschriften des 16. Jahr-hunderts. Teil I: Das frühe 16. Jahrhundert. Bisher 3 Bde. Tübingen.

KÖHLER, WALTER (1921): Huldrych Zwinglis Bibliothek. (Neujahrsblatt auf das Jahr 1921, zum Besten des Waisenhauses in Zürich, hrsg. v. d. Gelehrten Gesellschaft, 84. Stück). Zürich.

KOSELLECK, REINHART (1989): Vergangene Zukunft. Zur Semantik geschichtlicher Zeiten. Frankfurt a. M.

DERS. (2000): Zeitschichten. Studien zur Historik. Frankfurt a. M.

KUECHEN, ULLA-BRITTA (2002): Botanische illustrierte Flugblätter der Frühen Neuzeit. Ein frühes Medium als Basis für die Einordnung von Phänomenen der Teratologie in den Wissensdiskurs und dessen Voraussetzungen. In: HARMS, WOLFGANG und ALFRED MESSERLI (Hg.): Wahrnehmungsgeschichte und Wissensdiskurs im illustrierten Flugblatt der Frühen Neuzeit (1450–1700). Basel, S. 265–303.

KÜHLMANN, WILHELM (2001): Johann Fischart. In: KÜHLMANN, WILHELM und WALTER E. SCHÄFER (Hg.): Literatur im Elsaß von Fischart bis Moscherosch. Gesammelte Studien. Tübingen, S. 1–24.

KÜSTER, HANSJÖRG und ULF KÜSTER (Hg.) (1997): Garten und Wildnis. Landschaft im Achtzehnten Jahrhundert. München.

LANDWEHR, DOMINIK (1988): Ludwig Lavater (1527–1586). In: SCHENDA, RUDOLF (Hg.): Sagenerzähler und Sagensammler der Schweiz. Studien zur Produktion volkstümlicher Geschichte und Geschichten vom 16. bis zum frühen 20. Jahrhundert. Bern, S. 121–138.

LANG, CARL NIKOLAUS (1735): APPENDIX ad Historiam Lapidum figuratorum Helvetiae, ejusque vicinae, de MIRO QUODAM ACHATE qui coloribus suis Imaginem CHRISTI IN CRUCE MORIENTIS repraesentat, cujus occasione quoque de alijs mirabilibus, tam Achatum, quam aliorum Lapidum FIGURIS breviter agitur, quae quidquam DE PASSIONE DOMINI coloribus suis exhibent, cum exacta descriptione LAPIDIS CRUCIFERI, SEU CRUCIATI ejusque virium, & icone praedicti miri Achatis. Einsiedeln (Meinrad Eberlin).

LATHER, CORNELIA (1979): Einblattdrucke in der Sammlung Wickiana (Zentralbibliothek Zürich). Katalogisierung und Registerapparat. Arbeitsbericht. Diplomarbeit, Zürich.

LAVATER, LUDWIG (1556): Cometarvm omnivm fere catalogvs, qvi ab Avgvsto, qvo imperante Christus natus est, usque ad hunc 1556. annum apparuerunt, ex uarijs historicis collectus. Zürich (Andreas & Jacob. Gesner).

DERS. (1559): DE RITIBVS ET INSTITVTIS ECCLESIAE TIGVrinae, opusculum. Zürich (Christoph Froschauer).

DERS. (1564): Von der Pestilentz. Zwo predginen/ die ein vom vrsprung der Pestilentz/ wohar die sye/ item warumb sy regieret/ vnnd wie man sich darinnen halten sölle: Die ander deß säligen Bischoffs vnd martyrers Cypriani von jm zuo Carthago/ als auch ein grosser sterbend was/ gethan/ zuo vnser zyt gantz notwändig vnd trostlich zeläsen/ beschriben durch Ludwigen Lafater diener der kilchen zuo Zürych. Zürich (Christoph Froschauer d. J.).

DERS. (1571): Von thůwre vnd hunger dry Predigen/ vß dem 6. cap. deß anderen bůchs Paralipom oder der Chronik geprediget/ vnd volgendts zur leer vnd zum trost beschriben/ durch Ludwig Lauater/ diener der kyrchen zuo Zůrych. Zürich (Christof Froschauer).

DERS. (1576): Vom lâben vñ tod desz Eerwirdigen vñ Hochgeleerten Herrn/ Heinrychen Bullingers/ dieners der Kyrchen zů Zürych/ kurtze einfalte vñ warhaffte erzellung. Zürich (Christoph Froschauer d. J.).

DERS. (1681): Herrn Ludwig Lavaters/ L. G. Historische Erzehlung vast aller der Kometen/ Welche von der Geburt des Röm: Keisers Augusti/ und der Gnadenreichen Geburt unsers Herren und Heilands Jesu Christi an/ bis auf das 1556. Jahr gesehen worden; auß vilerley Geschichtschreibern zusammen getragen. Jezund in das Teutsche übersezt/ mit beyfügung derjenigen Kometen/ welche sowol vor der Geburt des Herren/ als auch nach dem Jahr 1556/ bis auf dises 1681. Jahr/ erschienen/ samt vilen andern Kometen vermehret/ und zusamen verfaßt Durch Johann Jacob Wagner/ der Artzney Doctorn. Zürich (Joh. Heinrich Lindinner).

DERS. (1987): Die Gebräuche und Einrichtungen der Zürcher Kirche. Hg. von JOHANN BAPTIST OTT. Zürich.

LEHMANN, HARTMUT (1986): Frömmigkeitsgeschichtliche Auswirkungen der »kleinen Eiszeit«. In: SCHIEDER, WOLFGANG (Hg.): Volksreligiosität in der modernen Sozialgeschichte. (Geschicht und Gesellschaft, Sonderheft 11). Göttingen, S. 31–51.

DERS. (1992): Endzeiterwartung im Luthertum im späten 16. und im frühen 17. Jahrhundert. In: RUBLACK, ULINKA (Hg.): Die lutherische Konfessionalisierung in Deutschland. Gütersloh, S. 545–554.

LEIBNIZ, GOTTFRIED WILHELM (1716): Annotatio de Luce quam quidam Auroram Borealem vocant. In: Miscellanea Berolinensia, S. 137–138.

LEIBROCK, FELIX (1988): Aufklärung und Mittelalter. Bodmer, Gottsched und die mittelalterliche deutsche Literatur. (Mikrokosmos, 23). Frankfurt a. M. u. a.

LEPENIES, WOLF (1976): Das Ende der Naturgeschichte. Wandel kultureller Selbstverständlichkeiten in den Wissenschaften des 18. und 19. Jahrhunderts. München und Wien.

LEPPIN, VOLKER (1999): Antichrist und Jüngster Tag. Das Profil apokalyptischer Flugschriftenpublizistik im deutschen Luthertum 1548–1618. (Quellen und Forschungen zur Reformationsgeschichte, 69). Gütersloh.

LEU, HANS JACOB (1747–1795): Allgemeines Helvetisches, Eydgenössisches oder Schweitzerisches Lexicon. 20 Teile und 6 Supplementbände. Zürich.

LEU, URS BERNHARD (1990): Conrad Gesner als Theologe. Ein Beitrag zur Zürcher Geistesgeschichte des 16. Jahrhunderts. Bern u. a.

DERS. (2003): Heinrich Bullingers Privatbibliothek. In: Zwingliana 30, S. 5–29.

DERS. (2007): Aneignung und Speicherung enzyklopädischen Wissens. Die Loci-Methode von Erasmus. In: CHRIST-VON WEDEL, CHRISTINE und URS BERNHARD LEU (Hg.): Erasmus in Zürich. Eine verschwiegene Autorität. Zürich, S. 327–342.

Quellen und Literatur

LEU, URS BERNHARD, RAFFAEL KELLER und SANDRA WEIDMANN (2008): Conrad Gessner's Private Library. (History of Science and Medicine Library, 5). Leiden, Boston.

LIEBENAU, TH. VON (1892): Beiträge zur Geschichte des heiligen Blutes in Willisau. In: Schweizer katholische Blätter N.F. 8, S. 183–193.

LOETZ, FRANCISCA (2002): Mit Gott handeln. Von den Zürcher Gotteslästerern der Frühen Neuzeit zu einer Kulturgeschichte des Religiösen. Göttingen.

LÖFFLER, ULRICH (1999): Lissabons Fall – Europas Schrecken. Die Deutung des Erdbebens von Lissabon im deutschsprachigen Protestantismus des 18. Jahrhunderts. Berlin u. a.

LUHMANN, NIKLAS (1995): Gesellschaftsstruktur und Semantik. Studien zur Wissenssoziologie der modernen Gesellschaft. 4 Bde. Frankfurt a. M.

DERS. (1999): Funktion der Religion. Frankfurt a. M.

DERS. (2000): Die Religion der Gesellschaft. Frankfurt a. M.

DERS. (2002): Die Politik der Gesellschaft. Frankfurt a. M.

LUTHER, MARTIN (1545): Biblia. Das ist: Die gantze Heilige Schrifft: Deudsch. Auffs new zugericht. D. Mart. Luth. Wittenberg (Hanns Lufft).

DERS. (1557): Der Neundte Teil der Bücher des Ehrnwirdigen Herrn D. Martin Lutheri: darinnen die Propositiones vom Ablas wider Johan Tetzel begriffen/ welche der Vrsprung dieses gantzen handels/ vnd der herwiderbrachten reine Lere Christi gewesen/ sampt vielen Sendbrieuen an Bapst/ Keiser/ Fürsten vnd Bischoue/ vnd andern schrifften von dem 17. bis in das 33. jar/ Auch die Acta von der Religion auff den Reichstagen zu Worms Anno 1521. vnd zu Nůrmberg/ Anno 1522. vnd zu Augsburg Anno 1530. sampt der Confessioen vnd Apologia zu solcher zeit Kei. Mai. vberantwort. Wittenberg (Hans Lufft).

LÜTTENBERG, THOMAS und ANDREAS PRIEVER (2003): »... Hergegen macht das Kleyd oft einen Mann und Helden«. Deutsche Alamoda-Flugblätter des 17. Jahrhunderts im europäischen Kontext. In: RASCHE, ADELHEID und GUNDULA WOLTER (Hg.): Ridikül! Mode in der Karikatur. Berlin und Köln, S. 2003.

LYCOSTHENES, CONRAD (1551): Elenchvs scriptorvm omnivm, vetervm scilicet ac recentiorum, extantium & non extantium, publicatorum atque hinc inde in Bibliothecis latitantium, qui ab exordio mundi usque ad nostra tempora in diuersis linguis, artibus ac facultatibus claruerunt, ac etiamnum hodie uiuunt: Ante annos aliquot a Clariss. uiro D. Conrado Gesnero Medico Tigurino editus, nunc uero promum in Republicae literariae gratiam in compendium redactus, & autorum haud poenitenda accessione auctus: per Conradvm Lycosthenem Rvbeaquensem. Basel (Johannes Oporin).

DERS. (1557): Prodigiorum ac ostentorvm chronicon, Quae praeter naturae ordinem, motum, et operationem, et in svperioribus & his inferioribus mundi regionibus, ab exordio mundi usque ad haec nostra tempora, acciderunt. Quod portentorum genus non temere euenire solet, sed humano generi exhibitum, seueritatem iramque Dei aduersus scelera, atque magnas in mundo uicissitudines portendit. Partim ex probatis fideque dignis authoribus Grecis, atque Latinis: partim etiam ex multorum annorum propria obseruatione, summa fide, studio, ac sedulitate, adiectis etiam rerum omnium ueris imaginibus, conscriptum per Conradvm Lycosthenem Rvbeaqvensem. Cum Caesareae Maiest. gratia & priuilegio. Basel (Heinrich Petri).

LYCOSTHENES, CONRAD und JOHANN HEROLD (1557): Wunderwerck Oder Gottes vnergründtliches vorbilden/ das er inn seinen gschöpffen allen/ so Geystlichen/ so leyblichen/ in Fewr/ Lufft/ Wasser/ Erden/ auch auß den selbigen vier vrhaben/ inneingefügtem stuck dem Menschen/ in Gflügel/ Vieh/ Gwůrm/ von anbegin der weldt/ biß zů vnserer diser zeit/ erscheynen/ hören/ brieuen lassen. Zů gwiser anmahnung seiner Herrlicheit/ zů abschröckung sůndtlichs lebens. Oder aber sonst verhångt hatt/ den Ausserwölten zůr ůbung vnd Christenlichem nachsinnen. Den bösen zůr straaff jres vnglaubens/ mit sonder wunderbarer geheymnus vnd bedeüttung. Alles mit schönen Abbildungen gezierdt/ vnnd an den Leser einer Vorrede/ inn dero/ der entscheyd/ hafft/ betrug/ fůg vnd vrtel so hierinnen zuo erlernen vnd zůhaben/ in kurtze/ eygentlich fůrgeschriben vnd abgemalt. Basel (Heinrich Petri).

MAISSEN, THOMAS (2006): Die Geburt der Republik. Staatsverständnis und Repräsentation in der frühneuzeitlichen Eidgenossenschaft. (Historische Semantik, 4). Göttingen.

MANN, THOMAS (1960): Thomas Mann an Ernst Bertram. Briefe aus den Jahren 1910–1955. Hg. von INGE JENS. Pfullingen.

MATHYS, ROLAND (1979): 1629 Stadtbibliothek – Zentralbibliothek 1979. Zürich.

MAUELSHAGEN, FRANZ (1998): Illustrierte Kometenflugblätter in wahrnehmungsgeschichtlicher Perspektive. In: HARMS, WOLFGANG und MICHAEL SCHILLING (Hg.): Das illustrierte Flugblatt in der Kultur der Frühen Neuzeit. Wolfenbütteler Arbeitsgespräch 1997. (Mikrokosmos, 50). Frankfurt a. M. u. a., S. 101–136.

DERS. (2000): Verbreitung von Wundernachrichten als christliche Pflicht: Das Weltbild legitimiert das Medium. In: MAUELSHAGEN, FRANZ und BENEDIKT MAUER (Hg.): Medien und Weltbilder im Wandel der Frühen Neuzeit. (Documenta Augustana, 5). Augsburg, S. 133–154.

DERS. (2001): »... die portenta et ostenta mines lieben Herren vnsers säligen ...«. Nachlaßstücke Bullingers im 13. Buch der *Wickiana*. In: Zwingliana 28, S. 73–117.

DERS. (2004): Bullinger, der Prodigiensammler. In: CAMPI, EMIDIO, HANS ULRICH BÄCHTOLD und RALPH WEINGARTEN (Hg.): Der Nachfolger. Heinrich Bullinger (1504–1575). Zürich, S. 37–41.

DERS. (2005): Netzwerke des Nachrichtenaustauschs. Für einen Paradigmenwechsel in der Erforschung der »neuen Zeitungen«. In: BURKHARDT, JOHANNES und CHRISTINE WERKSTETTER (Hg.): Kommunikation und Medien in der Frühen Neuzeit. Bd. 41. (Historische Zeitschrift, Beiheft 41). München, S. 409–425.

DERS. (i. V.): Überlieferung und Bestand der Zürcher Wickiana. Zürich.

MAUER, BENEDIKT (2001): »Gemain Geschrey« und »teglich Reden«. Georg Kölderer – ein Augsburger Chronist des konfessionellen Zeitalters. Augsburg.

MAURER, HANS RUDOLF (1792): Der warme Hirsebrey und die Verbindungen Zürichs mit Strassburg. Mit Kupfern (Denkmale des Geschmacks, der Sitten und Gebräuche der alten Schweizer, 1. Heft). Zürich.

MEISTER, JOHANN HEINRICH (1763): Evangelische Vermahnung zur Furcht GOttes, In einer Predigt über die Worte in der Offenbarung des H. Johannis, Cap. XIV. v. 6/7. Bey Anlaß des durch Feuer und Wasser aus einem schweren Ungewitter den 21. Augstmonat 1763. entstandenen Schadens. Zürich (Hans Rudolf Meister).

MEISTER, LEONHARD (1782): Berühmte Züricher. Zweiter Theil. Basel (Johann Schweighauser).

MEYER, HELMUT (1976): Der Zweite Kappeler Krieg. Die Krise der Schweizerischen Reformation. Zürich.

MEYER VON KNONAU, GEROLD (1844/1846): Der Canton Zürich, historisch-geographisch-statistisch geschildert von den ältesten Zeiten bis auf die Gegenwart. Ein Hand- und Hausbuch für Jedermann. 2 Bde. 2., ganz umgearb. und stark vermehrte. Aufl., Zürich.

MICHEL, PAUL (1996): Batrachotheologia. Über Frösche und Wunder bei Johann Jakob Scheuchzer. In: Librarium 39, S. 129–145.

DERS. (2001): Das Buch der Natur bei Johann Jacob Scheuchzer (1672–1733). In: HAUBRICHS, WOLFGANG und UWE RUBERG (Hg.): Vox Sermo Res. Beiträge zur Sprachreflexion, Literatur- und Sprachgeschichte vom Mittelalter bis zur Neuzeit. Festschrift Uwe Ruberg. Stuttgart, S. 169–193.

MÖNKE, WOLFGANG (1971): Weller, Emil Ottokar. In: Biographisches Lexikon zur deutschen Geschichte. Berlin, S. 732–733.

MOSER, CHRISTIAN (2002): *Vil der wunderwercken Gottes wirt man hierinn sähen.* Studien zu Heinrich Bullingers Reformationsgeschichte. Zürich.

DERS. (2003): »Papam esse Antichristum«: Grundzüge von Heinrich Bullingers Antichristkonzeption. In: Zwingliana 30, S. 65–101.

DERS. (2004): Bullingers Geschichtswerk und dessen Überlieferung. In: CAMPI, EMIDIO, HANS ULRICH BÄCHTOLD und RALPH WEINGARTEN (Hg.): Der Nachfolger. Heinrich Bullinger (1504–1575). Zürich, S. 86–89.

MÜHLING, ANDREAS (2001): Heinrich Bullingers europäische Kirchenpolitik. (Zürcher Beiträge zur Reformationsgeschichte, 19). Bern u. a.

MÜLINEN, EGBERT FRIEDRICH VON (1874): Prodromus einer schweizerischen Historiographie, in alphabetischer Reihenfolge die Historiker aller Cantone und aller Jahrhunderte umfassend. Bern.

MÜLLER, CHRISTINA S. (1989): Die apokalyptische Hoffnung Heinrich Bullingers. Trost – Regel – Ermahnung. Lic. phil., Universität Zürich.

MÜLLER, HANS (1945): Der Geschichtsschreiber Johann Stumpf. Eine Untersuchung über sein Weltbild. Zürich.

MUSCULUS, WOLFGANG (1563): Loci communes sacrae theologiae: iam recens recogniti & emendati. Basel (Johannes Hervagius).

NÄGELI, ALBERT (1907): Johann Martin Usteri (1763–1827). Zürich.

NAHRSTEDT, WOLFGANG (1972): Die Entstehung der Freizeit. Dargestellt am Beispiel Hamburgs. Ein Beitrag zur Strukturgeschichte und zur strukturgeschichtlichen Grundlegung der Freizeitpädagogik. Göttingen.

NEUSER, WILHELM H. (1975): Die Versuche Bullingers, Calvins und der Straßburger, Melanchthon zum Fortgang von Wittenberg zu bewegen. In: GÄBLER, ULRICH und ERLAND HERKENRATH (Hg.): Heinrich Bullinger, 1504–1575. Gesammelte Aufsätze zum 400. Todestag. Bd. 2. (Zürcher Beiträge zur Reformationsgeschichte, 7–8). Zürich, S. 35–55.

NIEHAUS, MAX (1944): Die Bullinger-Briefsammlung. In: Zwingliana 8, S. 141–167.

OBSEQUENS, JULIUS (1552): Prodigiorum liber, ab Urbe condita usque ad Augustum Caesarem, cuius tantum extabat Fragmentum, nunc demum Historiarum beneficio, per Conradvm Lycosthenem Rubeaquensem, integritati suae restitutus. Polydori Vergilij Vrbinatis de Prodigijs libri III. Ioachimi Camerarij Paberg. de Ostentis libri II. Basel (Johannes Oporin).

ORGANISATIONSKOMITEE HIRSEBREIFAHRT ZÜRICH STRASSBURG 1996 (Hg.) (1996): Hirsebreifahrt Zürich-Strassburg 15.–18. August 1996. Zürich.

OTT, JOHANN HEINRICH (1763): Umständliche Beschreibung des Ungewitters, wie es den 21. über die Stadt und Landschaft Zürich ergangen, und des verursachten Schadens, in: Monatliche Nachrichten einicher Merkwürdigkeiten. Zürich (Johann Kaspar Ziegler).

PARÉ, AMBROISE (1971): Des monstres et prodiges. Édition critique et commentée par Jean Céard. Genf.

PETER, GUSTAV JAKOB (1907): Ein Beitrag zur Geschichte des zürcherischen Wehrwesens im 17. Jahrhundert. Zürich.

PFAFF, CARL (1991): Die Welt der Schweizer Bilderchroniken. Schwyz.

PFISTER, CHRISTIAN, JÜRG LUTERBACHER und DANIEL BRÄNDLI (1999): Wetternachhersage. 500 Jahre Klimavariationen und Naturkatastrophen (1496–1995). Bern.

PFISTER, CHRISTIAN (2007): Climatic extremes, recurrent crises and witch hunts: Strategies of European societies in coping with exogenous shocks in the late sixteenth and early seventeenth centuries. In: Medieval History Journal 10, S. 33–73.

PLUTARCH (1997): Moralphilosophische Schriften. Hg. von FRANZ-JOSEF KLAUCK. Stuttgart.

PORTER, STEPHEN (1996): The Great Fire of London. Stroud.

RANKE, KURT (Hg.) (1977 ff.): Enzyklopädie des Märchens. Handwörterbuch zur historischen und vergleichenden Erzählforschung. Bisher 11 Bde. Berlin und New York.

RANKE, LEOPOLD (1874): Geschichte der germanischen und romanischen Völker von 1494–1535. Vorwort zur ersten Ausgabe 1824. (Leopold von Ranke's Sämmtliche Werke, 33/34). Leipzig.

REUSS, RODOLPHE (1876): Le grand Tir Strasbourgeois de 1576 et la Venue des Zurichois à Strasbourg. Étude historique. Strasbourg.

REUSS, RUDOLF (1876): Zur Geschichte des grossen Strassburger Freischiessens und des Zürcher Hirsebreis 1576. Verhandlungen des Strassburger Magistrats aus den Rathsprotocollen. Straßburg.

RING, FRIEDRICH DOMINICUS (1767): Vita Joannis Danielis Schœpflini, Franciae historiographi. Karlsruhe (Jo. Fried. Corn. Stern).

DERS. (1787): Ueber die Reise des Zürcher Breytopfes nach Strasburg vom Jahr 1576. Bayreuth (Johann Andreas Lübecks Erben).

RITTER, FRANÇOIS (1960): Répertoire bibliographique des livres imprimés en Alsace aux XVe et XVIe siècles. IVe partie: Catalogue des livres du XVIe siècle ne figurant pas à la Bibliothèque nationale et universitaire de Strasbourg. Strasbourg.

ROECK, BERND (1991): Lebenswelt und Kultur des Bürgertums in der frühen Neuzeit. (Enzyklopädie deutscher Geschichte, 9). München.

ROHR, CHRISTIAN (2003): *Signa apparuerunt, quae aut regis obitum adnunciare solent aut regiones excidium.* Naturerscheinungen und ihre »Funktion« in der *Historia Francorum* Gregors von Tours. In: GROH, DIETER, MICHAEL KEMPE und FRANZ MAUELSHAGEN (Hg.): Naturkatastrophen. Beiträge zu ihrer Deutung, Wahrnehmung und Darstellung in Text und Bild von der Antike bis ins 20. Jahrhundert. Tübingen, S. 65–78.

ROSENBERGER, VEIT (1998): Gezähmte Götter. Das Prodigienwesen der römischen Republik. Stuttgart.

ROSENFELD, HELLMUT (1973): Rezension zu Bruno Weber, Wunderzeichen und Winkeldrucker 1543–1586. Einblattdrucke aus der Sammlung Wikiana in der Zentralbibliothek Zürich. Zürich 1972. In: Archiv für Kulturgeschichte 55, S. 237.

ROTHACKER, ERICH (1979): Das »Buch der Natur«. Materialien und Grundsätzliches zur Metapherngeschichte. Bonn.

ROUSSEAU, JEAN JACQUES (1959): Les rêveries du promeneur solitaire. In: Œuvres complètes. I. Les confessions. Autres textes autobiographiques. Paris, S. 993–1099.

RUEB, FRANZ (1995): Hexenbrände. Die Schweizergeschichte des Teufelswahns. Zürich.

RUEFF, JACOB (1553): De conceptv et generatione hominis, et iis qvae circa hec potissimum consyderantur, Libri sex, congesti opera Iacobi Rveff Chirurgi Tigurini. Zürich (Christoph Froschauer).

RÜTSCHE, CLAUDIA (1997): Die Kunstkammer in der Zürcher Wasserkirche. Öffentliche Sammeltätigkeit einer gelehrten Bügerschaft im 17. und 18. Jahrhundert. Bern.

Quellen und Literatur

SCHADE, HEIDEMARIE (1966): Das Promptuarium Exemplorum des Andreas Hondorff. Volkskundliche Studien zum protestantischen Predigtexempel im 16. Jahrhundert. Frankfurt a. M.

SCHENDA, RUDOLF (1958): Philippe le Picard und seine Nouvelle Fabrique. Eine Studie zur fränzösischen Wunderliteratur des 16. Jahrhunderts. In: Zeitschrift für französische Sprache und Literatur 69, S. 150–167.

DERS. (1961): Die französische Prodigienliteratur in der zweiten Hälfte des 16. Jahrhunderts und die Anfänge der französischen Märchenliteratur. Internationaler Kongreß der Volkserzählungsforscher in Kiel und Kopenhagen 1959. Vorträge und Referate. (Fabula-Supplement – Serie B, 2). Berlin, S. 365–369.

DERS. (1961): Die französische Prodigienliteratur in der zweiten Hälfte des 16. Jahrhunderts. (Münchner Romanistische Arbeiten, 16. Heft). München.

DERS. (1962): Die deutschen Prodigiensammlungen des 16. und 17. Jahrhunderts. In: Archiv für Geschichte des Buchwesens 4, S. 1635–1671.

DERS. (1997): Wunder-Zeichen: Die alten Prodigien in neuen Gewändern. Eine Studie zur Geschichte eines Denkmusters. In: Fabula. Zeitschrift für Erzählforschung 38, S. 14–32.

SCHERR, THOMAS (1876): Der schweizerische Bildungsfreund, ein republikanisches Lesebuch. 6., von Gottfried Keller neubearb. Aufl., Zürich.

SCHEUCHZER, JOHANN JACOB (1706–1708): Beschreibung der Naturgeschichten des Schweizerlandes. 3 Teile. Zürich.

DERS. (1711): Kern der Natur-Wissenschafft. Zürich (Heinrich Bodmer).

DERS. (1716): Bibliotheca scriptorum historiæ naturali omnium terræ regionum inservientium. Historiae naturalis Helvetiae prodromus. Accessit celeberrimi viri Jacobi le Long, Bibliothecarii Oratoriani de scriptoribus historiæ naturalis Galliæ. Zürich (Heinrich Bodmer).

DERS. (1723): Relatio eorum, quae hactenus elaboravit Acarnan. In: SCHEUCHZER, JOHANN JACOB: Οὐρεσιφοίτης Helveticus, sive Itinera per Helvetiae alpinas regiones facta annis 1702–1707, 1709–1711. Leiden.

DERS. (1729): Physica oder Natur-Wissenschaft. Anjetzo bey dieser neuen Auflage durch und durch vermehret/ und mit nötigen Kupfferen versehen. 2 Teile. Zürich (Heidegger & Comp.).

SCHEUCHZER, JOHANN JAKOB (1708): Οὐρεσιφοίτης Helveticus sive itinera alpina tria. London.

DERS. (1716–1718): Helvetiae historia naturalis oder Natur-Historie des Schweizerlandes. Zürich (Bodmer).

DERS. (1731): Physica sacra. Tomus I-IV. Augustae Vindelicorum & Ulmae (Pfeffel).

SCHIESS, TRAUGOTT (1904): Der Briefwechsel Heinrich Bullingers. In: Zwingliana 5, S. 396–409.

SCHILLING, HEINZ (1974): Job Fincel und die Zeichen der Endzeit. In: BRÜCKNER, WOLFGANG (Hg.): Volkserzählung und Reformation. Ein Handbuch zur Tradierung und Funktion von Erzählstoffen und Erzählliteratur im Protestantismus. Berlin, S. 325–392.

SCHILLING, MICHAEL (1990): Bildpublizistik der frühen Neuzeit. Aufgaben und Leistungen des illustrierten Flugblatts in Deutschland bis um 1700. (Studien und Texte zur Sozialgeschichte der Literatur, 29). Tübingen.

SCHINDLER, ALFRED (1988): Zwinglis Randbemerkungen in den Büchern seiner Bibliothek. Ein Zwischenbericht über editorische Probleme. In: Zwingliana 17, S. 477–496.

SCHLÖGL, RUDOLF (2004): Vergesellschaftung unter Anwesenden. Zur kommunikativen Form des Politischen in der vormodernen Stadt. In: SCHLÖGL, RUDOLF (Hg.): Interaktion und Herrschaft. Die Politik der frühneuzeitlichen Stadt. Konstanz, S. 9–60.

DERS. (Hg.) (2004): Interaktion und Herrschaft. Die Politik der frühneuzeitlichen Stadt. Konstanz.

SCHMALE, FRANZ-JOSEF (1993): Funktion und Formen mittelalterlicher Geschichtsschreibung. Ein Einführung. Mit einem Beitrag von Hans-Werner Goetz. Darmstadt.

SCHMIDT, HEINRICH RICHARD (1998): Bundestheologie, Gesellschafts- und Herrschaftsvertrag. In: HOLENSTEIN, ANDRÉ, HEINRICH RICHARD SCHMIDT und ANDREAS WÜRGLER (Hg.): Gemeinde, Reformation und Widerstand. Festschrift für Peter Blickle. Tübingen, S. 309–325.

SCHMITT, JEAN-CLAUDE (1993): Heidenspass und Höllenangst. Aberglaube im Mittelalter. Frankfurt a. M. und New York.

SCHNEIDERS, WERNER (1983): Aufklärung und Vorurteilskritik. Studien zur Geschichte der Vorurteilstheorie. Stuttgart.

SCHÖBI, STEFAN (2007): Kommunikationsfunktionen des frühneuzeitlichen Theaters. Aufführungsbedingungen und Trägerschaft der Spiele Jakob Rufs. Eine Untersuchung samt Edition von Rufs Spielen Weingarten und Adam und Eva sowie des Flugblattes von der Glarner Wolkenerscheinung, Abhandlung zur Erlangung der Doktorwürde der Universität Zürich.

SCHORN-SCHÜTTE, LUISE (2006): Historische Politikforschung. Eine Einführung. München.

DERS. (Hg.) (2004): Aspekte der politischen Kommunikation im Europa des 16. und 17. Jahrhunderts. (Historische Zeitschrift. Beihefte, 39). München.

SCHRÖDER, WILFRIED (1984): Das Phänomen des Polarlichts. (Erträge der Forschung, 218). Darmstadt.

SCHULZE, WILHELM A. (1975): Bullingers Stellung zum Luthertum. In: GÄBLER, ULRICH und ERLAND HERKENRATH (Hg.): Heinrich Bullinger 1504–1575. Gesammelte Aufsätze zum 400. Todestag. Bd. 2: Beziehungen und Wirkungen. Zürich, S. 287–314.

SCHWEGLER, MICHAELA (2002): »Erschröckliche Wunderzeichen« oder »natürliches Phänomen«? Frühneuzeitliche Wunderzeichenberichte aus der Sicht der Wissenschaft. (Bayerische Schriften zur Volkskunde, 7). München.

SCRIBNER, ROBERT W. (1981): For the sake of simple folk. Popular propaganda for the German Reformation. London u. a.

SEIFERT, ARNO (1976): Cognitio historica. Die Geschichte als Namengeberin der frühneuzeitlichen Empirie. Berlin.

SENN, MATTHIAS (1974): Johann Jakob Wick (1522–1588) und seine Sammlung von Nachrichten zur Zeitgeschichte. Zürich.

DERS. (1975): Die Wickiana. Johann Jakob Wicks Nachrichtensammlung aus dem 16. Jahrhundert. Texte und Bilder. Küsnacht-Zürich.

SIEMER, STEFAN (2004): Geselligkeit und Methode. Naturgeschichtliches Sammeln im 18. Jahrhundert. Abhandlung zur Erlangung der Doktorwürde der Philosophischen Fakultät der Universität Zürich. München.

SIGNORI, GABRIELA (2007): Wunder. Eine historische Einführung. Frankfurt a. M.

SIMLER, JOSIAS (1562): Vita clarissimi philosophi et medici excelentissimi Conradi Gesneri Tigurini, conscripta à Iosia Simlero Tigurino. Item: Epistola Gesneri de libris à se editis. Zürich (Christoph Froschauer).

DERS. (1574): Vallesiae descriptio, libri duo. De alpibus commentarius. Zürich (Christoph Froschauer).

DERS. (1576): De republica Helvetiorum libri duo. Zürich (Christoph Froschauer).

SOERGEL, PHILIP (1999): Die Wahrnehmung der Endzeit in monströsen Anfängen. In: LEHMANN, HARTMUT und ANNE CH. TREPP (Hg.): Im Zeichen der Krise. Religiosität im Europa des 17. Jahrhunderts. Göttingen, S. 33–51.

DERS. (2007): Portents, disaster, and adaptation in sixteenth-century Germany. In: Medieval History Journal 10, S. 303–326.

SONDEREGGER, ALBERT (1927): Missgeburten und Wundergestalten in Einblattdrukken und Handzeichnungen des 16. Jahrhunderts. Mit 67 Abbildungen. Aus der Wickiana der Zürcher Zentralbibliothek. (Zürcher Medizingeschichtliche Abhandlungen, 12). Zürich u. a.

SPINDLER, CARL (1909): Blümlein Wunderhold oder Abenteuer bei dem großen Freischießen zu Straßburg im Jahre 1576. Romantische Erzählung. Zürich.

STAATSARCHIV ZÜRICH (Hg.) (1962): Die Zürcher Ratslisten 1225 bis 1798. Bearb. v. Werner Schnyder. Zürich.

STACKELBERG, JÜRGEN VON (1999): Jean-Jacques Rousseau. Der Weg zurück zur Natur. München.

STADLER, PETER und REKTORAT DER UNIVERSITÄT ZÜRICH (Hg.) (1983): Die Universität Zürich 1933–1983. Festschrift zur 150–Jahr-Feier der Universität Zürich. Zürich.

STADTBIBLIOTHEK ZÜRICH (Hg.) (1895): Jahresbericht der Stadtbibliothek über das Jahr 1894. Zürich.

STÄHELI, MARLIES (1992): Des ovnis au XVIe siècle? Autour de la Wickiana. In: Ovni-Présence 49, S. 4–13.

STÄHLIN, FRIEDRICH (1936): Humanismus und Reformation im bürgerlichen Raum. Eine Untersuchung der biographischen Schriften des Joachim Camerarius. Leipzig.

STAMBAUGH, RIA (Hg.) (1980): Teufelbücher in Auswahl. 5 Bde. Berlin und New York.

STEGBAUER, KATHRIN (2002): Perspektivierungen des Mordfalles Diaz (1546) im Streit der Konfessionen. Publizistische Möglichkeiten im Spannungsfeld zwischen reichspolitischer Argumentation und heilsgeschichtlicher Einordnung. In: HARMS, WOLFGANG und ALFRED MESSERLI (Hg.): Wahrnehmungsgeschichte und Wissensdiskurs im illustrierten Flugblatt der Frühen Neuzeit (1450–1700). Basel, S. 371–414.

STEIGER, RUDOLF (1933): Verzeichnis des wissenschaftlichen Nachlasses von Johann Jakob Scheuchzer (1672–1733). Zürich.

STEINMANN, MARTIN (1967): Johannes Oporinus. Ein Basler Buchdrucker um die Mitte des 16. Jahrhunderts. Basel und Stuttgart.

STOLLBERG-RILINGER, BARBARA (2005): Einleitung: Was heißt Kulturgeschichte des Politischen? In: STOLLBERG-RILINGER, BARBARA (Hg.): Was heißt Kulturgeschichte des Politischen? (Zeitschrift für historische Forschung. Beihefte, 35). Berlin, S. 9–24.

DIES. (Hg.) (2001): Vormoderne politische Verfahren. (Zeitschrift für historische Forschung. Beihefte, 25). Berlin.

DIES. (Hg.) (2005): Was heißt Kulturgeschichte des Politischen. (Zeitschrift für historische Forschung. Beihefte, 35). Berlin.

STRAUSS, WALTER L. (1975): The German Single-Leaf Woodcut 1550–1600. A Pictorial Catalogue. 3 Bde. New York.

STREUBER, [VORNAME UNBEKANNT] (1846): Neue Beiträge zur Basler Buchdrukker-Geschichte. In: Beiträge zur vaterländischen Geschichte (Hrsg. von der historischen Gesellschaft zu Basel) 3, S. 65–124.

STUCKI, JOHANN WILHELM (1588): Prognosticon, siue praedictio certissima de anno Christi millesimo quingentesimo octuagesimo octauo: & ijs qui sequentur vsque ad magnum illum annum atq[ue] diem, quo magnus ille Deus, & Seruator generis humani, ad magnum & vniuersale viuorum ac mortuorum iudicium exercendum veniet. Zürich (Christoph Froschauer d.J.).

STUMPF, JOHANN RUDOLF (1563): Vom Jüngsten tag vñ der Zůkunfft vnsers Herren Jesu Christi. Ouch von dem Antichristen/ vnnd den zeichen vor dem letsten tag künfftig. Item/ was vff dem selbigen tag volgen werde: namlich/ Vferstendtnuß der todten/ das letste Gericht/ eewige fröud der vßerwelten/ vnd eewige pyn der verdampten. S. l.

STUMPF, JOHANNES (1547): Gemeiner loblicher Eydgnoschafft Stetten/ Landen vnd Völckeren Chronickwirdiger thaaten beschreybung. Zürich (Christoph Froschauer d.Ä).

SULZER, HEINRICH (1903): Bilder aus der Geschichte des Klosters Töß. (Neujahrsblatt der Hilfsgesellschaft in Wunterthur, 41). Winterthur.

TSCHOPP, SILVIA SERENA (2005): Das Unsichtbare begreifen. Die Rekonstruktion historischer Wahrnehmungsmodi als methodische Herausforderung der Kulturgeschichte. In: Historische Zeitschrift 280, S. 39–81.

ULBRICHT, OTTO (2005): Extreme Wetterlagen im Diarium Heinrich Bullingers (1504–1574). In: BEHRINGER, WOLFGANG, HARTMUT LEHMANN und CHRISTIAN PFISTER (Hg.): Kulturelle Konsequenzen der »Kleinen Eiszeit«/ Cultural Consequences of the »Little Ice Age«. (Veröffentlichungen des Max-Planck-Instituts für Geschichte, 212). Göttingen, S. 149–176.

ULRICH, CONRAD (1990): Johann Martin Usteri – Der Maler. Zürich.

ULRICH, JOHANN CASPAR (1763): Der um Gnade und um Abwendung der gerechten Gerichten GOttes herzlich anhaltende Abraham, in einer Buß-Predigt vorgestellt. Zürich (Johann Kaspar Ziegler).

USTERI, JOHANN MARTIN (1831): Dichtungen in Versen und Prosa. Nebst einer Lebensbeschreibung des Verfassers. Hg. von DAVID HESS. 3 Bde. Berlin.

DERS. (1877): Liebesabenteuer eines Zürichers vom glückhaften Schiff auf dem Freischieszen zu Straszburg im Jahre 1576. Novelle von J. M. U., aus dem Originalmsc. des Dichters. Hg. von CAMILLUS WENDELER. Halle a. d. Saale.

VALENTIN, VEIT (1931): Geschichte der deutschen Revolution von 1848–1849. Zweiter Band: Bis zum End der Volksbewegung von 1849. Weinheim, Berlin

VALÈR, MICHAEL (1888): Johann von Planta. Ein Beitrag zur politischen Geschichte Rhätiens im XVI. Jahrhundert (Diss. phil.). Zürich.

VALLING, KARL (Hg.) (1828): Johann Fischart's, genannt Mentzer, Glückhaftes Schiff von Zürch. Mit einem einleitenden Beitrage zur Geschichte der Freischießen begleitet von Ludwig Uhland. Tübingen.

VISCHER, MANFRED (1991): Bibliographie der Zürcher Druckschriften des 15. und 16. Jahrhunderts. Baden-Baden.

VÖGELIN, ANTON SALOMON (1848): Geschichte der Wasserkirche und der Stadtbibliothek in Zürich (in 7 Teilen im Neuhahrsblatt der Stadtbibliothek Zürich 1842–1848). Zürich.

VOGELSANGER, PETER (1994): Zürich und sein Fraumünster. Eine elfhundertjährige Geschichte (853–1956). Zürich.

WACHINGER, BURGHART (1991): Der Dekalog als Ordnungsschema für Exempelsammlungen. Der *Große Seelentrost*, das *Propmtuarium exemplorum* des Andreas Hondorf und die *Locorum communium collectanea* des Johannes Manlius. In: HAUG, WALTER und BURGHART WACHINGER (Hg.): Exempel und Exempelsammlungen. Tübingen, S. 239–263.

WAGNER, JOHANN JAKOB (1680): Historia naturalis Helvetiae curiosa, in VII. Sectiones compendiose digestam. Zürich (Joh. Henrici Lindinner).

WARBURG, ABY M. (1932): Heidnisch-antike Weissagung in Wort und Bild zu Luthers Zeiten. In: BING, GERTRUD (Hg.): A. Warburg. Gesammelte Schriften II: Die Erneuerung der heidnischen Antike. Kulturwissenschaftliche Beiträge zur Geschichte der europäischen Renaissance. Leipzig und Berlin, S. 487–558, 647–656.

WEBER, BRUNO (1972): Wunderzeichen und Winkeldrucker 1543–1586. Einblattdrucke aus der Sammlung Wikiana in der Zentralbibliothek Zürich. Dietikon-Zürich.

DERS. (1986): »In absoluti hominis historia persequenda«. Über die Richtigkeit wissenschaftlicher Illustrationen in einigen Basler und Zürcher Drucken des 16. Jahrhunderts. In: Gutenberg-Jahrbuch. Mainz, S. 101–146.

WEBER, JOHANNES (1997): Avisen, Relationen, Gazetten der Beginn des europäischen Zeitungswesens. Oldenburg.

WEBER, MAX (1991): Wissenschaft als Beruf. In: WEBER, MAX: Schriften zur Wissenschaftslehre. Stuttgart.

WEBER, ROLF (1988): Emil Ottokar Weller. In: OBERMANN, KARL et al. (Hg.): Männer der Revolution von 1848. Bd. 1. (Akademie der Wissenschaften der DDR. Schriften des Zentralinstituts für Geschichte, 72). Berlin, S. 149–189.

WEISE, CHRISTIAN (1693): Gelehrter Redner/ Das ist: Ausführliche und getreue Nachricht/ Wie sich ein junger Mensch Jn seinen Reden klug und complaisant aufführen soll/ Wenn er zu Beförderung seines Glückes die Opinion eines Gelehrten vonnöthen hat/ und wie er theils in der Allusion, theils in der Expression gelehrt und klug werden kan. Alles mit raren Excerptis, gnugsam Regeln und neuen Exempeln völlig erläutert. Leipzig (Johann Friedrich Gleditsch).

WEISZ, LEO (1933): Die Bullinger Zeitungen. Zur Halbjahrhundertfeier des Vereins der Schweizerischen Presse dargebracht vom Journalistischen Seminar der Universität Zürich und von der Buchdruckerei Berichthaus in Zürich. Zürich.

DERS. (1933): Zürcher Zeitungen aus den Jahren 1521–1531. Luzern.

DERS. (1936): Zur Geschichte des Nachrichtenverkehrs im alten Zürich. Separatdruck aus der Festgabe für Ständerat Dr. Oskar Wettstein. Zürich.

DERS. (1940): Die politische Erziehung im alten Zürich. Zürich.

DERS. (1954): Der Zürcher Nachrichtenverkehr vor 1780. Zürich.

WELLER, EMIL (1846): Die konstitutionelle Frage vom sozialistischen Standpunkte betrachtet. In: Deutsches Bürgerbuch für 1846, S. 156–170.

DERS. (1847): Demokratisches Taschenbuch für 1848. Leipzig.

DERS. (1847): Publizistische Stimmen aus Frankreich über politische, religiöse und soziale Zustände. Leipzig.

DERS. (1967): Wegweiser zur sozialistischen Literatur (1847/ 1850). Hg. von BRUNO KAISER. Leipzig.

DERS. (1848): Die Freiheitsbestrebungen der Deutschen im 18. und 19. Jahrhundert. Leipzig.

DERS. (1860): Heinrich Wirri. Ein Solothurner Dichter. In: Anzeiger für Kunde der deutschen Vorzeit. N.F. 7, S. 397–399.

DERS. (1864): Die falschen und fingirten Druckorte. Repertortium der seit Erfindung der Buchdruckerkunst unter falscher Firma erschienenen deutschen, lateinischen und französischen Schriften. Leipzig.

DERS., LUDWIG FRIEDRICH THEODOR HAIN und GEORG WOLFGANG FRANZ PANZER (1864): Repertorium typographicum. Nördlingen.

DERS. (1868): Der Volksdichter Hans Sax und seine Dichtungen. Eine Bibliographie. Nürnberg.

DERS. (1886): Lexicon pseudonymorum. Wörterbuch der Pseudonymen aller Zeiten und Völker oder Verzeichniss jener Autoren, die sich falscher Namen bedienten. 2. durch aus verb. und verm. Aufl., Regensburg.

WELLISCH, HANS H. (1984): Conrad Gessner. A Bio-Bibliography. Zug.

WENDELER, CAMILLUS (1877): Zum Strassburger Freischiessen 1576. In: Alemannia. Zeitschrift für Sprache, Literatur und Volkskunde 5, S. 115–131.

WERDMÜLLER, JOHANN HEINRICH (1763): Das Wetter am 21. Abend Augusts, 1763. Zürich (Johann Kaspar Ziegler).

WIDMER, SIGMUND (1977): Zürich. Eine Kulturgeschichte. Bd. 5. Zürich und München.

WILLIAMS-KRAPP, WERNER (1991): Exempla im heilsgeschichtlichen Kontext. Zum *Seelenwurzgarten.* In: HAUG, WALTER und BURGHART WACHINGER (Hg.): Exempel und Exempelsammlungen. Tübingen, S. 208–222.

WOLF, CHRISTIAN (1981): Beschreibung einer feurigen Lufft-Erscheinung (meteori), welche am 11ten des Herbst-Monats zu Halle in Sachsen und andern Orten gesehen worden ist [zuerst 1708]. Gesammelte Werke, I. Abt., Bd. 21.1: Gesammelte kleine philosophische Schriften I. Hildesheim und New York (Nachdruck der Ausgabe Halle 1736), S. 107 –112.

DERS. (1981): Eröffnete Gedanken, über die ungewöhnliche Himmels-Begebenheit, welche den 17den Merz im Jahr 1716 und an vielen andern Orten in- und auserhalb Deutschlands gesehen worden [zuerst 1716]. In: WOLF, CHRISTIAN: Gesammelte Werke, I. Abt., Bd. 21.1: Gesammelte kleine philosophische Schriften I. Hildesheim und New York (Nachdruck der Ausgabe Halle 1736), S. 113–189.

WOLF, JOHANN RUDOLF (1973): Handbuch der Astronomie, ihrer Geschichte und Literatur (Nachdruck der Ausgabe Zürich 1890–1891). 2 Bde. Amsterdam.

WOLF, RUDOLF (1879): Geschichte der Vermessungen in der Schweiz. Historische Einleitung zu den Arbeiten der schweizerischen geodätischen Commission. Zürich.

WYSS, GEORG VON (1895): Geschichte der Historiographie in der Schweiz. Zürich.

YATES, FRANCES A. (1994): Gedächtnis und Erinnerung. Berlin.

ZEDELMAIER, HELMUT (1992): *Bibliotheca universalis* und *Bibliotheca selecta.* Das Problem der Ordnung des gelehrten Wissens in der frühen Neuzeit. (Beihefte zum Archiv für Kulturgeschichte, 33). Köln, Weimar und Wien.

ZEMP, JOSEF (1897): Die schweizerischen Bilderchroniken und ihre Architektur-Darstellungen. Zürich.

ZENTRALBIBLIOTHEK ZÜRICH (Hg.) (1926): Bericht der Zentralbibliothek für die Jahre 1924 und 1925. Zürich.

ZILLHARDT, GERD (Hg.) (1975): Der Dreißigjährige Krieg in zeitgenössischer Darstellung. Hans Heberles *Zeytregister* (1618–1672). Aufzeichnungen aus dem Ulmer Territorium. Ein Beitrag zu Geschichtsschreibung und Geschichtsverständnis der Unterschichten. Ulm.

PERSONENREGISTER

Das Personenregister erschließt Einzelpersonen in Text und Anmerkungen. Nennungen moderner Autoren im textlichen Argumentationszusammenhang sind ebenfalls berücksichtigt und durch Kursiven gekennzeichnet. In Klammern finden sich Hinweise zu den Lebensdaten (v.=vor; n.=nach). Die Lebensdaten ließen sich nicht in jedem einzelnen Fall genau ermitteln. Bei einigen Personen, auf deren Werke im Text Bezug genommen wird, sind die betreffenden Werke und Textstellen unter dem Autorennamen aufgeführt.

Aldrovandi, Ulisse (1522–1605) 49, 262
Alexander VI. (1431–1503), röm. Papst
 (1492–1503) 213
Alexander der Große (356–323 v. Chr.)
 229, 258
Álvarez de Toledo y Pimentel, Fernando
 (1507–1582) 3. Herzog v. (Duque de)
 Alba 127, 349
Amman, Johann Jakob (1500–1573) 226
Andreae, Jakob (1528–1590) 132–134,
 166, 214
Aretius, Benedictus (1522–1574) 81
Aristoteles (384–322 v. Chr.) 51, 68, 80
Augustus (63 v. Chr. – 14 n. Chr.), röm.
 Kaiser (31 v. Chr. – 14 n. Chr.) 67

Bachofen, Mathias (†1598) 163, 174,
 184, 238
Backus, Irina (1950) 17, 92, 99, 104
Bacon, Francis (1561–1626) 243, 245,
 262, 264
Bächtold, Hans Ulrich (1943) 10, 41
Baechtold, Jakob (1848–1897) 291, 296,
 298, 302, 313
Baiter, Johann Georg (1801–1877) 316
Barnes, Robin Bruce 17, 88, 92
Bathory, Stephan (1533–1586), poln. Kö-
 nig (1576–1586) 311
Beda Venerabilis (672/3–735) 68
Bertram, Ernst (1844–1957) 326
Beza, Theodor (1519–1605) 22, 132,
 180, 184, 254, 256
Bibliander, Theodor (1506–1564) 90–92,
 186, 412
Blarer, Ambrosius (1492–1564) 70, 72,
 93

Blickle, Peter (1938) 60 f.
Bluntschli, Johannes (16. Jh.) 184
Bodmer, Johann Jacob (1698–1783) 241,
 275–277, 283, 287–289, 291–294,
 296, 299–302, 304, 306, 310 f., 313,
 315, 331, 338, 412 f.
Borromeo, Carlo (1538–1584) 94
Bosshart, Laurentius (um 1490–1532)
 267
Bouelles, Charles de, lat. Bovillus
 (1479–1567) 213
Brahe, Tycho (1546–1601) 49, 203
Brant, Sebastian (1457/8–1521) 66, 189,
 291
Brednich, Rolf Wilhelm (1935) 153
Breitinger, Johann Jacob (1701–1776)
 156, 168, 241, 275–278, 283, 287 f.,
 331, 338, 412
Brendli, Hans (16. Jh.) 167
Brennwald, Heinrich (1478–1551) 267
Brennwald, Leonhard (1750–1818) 19,
 156, 411, 413
Brenz, Johannes (1499–1570) 132 f.
Bruder Klaus s. *Flüe, Niklaus von*
Brun, Rudolf (†1360), Bürgermeister von
 Zürich (1336–1360) 227
Brunfels, Otto (1488–1534) 197
Bullinger, Heinrich (1504–1575) 9,
 16–20, 23, 26, 29, 33, 41, 45–49,
 51–63, 67, 70–79, 81, 83, 85 f., 87,
 89–93, 96–99, 104 f., 109, 115–118,
 121–124, 127 f., 130 f., 132, 133–143,
 145, 147–149, 153, 159, 163, 169,
 172–176, 179 f., 182–185, 187, 192,
 200 f., 205, 219, 225, 230, 236–238,
 254, 256, 275 f., 278, 282, 284, 290,
 299, 333–335, 337–339, 341, 346 f.,
 348 f., 354

445

Ulhardt, Johann Anthon († n. 1609) 192
Ulmer, Conrad (1519–1600) 138–140,
143, 148, 192 f.
Ulrich, Conrad 310 f., 332, 339
Ulrich, Johann Caspar (1705–1768)
280–284
Ulrich von Richental (um 1360–1437)
– Chronik 212
Ursinus, Zacharias (16. Jh.) 186
Usteri, Johann Martin (1763–1827) 167,
211, 232 f., 298, 302, 304–313
Usteri, Paul (1768–1831) 284

Vadian, Joachim (1484–1551) 73, 159,
180, 219
Vergil (70–19 v. Chr.) 68, 80
Vermigli, Petrus Martyr (1500–1562) 23,
131, 186
Vinsler, Josua (16. Jh.) 184
Vogtherr, Heinrich d. Ä. (1490–1556) 197

Wagner, Johann Jacob (1641–1695) 243,
245 f., 262–264, 269
Wagner, Richard (1813–1883) 320
Warburg, Abraham Moritz, gen. Aby
(1866–1929) 65 f., 109, 333, 340
Weber, Bruno 10, 13, 20, 153, 176, 197,
199, 204, 211, 316, 318, 330 f., 337
Weber, Max (1864–1920) 60, 189, 338
Weerli, Jakob (18. Jh.) 278 f., 281
Weiditz, Hans (um 1500–1536) 197
Weise, Christian (1642–1708) 160
Weisz, Leo (1886–1934) 19, 180, 327,
330
Wellenberg, Johann Rudolf (16. Jh.) 174,
238
Weller, Emil Ottokar (1823–1886) 126,
211, 248, 312, 317–322, 328
Wendeler, Camillus (19. Jh.) 296, 302,
305, 312
Werdmüller, Johann Heinrich
(1774–1832) 280 f.
Werdmüller, Otto (1511–1552) 74, 83

Weygel, Hans d. Ä. (ca. 1520–1577) 209
Whitehead, Alfred North (1861–1947)
334, 340
Wick, Johann Jacob (1522–1588) 9 f.,
13 f., 15–24, 26, 28 f., 33 f., 36–42,
44–51, 62–65, 67, 71–75, 77–81, 85,
87–89, 91 f., 94, 98, 101, 103–106,
110 f., 114–117, 120–129, 131, 133 f.,
138, 141–143, 145–146, 149, 153–158,
160–169, 172–180, 182–194, 196–202,
204, 215, 219–239, 241–244, 249–251,
254–259, 261, 271, 273–275, 284,
290, 295, 300,302, 304, 306, 308, 317,
322–342
– Biographie 19
– Sensationslust 14–19
Wieland, Anna (16. Jh.) 146
Wieland, Christoph Martin (1733–1813)
299
Wigand, Otto (1795–1870) 318
Wirri, Heinrich († um 1572) 172, 321
Wolf, Caspar (1532–1601) 185
Wolf, Christian (1679–1754) 249–254,
259, 271, 315
Wolf, Johannes (1521–1571) 18, 75, 133,
149, 175
Wolfhart, Conrad (1518–1561) *s. Lycos-
thenes*
Wren, Christopher (1632–1723) 132
Wyss, Georg v. (1816–1893) 156, 323 f.
Wyß, Felix (16. Jh.) 175
Wyß, Wolfgang († 1552) 206

Yelin, Balthasar (16. Jh.) 195

Zemp, Josef (1869–1942) 156, 324
Zinkgref, Julius Wilhelm (1591–1635)
291
Zwinger, Theodor (1533–1588) 22, 186
Zwingli, Ulrich (1484–1531) 13, 16, 19,
26, 41, 43, 47 f., 51 f., 56, 59–61, 70,
75, 96, 145 f., 148 f., 211, 222, 275,
305 f., 309, 333, 337, 339

SACH- UND ORTSREGISTER

Das Register der Sachen und Orte erschließt Begriffe, historische Ereignisse und Sachverhalte, Personengruppen und geographische Orte (Länder, Städte usw.).

FRÜHNEUZEIT-FORSCHUNGEN

Andreas Würgler:
Unruhen und Öffentlichkeit.
Städtische und ländliche Protestbewe-
gungen im 18. Jahrhundert.
ISBN 978-3-928471-10-7. Leinen, 394 S., 49 €

Helmut Gabel:
Widerstand und Kooperation.
Studien zur politischen Kultur rheinischer
und maasländischer Kleinterritorien
(1648-1794).
ISBN 978-3-928471-11-4. Leinen, 480 S., 49 €

Andreas Suter:
Der schweizerische Bauernkrieg von 1653.
Politische Sozialgeschichte – Sozial-
geschichte eines politischen Ereignisses.
ISBN 978-3-928471-13-8. Leinen, 688 S., 49 €

Volker Press:
Adel im Alten Reich.
Gesammelte Vorträge und Aufsätze.
Hrsg. von Franz Brendle und Anton Schindling.
ISBN 978-3-928471-16-9. Leinen, 464 S., 49 €

Regula Ludi:
Die Fabrikation des Verbrechens.
Zur Geschichte der modernen Kriminal-
politik (1750-1850).
ISBN 978-3-928471-19-0. Leinen, 612 S., 49 €

Martin Fimpel:
Reichsjustiz und Territorialstaat.
Württemberg als Kommissar von Kaiser
und Reich im Schwäbischen Kreis
(1648-1806).
ISBN 978-3-928471-21-3. Leinen, 348 S., 49 €

Andreas Blauert:
Das Urfehdewesen im deutschen
Südwesten im Spätmittelalter und in der
Frühen Neuzeit.
ISBN 978-3-928471-25-1. Leinen, 200 S., 49 €

André Holenstein:
»Gute Policey« und lokale Gesellschaft im
Staat des Ancien Régime. Das Fallbeispiel
der Markgrafschaft Baden(-Durlach).
ISBN 978-3-928471-32-9. Leinen, 2 Bände,
940 S., 64 €

Nicole Reinhardt:
Macht und Ohnmacht der Verflechtung.
Rom und Bologna unter Paul V.
ISBN 978-3-928471-26-8. Leinen, 482 S., 49 €

Michael Kempe:
Wissenschaft, Theologie, Aufklärung.
Johann Jakob Scheuchzer und die
Sintfluttheorie.
ISBN 978-3-928471-33-6. Leinen, 480 S., 49 €

Andrea Iseli:
»Bonne Police«. Frühneuzeitliches
Verständnis von der guten Ordnung eines
Staates in Frankreich.
ISBN 978-3-928471-40-4. Leinen, 400 S., 49 €

Volker Seresse:
Politische Normen in Kleve-Mark während
des 17. Jahrhunderts.
Argumentationsgeschichtliche und herr-
schaftstheoretische Zugänge zur politischen
Kultur der Frühen Neuzeit.
ISBN 978-3-928471-59-6. Leinen, 456 S., 59 €

Lars Behrisch:
Städtische Obrigkeit und Soziale Kontrolle.
Görlitz 1450-1600.
ISBN 978-3-928471-54-1. Leinen, 316 S., 49 €

Heike Bock:
Konversionen in der frühneuzeitlichen
Eidgenossenschaft.
Ein Vergleich von Zürich und Luzern.
ISBN 978-3-928471-73-2. Leinen, 456 S., 49 €

Franz Mauelshagen:
Wunderkammer auf Papier.
Die »Wickiana« zwischen Reformation und
Volksglaube.
ISBN 978-3-928471-74-9. Leinen, 460 S., 49 €

Hillard von Thiessen:
Diplomatie und Patronage.
Die spanisch-römischen Beziehungen
1605-1621 in akteurszentrierter Perspektive.
ISBN 978-3-928471-82-4. Leinen, 528 S., 69 €

Demnächst erscheint:

Birgit Biehler: Der Eigennutz – Feind oder
»wahrer Begründer« des Gemeinwohls?
ISBN 978-3-928471-68-8. Leinen, 49 €

bibliotheca academica Verlag
Am Höhinger Felsen 4 · D-78736 Epfendorf · Tel. 0 74 04 / 26 62 · Fax 26 63
bibliotheca-academica-verlag@t-online.de